国家出版基金项目

李达全集

汪信砚 主编

第五卷

人民出版社

国家社会科学基金重大招标项目
“李达全集整理与研究”（批准号：10ZD&062）最终成果

国家出版基金项目
“《李达全集》（1—20卷）的整理、编纂与出版”最终成果

目　　录

中国产业革命概观（1929.1）

1

妇女问题与妇女运动(1929.1)

社会科学概论（1929.3）

社会之基础知识（1929.4）

第一篇　社会进化之原理

第五篇　世界之将来

现代世界观（1929.9）

李达全集

第五卷

中国产业革命概观[*]

（1929.1）

---

　　[*] 《中国产业革命概观》于 1929 年 1 月由上海昆仑书店出版，署名李达编，至 1930 年 5 月共印行 3 版，各版内容相同。该书出版后，很快被译成俄、日等国文字。该书曾被收入人民出版社 1980 年 7 月出版的《李达文集》第一卷。——编者注

编辑例言

1. 要晓得现代的中国社会究竟是怎样的社会,只有从经济里去探求。现代中国的社会,已经踏入了产业革命的过程,渐渐脱去封建的衣裳,穿上近代社会的外套了,一切政治和社会的变动,都是随着产业革命进行的。在中国革命的过程中,凡是留心于国家改造的人们,必先依照这产业革命的经过,就中国经济发展的倾向作正确的分析,才能了解革命的理论,树立建设的计划。这是我所以要编这本小册子的动机。

2. 在经济统计资料缺乏的今日中国,要编这种性质的书籍,实有许多不便。这本小册子所采用的材料的来源,一是从前北京农商部的农商公报,二是日本人所编关于中国经济状况的书籍,三是我国人关于这方面的编著。不过二三两类的书籍,又多以农商公报为根据,而农商公报所刊登的统计之类,又不免有些是官僚式的敷衍的调查,不实不尽的地方是常有的。编辑的人对于材料的采集,恐怕不免有陷于错误的地方,这一点只好在将来得到正确的新材料时,另行改编了。

3. 这本小册子,只是一个初稿,而且因为时间忙迫,来不及把内容尽量扩充,所以只成为一个概观而止。读者们若能加以指正,以便将来补充,这是编者所希望的。

第一章 绪 论

第一节 产业革命之意义

产业革命(Industrial Revolution)这个术语,现在已成为学术界最普遍最流行的术语了。产业革命的意思,是指着某个时代的产业史上的一大变革说的。据查尔伯亚特(Charles Beard)说:"产业革命一语的意思,是指着过去约一百五十年之间,由于那根本变化了生活资源的一切生产和分配方法,革新了社会的一切经济机能的发明发见所引起的变革说的"。又据日本山本美越乃说:"产业革命的意思,就是说一国产业上的急剧的变化、即完全由新组织打破旧组织,而于该国产业的发展进路上划一新纪元的重大事实的发生。"大凡社会的历史,也和前进的水流一样,本来不能说哪一天是某一时代的开始,哪一天是某一时代的终结。前一个时代和后一个时代之间,实有一个因果的连环存在。所以含有大变革的意思的产业革命,并不是突如其来的事实,同时那变革的进行的倾向,也是不会停止的。而且那从过去所传承下来的当时政治和经济运动等等的遗产,也要把它们所发生的影响,在产业革命的过程中,明确的具体的表现出来。因此,产业革命,结局还是渐进的,只是那历史进行的潮流,在某一个时代,现出一个大的急湍来而已。日本的《英国产业革命史论》的著者上田贞次郎所说的"历史譬如前进的水流,以产业革命为一大急湍"的话,实在不错。

产业革命是促成现代社会的发生和成长的东西。社会随着产业革命的进行,渐渐脱去旧时封建制度的衣裳,显出现在这样资本主义制度的各种特征来,使得物资的生产和分配,政治的生活和经济的生活,都发生了非常的变革。现代社会中的社会问题,就是和这个大变革同时发生的。所以我们要了解近代社会的发展和它的特征,要晓得现代社会问题的真相,就必须了解产业革命过程中的各种事实。因为产业革命,产出了现代社会的各种特征:一方面是工场制度和资本主义的勃兴、农村的荒废、手工业的凋落、人口的增加、大都市的发生;另一方面是无产阶级的组织和反抗、工场法和劳动组合法的发布、经济恐慌、同盟罢工、失业问题、贫穷的增加、民主革命的胜利、劳动者的政治运动等。

依据上述产业革命的意义和特征,我们可以知道一个社会的变革和产业革命实有真实的密切关系。我们可以说中国革命的过程和产业革命的过程,确有因果的关联,我们要获得中国社会改造的理论,唯有在中国产业革命的过程中去探求,这是我所以要编这个《中国产业革命概观》的小册子的动机。

第二节　欧洲的产业革命

中国产业革命的进路和欧洲的产业革命,在形式上大致有些相同,但是原因和内容却有许多地方不同,所以我在这里先把欧洲的产业革命,说个大概。

欧洲产业革命的原因,可以分为近因和远因两项说明。所谓近因,即是机器和蒸汽机关的发明,这是一般学者所公认的。所以恩格斯说:"普罗列达里亚的历史,开始于蒸汽机关和纺织机械的发明。这些发明,是变更了全社会的形势的东西"。所谓远因,即是印度航路和美洲新大陆的发见。美洲的发见,好望角的周航,替当时工商阶级增添了很多的发展地。东印度和中华的市场,殖民地的贸易,亚美利加黄金的输入,交换机关和物品的增多,使得当时的商业和航海业受了一种空前的刺激,于是革命的种子,就在颓废的封建社会之中产生出来了。

在封建时代工业组织之下,生产事业由同业公会所操纵,到了这时候,已是不能应付市场的需要,而手工工场组织就起来代替了它的地位。各业行东被工场制造家阶级所推倒,各行业组合间的分工,也变成了各工场间的分工了。

自从这时候以后,市场一天天扩大,需要一天天增加,那手工工场组织,也有不能应付之势,于是生产者穷思殚虑,考求改良生产机关的方法,而各种机械得以陆续发明,尤其是瓦特的蒸汽机关出世以后,即时掀起了产业革命。从此大规模的近代产业,夺取了手工工业的地位,于是资本主义确立,工钱制度产生,工场制度的大企业组织日益发达,股份公司和银行、保险、交通等事业日趋繁盛,都市人口的集中,新经济都市的发生,外国贸易的伸张,经济上的自由竞争和私产制度以及契约营业继承财产等自由的原则均经确定。于是社会变成了近代资本主义的社会,裂成了有产和无产两大阶级了。这便是欧洲产业革命的过程。

资本主义制度确立以后不过数十年,整个的欧洲都资本主义化了。于是欧洲各资本主义国家的资本阶级,为谋增值其资本起见,不能不努力向海外夺取市场,夺取殖民地或半殖民地,以为销售商品、投出资本、采集原料的处所。因欲使殖民地或半殖民地适合于其销售商品、投出资本、采集原料的目的,就不能不使殖民地或半殖民地也跟着慢慢的资本主义化。所以资本主义国家终不免要把全世界铸成和自己一样的模型,这便是经济落后的殖民地或半殖民地的产业革命的由来。

第三节　中国的产业革命

数千年来的中国封建社会,自从前世纪中叶被国际帝国主义的政治力经济力侵入以后,就开始踏入产业革命的过程,渐次脱去封建的外衣,而向着近代社会方面推动了。所以中国的产业革命和欧洲的产业革命,就其原因和内容说,颇不相同。在大体上说,欧洲的产业革命是自力的,是因自力的充实由国内而逐渐展开以及于世界,中国的产业革命是外力的,是因外力的压迫由世界而渗入于国内。因为这两者的原因不同,所以两者的内容也是各异,以下当略加说明。

国际帝国主义者为开发殖民地或半殖民地以适合于它们销运商品、投出资本、采集原料的目的,而使殖民地或半殖民地资本主义化,就它们的利害打算,本来是自己挖自己的坟墓的勾当,但因为要增值资本延长寿命起见,却又不得不设法毁坏中国的封建社会,逼上产业革命的大道,原不是它们愿意不愿意的问题。比方说,国际帝国主义者侵略中国的目的,第一是要销运商品,第二是要采集原料,它们要成就这两个目的,就不得不利用一班买办和洋商,做代售外货和代收原料的中间人,这样一来,中国的商业资本便形成了,商业资本家阶级便成立了。它们第三个目的是投出资本。投出资本的方式,首先是发展中国的交通,因为交通不发展,商品和原料的运送就大感不便,不易普遍于内地。因此它们便利用不平等条约,利用中国的政府,替中国发展交通事业,而由它们供给借款。要发展交通,必需要煤和铁,要取得煤和铁,必需从事开矿,于是它们就取得了路矿权,其取得的手段,也是供给借款。在供给借款一方面,又必有交涉借款的官僚,于是一班官僚便从中渔利,自肥私囊,形成官僚资本,如是便产生官僚资本家阶级。封建的国家,向来注重保守,对于通商原是深闭固拒的,但是不幸因为兵器的不良和战术的不精,终于被外力所征服了,于是一班封建的官僚,眼见得海洋大盗深入内地,吸脂吮膏,自然要挣扎起来,讲求自强之策,他们直觉地羡慕外洋的兵精和械良,便设法仿效,以为防御外寇填塞漏卮的地步,就不得不先办军事工业。但军事工业非有新式的工业技术不易成就,而技术人才即不能不仰助于外人,于是渐渐地知道新式工业的重要,所以也就渐渐的觉到兵战不如商战,而倡办起新式工业来了。可是封建社会的资产家,素来没有新式企业的能力,不是官僚的提倡便可成功的,所以那班官僚们便利用封建国家的力量,来助长新式工业的发展,而有官督民业发生。同时,一班商业资本家也渐渐晓得组织生产,兴办家庭工业,兴办手工工场工业,更因内地的外人新式企业的刺激,进而兴办近代工业了。此外旅居海外的侨商资本家,比较多受了一些资本主义的教训,更激于爱国的热心,而归国投资于内地,从事于新式企业了。这些都是国际帝国主义侵略中国过程中必然产生出来的事实,所以中国之因受外力压迫而踏入初期资本主义时期,原是社会发展所必经的阶段。

然而半殖民地还是半殖民地,虽然踏入了产业革命的过程,走到初期资本主义的阶段,而结果还是半殖民地。半殖民地的资本主义的发展,也只是国际帝国主义的发展的助因。所以现代中国的资本主义,一面是在国际帝国主义的卵翼之下得到了相当的发展,同时又受国际帝国主义巨大的政治力经济力所笼罩所支配,绝没有在它们的掌握中翻过筋斗的可能。虽说中国新起的民族资产阶级,可以成为国际资产阶级的小敌人,虽说中国所有的什么新制造品的国货,可以分占舶来品在国内的市场,但是中国幼稚的工业资本,够不上做国际金融资本的竞争者,至多也只能在国际帝国主义的政治力和经济力所不能及的时间和空间,分润一小部分的唾余而已。这种情势,本是半殖民地的资本主义的发展的必然性。所以目前中国社会的新生产力,早已受着国际资本主义生产关系所限制,而绝少发展的余地,何况还有封建势力和封建制度来障碍它的发达呢。

我们就现代中国的经济状况观察,大概可以寻出下列的几个倾向:

第一,新式的工业的确有了相当的发展,但还只是刚到粗工业的阶段,而且已经现出了停滞的征象;

第二,农业呈现破产的倾向,原料和食粮,大受限制;

第三,手工业逐渐破产;

第四,国际帝国主义和国内封建势力压迫加重,生产力已受束缚殊难顺利发展;

第五,贫困程度增加,劳动问题和农民问题,日形严重。

以上数端,是现代中国经济混乱的现象,而这经济混乱的现象,又是政治混乱的原因。中国革命,即是要打破这种经济的混乱和政治的混乱去求得新的出路的。

兹根据上述的旨趣,特就各方面略加分析如下。

第二章　农业和农业崩溃的过程

第一节　全国耕地面积和农家户数

中国向来是一个农业国，这是任何人都能知道的事实，但这里为说明起见，不得不引用一些数字来论证。中国的统计数字，虽不完全，我们若留心的拿来作参考，却比较没有总要好些。而且在这些断片的材料之中，大致也可以看出中国农业组织及其推移的趋势。兹分别说明如下。先说全国耕地面积和农家户数。

1.全国耕地面积。中国全体的耕地面积，据前北京政府农商部的统计，有如下表：

省　别	耕地面积（单位千亩）
直隶（京兆在内）	94397
山　东	49821
河　南	348261（？）
山　西	49821
江　苏	78048
浙　江	26994
安　徽	40646
江　西	36315
湖　北	154887
湖　南	18705
陕　西	27643

省　别	耕地面积（单位千亩）
甘　肃	26499
四　川	124884
福　建	22457
广　东	136877
广　西	82474
云　南	11471
贵　州	1471
奉　天	44748
吉　林	44216
黑龙江	35873
热　河	16278
察哈尔	11091
新　疆	10726
总　计	1545738

据上表，全国耕地面积共为 15.45738 亿亩。

2. 农家户数。耕地之中，分为栽种五谷的农田和栽培桑麻茶蔬菜等的农地二类，兹列举两者与农家户数的累年比较表如下：

年　次	农家户数（单位千户）	农田（亩）	农地（亩）	田地共计（亩）
民国三年	50402315	1394146418	184201507	1578347925
民国四年	46776250	1319511191	122818497	1442333668
民国五年	59322504	1384937701	125037760	1509975461
民国六年	48907853	1218364436	106821664	1365186100
民国七年	43935478	1217279298	97192892	1314472190

据上表，中国的农家户数大约由 4200 万—5900 万户，前年国民党农民部所调查的农家户数为 5600 万户，大致近似；又实行耕种的田地为 13 亿亩以上，其未经计入的，大致是荒弃未种的土地了，关于这一点，下面再说。

第二节　农业经营的形态及其变迁

据前北京农商部第六年的统计表,中国的农业经营,以小农为最多,其次为中农。兹列其统计表如下:

(单位:千户)

省　区	10亩未满	10亩以上	30亩以上	50亩以上	100亩以上	共计
京　兆	125013	16534	148337	121823	86060	587767
直　隶	1364265	1087109	797417	501655	216315	3966766
奉　天	335954	357876	401632	336731	254452	1686641
吉　林	52475	96891	109775	121901	157856	538898
黑龙江	24962	30999	57985	67092	14327	324155
山　东	2103970	1552611	957640	497413	341096	5454730
河　南	1597265	1568984	1524916	876726	562524	6130415
山　西	282787	359685	397780	337505	151789	1529446
江　苏	2726001	1312268	487017	260024	86674	4871984
安　徽	1130775	987108	343692	208624	175815	2846014
江　西	336326	984819	2174072	507007	62623	5064847
福　建	870609	508988	167015	56722	9018	1621352
浙　江	1689940	999045	375389	150878	39961	3255215
湖　北	1485700	994697	651534	391583	147257	3670771
湖　南	354862	346321	385987	244920	105707	1437797
陕　西	615848	368777	188529	98038	63984	1335176
甘　肃	284957	221816	162588	125795	69881	865137
广　东	2083252	962107	553222	243040	83586	3925207
新　疆	156517	157484	63756	56351	17628	451738
热　河	160120	199199	128146	99722	28250	615437
绥　远	7692	10017	13158	15699	18021	64567
察哈尔	12833	14129	23627	29065	35847	115411
总　计	17805125	13248474	10122214	5358314	2835464	49359591

〔附记〕:表中湖北湖南广东之统计不完全,四川广西云南贵州四省无报告,故未列入。

据上表,耕地未满10亩的农家,占全体户数的1/3以上,内地各省除山西江西四川云南广西贵州六省以外,也是未满 10 亩的农家占最多数;其次要算是 10 亩到 30 亩和 30 亩到 50 亩的农家了。至于 50 亩以上农家,自耕农很少,佃农居多,百亩以上的农家户数,只占全体农家之数的 5%。由此可知中国农业的经营是小农和中农的经营占最大势力。

兹更进而考察耕地所有的倾向,采用民国六年以后至民国九年的四年间的京兆以下 10 省区的统计,表示如下:

（单位：千户）

省 区	年 次	10 亩以下	10 亩以上	30 亩以上	50 亩以上	100 亩以上
河 北	民国六年	1364	2087	797	502	216
	民国七年	1373	1081	797	509	224
	民国八年	1355	1994	802	509	223
	民国九年	1365	1101	817	522	231
吉 林	民国六年	52	97	120	122	158
	民国七年	44	98	161	132	153
	民国八年	138	122	194	171	175
	民国九年	45	107	177	131	116
山 东	民国六年	2107	1552	958	497	441
	民国七年	2185	1538	933	488	208
	民国八年	2390	1503	884	439	151
	民国九年	2260	1686	896	447	199
河 南	民国六年	1597	1569	1525	877	563
	民国七年	1830	1119	799	490	329
	民国八年	2560	1652	1086	654	359
	民国九年	2532	1630	1088	686	358
山 西	民国六年	283	360	398	338	152
	民国七年	384	394	362	337	152
	民国八年	283	360	398	338	152
	民国九年	283	360	397	338	152
陕 西	民国六年	618	369	189	89	64
	民国七年	496	444	214	99	56
	民国八年	398	452	253	147	58
	民国九年	380	452	363	199	55
江 苏	民国六年	2726	1312	487	260	87
	民国七年	2315	1294	567	271	95
	民国八年	2288	1332	500	253	87
	民国九年	2224	1257	534	282	105

省　区	年　　次	10 亩以下	10 亩以上	30 亩以上	50 亩以上	100 亩以上
安　徽	民国六年	1132	987	344	209	176
	民国七年	1038	932	405	300	199
	民国八年	1125	942	387	222	66
	民国九年	1135	894	403	220	97
察哈尔	民国六年	13	14	24	29	36
	民国七年	13	14	24	29	36
	民国八年	124	13	12	18	36
	民国九年	12	13	12	19	69

据上表,10 亩至 30 亩以下的小农户数增加,30 亩至 50 亩的中农户数也略见增加。至于 50 亩及 100 亩以上的户数,除河北、河南、察哈尔以外,则呈减少之倾向。这些都是表示农民方面因前节所述的原因而由大农降为中农,中农降为小农的径路。

第三节　耕地分配的形态

全部农业人口中,有田地的究有多少,没有地田的究有多少,这里应当加以说明。据民国六年前北京农商部的统计,耕地的分配状态,有如下表:

（单位:千户）

省　区	自耕户数	佃农户数	自耕兼佃耕户数	共　计
京　兆	307874	125348	154545	587767
直　隶	2890897	523003	552861	3966761
奉　天	686281	501731	498634	1686646
吉　林	351676	165079	122143	538878
黑龙江	180698	82098	61368	324155
山　东	3819135	717632	917963	3454730
河　南	3453552	1596927	1079926	6130415
山　西	1078697	238698	212151	1529546
江　苏	2234278	1541211	1096495	4871984
安　徽	1314311	983888	547815	2846014
江　西	1714401	1241202	1109244	4064847

省　区	自耕户数	佃农户数	自耕兼佃耕户数	共　计
福　建	553807	554941	512604	1621352
浙　江	173387	1158783	1023043	3255215
湖　北	1561137	1339307	770337	3670771
湖　南	287553	1006453	143794	1437797
陕　西	781247	304975	258954	1,335176
甘　肃	556780	151554	156803	865137
新　疆	343998	62606	45134	451738
广　东	1316500	1463845	1144842	3923207
热　河	416962	95135	103340	615437
绥　远	35332	14884	14371	64587
察哈尔	83099	18822	13490	113411
合　计	24587585	13825546	10494722	48907853

〔附记〕:上表中湖北、湖南两省之调查不完全,四川、广西、云南、贵州四省无报告,故未列入。

据上表,在全体农户中,自耕农约占 50%,佃农约占 28%,自耕兼佃农约占 22%,在福建浙江湖南广东诸省,佃农多于自耕农,在奉天、吉林、江苏、安徽、江西、湖北诸省,佃农要占 1/3。实际上所谓自耕农之中,除 30 亩以下者外,不自耕的地主要占居多数。非自耕的地主亦列入自耕农之中,是前北京农商部一种含糊的调查方法,我们应加以注意。

耕地所有的实际状态耕地所有的实际状况,依以上各项的统计材料,大致可以看得出来。兹为具体的说明起见,特引用武汉中央农民部所调查的全国有地农民的统计表如下:

	亩　数	人数	占有数
(一)小农	1—10	44%	6%
(二)中农	10—30	24%	13%
(三)富农	30—50	16%	17%
小地主	50—100	9%	19%
大地主	100 以上	5%	43%

以上的有地农民中,由 1 亩到 30 亩的小农和中农,要占全体 66%,而其所有之耕地,仅占全体耕地 19%,土地之集中的状态,由此可见一斑。

又据调查,中国农家的户数,约为 5600 万户,每户平均以 6 人计数,中国的农业人口,共约有 3.36 亿人,其中有地的农民为 1.5 亿,佃农为 1.36 亿,无地雇农为 3000 万,游民为 2000 万。这个调查,当然是一种估计,不能说是正确,但是在大体上也不能说相差怎样远。至于说到有地农民的土地的分配状态,和上面所列举的前北京农商部的统计,又大致不差,所以这里只得这样引用了。

第四节　自耕农与佃农之消长

在农村经济破产正在继续进行的状况中,自耕农中之中小农降而为佃农,乃必然之趋势。据日本东亚同文学会所出版之中国年鉴所载,民国七八两年自耕农和佃雇的消长,有如下表:

年　　度	自耕农	自耕兼佃耕	佃农	合计
民国七年	53%	21%	26%	100
民国八年	49%	19%	32%	100

上表虽然是一年的比较,而自耕农及自耕兼佃农之减少,和佃农之增加,其比率已是非常可惊。这个原因天灾兵祸固然也有一部分,而资本主义的发展,总不失为一个主要的原因。比方广东,佃农之数多于自耕农,即如自耕兼佃农之数也相差不远。又如华洋义赈会所发行之《中国农村经济研究》,把这个原因也解释了出来,试看下表:

省县别	调查地总面积（单位数）	所有者家族之自耕地	使用雇农之自耕地	自耕地	佃耕地	发佃之村民所有地	由其他农村地主发出佃耕地
浙江省鄞县	4764	17.0	5.6	32.6	67.4	32.1	35.3

省县别	调查地总面积（单位数）	所有者家族之自耕地	使用雇农之自耕地	自耕地	佃耕地	发佃之村民所有地	由其他农村地主发出佃耕地
江苏省 仪征 江阴 吴江	4121 14391 4931	41.9 28.7 19.6	10.1 1.4 4.2	52.0 30.1 23.8	48.0 69.9 87.2	10.0 58.0 18.8	38.0 11.7 57.4
江苏省 农村平均		29.1	3.5	22.6	67.4	41.5	25.9
安徽省 宿县	28843	42.9	7.2	50.1	49.9	36.3	13.6
山东省 霑仕	11867	96.3	3.3	99.6	0.4	0.3	0.1
直隶省 遵化 唐县 邯郸	24369 20073 25507	71.2 78.2 70.0	15.5 4.3 27.1	86.7 82.5 97.1	13.3 17.5 2.9	2.0 5.3 0.9	11.3 12.1 2.0
直隶省 农村平均		72.8	16.5	89.3	10.7	2.5	8.2

上表虽然是一些零碎的材料，但也可以看出一种倾向来，即是在所谓物质文明比较接近的浙江江苏安徽的农村，其自耕农则多于佃农，这个原因，或许有大部分是由于资本主义经济的关系。

自耕地对于佃耕地之比，在东部地方（江苏、浙江）为 1∶2，在北部地方（山东、直隶）为 9∶1，在中部之安徽为 1∶1。又东部地方耕地的 1/4—1/3，为他村落民居住的地方的所有地，盖因此等地方都市商工业发达的结果，土地投资颇为盛行之故。

土地所有形态百分比率表（见《现代支那社会研究》）

		江苏省村落		直隶省村落	
		所有件数比率（%）	所有面积比率（%）	所有件数比率（%）	所有面积比率（%）
10亩以下	小	90.5	41.7	77.6	27.5
26亩以上	中	6.1	11.7	11.4	18.5
51亩以上	中	1.5	5.1	6.9	21.3

		江苏省村落		直隶省村落	
		所有件数 比率（％）	所有面积 比率（％）	所有件数 比率（％）	所有面积 比率（％）
100 亩以上	中	0.9	7.2	3.0	18.1
200 亩以上	中	0.2	3.9	1.0	11.9
500 亩以上	大	0.15	3.7	——	——
1000 亩以上	大	0.15	25.7	0.1	2.6

10 亩以下之贫农数，在江苏省为 90%，在直隶省亦为 77%。其所有地亩，在前者约为 42%，而在后者则为 27%。若以 10 亩以上 200 亩以下之所有者为中农，这种中农，在江苏仅占 8%，在直隶约占 21%，中产阶级为数极少，尤其是江苏，中农几于不能存在。就其所有地之面积而言，在前者为 28%，在后者为 70%，所以直隶的中产阶级最为坚实。至于 500 亩以上之所有者，若作为大地主，在江苏地方，所有件数仅占 3‰，其所有地面积则占 30% 以上，在直隶地方，所有件数仅占 1‰，而其所有地面积，亦仅有 2%。东部和北部之差异所以这样显著，实因东部地方的工商业发达，所以东部的农村现出崩坏的现象。就江苏省的农村说，贫农占总人口 90%，所有地面积的总和不过 42%，中农人口仅占 8.7%，而所有地面积的总和，约占 30%，至于 500 亩以上的大地主，其人口为 3‰，而其所有地面积的总和，却占 30%。这是近代工商业发达区域的农业凋落的实例。至于北部地方，农业虽然还未到怎样凋落的程度，但以占人口 20% 的中农，其所有地面积的总和，竟占 70%，而占人口 70% 以上的贫农，其所有地面积的总和，还不到 30%，贫农数目的增多，已可概见。其次就土地耕种的形态说，江苏的佃耕关系颇多，而在直隶，只有 10% 的佃耕地，这也是表示东部地方的近代化。农村经济的压迫，随着都市工业的发达，渐次促进家族制度的崩坏，驱使农民化成工业劳动者。在江苏省，可以认为经济的实体的大家族制度，已经是很少了。

〔**附记**〕关于中农减少佃农增多的倾向，还有一点零碎的统计材料可以做参考，兹列举于下（见《耕者要有其田》）：

南　通	佃农的百分比
民国四年	56.9
民国十三年	61.5
民国十四年	64.4
昆山	佃农的百分比
民国四年	57.4
民国十三年	71.7
民国十四年	77.6

南通和昆山,是和工业城市相接近的区域,十年间佃农增加的比例竟是这样,也很值得注意了。

第五节　农村经济破产的现状

由以上所述,中国农村破产的状况,已可窥见一斑,如自耕农之减少与佃农之增加,如中农降为小农的趋势,都是实例,但是这里还有几件很显著的事实,特叙述于下。

一是全国荒地面积的增加。据日本东亚同文会出版之《中国年鉴》所载,全国荒地面积增加的趋势,有如下表:

年　次	亩　数
1914	358235867
1915	404369948
1916	390361021
1917	924583899
1918	848935748

据上表,四年之间,荒地面积,竟增加到 4.9 万亩之多,农村的荒废,岂不很可惊异么?

二是农业人口的减少。依据 1919 年前北京农商部的统计,列成下表,可以看出农业人口减少的趋势。虽以 22 省及 3 特别区为单位,但 1914 年项下,缺少贵州省的统计,1915 年项下,缺少云南省的统计,1916 年项下,缺少贵州、云南、四川 3 省的统计,1917 年项下,缺少贵州、云南、广西、四川 4 省的统计,1918 年项下,缺少云南、贵州、四川、广西、湖南五省的统计,1919 年项下,缺少云南、贵州、四川、广西、湖南、广东、江西、浙江、湖北、甘肃、新疆、奉天、黑龙江、绥远等 14 省区(占全统计之半数)的统计。

年　次	农业统计表数	户数(参考补足数)
1914	59402318	(59592968)
1915	46776256	(48076508)
1916	59322504	(66851779)
1917	48907853	(56654001)
1918	43935478	(59644630)
1919	29548529	(59152401)

(补足数字,系以所缺省份之前年度数字补充,借以作成总计者)

调查统计虽不完全,而农业人口之渐次减少,却是不可否认的事实。中国农业的崩坏,除农民之自由集中于都会之外,由于天灾人祸(水旱兵灾)而起者亦不少。内乱频仍,农民中的一部分,被募当兵,弃锄荷枪,解散之后复归于农者少,一旦有水灾漂没耕地,农民中即有一部分群趋都市以谋生计。在都市的工业化开始之时,农民的工业化,自然也随着增加了。

三是进口粮食的增加。据《耕者要有其田》一书所列粮食进出口的统计表,其由民国元年至民国十四年间粮食入超的情形,有如下表(单位海关两):

年　次	进口总额	出口总额	进出口总价之差	入超出超	粮食入超占对外贸易总入超之百分比
民国元年	26693779	10567192	16226587	入超	15.8
民国二年	33252347	11487246	21765101	入超	13.0
民国三年	46429953	8450185	29179778	入超	13.7
民国四年	32747988	9675494	23075404	入超	64.7

年　次	进口总额	出口总额	进出口总价之差	入超出超	粮食入超占对外贸易总入超之百分比
民国五年	38839026	4880551	33658473	入超	68.1
民国六年	35743881	8762329	26981552	入超	31.1
民国七年	25806154	6732145	8385670	入超	1.2
民国八年	12119358	39323518	27204160	出超	——
民国九年	11186823	57765480	46578657	出超	——
民国十年	50894440	33194893	17690659	入超	5.8
民国十一年	104389423	22036857	82301710	入超	28.3
民国十二年	140388750	21368581	118840236	入超	69.7
民国十三年	119758616	25439733	84318833	入超	34.2
民国十四年	85487192	29873738	55612404	入超	3.2

中国本是一个农业国,但依上表看来,粮食反要仰赖外国接济,如民国十二年且有输入超过1亿海关两之多,农村经济的破产,概可想见。

〔**附记**〕关于粮食入超的原因,除了荒地增加一事以外,还有两点应当附带说明一下。第一是原料生产的增加。近年来帝国主义者在中国采取的原料,逐渐加多,所以有许多的耕地不栽种粮食而改种原料,如豆饼豆油的原料之豆类以及棉花烟叶之类,这是可以由出口贸易中看得出来的事实。第二是鸦片的栽种地的增加。据《拒毒月刊》所载,湖南、湖北、贵州、云南、四川、河南、安徽、陕西、福建等省,在军阀盘踞的时候,大都由军队勒令农民栽种鸦片,以为搜括军饷的来源,计各省栽种鸦片的耕地由数万亩以至数十百万亩不等,各地人民因粮食生产减少以至于饿莩载道的,随处皆是。

以上三者,都是农村经济破产的最显著的现象,此外如游民失业者的伙多、乞丐、流氓、盗贼、土匪,已是广播于全国的城乡市镇,虽然没有确实的统计,而其数目之多,却是大家可以估计出来的。

第六节　农村经济破产的原因

农村经济破产的原因很多,而其主要的原因,归结起来,可以分为下列三项说明。

一、帝国主义的侵略

中国本是一个农业国,在海禁未开以前,人民的生活资料,大都取之于土地以自给,但自帝国主义侵入以后,这自给的农业经济就渐被破坏,农民的苦痛也日见增加,兹就其显然的事实,逐条列举如下。

第一,赔款及外债之负担。从清朝末年到现在,中国对帝国主义国家所认的赔款和向帝国主义国家所借的外债,合计已达 22 亿以上,这项赔款和借款,直接或间接都是由农民负担的。

第二,经济的掠夺之负担。海通以后,中国对外贸易总是入超,最近四五十年以来,每年进贡于帝国主义者的金钱,由 1 亿增至数亿。再加上别的方面,如孙中山先生所估算,总计每年进贡于帝国主义者的金钱,要达 12 亿元。这大宗的进贡钱,也都是直接或间接由农民来负担的。

第三,帝国主义商品的掠夺。帝国主义商品,由都市侵入农村,现在已是普遍地侵入于穷乡僻壤了,农民所消费的东西,除了农产物和一部分的家具之外,其他服物用品大都是由帝国主义者供给的。我是一个偏僻地方的农家子,记得二十年前在乡下的时候,穿洋布,点洋灯,用洋瓷面盆和毛手巾的,只有上等的人家,中等的人家多不用洋货,只是穿土布,点油盏,用木面盆和粗布面巾,顶多不过用点洋火柴。但到近年已是大不相同,中等的人家用这类洋货的只是很平常的事,就是佃农和雇农,也要穿洋布衣裳,甚至乞丐身上也带有帝国主义商品的成分。旧式手工业破产的结果,农民只能拿农产物去换用帝国主义的商品。这类商品,又是由洋商买办经手贩卖的,经过无数曲折,运到穷乡僻壤的附近市场时,价目已经高到极度。农民拿农产物到市场出售,只得到市价以下的价格,再拿出这样得来的金钱,去购用帝国主义商品,一出一进,要受居间人的两重剥削。简单地说,农民每年劳苦的所得,除了吃一点粗茶淡饭以外,其余都换成金钱,直接或间接地送到帝国主义者的钱袋里。这种情事,是任何人都知道的,不必多说。

第四,农民副业的衰退。养蚕、采茶、纺纱、织布等项,都是农民的副业,这些很可以贴补农家的家用的,但自帝国主义侵入以后,农村妇女纺纱的工作完全废止,织布的也改用洋纱,但终日劳苦的所得很少,大都也停止不做了。只有丝茶两项,虽然还可维持,但现在也大不如前。丝茶本为中国出口货的大宗,如茶一项,在光绪十二年(1886年)以前,出口额达3亿磅之多,差不多供给全世界的消费之用,后来印度茶、锡兰茶、日本茶起而竞争,出口额逐渐减少,民国四年以后每年平均不过1.9亿磅,而且有印度茶和锡兰茶进口,其额且达3000万磅之多。其次如丝一项,在五六十年以前,殆占全世界丝业之半额,但到后来,东则见夺于日本,西则见夺于意大利,至1916年,生丝额已减至世界总额27%。至于丝之出口额,亦逐渐衰退,合各种丝类计算,在民国元年为320796担,至民国十年减为275789担,即此可以想见。农民副业的衰退,也是农村经济破产的原因。

第五,农村生活的提高。农村生活提高的主要原因,也是帝国主义的侵略。最近数十年来,农产物的价格虽比较增加,而帝国主义商品价格的增高率则超乎其上。这两者的距离,在交通比较便利的大都市附近农村还小,在穷乡僻壤的农村则更大。农民用低价的农产物,换用高价的商品,其结果遂使自耕农、半自耕农、佃农、雇农的生活,愈觉苦痛,而尤以雇农为最甚。就雇农说,据我所知道的,二十年以前,我乡雇农每月的工资,虽不过民钱一千二百文,却可以买米六斗(斗米二百文),能养活三人,现在每月工资铜元钱六千文,只能买米一斗半(斗米四千文),要养活一个人还不够。即此可见一斑。

第六,农村金融的困难。农民每年要进贡大宗金钱给帝国主义者,农村金融的困难,乃是必然的结果,加以封建政治的剥削,更替土豪地主引出剥削的机会,农民哪能不入于枯鱼之肆呢。

二、封建政治的剥削

封建政治的剥削,古来也是有的,但绝没有像最近几十年来这样厉害,这是因为这种剥削中含有帝国主义侵略的成分。封建阶级因为要维持自身的地位和利益,不得不承认帝国主义者所要求的赔款,不得不向帝国主义者借款,这赔款和借款,是封建阶级开销的,却要农民来偿还。而且承受帝国主义者的命令称兵倡乱的时候,更不得不向农民加紧搜括以自肥。所以农民所受封建政治的剥削之赐,也可以分为下别五条。

第一，苛捐杂税。关于农业方面的，有附加税、警捐、学捐、水利捐、牛捐、户籍捐、屋梁捐、沙田捐、谷米捐、亩捐、自治捐、屠宰捐等等，名目繁多，不胜条举，这些都是直接取之于农民的。关于商业方面的，有种种厘金关卡，多至无穷，几于十里一关，五里一卡，这些虽是直接取之于商民的，而间接却是取之于农民。

第二，预征钱粮。军阀救济财政的困难方法，莫如预征钱粮，有些省份，现已预征至民国三十多年（如四川），也有些省份是预征一两年的。最奇怪的，甲军阀预征钱粮之后，乙军阀如起而代之，他并不承认前届军阀预征的有效，必得重新征收起来，农民除了在以前缴纳的预征钱粮之外，还要重新缴纳一次，所以农民往往有一年缴纳钱粮两次或三次的事情。

第三，勒种鸦片及鸦片税。贩卖鸦片和抽收鸦片税，是军阀搜括的最好方法。军阀的势力，有好些是靠鸦片维持的，所以有些省份的军阀勒逼农民栽种鸦片，农民也因为有利可图，乐于栽种，且可免罪。于是所谓烟苗捐、烟灯捐、吸户捐种种奇重的捐税，无不应有尽有。好好的农田，不种五谷种鸦片，以至食粮腾贵，农民饱于鸦片而饿死于食粮的，处处皆是（如湖南之西部）。同时军阀间因互争鸦片而起战争的也很多，常常发生内国的鸦片战争。

第四，银行票币倒账。发行军用票及省库券或银行券，乃军阀筹款之妙法。这类票币之发行，绝无基金可言，只是强迫人民使用，否则军法从事，军阀以之散布于市面，商民以之流通于农村。到了倒账的时候，商民中之狡黠者尚可利用特殊势力，用以完纳别种厘金税项，而农民则叫苦连天，无可如何。

第五，战时的牺牲。每一次的军阀战争，受痛苦最重的莫如农民，尤其是战争区域以内的农民，田园被践踏，屋宇被烧毁，食物牲畜被抢掠，父母不相见，兄弟妻子离散。每一次战争中的损失，无虑数万万元，其大部分都是由农民担负的。

三、土豪地主的剥削

上述帝国主义的侵略和封建政治的剥削，在土豪和地主，当然也是不能幸免的，不过他们的资财比较雄厚，还不至影响于他们的生存，而且他们更可以利用这些原因，来加紧对于农民的剥削，把那些负担转嫁到农民身上去。他们是农村中间的大户,是绅士阶级的分子,是官吏和农民的中间人,他们或者自己充当团绅,或者和团绅相勾结,军阀政府有什么捐项要农民担负的时候,县官总是要他们去派捐。他们当派捐的时候,总故意把捐户的资格降低,把捐项的实额扩大,尽先向一般农民勒派,结果捐款已经超过预定的实额,他们便在这中间上下其手,或者故意将自身所认捐项多开一点,而实际上自己不但不拿出钱来(即使拿出来,实数也是很少的,农民也不能指摘他们),反可以借此发一点小财。质言之,军阀逼迫农民的苛捐,土豪地主总要把自己的负担转嫁到农民身上的。转嫁的方法,还有加重佃租和重利盘剥。兹分别略述于下。

第一,加重佃租。农村经济败坏的结果,农民生活困难,失掉土地的人也就多起来,失掉土地的农民,大多数都不能另觅生活(在目前都市的工厂很少,要做工人也不容易),只有仍旧向土豪地主佃种土地。但佃种土地的人是很多的,因为需给的关系,土豪地主便可以乘机增加佃租,那失掉土地的人,为了要过动物生活起见,只有承认他们的要求,母牛总要被榨取乳汁的,但有乳汁可榨的时候,这母牛总还有维持生命的饲料可以摄取,这是佃农肯出高价佃租的原因。我在乡下常常听见地主对着佃户说:"租谷是不能减少的,你要知道,我现在每年要完纳两年粮饷,还要认米捐和富户捐,若再减租谷,就连完纳国课和认捐的钱都不够了。你如果真要短少租谷,我只有拨佃的一法,东村的张老二,西村的陈老九,他们情愿先付一年的押金来佃种我的田呢!"这可以说是一般土豪地主对付佃农的普遍方法。所谓"倒三七"、"倒二八"、"倒四六"的租额,就是这样弄成功的。此外什么例外的常规敬礼,竟多至不可胜数,总之,佃农该死。

第二,重利盘剥。农民在好几重的剥削之下,每年的亏欠和赔累,乃是必然的结果,而尤以佃农为最苦。我们在乡下常常看见种过二三十亩田的人家,一到秋获完了的时候,谷仓中就不能存放一粒谷子,竟应了"放下镰刀无饭吃"的一句俗话。他们大约从夏历九月或十月的时候起,就要向富户借钱用,借米吃,借钱的月息照例是百分之三四十,借米的月息,照例百分之五十,有田的多半拿田契作抵押。到了春二三月,又要向富户借米吃,办谷种,办器具,俗名"下脚粮",这种"下脚粮"的利息更重。到了五六月青黄不接的时候,又要向富户借米吃,这时候的利息,往往是对本对利,借一月要还一年的利息,俗名

"纳新谷"。这样一来,等到秋获的时候,除了偿清积欠,自然没有饭吃了。所以自己有田的自耕农或半自耕农,便这样把田算给土豪地主,自己没有田的佃户,要想继续做佃户,只有卖儿女来还账,否则溜之大吉,或做游民乞丐。

以上是中国农村经济破产的主要原因。此外如农村文化的落后,耕种方法的不良,交通的阻碍等等,也是附带的原因,这里不详细讨论了。

我们看了上述的情形,中国目前土地问题之日趋于严重,也就可以了解过半了。

第三章　手工业和手工业凋落的过程

第一节　手工业的现状

农业人口之次,要算是手工业者了。手工业者之数亦不正确。据以前经济讨论处的推定,中国的工钱劳动者有 2.95 亿人,其中有 80% 是从事农业劳动的人。这样说来,那占 20% 的非农业劳动者当有 5900 万人。这 5900 万人之中,除了三四百万的近代劳动者以外,其余五千五六百万人要算是和手工业有关系的人了。

据山西省的人口调查,全省人口之中,有 5% 是不从事农业劳动的劳动者。又据《中国农村经济》的著者所述,村落人口中,有 10% 至 25%,是不从事于农业劳动的人(在山东和直隶,凡以工作时间的一部或全部从事于非农业劳动的人,约占 10%,在安徽约占 40%,在浙江约占 24%)。

手工业的种类很多,现在无论什么城市之中,还可以看见许多手工工人终日和店东师匠在店中工作,即在近代化的城市,家内工业的势力也还存在。兹将近代城市中这些手工业的种类和手工工人的概数,列举如下。

(A)上海。制衣业(50000)、理发业(30000)、造酱业(3000)、制茶业(——)、榨油业(500)、制鞋业(30000)、制靴业(10000)、铁器制造业(5000)、木工业(80000)、涂漆业(15000)、猪鬃业(10000)、制香业(1000)、花园从业者(5000)。

(B)北平。绒毡业(6800)、石硷制造业、石工、洗衣业、钟表修缮业、银匠业、漆匠业、表画业、雕刻业、建筑业、铁器业、瓦匠业、理发业、制衣业、花园业、印刷业。

(C)南京。丝织业(城内外 1.1 万家、劳动者 6 万——工场组织 7)、织布业、毛织物业(平均有六个劳动者的共六百家)、织线袜业(32家、300人)、机器工、精米业(30家、200人)、印刷业、建筑业、制衣业(4000)、制鞋业(3000)、竹细工业(300)、石工(1000)、漆匠(500)、染业、理发业、制纸业、细木工(1700)、棺材业(800)、银细工业、铜锡细工业、铁器业、藤细工业、制造笔墨业、制蜡业。

(D)长沙。建筑业、磨眼镜业、制袜业(300家、3000)、花席制造业、木版业、剃刀制造业、香料制造业。

(E)芜湖。精米业(4000)、理发业(1200)、建筑业、木工业(1000)、制硇业。

又据前北京农商部的统计,中国的手工工人的统计,约如下表:

1. 纺织	320000
2. 矿山	600000
3. 建筑	600000
4. 缝纫	850000
5. 茶业	350000
6. 发网	80000
7. 帽缏	120000
8. 磁业	250000
9. 爆竹	200000
10. 理发	240000
11. 五金	160000
12. 鞋业	300000
13. 造纸	150000
14. 苦力	1200000
15. 盐业	420000
16. 粮食业	240000
17. 店员(商业雇工)	1600000
18. 船业	1200000
19. 印刷	60000
20. 其他	3000000
总计	11940000人

第二节 手工业的凋落

手工业的组织,和产业革命期以前的英国的手工业相似。手工业生产,有年期的徒弟,主要的生产都是由家内工作场举行的。工作场多在师傅的家庭或店铺,工匠和徒弟一同操作。徒弟的年期各有一定,有三年、四年、五年、七年等,在这一定的年期内,徒弟从事工作,学习手艺,不给工钱,只由师傅们供给最低限度的衣食住。徒弟修满一定年期后,可以升为工匠,可以自由从事职业。工匠在东家作工,其工作条件,大致按照手工帮之规定实行。

以上所述手工业之中,渐渐的因为简单的机械的使用,而逐渐普及,譬如各省织布的手工业,从前是使用一两元一架手机的,现在已经采用效力增加一二十倍的脚踏机,而且渐渐普遍起来了。又如有些造纸的地方,最近也仿用比较新式的造纸法,所得的利益也很大,不过工场滥设的过多,常不免遭破产的危险而已。要而言之,中国的家内工业,已经从旧式手工业踏到利用简单机器的家内小工业的过程中了。

再就另一方面说,现在外国资本在中国境内已经膨胀起来,国内资产阶级的新式企业,又渐渐发展,手工业者的生产品之被压倒,乃是当然的结果。加以旧式手工业的组织不良(如不给徒弟工钱的劳动形态之类),更是加速度地破坏了手工业组织,而集中到以自由竞争为根本原则的近代工场了。因此,那成为中国社会纽带的大家族主义和基尔特的社会连带的道德,终于破坏,自由的劳动者阶级便发生出来,那阶级的意识也侵入于中国社会之中了。

第四章　近代企业发达的过程

第一节　军用工业之兴起

中国近代工业的历史,不过 50 年。这 50 年中的发展,实循着下述的过程,直到现在。近代的机械生产工业,是开始于军用工业,其次再推行于一般的生产工业。就其经营的形式说,始于官业而成为官督民业,因由外国资本举办的外人企业之参加而显受压迫,于是本国工业,乃由民业保护政策而至于民业自立,但所谓民业自立,则因外国资本之市场支配和国民经济组织的不完全,前途却是很受限制。

完成了蒸汽机关而成为近代工业先进国的欧洲各国,凭着航海术和火药制造的帮助,就向着别的大陆,从事于殖民地的征服,因而亚洲方面的印度和中国,也不免受其袭击。饱受了新式兵器威胁的清朝政府,因为外患内忧的交加,痛切地感到新式兵器生产的必要,就首先在各地设置造船厂兵工厂,输入造兵机械和技术人才,创始了中国的近代工业。首创者为李鸿章、曾国藩等大官僚,其经营原属于官业。

军用工业时代,始于 1862 年至 1881 年,此 20 年间所设立的工场,有江南造船厂、福州船政局、天津机器局、江南制造局、南京机器局、福建机器局、四川机器局、吉林机器厂、安徽军械所、苏州制炮局等。当时为养成军事工业的人才起见,一面派学生赴欧美留学,一面于天津创办水师学堂,以期养成技术的人才。

但是这类军用工业所表现的成绩,很不足观。因为技术机械,都仰给于外国,从事经营的人又是毫无能力的官僚。清朝末年的腐败官僚,大都把这些厂所当作肥缺优差,搜括敲剥,无所不至,不但对于事业的经营毫无热心,即对于本国技术人才的养成一事,亦弃而不顾,一切操作都委之外国技师,本国人至多不过能充当下级职工而已。像这样工业的基础既不能确立,军事工业的精神也不能了解,所以不但没有好成绩,而且造出恶结果,譬如中日、中法以及八国联军诸役,这类军事工业并没有收得丝毫的成效。辛亥革命以后,内乱不息,这类兵工厂,反成了割据军阀为恶的工具,岂不是造出了恶结果吗?

第二节 官办事业及官督商办事业时代

成为军事工业的基本工业,要算是铁工业、采煤业和铁路业,中国既兴办军事工业,当然连类而及的要兴办铁工业、采煤业和铁路业了。从1882年到1894年,正是兴办此等工业的时期。

中国最初建设的铁路是吴淞铁路(1867年),是由英国商人兴办的,当时上海附近人民因为这个铁路破坏了土地龙神,大起反对,后来更因行驶的火车碾死了过路人,民众就暴动起来,官府深恐酿成大事,便把这铁路拆毁,把铁轨充军到台湾,一面赔偿英商兴办这铁路的资本了事。后来李鸿章做直隶总督,为供给官办招商局的轮船和新设海军军舰的燃料起见,特建筑由唐山到北塘河间的铁路,以便运输唐山煤矿公司所采的煤块。这条铁路是在1890年雇用英国人的技师完成的,最初只筑成了由唐山到胥各庄间的6英里7分,嗣后又得清室敕令许可,延长到天津,又于1894年延长到山海关,设帝国铁路管理局,总揽铁路事宜。

此外,汉阳创办制铁厂,广州创办炼铁所和枪炮厂,中法之役,海军败北,于是有扩张造船和制炮工场的计划,更创办金陵火药制造局和天津武备学堂。这个时期已由军用工业时代进到经济的生产时代,其经过如下。

1882年 李鸿章奏请在上海试办机器织布局。

1883年 上海商人祝大椿于上海设立源昌五金机器厂(资本金10万元)。

1886年 张之洞发起于广东创办缫丝局。

1887年 张之洞奏请于广东设立机铸制钱局及银元局。

1887年 李鸿章于天津机器局购机铸制钱定名"宝津局",又于保定设厂。

1888年 贵州省镇远府青谿县设立官商合办之制铁厂。

1889 年　张之洞在广东奏设织布局及制铁厂,向英国定购熔矿炉二具。

1890 年　上海设立官商合办之上海纺织新局(即现在之恒丰纱织新局)。

又张之洞将前年在广东所定购之织布机械及熔矿炉,移到武汉,设汉阳铁政局(即今之汉阳铁厂)。

又于汉阳设立枪炮厂(即今之兵工厂)。

1891 年　上海道台唐松岩于上海设立官民合办之纺纱局。

1893 年　张之洞于武昌设立织布纺纱制麻缫丝四局,后改名湖北纺纱织布官局(今由楚兴公司租办)。

李鸿章发起建设之上海机器洋布局,于前年竣工时被毁于火。

1894 年　盛宣怀由李鸿章奏派募集民间股本,重办洋布局,因股少改设华盛纱厂(即今之三新纺织厂)。

又,是年湖北成立聚昌盛昌等火柴公司,官股占大部分。

官营工业的结果,和军事工业一样,同是失败。官僚和绅士,对于产业的经营和工业的管理,多无常识,只要看看当时张之洞所述官营事业之不经济的奏章,就可知道。这个时代的工业中,生命比较长久的,要算是汉阳铁厂和招商局。大官和乡绅所总办的官营工业,完全委诸外国技师经营,外国技师绝无诚意,对于华人干部多所排斥,因此助长外国资本的流入,种成了中国企业界普遍的祸根。湖北纺纱织布官局,经营既不得法,重以外资流入,遂以形成现时的局势。已成功的招商局,则为英国资本所侵入,汉阳铁厂则为日本资本所侵入。这是官督商办或官商合办事业的过去情形,中国近代工业所以迟不发展的原因,这也是其中的一种。

第三节　外资侵入与民业萌芽时代

自 1894 年之中日战役起,至 1904 年之日俄战役止,属于这个时期。

1894 年中日战争的结果,中国的积弱情形,完全暴露出来,于是欧美各国积极的向着中国大陆开始那攫取殖民地的竞争,最初的目标是要瓜分中国,至少也要把中国当作公共的殖民地。譬如特权的要求,借款和铁路的经营,势力范围的划分等等,都是各国竞争的对象,都是瓜分中国的前提。在铁路方面,比利时(当时俄国的傀儡)攫取京汉线,美国攫取粤汉线,俄国攫取中东线,德国攫取胶济线和津浦线的北段,英国攫取京奉线和津浦线的南段,此外英国以长江流域为势力范围,法国以云南、两广为势力范围,中国的大动脉,完全归诸外人掌握了。重要的商埠,各国都设有专管的租界(上海、天津、汉口、广州、苏州、杭州、长沙、福州、厦门、汕头,镇江、重庆等)。直到1900年的义和团的事变为止,这种形势还是继续着。

其他利权如主要矿山,也被外国人抢去。如抚顺煤矿归于俄国,开滦煤矿归于英国,大冶铁矿受日本资本所侵入,山东山西各矿山,受德国资本所侵入。

1896年《中日马关条约》规定:"日本人民得在中国从事各种制造业,输出各种机械",于是确认了外国人在通商口岸有工业的企业权,外国人在中国境内利用中国廉价的劳力和原料,从事中国人所需要的商品的生产,市场既然广大,利益特别增加,所以日、英、德、美诸国,就在中国办起工厂来了。1895年,上海商办的纱厂,有裕源纱厂和大纯纱厂,裕源纱厂在1918年卖给日本人,改为上海纺绩第一厂,大纯纱厂设立后不久,也卖给日本人,改为内外棉第九厂。其他如东华、日华等日本纱厂,都陆续在上海设立起来了。

英国人设立的有"怡和"和"老公茂",德国人设立的有"瑞记",美国人设立的有"鸿源"(曾卖与英国人,后又由英人卖与日本人,改为日华纺绩第一厂)。此外英国人又在上海设立"瑞镕机器轮船工厂"。在北方的大煤田,则有英国会社的开平公司和中国会社的滦州公司,合组开滦矿务局,英国的势力,就伸张到全部煤田了。又日本在这时候和大冶铁矿缔结了十年的买矿契约。列强如此争夺中国的富源,而来迟了一步的美国资本家,却怂恿自国政府提倡中国之机会均等和门户开放主义,以期牵制列国,自己在中国的外交上取得了有利的地位。1900年,义和团事变发生,列强贪求无厌的帝国主义的野蛮侵略,虽然遭遇了非常的打击,可是列强却反而利用这个机会,进行剥削中国的巧妙计划,支配了中国的财政权,把关税权完全抢去,遂以确立了通商上的不平等。

义和团事变,也曾使得帝国主义者觉悟到它们露骨的剥削政策的不利,所以从这时候起,它们就改变方针,由瓜分政策变为投资政策了。当时成为势力核心的借款的铁路建设契约,就协定了一个办法,其已经建设的各铁路,完全作为中国国有的铁路,归中国所有,归中国经营(即仿照比利时财团对于京汉线的办法办理,如英国之对于沪宁线,俄法财团之对于正太线,英德之对于津浦线,皆其实例)。

外国人在中国经营企业,当然要刺激国民拥护利权的热心,所以民间经营的企业便渐有起色,从前官办的事业,也渐渐移归商办了。但这时的商办事业,在最初也和官办事业一样的失败,因为商办事业只虚有其名,举办这种事业的企业主,多是罢职以前的官僚,实际担负经营责任的人,又多是他们的亲戚故旧,所谓账房师爷之类,多半是无能之人,对于新式企业经营既无常识,当然不免于失败。

苏州的苏纶纱厂成立以后,移归宝通公司承办;上海的"大纯"、"裕源"纱厂,又移归日本人之手。无锡"业勤"纱厂成立以后,移归福成公司承办;杭州"通益"纱厂成立以后,改为鼎新公司;上海"裕通"纱厂成立以后,移归宝丰公司承办。各地商办纱厂共计有 15 处,锭子有 56.5 万,但成功的却是没有,不是变更经营的人,便是倒闭。

张之洞向清朝廷所上奖励民业的奏章很多,如主张撤废西式造兵各种设备、撤废各炮台各机械制造局,如主张将造船厂和机器局等移归商人承办,如主张划出奖励民业的资金,开设制丝纺织等工场,诸如此类,皆多所建白。所以清廷废除了对于机制品的课税法,宣布了振兴土货的方策,发表了新学新法奖励法和发明品奖励法等等。

"奖励新学新法"的规定,凡发明军用机械和船舶者,给以 50 年的专卖权,并给特别赏赐;发明日用新器具者,给以 30 年的专卖权,并授工部郎中之职;仿造西洋器具而成功者,给以 10 年的专卖权,并授工部主事之职。

第四节　收回利权运动与保护民业时代

这个时期,自日俄战争之 1905 年起至清朝灭亡之 1911 年为止,其间共有 7 年之久。

1905 年日俄战争的结果,使东亚各民族受到显著的刺激。中国对于以前列强侵略的反感,具体的表现出来,变成收回利权运动,越发促起政府对于民权的保护和奖励。由现在看起来,最近 50 年中间,中国产业的前途,要算这个时期是很有希望的。

就铁路一方面说,官僚以外的人民,也认识了铁路的利益,即如对于国营的铁路,人民也因为政府借外债举办的缘故,恐怕利权外溢,情愿由民间募款兴筑。譬如 1898 年萍乡煤矿铁路,是由本国技术家和资本家完成的,完全没有仰赖外人的援助,便是一个实例。像这样的经验,确是可以增高人民的自信力,所以当时各省的绅士们,都愿意拿出资本来创办铁路公司,实行测量工作,募集民间股本,要求政府解除和外国人所缔结的铁路借款的豫备契约。自民间获得政府许可完成潮汕铁路之时起,接着广东人民便筹集 4000 万元资金买回粤汉铁路豫备线的美国的利权,设立粤汉铁路公司,于 1911 年完成广东境内 100 英里之工事。又 1906 年,广东之新宁,江西之南浔,安徽之芜湖广德间,浙江之沪杭甬各铁路,均由各地方人民计划兴筑;1907 年,福建之漳厦铁路,北满之齐昂轻便铁路,1910 年,洛潼铁路川汉铁路等,也都是由民间计划兴筑的。

新宁线是纯粹由中国人自办而且最初通车的铁路,南浔线是凭借于日本的资本和技术兴筑的,现在还受日本的资本团所监督。沪甬线是取消中英公司的豫备契约而由江浙两铁路公司兴办的,但中英公司拿豫备契约胁迫清政府,以至民间资本和英国资本发生激烈的竞争,结局清政府为英国外交所屈服,事实上虽归中国民间建设,而英国资本仍然许可参加,终究把这条铁路的利益送给了英国人。至于川汉铁路,虽经地方人民热心集股兴筑,但因清政府违背民意的结果,终于引起辛亥革命的导火线。

从大体上说,在这个时期,绅士阶级挽回利权的运动,对于中国产业发展,确是很有希望的,无如国内的经济组织,被外国资本所侵略所扰乱,被不平等条约所束缚,依然是日增疲弊,加以清政府因为财政的破产,支配力日趋微弱,虽然力图变法自强,却也只是砂上楼阁,毫无实效,而国际帝国主义的魔手,依然是得寸进尺,压迫着中国人民,所以新式产业,不能得到发展的机会。

这个时期中,清政府也曾做过一些奖励民业的事情,譬如设立商部,订定商律,颁布公司注册章程,发表奖给商勋章程,新器制造奖励章程,商工科进士称号章程,考验游学生章程,华商办理实业爵赏章程等等。此外清廷的商部,又于北京、天津、武昌等地设立商品陈列所,于天津设立工艺总局、工业学堂、考工厂、实习工厂;于北京设立高等实业学堂,于工艺局附属工厂设置十二科;其后宣统二年,又于南京开过南洋劝业博览会。

这个时期民间所举办的事业,纺织业方面,在 1905 年,设有振华纱厂(在上海,初为中英合办,后归华人独立经营)、振新(在无锡)、裕泰(在常熟)、和丰(在宁波)等;在 1907 年,设有济泰(大仓崇明)、大生第二(南通)、九成(上海)等;在 1908 年,设有利用(江阴)、同昌(上海,后卖与日本人,称上海纺绩第二厂)等。从 1905 年起至 1914 年止,中国的纺织业,各地共有工厂 17,锭子 97 万。其他如船舶机械,在上海有求新厂,在汉口有杨子机器公司,在武昌有车辆铁器制造工场的计划。又大冶设有水门汀工场,山东及江苏有若干玻璃工场,南洋兄弟烟草公司,也在这时候创立。江南造船厂改为官督商办,景德镇官窑,委诸商办瓷器公司之手,制造品免除厘金课税。

至于外人企业,在奉天有本溪湖煤矿公司,由日本的大仓组和中国的政府合办,汉冶萍煤铁有限公司,先由日本兴业银行借入资金 300 万元,后又由三井、兴业、正金三银行及大仓组借入资金 600 万元,这是日帝国主义者后来要夺取汉冶萍的张本。又上海商务印书馆,在这时候亦由中日合办,其后 1905 年将日本人方面之股份完全买回,成了纯粹华人的公司。

第五节　杯葛运动与工业自立的萌芽时代

在民办川汉铁路运动进行之时,清政府指导不得法,理事者的中饱又暴露出来,所谓民办事业,受了一个打击,于是国际帝国主义者便乘着机会,用四国借款团的名义来挟制清政府,劫夺权利,清政府又提倡铁路国有主义。因此激起民众反抗,诱发辛亥革命,清政府终于倒了。

1912 年在南京组织的革命政府,确立了铁路国有的原则,又树立了建设铁路的计划。此外关于实业方面的功绩亦有足述者,不过也只是短期间的事业而已。

南京革命政府曾设置实业部，后来政府迁到北京，实业部曾分为农林工商两部，不久又归并起来改为农商部。当时农商部曾经计划棉铁政策，但未实现。工业保息费章程是在这时发布的。此外又设置劝业委员会、商品陈列所、工业试验所、实业协进会等，以期促进工商业的发展。

这时候天津创办直隶省立模范纺纱公司（资本 40 万元）和革新纺纱公司（资本 100 万元），上海的南洋兄弟烟草公司改为有限公司，求新厂由中法合办。上海总商会设商品陈列所，江苏实业厅开全省物品展览会。

自从 1914 年欧洲大战开始以后，欧洲各国对于中国的投资暂时停顿，中国产业界渐有活泼气象。1915 年，京张铁路延长到丰镇，1921—1922 年联结到归化，1922 年延长到黄流上游之包头镇，完成了百多英里的铁路。

欧战期中，新设的铁路线虽然停顿，但国有铁路间的联络营业，颇著成绩。第一，数理计算法式一定，今世中国国有铁路的会计报告的完全，可算是世界上少有的。其他车辆互用等种种的改良，打破了由铁路别和国别的色彩所生的困难，打破了中国人固有的陋习，使其变为适合于近代企业精神的经营方式，这都是进步的现象。

欧洲大战所及于中国铁路的影响，要算是中东铁路和山东铁路收回的两件事。中东铁路和山东铁路是国际帝国主义侵略中国的模范的体现。中东铁路，自旧俄帝国崩坏以后，由中国收回，暂与俄国旧党合办，后来复与苏俄合办。山东铁路，自旧德帝国参加欧战以后，曾经日本帝国主义者用暴力夺去，后来经过华盛顿会议的一番交涉，才由中国收回。于是中国境内的铁路之中，由外国资本和外国人所经营的，只有南满铁路和云南的铁路了。

在铁路方面虽然有一点发展，但在其他企业方面，自从辛亥革命以后，军阀混战不止，民力无由伸张，即如清朝末年助长产业发展的政策，也遭破坏，资产阶级不但不能发展，而且还要受军阀的压迫，以至产业陷于疲弊的形态，稍或能够维持旧状的，只有租界方面华人的企业而已。

但是欧战发生，却使中国产业得到发展的机会。中国市场，是欧美日本资本主义生产品的销路，战争的结果，欧美的商品的输入杜绝，只有日本的商品的输入日益增加，但当时物质的缺乏依然未减。兹将 1911 年到 1922 年的贸易统计列举如下：

年　　次	输入（单位两）	输出（单位两）
1911	471503934	377338166
1912	473097031	370520403
1913	570162557	403305546
1914	569241382	356226629
1915	454475719	418861164
1916	516406995	481799366
1917	549518774	462931630
1918	554893082	482883031
1919	646997681	630809411
1920	762250230	541631300
1921	906122439	601255537
1922	945049650	654891933

这个时期中，中国工业资本家虽然遇到了工业自立的机会，却因中国市场早受外国商品所蹂躏，缺乏了发展工业的基础，以至日本的商品独占了中国的市场。幸而当时工业输出品的贸易价格增高，银价暴涨，能使中国资产阶级的金融得到良好状态，因而他们的企业热旺盛起来，又因反日运动的结果，提倡国货之声，甚嚣尘上，于是许多大小的制造工场便如春笋一般的簇生出来了。

欧战以后，杨子江流域所发达的企业，计有发电所 26，运输业 18，农业企业 18，纺纱工场 16，商业公司 15，矿山工业 12，渔业公司 3，及其他 8 种，总资本达 1.5 亿元。

现时中国的近代工业，在纤维工业方面，有纺纱、织布、制丝等业；在食品工业方面，有制粉、制糖、制酒、罐头食品等业；在化学工业方面，有火柴、制纸、制革、制油、制肥皂、造玻璃、制蛋粉、制水门汀、制纽带、制珐琅铁器、制洋伞、制草帽、制缝针、制石棉等业。这些工业品，能够作为外国货的代用品，即如日本输入中国的粗工业品，也受打击不少。但是这类新兴工业，和中国的土地人口比较起来，还是在萌芽时代，中国的工业化，在国际资本控制之下，前途是很辽远的。

中国人口约有 75%，从事于农业及其他原始产业，至近代产业劳动者为数不过 300 万,所以中国近代工业的现状,实在是很贫弱的,而且从外国贸易上看起来,输出贸易额之中,有 70% 是原料品的土产,而输入贸易额之中,大部分都是加工品。即就贸易总额说,和国土人口比较,也是很少的。这明明是自然富源没有开发和产业没有近代工业化的实证。

第五章　近代企业的现状

第一节　煤铁及铁工业

资本主义文明的基础在于近代的工业组织,近代工业组织的核心在于机械,而煤和铁在近代工业中的地位,却和太阳一样。所以我们要说明中国近代企业现状,应当先说煤和铁,其次说铁路、船舶的状态,其次说近代的主要工业。还有一事要特别注意的,中国工业的经营者和资本,由外国来的非常之多,所以虽说是中国的工业,实际上却完全是资本主义最后阶段的帝国主义的投资。这里先说煤铁和铁工业。

中国的矿产,煤居第一,铁次之,这是将来发展工业的先天的基础。其他则有锑(产额为世界第一)、锡、金、铅银等矿,1921 年当时的矿区面积为3738178 平方里(约 60294 平方英里)。兹先说煤铁及制铁业,并附带的说到煤油和锑矿。

一、煤

中国煤的埋藏量,据 1921 年地质调查所的测定,深度 1000 米以内煤层 1米以上的埋藏量,有无烟煤 62.52 亿吨,有烟煤 171.83 亿吨,全部埋藏量当有500 亿吨。若用现时消费额每年约 2000 万吨计之,可以支持 2000 年,若用现时美国消费额每年平均 8000 万吨之比例消费,将来只能支持 70 年。

现时中国实行近代的采煤的地方,有奉天、直隶、山东、河南、江西各省,此外山西和湖南,虽亦采用近代的采煤方法,但大部分还是旧式采掘法,还须仰赖于新式工业和铁路的发展。

兹将主要煤矿的推定埋藏量和 1923 年的产煤额,列表如次:

煤矿名	埋藏量推定	1923 年产额煤	所在地	经营主体国籍
开滦矿务局	400000000	4495692	直隶	中英
抚顺煤田	600000000	4782200	奉天	日本
本溪湖煤铁公司	190000000	379110	奉天	中日
淄川煤田（鲁大）	300000000	558043	山东	中日
焦作煤田（福公司）	700000000	694143	河南	中英
临城煤田	300000000	217652	直隶	中国
井陉煤田	300000000	600231	直隶	中国
峰县煤田（中兴）	110000000	729960	山东	中国
六河沟煤田	115000000	444441	河南	中国
萍乡煤田	200000000	666939	江西	中国
中原公司	——	568404	河南	中国
保晋公司	——	311048	山西	中国
大同诸煤田	1100000000	238245	山西	中国

　　萍乡煤矿，在 1921 及 1922 年，产煤曾至 80 万吨以上。大同诸煤，只有运输火车的数量的统计，其用骡马运输的数量，殆亦相同。

　　至于全国最近数年间的出煤统计，约如次表：

年次	数量（吨）	年次	数量（吨）
1917	17205224	1921	19871728
1918	18033367	1922	19954529
1919	19387437	1923	22681327
1920	20381060	1924	23711000

　　又每年煤之输入额约如下表：

年次	数量（吨）	价格（两）
1920	1341519	15524038
1921	1426171	14420525
1922	1208149	11347528

年次	数量（吨）	价格（两）
1923	1366108	——
1924	1610016	——

煤之输出额约如下表：

年次	数量（吨）	价格（两）
1920	1989290	12417172
1921	1921555	11641413
1922	2421828	15385041
1923	3108682	——
1924	3202352	——

　　和每年出煤量相比较，这煤的输出超过的现象，实含有中国工业尚未发达的意义。

　　如前表所示，近代的采煤矿区的主要地方，也和铁矿一样，其利权亦在外国资本家的掠夺范围之内，这是要注意的，再观下表，更为明了。

经营别	1916 年	1920 年
外国及中外合办企业所产之煤	7993010（吨）	9485416（吨）
对于近代的企业出煤总额的百分比	81%	66%
对于全国产煤的百分比	50%	46%

　　再由企业资金观察其资本与国别，有如下表（1916 年）：

国别	资本（银元）	出煤能力（吨）
中国	46950000	6330000
英国	22000000	2800000
日本	24500000	3415000
德国	6350000	940000

国别	资本（银元）	出煤能力（吨）
比国	600000	150000
合计	100400000	13635000

英国资本之中，在开滦公司方面含有比国资本，在福公司方面含有法比两国资本。1916年统计中含有德比两国利权之山东临城及直隶井陉两矿，由中国收回，又山东淄川及博山两矿，则移归中日合办之公司，故不见于1920年之统计中。

国别	资本（银元）	出煤能力（吨）
中国	50900000	7100000
英国	22000000	4000000
日本	27500000	4500000
合计	100400000	15600000

由前表看来，中国近代的煤业和现在出煤量，都有50%，是归英日两国资本支配着。同时中国自身的近代工业，数年来在国际资本支配之下，亦略有发展的倾向，这也是不能忽略的。

二、铁矿及制铁业

A. 铁矿

中国铁矿没有正确调查，综合多数外国人的推定，而依据1921年地质调查所的发表，铁矿和生铁含有量的统计，约如下表：

省名	矿石（吨）	生铁含有量（吨）
直隶	91479000	45434000
奉天	387580000	105205000
山东	29920000	14138000
河南	3400000	1640000

省名	矿石（吨）	生铁含有量（吨）
安徽	50000000	25000000
江西	18060000	8671000
湖北	52660000	29780000
甘肃	35000000	17500000
福建	7500000	3650000
浙江	2300000	1050000
合计	677899000	252068000

据上表,已推定的铁矿吨数,约为 6.77 亿吨(相当于美国的 1/4,德法的 1/3,英国的 4/5),此外未经调查的区域亦有相当之额,据推定全国铁矿埋量或有十亿吨。

以上述数字为基础,合全国人口计算,每人当有铁矿 2.5 吨,有生铁 1.25 吨,若和美国每人每年生铁消费额 0.25 吨相比较,中国的铁矿,还不能说是丰富,但在亚洲各国之中(印度铁矿未经调查,荷领印度 8 亿吨,澳洲 3.5 亿吨,菲律宾 2 亿吨,英领南洋 2.5 亿吨,日本 8000 万吨),中国铁矿的埋藏量,要算首屈一指了。至于各主要铁矿埋藏地,现在都经测定,如湖北之大冶(通称 1 亿吨)与象鼻山矿(湖北矿务局),奉天之鞍山岭(通称 1.58 亿吨),本溪湖之庙儿沟矿(8000 万吨),直隶之龙烟烟筒山及其他(于 1918 年成立 500 万元之官商合办公司),山东之金岭镇(称 8000 万吨),江苏之凤凰山,安徽之桃冲(称 5000 万吨)等。

关于这些铁矿,我们要注意考察它们和日本的关系。日本是铁矿很少的国家,要维持其帝国主义的生命,只有抢夺中国的铁矿一法,所以它对于中国铁矿的攘夺,确是唯力是视的。1911 年以后,汉冶萍公司,曾经几次和日本订立契约,成立借款 1200 万元,规定在 40 年之间,卖与日本以矿石 1500 万吨,生铁 800 万吨(该公司曾有中日合办计划,在《五七条约》中,更加确定了日本对于该公司的权利。其后该公司所欠日本帝国主义者的借款,长期的短期的合计,截至 1922 年底止,共为 33206648 元,后来又成立了借款 500 万元)。本溪湖煤铁公司,是东三省政府和日本大仓组的合办事业,桃冲煤矿,由裕繁公司(中日实业公司出资)经营,其矿石两部,均与大冶矿同送枝光制铁所。金岭镇由中日合办之鲁大公司经营,鞍山矿由中日合办之振兴公司经营,全部矿石,均供给南满铁路局经营的鞍山制铁所之用,凤凰山矿与中日合办之华宁公司有关系。这样看来,中国主要矿山的大部分,都要受日本帝国主义者的支配。

兹将近代的工业下所经营的主要矿山出矿统计,列举如下:

主要矿山别	省别	1920 年	1921 年	1922 年	国籍别
大冶矿山	湖北	824491	650000	580000	中国
象鼻山	湖北	45667	161575	45439	中国
宝兴公司	安徽	44389	54565	34583	中国
桃冲山	安徽	81810	160920	224360	中日
金岭镇	山东	128164	88204	25745	中日
庙儿沟(本溪湖)	奉天	105239	67435	停止	中日
鞍山	奉天	136000	169940	143364	中日
合计		1365760	1352439	1153491	

B. 制铁业

(一)制铁所

(甲)汉阳及大冶

沿革。1891 年,张之洞于汉阳设立铁政局,1896 年改为官商合办,1908年合大冶铁山与萍乡煤矿,成立现在的组织,资本金为 2000 万元,后因经营困难,借入日本资本,直到现在,日本的资本约达 4000 万元。

就生产能力说,汉阳有 75 吨炉 2 具和 250 吨炉 1 具,外有旧式 30 吨炉 7具,但旧式炉及 75 吨炉,今已不复用。每年生产能力,汉阳为 234000 吨,大冶为 920000 吨,事实上一日只出 300 吨。钢铁制炼完全停顿,到最近为止,生产统计,约如下表(单位吨):

	1919	1920	1921	1922	1923	1924
生铁	166096	126305	126496	148424	73018	26977
钢	4850	42800	——	——	——	——

最当注意的,是汉冶萍公司和日本的关系。该公司成立之后,因经营不良,以至资金缺乏,日本因铁矿之供给缺乏,乘机向该公司总办盛宣怀交涉,借给款项,订立卖铁矿与日本的契约,限期为 40 年,自 1911 年起,40 年之间,应卖出矿石 15000000 吨,生铁 8000000 吨(矿吨当 2—3 元,生铁吨当 0.24 两),其后日本虽有要求合办的计划,因遭舆论的反对作罢,1915 年之《五七条约》,竟确定日本的权利,日本的投资,到最近达 4000 万元。近来因时局不定,经营不良,殊无继续之希望。

(乙)杨子机器厂(六河沟煤铁公司经营)

合象鼻山铁矿与六河沟煤矿二者而成。有百 20 吨炉 1 具,每年生产能力为 43000 吨。生产统计,在 1920 年为 7624 吨,在 1921 年为 15248 吨,在 1922 年为 19248 吨。

(丙)本溪湖制铁所(由中日合办之本溪湖煤铁有限公司经营)

此制铁所归奉天省政府与日本资本家大仓组合办,合庙儿沟的铁矿与本溪湖的煤而成。有 140 吨炉 2 具,20 吨炉 2 具,每年生产能力为 115000 吨,其生产统计如下:

1918 年	44992(吨)
1919 年	78871
1920 年	48824
1921 年	30869
1922 年	停止
1923 年	24338
1924 年	51950

(丁)鞍山制铁所(南满铁路公司经营)

铁矿为鞍山磁铁矿,所用之煤为本溪湖煤和抚顺煤。鞍山矿山归中日合办,大振公司有采掘权。矿石所含之质颇为贫弱,不到 5%。有 350 吨炉 2 具,现时产额每年 20 万吨,在中国要占第一位。刻正在计划每年要出产 50 万吨。从前之生产统计,在 1920 年为 74895 吨,在 1921 年为 57185 吨。

（戊）石景山制铁所（在河北之北平北郊，归龙烟制铁公司经营）

矿区以京绥线宣化驿附近之烟筒山为中心，其质良而又丰富，用煤豫定由河南之六河沟供给，是 1918 年在北京北郊之石景山设立的，后因欧战告终，铁价大跌，没有开炉。有 250 吨炉一具，一年生产能力为 9 万吨。龙烟公司为官商合办之有限公司，资本 500 万元。

（己）浦东制铁所（在上海，由和兴公司经营）

规模极小，有 33 吨炉 1 具，12 吨炉 1 具，一年出产能力为 1.6 万吨。

（二）中国铁的消费

以上各制铁所的出产能力若能完全发挥，中国每年当可生产百万吨之生铁，但在实际上，自欧战告终以来，铁价低落，生产因而大受限制。又因经营上发生种种困难，兼之内乱不已，所以每年的出产额是很少的。据最近统计，1918 年为 18 万吨，1919 年为 27 万吨，1920 年为 25 万吨，1921 年为 23 万吨，1922 年为 26 万吨，1923 年为 26 万吨。

这些生铁的大部分，都是运出国外，供中国工业用途的部分极少。就输出统计看，1920 年为 12065365 担，1921 年为 2648102 担，1922 年为 3362531 担，其价格约为 1000 万元。反之，铸钢的输入，其量甚少，殊不足道。

1923 年生铁的生产额不过 26 万吨，但对日本须履行条约上的义务，每年要对日输出 16 万吨至 20 万吨，所以中国境内所消费的铁量很少。据 F.R.Tegengren 氏所推定，中国近代铁工业的生产约为 25 万至 30 万吨（其中有 16 万吨至 20 万吨要输送于日本），铸钢和生铁的输入为 30 万吨，旧式铁工业的生产约 17 万吨，若照这样计算，中国境内每年铁的消费额约为 55 万吨至 60 万吨。拿这个消费额和欧美各国比较计算，美国每人每年要用 250 千克的铁，英国每人 130 千克，德国每人 130 千克，瑞典每人 85 千克，俄国每人 30 千克，日本每人 14 千克，中国每人只用 1.4 千克。就中国的人口数而论，每年大约应当要 750 万吨的生铁。这 750 万吨的生铁，大约要 1500 万吨的矿石才能做得出来。中国铁的埋藏量即算是有 10 亿吨，也只有 66 年的寿命。若是和美国那样的消费，只能支持 5 年。

但是中国境内竟不能销纳这些铁，铁矿的大部分，反要输送到日本去，兹列举最近输出入统计表如下：

年次	1920	1921	1922	1923	1924
输出	682660	514888	671220	727603	846833
输入	20102	5992	1366	3084	1575

附注　日本所以百般计算要夺取中国的铁矿,是因为本国铁矿的缺乏。日本每年铁的消费额约为150万吨,但现时该国每年的生产只有65万吨。除了它在我国东三省所生产的15万吨之外,还须生产50万吨。这50万吨铁的生产,须用矿石100万吨。但日本国境内的矿石的生产,每年只有25万吨,还缺少75万吨以上的矿石,所以不能不取给于中国。日本铁矿的埋藏量为8000万吨,若要供给现下的铁消费量,不出20年便要用尽。这便是日本所以要抢夺中国铁矿的由来。

三、煤油

中国油田的调查很不充分,兹略举其已知者如下。

陕西的油田,据说是很有希望的,1914年,美国美孚公司曾经投出200万美金,取得了试掘权,但就其所公布者而言,油脉在地下2000英尺以上,可以用于工业,现在没有打算开采。试掘的地方只限于陕西省的西北部,全部共有7个,在3000英尺以内。由该该地一区的延长农商部试掘井开采,则已证实数年间可以出油。

陕西以外,由甘肃之西北部至于北土耳其斯坦之倾斜部,有油床的地质分布。新疆之迪化地方,曾经产出小量的石油,但未试掘。四川秦岭的南部,从盐井中可以看出产石油的地质。自流井附近由1000英尺到4000英尺的盐井,有1000以上,石油的产额每年有50吨。

油贡岩的分布在热河,尚未着手。最近在抚顺曾计划着手此项工业。其埋藏量之推定如下(含有4%—10%,平均5.5%):

100 呎以下	255000000 吨
200 呎以下	505000000 吨
500 呎以下	1223000000 吨

1000 呎以下	2380000000 吨
4000 呎以下	5500000000 吨

日本之南满铁路公司已着手于此,这是中国境内最初的石油企业。

附注 世界的煤油产额,据 1921 年的统计为 759030000(单位 Bar,即 6 吨),其分布如下:

美国	469639(Bar)	墨西哥	195064(Bar)
俄国	28500(同上)	兰领印度	18000(同上)
波斯	14600(同上)	罗马尼亚	8347(同上)
印度	6864(同上)	日本及台湾	2600(同上)
波兰	3000000(箱)	秘鲁	3000000(箱)

四、锑矿

锑之为物,虽非重要工业,但中国锑之产额为世界第一(占 44%),当然不免于外资的侵略。

锑的出产,湖南占第一。板溪锡矿山即其主要者。此外广东、广西北部、云南东部也有锑矿区。

第二节　铁路与船舶

一、铁路

中国的铁路问题,在政治上、经济上、外交上,都有很重大的意义。

中国现有铁路运行哩数,约有 7000 哩,就人口和面积比较,实在是很贫弱的。单就人口和本部 22 行省面积来比较,平均每 256 方哩每人口 5.3 万人,只有 1 哩的铁路,若要做到像日本那样每 16 方哩每人口 8000 人有 1 哩铁路,像美国那样每 12 方哩每人口 3800 人有 1 哩铁路,在面积上实有增加到 15 倍至 20 倍的必要。

A. 中国铁路的赢益

铁路是现代交通的根基,中国铁路交通的不发达,于现时混乱的局面有很重要的关系,这是人人都知道的事实。这铁路网的设立,于中国国家的建设上,实在是先务之急。中国铁路营业的赢益很多,假使国内的治安能够维持,铁路的企业,可以断定它一定能够发展。丰富的土产的移出,销路广阔的加工品的移入,一切都要仰赖于铁路的交通,以中国今日已成铁路哩数的短少,营业的赢益之多,乃是当然之事。过去数年间国有铁路 6983 千米区间的收益,有如下表:

年次	总收入(元)	营业费	营业收入	营业费率	纯收益
1920	91443932	42780106	48663825	46%	40788087
1921	96450836	53967045	42483790	56%	28701065
1922	99556229	56659483	42896745	57%	24237261

〔注〕平均每 1000 米之收入为 6900 元。

根据上表和欧美各国铁路经营的状态比较起来,在欧洲各国,铁路营业大收其利益的时代已经过去了,比方美国铁路的营业费率现为 80%,而中国铁路的营业费率,则平均只有 53%。又美国铁路每 1000 米之收入为美金 5000元,而中国国有铁路则有 6900 元;再就对于修筑铁路原价的纯赢益率说,在美国只有 4%,在中国则有 7.9%(若单就收益最多的京奉线说,每 1000 米的平均收入为 12800 元,其赢益率竟有 16.7%)。中国铁路投资的有利,于此可见,也无怪帝国主义者垂涎了。假使中国没有内乱,国有铁路能够经常的转运,铁路的营业必更有起色,所欠的外债,必定早已还清无疑了。

B. 中国铁路的投资者

铁路总营业的距离,自 1922 年以来,共约 7000 哩(11997 千米),其中有4364 哩(6983 千米)属于中央政府交通部直辖的国有铁路,包括本部主要干线约 280 哩,属于官督商办的铁路,事实上与交通部同办。又有 480 哩为省有铁路或私有铁路。以上总算是在国家经营的名义之下经营的。此外有 2372哩,则归外国人经营,这是中国所独有的现象。兹将外国所办铁路与国别及其

资本等,列表示之于下:

铁路名	经营者	资本金	营业哩数	备　考
中东铁路	中俄合办	66239400 镑	1374	
南满铁路	日本	442000000 元	684	包括安奉线
滇越铁路	法国	6200000 镑	293	
广铁路	英国	不明	21	广东九龙间英国租借地之部分
总计		442000000 元 72439800 镑	2372	1166398000 元

以上外国人所办的铁路,对于中国国家并不担负丝毫义务,而且在铁路附属地带,还取得行政权及防备权,这岂是我中国人所能忍受的?

C. 中国铁路上之国际资本

在国有铁路名义之下的公私铁路,其大部分的资本是外国资本。国有铁路修筑原价 5.63 亿之中,含有 5.2 亿元的外债,单就这一点,也可以窥知国际帝国主义者对于中国铁路的关系。外国资本对于中国铁路投资的经过,即是表明中国化为国际殖民地的过程。用开发中国名义而提倡的铁路建筑,最初是由英国商人发起、由英国技师建设、由英国金融业者投资的。中日战争以后,列强乘着机会,以瓜分中国为根柢,设定了势力范围地带,列强对于这势力范围的划定,是以自国资本所建筑的铁路为中心的。上表所述列强所有的各铁路线,固不待论,所谓借款的铁路的建筑,列强为确实保证其投资的利益计,势非夺得那铁路的管理权和营业权不可。自从 1887 年以来,十余年之间,英国对于京奉、沪宁、道清三线(970 哩),投资 6200 万镑;俄国对于中东、正太二线直接投资,对于京汉线则隐藏于比利时财团之内,与法国均有关系,其投资总额为 7123.9 万镑(1695 哩);德国领有山东铁路,投资 270 万镑(277 哩);比利时对于京汉线投资 500 万镑(827 哩);又英国对于粤汉线投资 800 万镑(800 哩)。各国合计投资 9400 万镑(即亿元)。路线长 5300 哩。

中国人民对于列强这样露骨的政治的经济的侵略,就发生了 1900 年的义和团事变,于是列强的投资的形式也略加改变,所谓铁路投资,也止于建设借款,不复要求管理权了。从前已投资而没有兴工的铁路借款契约,也改用了新的条件(如京汉、正太、粤汉等)。在这个时代,各国因为投资竞争过于激烈的结果,消极方面渐渐趋于共同投资的倾向,日俄战争以后,日本也来参加了。这个时代的投资,英德两国对于津浦线投资800万镑,在京汉线则有英法日的500万镑的共同投资,建筑成功以后,铁路的管理和营业权归诸中国。英国单独对于广九、沪杭两路,投资200万镑,日本继承俄国经营中东铁路的南段,长480哩,合安奉线150哩,及吉长、新奉二线116哩,投资约700万元。

国际帝国主义者因为对华的投资竞争之故,深恐资本的赢益率之减低,并为防制某一国垄断了中国财政的支配权起见,越发感觉有协同行动的必要,就成立了英、德、法、美的四国借款团。这可说是对华投资界的一个转换期。(1911年)列国共同投资机关成立,而民间收回铁路自办的事业,亦多失败之点,清政府乃断然决定铁路国有的政策,基于国防财政产业等等的见地,不论已成未成的铁路,其干线系统,概归国家经营,唯于地方铁路,许可民间经营。这个政策,虽成为辛亥革命的导火线,但民国成立以后,仍然未变。

民国成立以后,孙中山先生曾经树立了全国铁路开发的大计划,后因袁世凯专权恣肆,未能见诸实事。自此以后,北京政府基于财政上的见地,滥结铁路借款契约,于是又显出了铁路借款的竞争时代。这个时代借款的铁路总哩数为8200哩,总借款额达8300万镑。计英国供给沙兴、浦信、宁湘、广厦诸线的借款为3000万镑(900哩),法比两国供给同成、钦渝、陇海诸线的借款为7亿法郎(3500哩),德国供给高徐、顺济的借款(500哩),其他美国供给株钦的借款、俄国供给滨黑的借款、日本供给满蒙五铁路的借款等,都属于这个时代。这个时代,各国对于供给借款的主要条件,在能确实保证铁路建筑及投资所得的赢益,只要求任用外人技师长及会计主任为止。不过这些借款,不久因为欧战发生,中国内乱不已,不是建筑铁路的时机,所以上述各契约,只由各借款国提交预付的数目并保有其权利而止,实际上连一条铁路也没有进行。这个时期实行建筑了的铁路,只是陇海路中段汴洛线的完成和延长以及满蒙四铁路之一的四洮线的完成而已。

同时以前成立之四国银行团,后因日俄两国参加,变为六国银行团,后又因美国脱离,变成五国银行团,这五国银行团,在欧战以后无形瓦解,后来更因美国发起组成英美法日四国新银行团。这四国新银行团,关于铁路既设线以外的权利即同成、浦信、株钦、沙兴等诸线,均移归于新银行团。只有日本坚持所谓满蒙特殊地位,对于满蒙方面的未设线,亦主张保留其权利。但近十余年以来,内乱不息,新银行团在事实上只变成了防止借款的机关。却有日本在东三省方面单独活动,先后完成了四洮线的 70 哩和郑家屯洮南间的 150 哩,其次于洮南齐齐哈尔间建筑 150 哩。同时吉会线一部分的吉林敦化间的百余哩,亦将次第告竣。其他,京奉线之锦州朝阳间支线完成 70 哩,又完成吉会线之南部天图轻便铁路,所谓关东州内之 60 哩金福铁路,亦已兴工。东三省铁路新设哩数已达 600 哩,都由日本经营,日本欲在东三省成立铁路网之野心,行将实现,东三省早已岌岌可危了。

二、航运船舶

A. 外国贸易上之船舶

1920 年度,从事外国贸易的船舶为 61798 只,吨数约 2885 万吨,其贸易额约 13.8 亿两;从事内国贸易的船舶为 148811 只,总吨数为 7500 万吨,其贸易额为 15.47 亿两。外国贸易比内国贸易不如,于此可见。至于从事此项贸易的航运业,则可于下表看出:

种别国别	中国	英国	日本	美国	其他各国
外国贸易	9%	38%	37%	8%	15%
内国贸易	42%	41%	13%	2%	2%

由上表看来,外国贸易,英日两国共占 75%,中国仅占 9%。太平洋上并没有一只挂中国旗的船,一切都在外国船舶的蹂躏之下。

B. 内国贸易上之船舶

就内国贸易说,在别的国家,均由本国船舶独占,但在中国,外国的船舶要占居过半数。这个现状的由来,一因帝国主义者夺去了内河航行权,许多通商埠都是被压迫而开的,所以外国船舶得以航行于内地,一因中国人缺乏关于航海贸易的智识,所以外国船舶占得了优胜的地位。

最近统计上中国船舶在本国贸易全体上所占的地位,有如下表:

年次	总吨数	中国籍船舶吨数	百分比
1918	80247706	21782704	27%
1919	95725935	27089762	28%
1920	104266695	27653309	26%

本国船舶吨数,仅占1/4,航运上的利益,大部分为外国资本所夺去。

在外国贸易一方面,欧洲航路、南洋航路及美国航路,或以上海香港(大连)为起点,或在此等地方寄泊而专事装载中国贸易之货物的船舶,都是外国船舶。在内国贸易上活动的外国轮船公司,有英国的怡和、太古两行和日本的日清轮船公司。太古洋行、怡和洋行和日本邮船会社大阪商船会社,都是这些公司的支持者。中国和那三个外国公司对抗的,只有招商局。招商局成立于1871年,由李鸿章所倡办,资本100万两,定为官商合办,后来购得美国轮船公司旗昌洋行的船舶18只,至1898年,改为商办,增加资金500万两。只因办理不得其法,又要和那三个外国公司竞争,又要受内乱的影响,以至营业不佳,不得不仰赖英国银行的资金救济,这是中国航业前途最不良的现象。兹将上述四公司之现状列表比较如下:

公司名	创立年	资本金	所有船只	总吨数
招商	1871	8000000 元	35	34683
怡和	1875	1200000 镑	52	58847
太古	1875	1000000 镑	47	60495
日清	1878	16000000 元	12	25807

此外有小数船只之公司,如下表所载,其活动范围很受限制。

公司名	国籍及本店所在	船只数	总吨数
开滦矿务局	中英(天津)	6	6042

公司名	国籍及本店所在	船只数	总吨数
宁绍公司	中国（上海）	5	4941
政记公司	中国（大连）	5	4097
戍通公司	中国（哈尔滨）	——	——
大连汽船公司	日本（大连）	5	
禅臣洋行	德国（上海）	4	2483
美最时	德国	6	6790
平安公司	——	1	——

C. 港湾

中国的港湾，大部分是自然的河港，海港仅有香港和大连，香港归英国经营，大连归日本经营，至于河港，自上海、天津、汉口为始，各港的筑堤，都在外国的专管租界，由外国人建设，其属于中国人所支配的，只有广东的筑堤。河川港湾的管理经营，由外国人所支配的海关港务部司掌其事，以前中国政府交通部中的船政局，并没有做过积极的工作。奉天省的葫芦岛（连山湾）、山东省的芝罘、江苏省的海洲等处，虽有筑港的计划，迄未实现。只有广东的黄埔（广东的外港）筑港，算是在进行之中。

第三节　近代工业——纤维工业、金属工业、化学工业、食品工业

中国的近代工业自立的曙光，始于欧战之后，现在正在发达之中的，在纤维工业方面，有纺纱业、织布业、丝织业等；在金属工业方面，有精炼业（铁和锑）、机械、船舶、车辆、兵器、货币制造业等；在化学工业方面，有火柴、纸类、蜡烛、肥皂、皮革、化妆品、蛋粉、豆粉、火药制造业等；在食料品工业方面，有制粉、制糖、制盐、制罐食品、酿造业等；在建筑工业方面，有士敏土、玻璃工业等。兹就各业之中择其一二种为代表，略述其大概如下。纤维工业中，以纺织业为代表，金属工业中以造船业为代表，化学工业中以火柴工业为代表，食品工业中以制粉业为代表。

一、纤维工业（纺织业）

按照近代工业的历史，蒸汽机关发明以后，交通机关便发达起来，纺织机械发明以后，手工业便崩坏下去，这种产业革命序幕的经过，于引导现代中国的产业革命，是一件很有兴趣的事实。

中国的铁路，是因为受了资本主义成熟期的国际帝国主义者的刺激，才通行于中国大陆的，其主要的任务，在运进外国的商品和输出中国的土产。以中国市场的广大和工钱劳动者的供给充分，乃是工场工业自然发生的条件。中国纤维工业之首先发生和发达，并不是奇怪的事情。

纺织工场，首先创设于上海租界，作为官办，由官吏经营。其后外国的资本家（尤其是日本资本家）就利用不平等条约，到中国来设立工场，因此中国商家也受了刺激，先后出资来经营斯业，现在成为唯一的代表的工场工业了。

今日纺织业的现状，据华商纱厂联合会民国十六年的调查，中外各公司合共有 118 个工场，有 370 多万锭子，有 2.4 万多架织机。其投资资本为 1.56 亿元，每年消费的棉花为 1.1 亿磅，劳动者的人数 20 余万。若和欧美亚三洲其他各国比较，尚属幼稚，英国的 5600 万锭子，自然要居首位，其余如美、法、德、俄、意、捷克、印度、日本等，都在中国之上。兹就印度、日本和中国比较如下：

国别	锭　数	棉花消费额（磅）
印度	6870000	157640100
日本	4645000	180320000
中国	3705836	111930000
计	15220836	449990000

中国境内的棉花原料还能自给，纺织品在国内的消费也很广大，这是中国境内纺织业前途尚有发展希望的地方。再就纺织企业的投资关系看，和别的企业一样，大受外国资本的侵略。兹依据 1927 年华商纱厂联合会的调查，列表如下：

国别	工场数	锭数	织机数	工人数
中国	72	2208568	13689	131063
日本	42	1291948	5929	45628
英国	52	205320	2863	19000
计	166	3705836	22481	195691

由上表所示,全部锭数中,约有 41%,是归外国资本经营的,中国方面所有的锭数,虽然差不多要占外国方面的锭数的一倍半,却因经营上颇多困难,在势力上并不一定要大过一倍半。现在和中国纺织业竞争最力的,要算是日本。兹再根据 1923 年华商纱厂会的调查,比较中国和日本两方面斯业发展的经过情形,列表如下:

年次	中国人经营者			日本人经营者		
	工场数	锭数	纺织机数	工场数	锭数	纺织机数
1891	2	65000	——	——	——	——
1895	——	——	——	1	20392	376
1900		250000		2	45872	886
1910		450000		——	——	——
1911	——	——	——	4	78336	886
1916		570000		——	——	——
1917	——	——	——	6	170336	886
1918	——	——	——	8	250328	1636
1919	19	659752	2650	10	321320	1636
1920	37	856894	4540	14	399936	2136
1921	51	1238902	6650	25	695592	2136
1922	64	1593034	7817	——	——	——
1923	55	1493671	8581	——	——	——
1924	72	2112154	13689	41	1218544	5925

把上述数字,再和中外全体的发展统计(很不完全)比较观察,有如下表:

年次	工场数	吨　数
1896	12	417000
1902	17	565000
1911	32	831000
1916	42	1145000
1918	49	1478000

在外国人企业一方面,日本简直以莫大的势力和他国相竞争。再就中日两国的发展状态观察,到1916年的时候为止,日本的工场到底比不上中国方面的,但自欧战以来,纺织业获利很大,日本便乘机到中国来发展这项事业,并且大见发展,这是因为日本工银增高,日本政府在通货政策上又奖励海外投资,而且日本输入于中国的大宗棉布和棉纱,可以在中国就地直接生产,所以日本斯业界在大战当时决定到中国来图发展,日本资本家所得的利益很多。

中国方面的企业,因经营多不得法,以至不能利用欧战当时的机会以求充分的发展,犹幸当时土产输出的价格增高,银块行市暴腾,遂得以提高经济的地位,始有今日的发展。但工场经营和金融机关,颇多缺陷,仍未能和外国资本竞争,这也是帝国主义支配下的中国产业上必然的现象。兹再就纺织业在中国各地的分布状态,表示如下(根据1924年1月的调查):

地点	中国人经营的		外国人经营的		合　计	
	工场数	锭数(已运)	工场数	锭数	工场数	锭数
上海	24	665789	30(日)	538992	59	1455297
江苏	20	388228	5(英)	250516	20	388228
河北	9	308288	——	——	9	308288
湖北	5	247896	——	——	5	247896
河南	4	118840	——	——	4	118840
浙江	3	49760	——	——	3	49760
山东	2	58000	14(日)	218000	16	276000
湖南	1	40000	——	——	1	40000
安徽	1	15200	——	——	1	15200
江西	1	15360	——	——	1	15360

地点	中国人经营的		外国人经营的		合　计	
	工场数	锭数（已运）	工场数	锭数	工场数	锭数
山西	1	12800	——	——	1	12800
陕西	1	15000	——	——	1	15000
奉天	1	20000	4	96360	5	116360
计	73	1769318	45	1194144	118	2963462

中国纺织业的中心，以上海及其附近为第一，其次是山东的青岛，湖北的汉口，天津（中国工场有六），河南的郑州。

其次，关于棉纱的消费，就 1912 年至 1922 年之间，列举其输入的棉纱和输入国别表如下：

年次	英国纱（担）	香港纱	印度纱	日本纱
1912	10965	13713	1295578	949801
1913	5128	9682	1330567	1300921
1914	4310	12715	1137224	1331739
1915	370	1944	1179360	1445345
1916	——	92738	1068328	1351006
1917	1863	19130	30556278	29086944
1918	——	14336	16396036	35358884
1919	6199	14336	41605501	30525207
1920	1258867	21872	39237334	34725217
1921	1069616	24113	24995739	37733960
1922	3218002	2854	16203586	43472474

前清光绪初年（1875 年），印度纱的输入不过 1 万担，以后印度纱便支配了中国的市场；光绪二十年（1895 年），日本纱的输入也不过 1 万担，以后日本纱也渐渐增加，到 1922 年，已增至 4000 万担以上，近来更有增加之势，中国纺织品市场之受外国所支配，于此可见一斑。

就中国纺织业的发展的趋势说，大概可以作下面的说明。纺织业的发达，要以 1916 年至 1922 年为最盛时期，其原因是由于欧战期中，输入棉货最多的英国牵入了大战的漩涡,国内资本家受了这个刺激,乘机大举兴办这种事业,更因五四运动之故,日本纱的输入颇受限制,所以能够发达起来。但是欧战终熄以后,欧洲的资本家又陆续到来,挟其大资本的势力来压迫中国的幼稚的纺织业,加以内乱不息之故,于是斯业的前途急转直下,大起恐慌,一时原有的工厂,或者消灭,或者改头换面,其减少的数目,且达20余厂之多。至其原因,据华商纱厂联合会在民国十六年所发的宣言看起来,第一是因为外国资本家在中国境内享有经营工业权和采集原料的特别利益,如外国资本家在中国境内采买棉花,可以使用三联单,免纳厘税,中国的资本家却不然;第二,棉花原料,中国虽能自给,但因内乱之故,交通停滞,内地的棉花,不能完全运出,而且质料较好的棉花,还是要仰给于美国和印度,中国资本家又不能直接购用外棉,结果不能不受外国资本家所操纵;第三,农村经济破产,购买力日趋薄弱,棉纱的销路大受限制。这都是中国纺织业前途的大问题。

二、金属工业（造船业）

铁工业是近代工业的核心,但中国铁工业的经济地位,还没有超出纤维工业之上,这也是现在中国产业界自然的现象。

全国铁工业中最主要事业,除上述尚未发达的制铁业以外,有铁路工场和军用工业的兵工厂。铁路工场,自京奉线的唐山工场、京汉线的长辛店工场、粤汉线的武昌工场、津浦线的天津工场等为始,有制造工场22处,修理工场9处。兵工厂有上海、汉阳、德县、奉天、广州等数处。铁路工场中,除日本人所办的南满铁路公司的沙河口工场以外,其余只能修理车辆和制造一部分的用具。兵工厂大都也只能制造枪械子弹等。此外属于金属工业的,还有造币厂5处。

兹再就造船业略述于下。

中国近代工业中的特别现象,要算是造船所最近的活动。造船业的中心是上海和香港。香港的造船业是英国人办的,也和大连的造船业由日本人办理的一样。上海的造船业,有些是中国人办的,有些是外国人办的,还有中外合办的。此外汉口的造船业,也可注意。

1.上海。（1）江南造船厂是在1865年根据曾国藩的主张设立的,到1905年,划归海军部管辖,1908年,替美国政府造成轮船12只,于是名声大震。雇用英国技师最多,职工约 2500 人,干船坞 560 呎,可容 8000 吨级之船,最近拟新设 1 万吨级的造船台 4 处。1905 年以后所完成的船只计 300 余只,总吨数达 7 万吨。

(2)耶松老船厂,是英国人设立的,以前曾经独霸斯业,后因竞争者继起,才于 1905 年改为现时之组织。资本 557 万两,船渠 6 处,有机械工场在浦东,技师都是英国人,职工 3000 人。

(3)瑞瑢造船所,设立于 1900 年,是英国人办的,到 1919 年,增加资本 75 万两,在浦东设有两工场,总工场的干船坞为 577 呎,推为上海第一,能容 1.3 万吨级之船,造船台各一,营业成绩极佳。

(4)"中法求新造船厂",设立于 1904 年,最初是中国人办的,欧战以来,因为扩张过大,经营颇感困难,乃改为中法合办,资本金增至 120 万两,干船坞在建立中,造船台 400 呎,设有机母工场,熔铁工场,冶铁工场,造炉工场,火油引擎制造处等。

(5)"老公茂铁厂",设立已有 20 余年,是英国人办的,在浦东和南市设有 3 个工场,最大船坞 260 呎,能造 1000 吨级之船。

(6)"东华造铁股份公司",自 1909 年"兴发荣铁厂"的改组为始,到 1908 年,变为中日合办,资本为 35 万元。在杨树浦设有船坞,能造 1000 吨级之船,能修理 3000 吨级之船。

2. 香港。香港之造船所有 3 处,都是英国人设立的。(1)为"黄浦造船厂",有造船台 12,船坞 3,最大的长为 720 呎,建造船最大的为 8000 吨级 412 呎,劳动者 4000。(2)"大古造船厂",大船坞长 787 呎,是在 1900 年创立的。(3)为 Bailey And Co,能造 250 呎之船。

3. 大连。有日本人经营之"满洲船渠株式会社",船坞之长为 430 呎。

4. 其他。直隶省的塘沽设有大沽造船所,福建的马尾设有福州造船所,都归海军部经营。汉口有杨子机器制造公司,厦门亦有私人经营的造船所。

中国造船业之现状,外国资本之势力,已可概见。

三、化学工业(火柴业)

中国所用的火柴,素来仰给于日本和瑞典,欧战以后,日本的火柴,独霸了苏彝士河以东的市场,其生产额 85 万吨之中,在该国境内消费的只有 15 万吨,运到中国来的,却有 35 万吨。火柴工业是最简单的工业,火柴的原料价格很低,黄燐的使用又是自由的,而且中国的工钱又很贱,所以中国的火柴工业也就渐渐发达起来,直到现在,几乎快要把日本火柴在中国的销路,完全堵塞了。兹根据海关统计,表示外国火柴输入数量逐渐减少的趋势如下:

年次	输入数量(罗)	比率	价格(海关两)
1912	30090020	100	6985146
1913	28448155	95	6341158
1914	23935776	80	5628888
1915	20970934	70	5278231
1916	20620717	69	6975886
1917	15594320	52	5555443
1918	13340821	44	4605427
1919	16589942	55	5435345
1920	8484296	28	2965925
1921	4306879	14	1678134
1922	2702696	9	1225580

至于外国火柴输入数量渐次减少的原因,是由于中国火柴生产费的低廉,汇兑关系以及课税办法上,都于国产有利,而且贩路也在国内,所以国内的火柴企业能够发展起来。现在国内制造工场有 51,工场总资本 600 万元。兹列举资本金 1 万元以上(最大的 200 万元)的工场逐年增加的统计如下:

年次	数	年次	数	年次	数	年次	数
1893	1	1911	2	1916	——	1921	——
1896	1	1912	3	1917	2	1922	2
1908	1	1913	8	1918	1	计	51
1909	1	1914	4	1919	5	日本人工场	11
1910	4	1915	4	1920	12	总计	62

兹再列举国内火柴工场的省别表如下：

中国方面的工场				日本方面的工场	
四川	6	山东	4	青岛	2
甘肃	3	安徽	1	济南	2
陕西	1	江西	1	天津	2
河南	3	江苏	5	吉林	2
山西	1	浙江	4	大连	1
直隶	5	福建	2	长春	1
奉天	4	广东	8	广东	1
吉林	1	湖北	1	计	11
湖南	1	计	51		

四、食品工业（制粉业）

中国境内的制粉业，以俄国人在东三省所经营的为最早，当时洋粉已经渐渐输入，每年约有数百万包。近年以来，国内资本家继续设立制粉厂，和洋粉竞争销路，直到现在，各省都有制粉厂，旧式磨坊已是不能存在了。

北方的主要食物是面粉类，小麦的生产颇多，制粉业所以能够发达起来。兹为说明制粉业发达的经过起见，先将最近十余年来面粉输出入的统计列举如下：

1. 输出统计

年次	数量（担）	价格（海关两）
1911	669889	2523789
1912	637484	3261968
1913	139206	610112
1914	69932	339839
1915	196596	697032
1916	288747	1141017
1917	798031	229382

续表

年次	数量（担）	价格（海关两）
1918	2011899	8410557
1919	2694271	19872318
1920	3960779	18251722
1921	2047004	9366254
1922	593225	3654810
1923	131553	782788
1924	157285	713963
1925	288060	1303191
1926	118421	533377

2. 输入统计

年次	数量（担）	价格（两）
1911	2183042	8708451
1912	3202501	12693839
1913	2596821	10300612
1914	2166318	9016589
1915	158273	795137
1916	223464	1174544
1917	678849	2818576
1918	4552	19846
1919	271328	1242285
1920	511021	2330215
1921	752673	3503511
1922	2060838	9497740
1923	4012716	18668478
1924	6657162	30097693
1925	2811500	14904833
1926	4285124	23712503

据上表,当 1911 年及 1912 年（国民元年）之时,输入的面粉为 200 余万

担,输出为 60 余万担,欧战以后,输入大减,输出大增。输出之数以 1920 年为最多,达 1916 万担,价格达 1825 万海关两;输入之数以 1918 年为最少,减至 4500 余担,仅值 1.9 万海关两。但是 1922 年以后,输出忽然大见减少,输入却大见增加。直到最近之 1926 年,输出竟减到 11 万余担,不及 1911 年的 1/6,输入却增至 428 万余担,较 1911 年增加一倍有余。国内的面粉业竟有一落千丈之势了。

面粉业所以不振的原因,大概可以归结于下列各项。

1. 农业因受内战影响,以至小麦歉收。

2. 美麦侵入中国市场,如 1922 年美国输入中国之麦竟增至 87 万余担,超出其由美国输入英国的数量。同时美麦又输入于日本南洋一带,和中国出口的面粉相竞争。此外由日本输入的面粉年约数百万包,价格且比较中国面粉为低。

3. 关税不能自主,政府未设法救济,以至不能抵制外国麦类的输入。

由以上所述看来,中国面粉业的前途,已是岌岌可危了。

第六章　中国境内资本主义之发展

第一节　国际资本的侵入

我们看了前面所说的中国近代工业发展的沿革和现状,就可以知道:中国近代产业的大部分是直接间接受了国际资本主义的支配,同时和这个对抗的本国人自己经营的近代工业,也渐渐地发展起来了。

国际资本主义的中国侵入,成了清末以来外交史的根本线索。土地的割取,专管租界和租借地的设定,利权的夺取,势力范围的划定等等,这是国际资本主义国家夺取殖民地的旧形式;借款政策,借款铁路的敷设,关税协定,商埠的开设,市场的开拓等等,这是它们经营殖民地的新形式;它们这样的侵略和经营,终于把中国的国土和人民,变成了它们投出资本、采集原料、贩售商品的对象了。

最初英国占领香港,开放长江各埠,把南部一带和扬子江流域,划作它的势力范围,法国占领安南,把云南划作它的势力范围;俄国雄据中东铁路、辽东半岛,支配着东三省和外蒙,德国雄据山东,要想进窥中原。后起的日本,因甲午战役,夺去了台湾和朝鲜,因俄日战役,把南满和福建划作它的势力范围,十年以前复趁欧战机会,夺取德国在山东所侵夺的势力和地位,更把山东和北满外蒙划作它的势力。美国来迟了一步,要想参加于铁路借款而失败,所以高唱对华门户开放和机会均等,以谋外交上的胜利,一面努力于对华贸易,终于获得了第三者的地位。

国际资本的侵入,可以分为工业、银行和外债三方面。关于工业的方面,前面已经说过,本节只就银行和外债两方面说明如下。

一、银行

国际资本主义侵略中国的原动力,当然要依据银行。在中国的外国银行,同时又是中国政府的债权者,有左右中国财政的势力,所以外国银行是帝国主义政策的典型的东西。

最初在中国设立外国银行的是英国,英国于1845年在香港设立一英国银行支店,其后1853年复于香港设立查打银行,至于香上银行是在1864年创立的。日本在中日战役以后,于中国设立正金银行支店。从此以后,英国的有利银行、俄国的华俄银行、法国的汇理银行、德国的德华银行等,都在上海设立支店,庚子之役以后,美国的花旗银行,荷兰的荷兰银行,日本的台湾银行等,都继续在中国设立起来,直到现在,在中国的主要外国银行已有20个,中外合办的5个,兹列表如下(系依据1922年之调查):

银行名	国籍	本店	支店所在地	资本总额	在中国发行的纸币额
汇丰银行	英	香港	北京　上海　天津 汉口　广州外四处	20000000 元	41833655 元
麦加利银行	英	伦敦	北京　上海　天津 汉口　广州　香港	3000000 镑	2063418 镑
有利银行	英	伦敦	上海　香港	3000000 镑	290626 镑
花旗银行	美	纽约	北京　上海　天津 汉口　广州　香港外 二处	5000000 美金	4536628 美金
美丰银行	上海			425370 美金	984000 美金
正金银行	日	横滨	北京　上海　天津 香港外四处	100000000 元	5832576 元
台湾银行	日	台北	上海　广东　福州 九江　厦门　汕头	60000000 元	停止
住友银行	日	大阪	上海　汉口	70000000 元	无
三菱银行	日	东京	上海	50000000 元	无
三井银行	日	东京	上海	100000000 元	无
朝鲜银行	日	京城	上海　天津　大连外 二处	80200000 元	无

银行名	国籍	本店	支店所在地	资本总额	在中国发行的纸币额
中法实业管理公司	法	巴黎	北京　上海　天津　汉口　香港	10000000 法郎	停止
东方汇理银行	法	巴黎	北京　上海　天津　香港　广州	72000000 法郎	不明
华比银行	比	不律赛	北京　上海　天津　汉口	100000000 法郎	1679019 法郎
荷兰银行	荷	安多华布	上海　香港	60000000 库尔达	无
大通银行	美	纽约	上海	2000000 美金	无
菲律宾银行	美	马尼拉	上海	10000000 拍索	无
安达银行	荷	阿姆斯特坦		35000000 法郎	无
大英银行	英			5000000 镑	
华俄道胜银行	法	巴黎	北京　汉口　哈尔滨外十处	55000000 卢布	停止
天津银行	日	天津	北京	5000000 元	无
哈尔滨银行	日	哈尔滨		2000000 元	无
辽阳银行	日	辽阳		500000 元	无
中日银行	日	铁岭	开原　大连	1000000 元	无
正隆银行	日	大连	奉天　长春外七处	20000000 元	无
奉天殖产银行	日	奉天		500000 元	无
吉林银行	日	吉林		300000 元	无
远东银行	日	莫斯科	北京　哈尔滨等		无

〔注〕:正隆银行和华俄道胜银行,名义上虽是中外合办,但实际并无中国资本。

又中外合办的银行表如下:

行　名	合办	本店	支　店	资本额	兑换券发行额
懋业银行	中美	北京	天津　汉口　哈尔滨　上海外三处	5000000 美金	不明
华义银行	中义	北京	上海　天津	1200000 元　4000000 里拉	不明

续表

行　名	合办	本店	支　店	资本额	兑换券发行额
德华银行	中德	柏林	北京　上海　汉口 青岛　天津	20000000 元	停止
华威银行	中诺	北京	上海	10000000 元	5000 元
汇业银行	中日	北京	天津　上海　汉口	10000000 元	不明
大东银行	中日	北京	天津　上海　青岛	2500000 元	无
北洋保商银行	中日	天津	北京	6000000 元	不明

〔注〕:北洋保商银行名义上虽为中国银行,实际上由中、德、日三国资本合组而成。

外国银行,最初只是贸易决算的机关,但中国为被征服国,须赔款于各帝国主义国家,于是各国便把这笔赔款拿来放在自己的银行,其后又供给借款于中国政府,受自国政府的保障,越发和外交政策发生关系,并且管理借款担保的税源,立于监督中国财政的地位,明明表示成了帝国主义侵略的模范机关。今日国人自办的银行虽多,但资本过少,仍须受外国银行的支配(上述外国银行的资本概计为 5.4 亿镑,1100 万美金,1300 万法郎,1.8 亿银元,5000 万银两,1000 万基尔登,1.4 亿日金)。

二、外债

中国政府的外债沿革,可以分为三期。第一期自清末左宗棠征伐回教(伊斯兰教)徒借款充军费之时起至中日战役赔款之时止,此期所借之款,尚有适当之整理政策,还没有成为问题。第二期自中日战役以后至日俄战役时为止,为列强从事瓜分中国的时代,成了瓜分中国的伏线,可说是强制的非经济的借款的时代,此期对日本的赔款为 2.3 亿两,对八国的赔款为 4.5 亿两(连利息计算,约达 10 亿元),清朝的财政因此陷于危境,丧失了关税自主权,形成所谓国际管理的一个原因。第三期为庚子之役至现在的时代,列强因中国人的觉悟,乃采共同投资的方针,组织所谓借款团,后因欧战发生,日本乃实行单独供给借款,此类借款都是政治的借款,北洋军阀恃此以为倡乱之资,于是便促成了列国共同管理的趋势。

上述三期中中国政府所负债务的概数,为 23 亿(其一部分化为官僚资

本),兹表示于下:

	借款数	借款额(元)	利 率	担 保
第一期	14	612000000	4%—5%	关税、盐税、厘金
第二期	赔款 2	1061000000	4%—5%	关税、盐税、厘金、烟酒税
第三期	21	623000000	5%—8%	盐票、崇文门盐税、酒税、铁路、林矿、电、国库券
计	37	2296000000		

截至 1922 年末为止,现在各国对华债权概数,有如下表:

国别	各该国币额	他国币借款额
英国	19452247 镑	1200000 元
法国	165291325 法郎	15726228 镑 634100 元 768867 镑
日本	162486103 元	7688867 镑 1579866 元
美国	12338698 美金	2517959 镑 830000 元
俄国		27019467 镑 887904 元
德国	4481185 马克	102000 镑 136917 两 16610 公法两
奥国		4266314 镑
比利时	10000 法郎	1855356 镑 80000 元
义大利		5822046 镑

〔注〕其他庚子赔款中,西班牙占 24565 镑,葡萄牙占 20386 镑,荷兰占 141984 镑,及关于共同投资的四款,计有 164438290 法郎,43663600 镑。

又至 1922 年为止,以前财政交通两部之有担保及无担保的内外债,有如下表:

以前财政部所管内外债务		
内债	有担保	207409592 元
内债	无担保	130400000 元
内债	有利息	2160000 元
内债	其他有期债务国库券等	116450000 元
共　计		456419592 元

外债	有担保	992684575 元
外债	无担保	220932251 元
外债	有利息	19000000 元
又	改定奥国借款债务	5200000 元
共　计		1237816826 元

对于上项债务，每年由关税收入中约支出 8400 万元，此外尚须支付无担保借款之利息每年 4000 万元。

以前交通部会计为特别会计，其借款亦另行计算。兹将以前所管之内外债列举如下：

内债	79807533 元
外债	515280102 元
共计	595087635 元

（上两项中，无担保债务约有 187000000 元）

以上财政交通两部的借款，合计约达 23 亿，以言债务额，还不算奇怪，就中国丰富的资源和人口比较，还算负担很轻的债务国，但就债务的内容看，却陷于很危险的状态。因为有一半的债务，是只供军阀官僚挥霍，并无生产的事迹，而对于投资的利息，却又不能不付，且以其为无担保债务之故，无法整理，结果不能不转嫁于民众负担。

国际帝国主义者侵入中国的结果，不但破坏了清朝的国家组织，并且使得中国社会组织的根柢也大受影响，中国民族因此陷于灭亡的危险。19 世纪中叶中国的经济组织，大部分是农业的都市经济的社会，只有家内手工业一部分发达而已。无端被国际资本主义国家用武力杀到中国来,便打破了从前的锁国主义,逼着中国社会去受资本主义的洗礼,铁路、建筑和开采矿产的大规模机械工业从此开始,大量生产的货物的侵入,于是手工业者首先受其影响而流离破产,其次外人经营的工场生产组织下的无产工银劳动,随而发生。至于农业方面,因受机械生产的压迫,渐形凋落,加以天灾内乱,民不聊生,所谓政府亦不能为之设法救济,农业人口多变成了产业的预备军。于是中国境内的外国资本家,开始在中国市场集积其资本,更因不平等条约,造成安全自由投资的势力范围,占领铁路矿山等利权,至今根深蒂固,已是牢不可拔。列强对华外交,都以本国资本家的利害为出发点,而中国政府因受不平等条约所拘束,无力对抗。于是中国初期资本主义生产的赢利,完全归入了外国资本家的贪囊。

第二节　国内资本集积过程

一、官僚资本之形成

在外人独占近代企业的赢利的期间,本国人的企业,也逐渐发生了。中国的近代企业,开始于军事工业,委诸官吏之手作为官业经营,其后军事工业的生命虽然继续存在,但最初的国防的目的,终于失败,到现在化成了军阀私斗的工具了。农民经济组织的崩坏过程中,军阀和土匪日益横行,遂致阻碍了产业革命的进行,徒然增加消费而已。

当中日战役和义和团事变的时期,清廷的财政基础,因两次的大赔款而破坏,迫不得已将一切企业作为国有事业,委诸官吏经营,而一切企业资本又不得不仰给于外国借款(因为要借外债,只有用国有的名义才能博得信用),尤其是铁路。铁路的建筑,在封建阶级,只晓得有军事上的必要,而外国企业家却视为很好的投资的目的,所以列强争谋夺得铁路的建筑权,一面准备作为它们势力范围的根干,一面便于生产货物贩路的扩张和工业生产原料的来路。于是中国的官僚和外国资本家便发生联络,同时一班富商也在官督商办的事业经营之下,变为政商,和官僚结合起来了。

从来担任铁路的敷设经营的官僚,在清朝为邮传部,在民国为交通部。从来政府的财政,分为财政部和交通部的两方面,关于铁路电政等项,归交通部支配,以铁路收入为担保,发行国债,募集外债,掌握财政的一部分。所谓交通系就是这样形成的,这就是所谓官僚资本家的一派,在以前由盛宣怀所代表,在以后为梁士诒所代表。梁士诒曾有财神的称号,他曾以交通银行为根据,包办国债,包办国政,并能够左右军阀。

官僚资本家,又把地方军阀所搜括的民膏民脂,化为生产资本。现代少数较大的商工业企业,多是直接或间接和官僚军阀有关系的。这些有力的官僚军阀,一面发行机关报纸,一面又握有机关银行,譬如梁士诒之于交通银行,于新华储蓄银行,于五族商业银行,王克敏之于中国银行,张作霖之于东三省官银号等类。此外他们和外国资本合办事业而投出的资本,亦复不少。官僚资本的特征和外国资本是不可分离的。

二、商业资本之畸形的发展

因国际资本的侵入而诱起的中国的资本集积状态,其借款投资的一部,经过官僚的剥削,便变形而成为一种特别的官僚资本,同时在贸易上因处理商品的输入和原料的输出而从中渔利的买办,便一跃而成为商业资本家。在国际帝国主义侵略中的中国,工业资本的集积虽然遇到许多困难,而商业资本的集积,却是比较容易得多。所以现在的资产阶级,大都是在商业一方面发展着。譬如中国近年来虽然内乱频仍,国家疲敝,而进出口贸易仍是逐年增加,不受丝毫影响,这便是商业资本容易发展的明证。至于工业资本所以不容易集积起来的原因,据一般人的观察,说是由于中国资本家缺乏经营企业的才能,但是据我看来,他们即使有经营企业的才能,而在国际资本支配着的目前的中国,也是非有大宗资本不能战胜的。所以一般资本家,与其从事于没有确实把握的工业投资,反不如从事于商业投资,比较是现实的,而且获利也比较要多些。譬如就上海一处说,中国资本家所经营的近代纺织事业很感困难,而欧美式的百货大商店,成绩却是很好,这便是一个实例。

每年贸易统计上的输入超过,都是最大消费者和原料生产者的农民阶级负担的,农民阶级虽然疲敝不堪,而商业资本阶级的利益,却是增加不止。所以现代中国的资本集中,可说是集中在商业资本阶级之手,这是商业资本畸形的发达的过程。

此外侨商资本,这里也应当分别说明一下。侨商的资本,也是在商业方面集积起来,他们在帝国主义直接统治之下的外国,充分地感着工业企业的重要,所以他们回到中国来,多愿意从事工业投资,和上述官僚资本商业资本采取另一方向。这是他们所以努力赞助民族革命的原因。

三、银行资本之形成

中国的国民经济成立与否,还是问题,至少在资本集中过程中,还未曾脱离地方经济的领域。钱铺钱庄虽然逐渐扩大而成为新式银行,而资金的周转,还没有离开地方的市场以外,即如从前称为中央银行的"中国"、"交通"两银行,各地的支店,在原则上只是把该地方做营业范围,所发行的钞票,只通用于该地,甲地纸币不能在乙地无条件地兑现。所以国内分散的资本,不能向着工业所要的大企业方面投资,而只能利用来做小规模的地方的商业投资,或者吸收地方的官僚资本做投机事业,买卖政府公债等等,总不外于商业的性质。有时即令结托地方的财阀或军阀,募集内债,而所得的资金,也只是资助政治的投机或政治的活动,并不向着生产方面投资。所以往往一遭失败,便完全破产而没有恢复的能力。

兹将欧战以后的钱庄和新式银行的关系,依统计表示于下:

银　行　业			钱　　业	
年次	数	缴入资本（元）	数	资本额（元）
1912	50	36254919	4661	75098312
1913	44	27301526	4761	86628664
1914	59	19726716	4491	53110635
1915	43	24136426	4274	64463021
1916	48	37803690	3424	246229262
1917	58	46072611	3186	171457373
1918	60	34685195	3058	169327736

商业金融机关,自古即已存在,至于新式银行,是在中外通商以后仿照外

人创立的。新式银行创立增加的趋势始于 1896 年,其后 8 年前清户部银行设立以来,20 余年之间,其发达颇为显著。欧战期间,交易所勃兴,到民国十一年发生恐慌,于是企业便急速下降了。

兹将民国成立以来之新设银行统计,列举如下:

年次	新设	资本总额(元)	缴入资本(元)
1911 以前	7	34739000	17509000
1912	7	75146000	26651000
1913	1	5000000	1306000
1914	3	8000000	3000000
1915	3	26000000	24500000
1916	5	3420000	1739000
1917	7	13778000	9900000
1918	11	14400000	5046000
1919	12	32165000	8167000
1920	19	56290000	24542000
1921	28	46153000	15503000
以后	3	12578000	5989000
计	106	327693000	144066000

〔附注〕最近四五年来新成立之银行(如新近成立的中央银行国货银行等)未及列入。

据以前北京政府经济讨论处的调查,1922 年增加 18 行,1923 年增加 15 行,1924 年增加 8 行,1925 年上半期增加 5 行,到 1925 年 7 月止,新式银行共 141 行,资本总额 3.7515 亿元,已缴资本额 1581604714 元。

新式银行发展起来以后,外国银行和中外合办银行的势力,已是渐渐缩小了,这也算是土著资产阶级发达的一个显著现象。外国银行,在中国经济组织幼稚的时代,原为该国人的金融机关,后来供给中国借款的时候,又成为外交政策上的主要势力,能够左右中国政府和该国的外交政策了。至于在商业方面,外国银行则吸收中国人的存款,因为它们比较确实可靠,尤其是一般搜括民脂民膏准备做亡国奴的军阀官僚,最喜欢将金钱存放在外国银行,所以外国银行,几乎成了中国新式银行的总银行,但近年来一般普通商人多感着存款于外国银行的不便,而移归于中国人办的银行,所以国内经济界的中心势力,已逐渐转到中国的银行了。例如通货,其银条虽由外国银行供给,而送交造币厂铸造银元流行市面的事务,是由中国的银行处理的。政府对于借款和财政整理等事宜,当然不能蔑视银行公会的意见。

但是就各银行的实力说起来,拥有 1000 万元资本以上的银行,只有十来个,500 万元以上的银行只有 13 个,100 万元以上的银行 61 个,实际上还是贫弱之至,它们在国内的财政界,金融界的活动,也只是在外国银行独占的市场中分占一小部分的利益而已。

要而言之,在欧战以来中国产业的状况,可以作下述的简单的说明:第一,小农破产,生产的倾向趋于出口原料的一方面,在全体上收获却是渐渐减少了;第二,旧式手工业受了很大的打击,新式小工业起而代之,渐渐发生资本集中的趋势;第三,小商业被大商业资本所操纵而失掉独立性,而大商业资本又依赖于外国资本而发展,显出了国外华侨投资于国内的曙光;第四,旧式金融业者逐渐采取集中倾向,新式银行事业,多是包办政府公债,带有投机的性质,还未能供给资金于大企业,其结果只表示商业资本的畸形发展而止。工业的发展不能和商业的发展并行,农民失业的速度不能和工业发展的速度一致,失业农民不能变成工钱劳动者而形成广大的失业者群,加以军阀割据,兵匪不分,越发助长了这种趋势,生产事业不但不能发达,反而要受其桎梏,消费随欲望而增大,官僚资本、商业资本又倾向于政治的投机,以至生产企业迟不发达,国内依旧陷于混乱状态。

四、工业资本之形成

欧洲战争,是养成中国近代资产阶级的摇篮。外国商品输入的中断,促进了中国幼稚工业的发达,所谓国货因此日见增加,新式小工业也勃兴起来了。其中能够列于首位的,当然要算纺织工业,其次火柴工业虽然是小工业,但工场很多,已能防止进口货的半额。尤是各种棉织物的输出入,比较欧战以前,已经呈现相反的趋势了。

年次	1913	1921	1922
输入	21091000 匹 2685000 担	11367000 匹 1250000 担	13483000 匹 1192000 担
输出	98115 匹 49333 担	333892 匹 101665 担	415639 匹 103424 担

此外麦粉、纸烟、皮革、毛布、针织品、肥皂、蜡烛、化妆品等,亦多由国内生产,不但输入减少,而且输出增加,这也可以看作是工业资本的集积的。兹分别表示如下:

输入价格(海关两)减少统计			
货物名	1903 年	1921 年	1922 年
毛巾	957853	241199	159184
针织品	1913703	1786177	1345821
毛靴	467489	392061	——
丝带	516493	153658	143980
脂粉	895692	584500	609420
洋伞	1457800	912667	947372
其他杂货	10282533	9148855	8789146
计	22832421	14897252	13220502
输出价格(海关两)增加统计			
货物名	1913 年	1921 年	1922 年
纸烟	364681	13407608	10170933
面粉	516997	9366254	3654810
皮革	4086	117566	179366
肥皂	5981	622427	166175
工场制纸	532	90997	87043

此外如机械和原料品输入的增加,也可证明工业发展的趋势。但原料品之中,半加工品居多,而且此项半加工品的原料品,最初又是从中国输出的,这种事实,就是说明工业过程还没有完全的意思。兹表示如下:

（单位:两）

	1913 年	1921 年	1923 年
纺织机械	643000	5109000	2395000
农业机械	113000	2192000	695000
其他机械	3700000	26732000	18247000
机械附件	50000	931000	634000
计	4505000	34964000	21971000
火柴材料	496000	2281000	2857000
棉花	3017000	35967000	41956000
总计	8018000	73112000	66754000

中国新式工业的公司,据以前北京农商部的统计,截至 1924 年为止,已经登记之公司和资本额,约如下表:

制造品别	公司数	资本额（元）
棉制品	129	99994420
绸缎	23	4625000
面粉	97	25839000
榨油	21	4336000
火柴	66	6821000
皮革	11	5425000
蜡烛肥皂	35	2098000
砂糖	4	10720000
纸	13	9475000
瓷器	10	1270000
砖瓦	10	564000
石灰洋灰	7	4925000
铁工	23	23205000
玻璃	6	1770000
樟脑	4	155300
精盐	4	2489000
曹达	4	900000

制造品别	公司数	资本额（元）
烟草	20	8540000
蛋粉	5	325000
酿造	9	2800000
化学药品	14	2963929
杂业	50	5585800
总计	565	224143449

上项统计，绝不是完全的，因为有许多省份的新式公司，不一定都向那农商部去登记，我们只要由这统计中看出工业资本集积的趋势就够了。

兹再比较农业和商业公司的统计如下：

年次	农业公司		商业公司	
	公司数	已缴资本额（元）	公司数	已缴资本额（元）
1912	171	6351672	131	13427249
1913	142	6009962	151	7965998
1914	129	4960209	201	11688830
1915	129	6241075	202	17957880
1916	133	9791489	225	20579181
1917	132	10663456	169	22347334
1918	191	9498309	150	22043645
1919	102	12468804	131	24091630

上项统计，自 1915 年以后，亦不完全，可以看作是现实数的 1/2。

由前列各统计看来，工业企业和农业企业比较，工业资本集中的程度约增加二倍，商业公司，和工业亦略有同样程度的发展。至于公积金一方面，农业二倍有奇，工业为二倍半，至于商业则为五倍，这是可以注意的。

第三节　中国产业的前途

由以上所述看起来，中国的产业虽然踏入了初期资本主义的过程，但还是停顿在粗工业的阶段,中国的工业资本,处在国际帝国主义政治力经济力的宰割之下,要想努力挣扎起来,真是一件不容易的事情,而且从他方面说起来,中国的工业资本家,因为要和外国资本竞争起见,不能不把资本结合起来,显出了资本集中的趋势(如华商纱厂联合会的组织即是新的嘉的雏形)。但是这种集中了的工业资本,在国际帝国主义所盘踞的中国市场里,只不过是沧海一粟,压倒国内小资本的力量是有的,若要和国际帝国主义竞争,力量却是渺乎其小。譬如 1918 年之间,据统计所载,纺织工厂出品虽略有增加,而始终不过五六千万元,国外棉织物的输入,却在 1 亿元以上(近数年来已增至 2 亿)。近据纺织专家推算,中国如谋纱布自给,至少要增加 400 万的锭子才行,由此可知每年还有 400 万锭以上的纱是由外国输入的了。但是纺织工业,由前章所述的情形观察,自从欧战终熄以后已现出倒退的趋势了。纺织工业是中国占第一位的工业,犹然如此,别的更不消说了。

商业资本的作用,比较工业资本要大一点。因为国内的新式工业不甚发达,商业资本家所经营的,不是批发洋货,就是趸买原料去供给国际资本家。他们在帝国主义之下做中间人,所得的利润高于工业的利润,同时他们又能联络全国小商人,牵动全国经济的脉络,使地方的小商业亦随着发展,所以形成了目前商业资本畸形的发展的现象。但这种商业资本之畸形的发展,其作用也只是替国际帝国主义做剥削中国农民的中间人,于中国的经济,有百害而无一利。

侨商资本和欧洲最初的商业资本相似,所不同的地方,是在于侨商出国求利时,已经遇到了先进的资本主义,而且国内市场早已被帝国主义所盘踞,等不到他们在国外发了财以后再回到国内来组织生产而渐进于工业资本。但是他们的经济实力比较国内商业资本家究竟要高一等,这是值得注意的。

新式银行资本,是适应着近代的都市生活的需要才发生的,但不能周转于全国的大市场,更不能供给工业以资本,只能利用分行经营商业投资,吸取官僚的存款而已。它们之中的大部分,大都专营投机事业,买空卖空,甚至拿政治官职做投机的目标。因此它们在中央便包办政治性质的内债,作政治的投机;在省会便造出了地方财阀勾结军阀的现象。

由以上所述,我们可以就中国经济的现状中,抽出下述的倾向。

第一，农村经济破产，特种农产原料虽稍有发展，而食粮的生产大受限制。

第二，旧式手工业衰落，新式手工工场工业虽略见发展，却是不易发达。

第三，新式工业虽然渐渐发达，而显出资本集中的趋势，但生产力已大受限制。

第四，大商业发展颇快，但要依赖于外国资本。

第五，银行事业富于投机性质。

第六，商业偏畸的发达，工业进步之速度较缓。

第七，失业的人民增加，形成了广大的产业预备军。

第八，生产事业困难，不生产事业却过度发展，显出有资本而无生产的现象。

第九，基于第六、七、八三种现象，更造出了多余资本作政治投机，失业者变为兵匪的现象。

以上各项，是中国经济混乱的原因。这经济的混乱，助长帝国主义侵略中国的势力，促进内乱战争的延长，结果又影响于经济，因而生产事业更趋于衰落。

要谋中国经济的发展，必须排除上述经济的混乱，要排除经济的混乱，必须打破政治的混乱，求得中国民族的独立，实行政治的改造。

第七章　怎样发展中国产业

第一节　打破国际帝国主义的侵略

由以上各章看起来,中国目前还在产业革命的过程中。就农业说,已是逐渐趋于凋落,现出了农村经济破产的现象;就手工业说,已是逐渐失其效用,而由新式工业起而代之;就新式工业说,已是开始踏入了初期工业资本主义的阶段了。但从大体上观察,中国的新式产业,目前还停顿在粗工业的时期之中,还没有向前发展的曙光,并且显出了新生产力颇受障碍的现象。这一点我们只要看以前北京农商部所登记的新式工业公司的统计,就欧战前后分别观察,就可以知道。

年　次	公司数
1914（截止）	242
1915	33
1916	30
1917	18
1918	19
1919	21
1920	70
1921	61
1922	46
1923	14
1924	11
欧战后合计	323

据上表，新式工业公司的数目，以 1920 年为最多，到 1921 年以后，就逐渐减少了。再就 1920 年到 1924 年公司数和所投资本加以比较，也可以看出同样的趋势。

年次	公司数	资本额
1920	70	33189000
1921	61	39291000
1922	46	26320420
1923	14	3036929
1924	11	724000

自民国四年（1915 年）到民国九年（1920 年）为止，中国工业，受了欧战的影响，呈现空前好况，但到 1921 年，却入于反动时期，新办工业公司的数目不特逐渐减少，而且已经成立的事业，都不免于破产，就是占第一位的纺织业，也蒙了莫大的打击（据民国十六年华商纱厂联合会宣言，纱厂减少者已有二十余家）。这是因为欧战告终，欧洲各帝国主义的经济侵略复席卷而来，而国内的战乱，亦无已时，所以中国工业顶兴旺的时代就过去了。

就已往的经验说，中国新式产业所以能够有一点些少的发展，还是受了欧战之赐，即是在欧洲各帝国主义者暂时停顿了一部分经济侵略的时候所得的机会。而且我们仔细地把中国现有的新式产业检查一下，如纺织业、榨油业、制粉业、火柴业、烟草业、肥皂业，等等，还只是一些粗工业的生产部门，就是这些部门以内集积起来的工业资本，为数也不过 3 亿元，实在有限得很。我们在这里大概可以下一个断语，中国的产业，虽然达到了初期工业资本主义的时代，但是新的生产力已明明受了障碍而不能顺利发展了。中国产业迟迟不能发展的原因在哪里？我们必得说明出来，然后才能决定怎样发展中国产业的方案。

中国产业迟不发展的原因，可分为主要的和附带的两大类。所谓附带的原因，如资本之缺乏、企业者智识能力之缺乏等是；所谓主要的原因，如国际帝国主义之侵略、封建势力和封建制度的存在是。本书对于那些附带的原因，暂且不说，这里只说主要的原因。

先说国际帝国主义的侵略。国际帝国主义侵略中国的工具,是全部不平等条约,兹就其中列举其障碍中国产业发展之最显著者于下。

1. 领土权之侵夺。领土权的侵夺,可以分为三种。一种是割让地,一种是租借地,一种是租界。

割让地有朝鲜、琉球、安南、阿穆尔省、喀尔寨、缅甸、台湾、香港、澳门等处。租借地有胶州湾(名义上现在虽经收回)、旅顺、大连和南满铁路附近地带、广州湾、九龙、威海卫等处。租界有上海、厦门、广州、福州、汉口、九江、重庆、镇江、天津、牛庄、杭州、苏州、安东、沙市等处。割让地之为各帝国主义者实行侵略中国之根据地,已为显然之事实,如缅甸、香港之于英国,安南之于法国,朝鲜、台湾之于日本。次如租借地,事实上亦与割让地无异,同为国际帝国主义者侵略中国之根据地,如以前德国之凭借青岛以宰制山东,进窥中国北部,今日日本之凭借大连以经营满洲,进窥蒙古,都是实例。再次如租界,俨然和帝国主义者的领土一样,它们在租界中具有无上的、政治的、经济的特权,一切经济侵略的机关,无不应有尽有,同时中国工商业家之在租界内从事企业者,政治上要受它们所管辖,经济上要受它们所支配。此外在内地搜括剥削而起家的土豪劣绅贪官污吏富商大贾,无不视租界为天堂,把所有的资产都寄存于帝国主义的金融机关,致使内地的金融枯竭,人民生活日趋艰窘。

2. 关税权的侵夺。关税主权和国内产业的发展有极密切的关系,这是尽人都知道的事实。欧战以前固不待说,即在欧战以后,各帝国主义国家,无不尽量高筑关税的障壁,以谋本国资本的发展,就是素来主张自由贸易的英国,也变更了旧日主张,采取了保护政策。但我国关税主权,现在仍被国际帝国主义者所把持,关税概从协定,进口税率极低,其影响于中国的工业和对外贸易者甚大,固不仅止于影响于财政上的收入,这一点毋庸多论。

3. 工业经营权之侵夺。帝国主义者在中国夺得经营工业之权,实始于马关条约,以后其他各帝国主义者,都根据最惠国条款,要求利益均沾,夺得了工业投资权。工业投资权的侵夺,其影响于中国产业发展的约有七端。第一,生产上的工场位置的重要条件,被帝国主义者所均分;第二,帝国主义者利用了不平等条约,在中国采集原料,较之中国人尤为容易,而且耗费也较为低廉,单就采集原料一层说,中国资本家也不能和外国资本家相竞争;第三,国内市场既被舶来商品所侵占,又被中国境内的外国工业资本家的商品所侵占,而本国工业资本家的商品的市场,就不得不缩少;第四,中国初期的工业资本,远不及国际资本之雄厚,国际资本家挟其雄厚的资本到中国境内来和中国的贫弱的资本相竞争,谁胜谁负,不言可喻;第五,中国劳动力的供给充分,价格低廉,是中国产业发展的一个很好条件,现在外国资本家亦可以利用;第六,企业的能力和技术,中国资本家远不及外国资本家;第七,中国政府对于本国工业制造品,虽曾有许多减税特典,但是外国资本家却可以凭借最惠国条款,要求和中国人受同样的待遇。这样看来,在生产的条件上,中国的工业资本家,已有许多比不上外国的工业资本家,中国的产业哪能有发展的曙光呢?

4. 领海及内河航行权的侵夺。航业亦为产业之一,而一国航业的发展,实与自主的航行权大有关系。中国的领海及内河的航行权,自《中英南京条约》和《中日马关条约》成立以后,已被国际帝国主义者所操纵,它们就挟其巨大的资本,在中国扩张航业,就第四章所述航运船舶一段看起来,中国领海及内河的航业,中国人所经营的仅占 1/4,而国际资本家所经营的却占 3/4,中国航业之横受国际资本之压迫,已是非常明显。

5. 国际投资。国际帝国主义在中国的投资,大约可分三项。第一是直接投资,如铁路投资、工业投资、矿业投资、航业投资、电信投资、银行投资是。第二是间接投资,如供给中国政府之借款、供给地方团体之投资、供给私人团体之投资是。第三是对于合办事业的投资。以上的投资额,除供给的借款和银行投资外,尚无确实的统计,单就日本在满蒙方面的投资数目说,已不下 30 余亿元。若一总计算起来,必达到非常可惊的数目,这是无容置疑的。以中国这样幼稚的产业,受着这样大量的国际投资的压迫,哪还能有多大的发展的余地呢?

总而言之,处在国际经济侵略之下的中国,幼稚的新式产业、决没有顺利发展的余地,即使稍有发展的机会,也只限于国际经济侵略所不能及的时间或空间而已,然而发展的可能性却是很有限的。

由此可知,帝国主义的侵略不打破,中国的产业是没有发展的可能的。

第二节　廓清封建势力及封建制度

封建势力和封建制度的存在,是发展新式产业的大障碍。自从清朝末年以来,中国的产业因受国际资本主义工商业的刺激,踏进了产业革命的时期,这在前面已经说过了。但清朝的封建政治,并未能保护并促进新式产业的发展,同时封建的剥削,如厘金杂税杂捐之类,名目繁多,反成为障碍新式产业发展的桎梏。辛亥革命的结果,不幸终于流产,徒然造出了虚名共和的军阀割据局面,把清朝旧式大军国,改为无数对立的小军国,所谓民国法制,虽似乎焕然一新,而其实则只是虚有其表,换汤不换药,其侵害新式产业的发展,较之清朝,只有过之而无不及。军阀跋扈,残民以逞,兵燹频仍,饥馑荐至,十里一关,五里一卡,苛捐杂税,百出不穷,十余以来,几无秩序与和平之可言,哪里还有助长新式产业发展的可能性? 虽然从前的政府,也曾颁布过公司保息章程,植棉制糖牧羊奖励条例等等,然不过一纸空文,并没有切实实行过,其稍为差强人意而见诸实行的事情,要算是对于国内机制商品的减税特典了。但这种减税特典,中国境内的外国工业资本家也可以利用不平等条约要求同样待遇,所谓助长本国工业发展的地方,也是很有限制的。所以封建势力和封建制度的存在,对于新式产业的发展是大有妨碍的,兹就其最显著之点,分别说明于下。

一、国内战争的影响

秩序和平与统一,是产业发展的前提,封建势力存在,那争夺地盘的战争总是要继续发生,战争继续发生,秩序和平与统一就没有了。国内没有秩序和平与统一,试问还成一个什么景象,人民要生存犹且不能,哪还能说得上产业的发展呢? 民国十余年来,国内战争及于产业上的影响,约有下列数端。

1.交通机关的破坏。中国的交通机关已经是不发达的了,一旦战事发生,战区以内的铁路交通就完全中断,轮船也被扣去运兵,货物的转运就即时停止,国内的市场既因战事的影响而扰乱,货物的生产就随着减缩。譬如往年奉直,皖直,江浙,国奉诸役,小则二三月,多则五六月,战区以内的交通机关完全停顿,甚至桥梁炸毁,车头损坏,车辆缺乏,轮船破毁,有延长到一二年还不能恢复原状的。就这种情形说,已经发展的产业,要想维持现状犹不可得,还能望它发展么?

2. 军事借款。战事刚要发生的时候,战区以内的大小军阀,照例总要向当地的工商业界勒借军饷数万或数十百万不等,就各地的情形而定。等到战争的胜负快要决定,失败的军阀,还要勒借一次,才把军队开拔到别地方去,那得胜后来的军阀,也要照例地勒借一次。像这样勒借的军饷,总是有借无还的。此外还要发行什么军用钞票和省库券之类,一发行就是几十百万,强迫工商业界购认,据以往的经验,这类军用钞票和省库券,各地方的当局,从没有切实收回过,大部分都由各地工商业界担负了。

3. 兵匪之骚扰。军阀的军队,平时本已骚扰人民,一到战事,更肆无忌惮,一切军事供给,都向民间虐取,败军临去,大劫而走,胜军来了,也有公然劫掳,然后出示安民。此外土匪也是一样,到了战时,乘正式军队不备,四处抢掳,像这样兵匪不分,人民救死不暇,还有什么产业发展可说?

4. 百业荒废。历年国内战争的区域,小则二三省,多则七八省,在这些区域之中,一切大小工商业,以至于农业无不因战争的影响而停顿,损失之大,尽人皆知,据一般人的调查,往年江浙战争之役,民间直接的损失,不下 6000 万,间接的损失还不在内,其余可想而知了。

以上数端,都是产业发展的障碍,而其原因,实由于军阀之存在,军阀互相对立,必发生战争,军阀不消灭,战争必然继续,国内就永远没有秩序、和平和统一,产业永远没有发展的机会。

二、苛捐杂税的影响

苛捐杂税,是封建制度的遗物,如厘金、杂捐、杂税之类,都是清朝时代所造出的封建的剥削,民国成立以后,不但未曾裁减,而且愈加愈多,确是产业发展的大障碍,兹分别列举于下。

1. 各省厘金局卡数。各省厘金局卡数据中国年鉴所载,约如下表:

河　北	15	山东	10	四川	20	江西	47
奉　天	34	河南	32	福建	45	湖北	25
黑龙江	31	安徽	42	广东	29	云南	44
甘　肃	43	陕西	30	广西	30	江苏	58
新　疆	11	浙江	42	吉林	27	贵州	44
山　西	42	湖南	34				
总　计				537			

2. 各省杂税的项目。据中国年鉴所载,各省杂税的项目,约如下表:

湖北　木税、斗税、渔税、捕鱼船捐、皮毛花布果品等杂税、洋灰公司之货税。

奉天　木植税、渔税、参税、房号税、苇税、纲亮税、枪印捐、沙河船捐。

吉林　斗税、木税、参药税、石灰税、羊草税、鱼草税、渔课、磨课,以及零星杂税。

黑龙江　交涉、木植税、渔业税、渔纲税、鱼网课、鱼捐、羊草税、牧畜税、刨石税、柳条税、旱獭税。

山东　硝课、硝税等。

河南　五项杂税,如牙税、老税、活税、盈余税、新增税,等是。此外如契税,当税之加收。亦称为杂税。

山西　包裹税、商税、木税、木筏税、石膏税等。

江苏　驴税、商税、陆杂税等。

安徽　花布税(灵璧,阜阳,太和三县行之)、船税(歙县行之)。其余各县杂税,收数甚微。

江西　米谷税、商税、贾税、牛税、鱼苗税、鱼油税、铁炉税、矾税、硝磺税、滑石税等。

福建　炉税(分为铁炉、锅炉两种)。渔船税(霞浦、福安、宁德、漳浦、海澄、诏安、莆田等县有之)。枋税(系征造船木料,汀漳等处有之)。外如夏布税、鱼池税等。

浙江　牛税、灰税、葛渣、塘鱼、蕈菌等杂税,碓税、港税、季钞款(征诸春笋、丝茶、秧鱼、蚕桑、菜菜之类按户分季抽收,性质类似牙税)。

湖北　纱麻丝布税、膏盐税、商税等。

湖南　商税、牛驴税,于牛马羊等畜类,卖买典质时课之,约课价格百分之一。

陕西　商税或商捐。此外有杂货税(包括物产、商品两种),及就地筹款之零星杂税,与某项杂税之附加税。

甘肃　甘省杂税,名为行用者,如皮毛行用是,名为课者,如金课、磨课、商课是。此外如山货税、关门税、药税、西税、集税等。

新疆　油税、窑税、炭税、萏棉税、房租税、苇湖税、木料税等。

四川　鱼课、碾榨磨课、汕税、食物税、用物税、药材税、丝布税、木植税、营业税、杂项税、契底税。

广东　渔业税、商税、市税、厂税、桂税、铁税、船税、渡税、椰税、牛税、鱼税、鱼苗税、鱼油税、鱼卤税、盐鱼税、山坡税,及各县之零星杂税。

广西　商税、竹木税、药材税、米谷税、油榨费,及八角税(八角茴制之汕税)等。

云南　窑税、锅税、芦税、板税、槽税、商税、碗花税等。

贵州　木税、油税(油课)、鱼课、砂课、黄蜡课、洋纱银,以及各县所征之杂税杂课等。

各特别区域　(1)热河杂税,如量税及附税是。

　　　　　　(2)察哈尔杂税,如缺税,油税是。

　　　　　　(3)川边杂税,如常税是。

　　　　　　(4)绥远杂税,不分别种目,统括一项。

3. 各省杂捐的项目。各省杂捐的项目,约如下表:

河北　火车货捐、车捐、船捐、妓捐、戏捐、茶捐、鱼捐、晓市摊捐、码头捐、亩捐、花生捐、肉捐,以及生产销场等地各货之杂捐。

奉天　亩捐、车捐、船捐、货床捐、菜市捐、客店捐、户捐、质捐、验牲捐、戏捐、乐户捐、女伶捐、卫生捐、盐梨鱼花捐、盐摊捐、木排捐、煤炸捐、窑捐、渔捐、网捐、渡捐、桥捐、驮捐、青苗捐、菜园捐、车头捐、墙房照捐、银元经纪捐等。

吉林　硝卤捐、缸捐、车捐、船捐、戏捐、妓捐、渔网捐、船站捐、商捐、脚行捐、旅店捐、窑捐、摊床捐、柴炭捐、银市捐、卫生捐、报效捐、驮捐，以及俄国车捐、韩民旅捐、规费、戏费等。

黑龙江　斗秤课(斗秤零捐)、车捐、船捐、窑捐、戏捐、妓捐、五厘捐、警学粮捐、警学车捐、油榨捐、碱锅捐、大犁捐、柴炭捐等。

山东　商捐(性质似营业税)、枣捐(性质似出产税)、斗捐(性质似牙捐)等，收入甚丰。此外有花生捐、船捐等。

河南　豫省杂捐，分为两种：(1)由前清认解中央之费而筹设者，须尽征尽解，如各属之斗捐、城捐、会捐、花捐、布捐、桐油捐、牲口捐等是。(2)各属就地筹款，自行抽税者，如戏捐、花生捐、车捐、瓜子捐、枣捐、猪捐、羊捐、柳条捐、铺捐(又名商捐)、漕串捐、丁串捐、煤窑捐、粮行用捐、丝锅捐、米车捐、煤车捐、油捐、石捐、亩捐、柿饼捐、煤油捐、火柴捐、棉花捐、册书捐、庙捐、芝麻捐、盐店捐、渡口捐、产行捐、门捐、车驴捐等。

山西　晋省杂捐、推行较广者，如斗捐、车捐、铺捐(又名商捐)、粮捐、戏捐、骡马捐、差徭捐、地亩摊捐、药商票捐等是。此外如油捐、肉捐、妓捐、丝捐、炭捐、麻捐、花布捐、商船捐、米行捐、毛皮捐、岸口捐、渡口捐、羊油捐、桥梁捐、契底捐、串票捐、地丁底捐、盐店底捐、羊毛口袋捐等，名目繁多收数甚微。

江苏　苏省杂捐较著者，如车捐、串捐、布捐、鱼捐、戏捐、妓捐、积谷捐、车驾捐、码头捐、埠工捐、河工捐、塘工捐、石屑捐、沙船捐、炭窑捐、钱业捐、茶社捐、肉担捐、花袋捐等是。

安徽　皖省杂捐较他省简单，其收入较丰者，如粮米捐、房铺捐等。他如木捐，本行捐，收数甚微。

江西　赣省杂捐之有名者，如街捐、铺捐、车捐、船捐等是，他如京果行捐、枋板捐、花行捐、夫行捐、牛行捐、厂捐、摊捐、窑户捐、船埠捐、药业捐、鱼捐、蛋捐、火腿捐、板鸭捐、谷米捐、麦豆捐、油捐、薄荷油捐、煤炭捐、棉花捐、夏布捐、布匹及布带捐、麻捐、靛捐、纸捐、香粉捐、竹布捐、白泥捐、洲捐、桥捐、路捐、戏捐、妓捐等。

福建　闽省杂捐，名目甚繁。其收数稍多者，如随粮捐、贾捐、铺捐、纸木捐、柴把出口捐、炭捐、水果捐、砖瓦捐、竹木捐、铁路随粮捐、契尾捐、木排捐、米谷捐、戏捐等,均属省有地方税之性质。其收数较少者,如炮船捐、随排捐、鱼捐、布捐、炭捐、靛捐、笋捐、羊捐、油捐、会捐、碗捐、船照捐、海埕捐、纸箔捐、红柴捐、油车捐、粮串捐、埠租捐、官渡捐、牛皮捐、香菰捐、水仙花捐、花桥捐、钉麻行捐等,均属县有地方税之性质。此外之杂捐,收入甚微。

浙江　浙省杂捐,列入国家预算。而收入较多者,如纱捐、花捐、绸绉捐、杂货捐、船货捐、房警捐、渔团捐、钱当业捐等均是。此外有粮捐、契尾捐,及各属之零星杂捐等。

湖北　鄂省杂捐中,收入较多者,如竹木捐、串票捐、税票捐、夫役捐、学捐、米捐、船渡捐等。其余之车捐、房铺捐、轮渡捐、市廛捐、钱业牌照捐、戏园乐户捐等,只限于商埠或一地方行之。

湖南　湘省之米谷捐,为杂税中收数最多者。次则为船捐、茶箱用捐、他如车捐、戏园捐,门市捐名目虽繁,收入甚绌。

陕西　秦省杂捐,种目繁琐。如油捐、警捐、斗捐、炭捐、货捐,较为通行于各县。此外就地筹款之杂捐,如乡捐、秤捐、木匠行捐、肉架捐、花行捐、靛行捐、杂息捐、粮行捐、布行捐、药行捐、票行捐、铁行捐、纸行捐、皮行捐、车行捐、麻行捐、估衣行捐、山货行捐、干果行捐、丝铺行捐等,颇通行。

甘肃　甘省杂捐有名者,如大布捐、皮毛捐、木料捐等,其性质与厘捐相似。此外各县就地所筹之杂捐,名目琐屑,款项零星。

新疆　新疆杂捐,如草捐、斗秤捐、矾山捐、炭山捐、山价捐、地摊捐、磨房捐、铺面捐、皮张捐、洗羊毛捐等,收数较多。此外各县属就地所筹之杂捐,奇零细碎,为数极微。

四川　川省杂捐,如亩捐、货捐,及各县就地□筹之零星杂捐,名目虽不繁,而收入颇多。

广东　粤省杂捐,如船捐、车捐、戏捐、祝捐、庙捐、妓捐、粮米捐、房铺捐、花艇捐、销磺饷捐、小押店饷捐等,收数甚巨。余如各县特设之捐项,名目零星,收入琐碎。

广西　桂省杂捐，如行政盐捐、番摊山铺票捐，以及牛捐、车捐、戏捐、饷押
　　　捐，客栈牌捐等均是，此外尚有各县所征之杂捐。

云南　滇省杂捐，唯迤东迤西之驮捐，收数较丰。其余各种零星杂捐，章
　　　制不一，收数有限。

贵州　黔省杂捐，名目繁多，如木捐、纸捐、摊捐、戏捐、肉捐、鸭捐、米捐、
　　　谷捐、斗息捐、榨房捐、客栈捐、铁炉捐、白布捐、柴炭捐、场费捐、水
　　　银捐、清油捐，以及油行捐、靛行捐、苕行捐、麦行捐、豆行捐、棉花
　　　行捐、洋纱行捐、盐米行捐、竹木炭帮费等，或通行若干县，或旅行
　　　于一县及一处。此外各县杂捐，其收入多寡不一。

各特别区域　（1）热河杂捐，未分种目，合并开列。

　　　　　　（2）察哈尔杂捐，如斗捐、车捐、果捐、商捐、油榨捐、粮石
　　　　　　　　捐、各局票车驮煤炭捐，及其他杂捐。

　　　　　　（3）绥远杂捐，合并开列，未分种目。

　　　　　　（4）川边杂捐，合并开列，未分种目。

由以上所述，可知封建势力若不扫除，封建制度若不廓清，中国的产业就
没有顺利发展的希望，这是任何人都能知道的。

第三节　考虑中国社会问题的特殊性

打倒帝国主义的侵略，廓清封建势力和封建制度，是中国革命的唯一对
象，同时又是发展产业的唯一前提。我们可以说，中国革命的目的是在于解决
大多数人民的生活问题，而解决大多数人民的生活问题的方法，就在于发展产
业。所以帝国主义和封建势力是产业发展的两大障碍，又是中国革命的两大
对象，这是不须多说的。所要说明的事情，就是那两大障碍物扫除以后，必须
采用何种经济主义来发展中国的产业。

采用什么主义发展中国产业，这是半殖民地的中国革命的特殊性所命定
的，也是半殖民地的中国社会问题的特殊性所命定的，用不着多所讨论，即如
国民党的领袖孙中山先生也早已把非资本主义的民生主义指示出来了。简捷
地说，中国革命是为了解决哪一部分人民的生活问题？哪一部分人民能为中

国革命而奋斗？我们只要了解这两点，就可以知道中国发展产业所必须采用的主义了。因此我在这里把中国社会问题的特殊性略加考察，因为中国的社会问题是和中国的产业革命同时发生的。

资本主义产出了资本阶级和无产阶级的对立，产出了贫富悬隔的现象，因而产出了社会问题。所以有资本主义存在的时间和空间，那社会问题就必然随着发生和扩大。中国的社会既然踏入了初期资本主义的阶段，社会问题自必随着发生和成长，这已经成了社会发展的法则了。但是我们要注意的，中国社会是个半殖民地的社会，半殖民地的资本主义的发展，和先进国的资本主义的发展，具有不同的特征（前面已经说过），同样，半殖民地的社会问题的内容，和先进国的社会问题，也具有不同的特性。假使忽略了这个特性，就不能了解中国的社会问题，结果必定要说中国产业劳动者不过二百多万（见下列的统计），在 4 亿人当中，哪能发生多大的影响呢？但这种见解实在是错误的。

中国的社会问题，大概可以分为下列五种：

1. 产业劳动者问题；

2. 农民问题；

3. 手工工人问题；

4. 商业店伙问题；

5. 失业者问题。

上列五项之中，除了第一、第二两项以外，或许有人要说第三、四、五各项，不能算作社会问题的吧。的确，后面的三项问题，严格地说起来，本不能算是现代的社会问题，因为手工工人的问题，和产业劳动者问题不同，商业店伙问题和欧美各国的商业劳动者问题不同，失业者问题也和欧美各国的失业者问题不同。但是我们要知道，中国在数十年以前原是封建社会，上述这些问题素来是不成大问题的，自从被国际帝国主义者所征服变成半殖民地以后，渐渐地踏入了产业革命的过程，走上初期资本主义的阶段，农业的崩坏、手工业的没落、商业资本的发展、工业资本的形成，这些问题就成为社会问题了，这原是殖民地的中国的资本主义化的征象。我们虽不能说中国完全变成了资本主义国家，但是可以说整个的中国经济，都被国际资本主义所笼罩，一切的一切，都打上了资本主义的火印了。这是我所以要把这些都列作社会问题的原因。兹特就各项略加说明如下。

第一，产业劳动者问题。中国的产业劳动者，自从清朝末年以来，就已经随着国内资产阶级的兴起而发生了。及到欧战发生，国内的新式产业逐渐发达，而此等产业劳动者的人数也跟着增加起来，这里特依据英文中国年鉴所载并斟酌前北京农商部的统计，列表如下：

1. 纱厂	280000
2. 丝厂	160000
3. 矿山	540000
4. 海员	160000
5. 铁路	120000
6. 运输（码头）	300000
7. 五金	50000
8. 建筑	200000
9. 电气	80000
10. 交通（邮电）	90000
11. 市政	250000
12. 盐业	250000
13. 烟草	40000
14. 粮食业	60000
15. 印刷	50000
16. 其他制造业	120000
总计	2750000 人

据上表，中国的产业劳动者共有 275 万人，和全国的人口比较，固然是一个小数目，但若连他们的家属一起计算（每人的家属平均定为 5 人），应当包含 1375 人。这包含 1375 万人的问题，就不能不承认它是一个大社会问题了。在中国的广大的产业预备军之中，他们居然能够取得了产业劳动者的地位，以维持其卑劣的存在，把他们和那些无业者比较起来，自然要算较胜一筹，但是我们却不能因此忽视产业劳动者问题的重大。

中国的产业劳动者，有一部分是在中国境内的外国资本家之下工作的，有一部分是在本国的资本家之下工作的。那班外国资本家,利用中国的劳动过剩和工钱的低廉,利用在中国境内所取得的工业经营权,纷纷到中国来经营工业,雇用工人替他们创造剩余价值。他们帝国主义者对于这班工人的待遇,完全使用宰制殖民地的法律和行动,来压迫在他们工厂中做工的中国工人,中国的工人终日在他们鞭扑枪弹之下工作,生杀予夺之权都操在他们的手里,无时不感受生命的危险和失业的威胁,其地位和境遇,实是非常悲惨的,这是显明的事实。其次中国的工业资本家对于工人的待遇,也是非常残酷,因为他们刚刚出世,就碰到了外来的强敌国际资本家,他们的资本和企业能力、他们的生产条件等等,都远不及外国资本家,本国的政府又不能援助他们对于外国资本家的竞争,所以他们只有凭借封建势力加紧对于工人的剥削,以图取得一点利益,政府又没有工场法范围他们。因此在国内资本家之下做工的工人们,他们的劳动条件,也是非常不利,生命的危险(如有反抗雇主行为即被军阀压迫)和失业的威胁,也是同样感受的。加以近年来生活程度增加,低微的工资多不能养家活口,政府又没有劳动法保障他们。这样一来,中国的劳动问题,也就显出了半殖民地的半封建的特殊性,中国的劳动运动,也只有根据这种特殊性去理解它。

中国的劳动运动,从民国七八年以来,日见发展,这是和国内资本主义的发展相并行的。这十多年之间,各处的产业劳动者的同盟罢工层出不穷,直到最近,还是一样。中国劳动运动的性质,一面是经济的同时又是政治的,他们迫于生活的困难,不得不要求经济的地位的改善,迫于民族生存的威胁,不得不从事反对帝国主义和封建势力(最显著的如"二七运动",是反抗封建势力的,"五卅运动"和省港罢工运动是反抗帝国主义的,他们在过去的历史上,已经表示他们确是中国革命的急先锋,是反抗资本主义最激烈的战士)。这种趋势,和先进国家的劳动运动,必须经历数十年的经济运动然后转换到政治运动的趋势,截然不同。这可说是帝国主义时代的半殖民地的半封建的社会中的劳动运动的特殊性。欲谋中国产业的发展,就必须解决这产业劳动者问题,然欲谋解决这产业劳动者的问题,就必须针对中国劳动问题和劳动运动的特殊性,打倒帝国主义和封建势力,发展民众的国家资本主义。

第二,农民问题。农民问题的发生,是农村经济破产的结果。农民问题的现状,在第二章中已经详细说明,再总括起来说,全国农民 3.36 亿人之中,已有 2 亿人以上因受资本主义和封建势力两重压迫和剥削的结果,失地的失地,失业的失业,生活的困难,已是达于极点。就近年来全国农民运动的形势说,有组织的农民曾发展到数千万之多,尤其是粤湘鄂赣等省的农民,已经表现着反抗帝国主义和封建势力的大力量,表现着为革命而奋斗的功绩,而其运动的目的,是在于为自己求出路。

农民问题的中心,是土地问题,土地问题不解决,农村经济没有复兴的可能,新式产业也没有发展的可能,占人口过半数的农民生活问题,便不能解决,孙中山先生在过去 30 年以□即已列举平均地权的政纲以为革命的鹄的,真是洞悉了中国社会的症结所在。

第三,手工工人问题。在手工业没落的过程中,手工工人问题的重大,乃是社会的事实(手工工人的数目,依第三章所述,约有 1100 万人)。手工工人本是由封建社会到近代社会的过渡阶级,近年来手工业的兼并,已有多数手工工人陷于失业的境遇,加以帝国主义和封建势力两重压迫的影响,生活程度日见增高,手工工人所得工资不能糊口,更加感受着生活上的威胁,于是便形成了手工工人的问题。这手工工人的问题含有资本主义侵略的成分,所以手工工人为维持自身生存而实行的运动,也采取了同盟罢工的形式,如近年来各地方的罢工统计中,手工工人的罢工也占有不少的件数,而且参加过反帝国主义和军阀的运动的。这本是半殖民地的半封建的社会中所必不可免的现象。

就近代产业的发展的趋势说,手工业终于要被淘汰的,手工工人的问题,只有更趋于重大,要解决这个问题,只有由国家的力量发展国家资本,把手工工人改编到国家产业的部门内去工作。

第四,商业店伙问题。在商业资本畸形发展的中国,商业店伙必然也随着畸形地增加,商业的经营和帝国主义有不解的因缘,因为在商业资本主义之下的商业店伙,也发生了生活上的问题。在商业方面,过去本无显著的社会问题,因为过去的商业,规模极少,雇主和店员之间,保存一种家族的情谊,店伙的生活有最低限度的保障。而且店伙的工作,多是智力劳动,和普通劳动者不同,他们的地位缺乏固定性质,很容易变成独立商人,所以他们不易发生阶级的自觉,没有组织团体对抗雇主的事实。但是近年以来,商业的规模扩大,商业的经营也变成资本主义的,于是中小企业者渐形困难,商业店伙所受的待遇和所处的地位,颇与劳动者相似,加以商业资本超过工业资本之故,生产事业未能发达,人民谋生不易,外间之欲候补为店伙的大有人在,因而店家往往用停止工作的口头禅来威吓店员,店员的收入不易增加,而生活程度继长增高,又苦于不能维持,所以店伙的生活问题也成了社会问题。近年来各大都市中的商业店伙因为生活的困难,常有组织团体对店家罢工的举动,并且参加于反抗帝国主义和军阀的工作,报纸上常常记载着,这是产业革命过程中的必有的现象,也是商业资本畸形地发展的结果。要解决这个问题,只有迅速发展国家资本,打破目前畸形的商业资本的发展。

第五,失业者问题。农业崩溃,手工业没落,新式产业停顿的结果,无数的人员被改编于失业者群之中,形成了广大的产业预备军。他们进不能卖力于工厂,退不能自寻生活的途径,终于徘徊于城乡市井,流离失所,这就是匪盗游民充满于全国的原因,也就是失业者问题成为严重的社会问题的原因。要解决这个问题,也只有发展国家资本。

基于以上各节所述,可知怎样发展中国产业的问题,实是中国革命的根本问题。简单的结论是:要发展中国产业,必须打倒帝国主义的侵略,廓清封建势力和封建制度,树立民众的政权,发展国家资本,解决土地问题。

妇女问题与妇女运动[*]

（1929.1）

---

*《妇女问题与妇女运动》由日本山川菊荣著、李达译，1929 年 1 月由上海远东图书公司出版。——编者注

一、绪　论

仅仅十年以前,说起妇女问题,就以为是一部分妇女奇矫的言论,说起妇女运动就以为是"女壮士的暴行"(在文字上正如低级新闻记者对于英国妇女参政的激烈运动所下的批评),这是日本民众一般的态度。即如现在,像那样对于妇女问题的漠不关心或缺乏理解,也不能说是完全没有。不过就全体看起来,现在要拿出冷嘲、热骂或蔑视的态度,轻轻地看待妇女问题时,而暗地里却似已意识着这是很重大的民众自身当面的问题了。

明治维新以来,随着产业组织的变化,妇女地位,也和一般社会生活一样,显出了飞跃的变化。这种显著的急激的变化,现在不特没有停止,而且随着大战以后日本资本主义的发展,进行更快,逐时逐刻地把那范围扩大起来。在十年或十五年以前,日本的民众,虽然能够想到那成为外国的偶然事变的妇女问题,想到那关系于一部分特殊妇女个人自由问题的妇女问题,却从没有想到那成为自己切身的当面问题的妇女问题。但到现在,形势已变了。日本的妇女问题,已不是十年以前那种"新女子"的恋爱事件或五色酒的问题,而已经感到这是与民众自身生活有直接关系的问题,是我们在现社会中当面遇着的一个最重要问题了。现在代表妇女问题的,已不是在青外套中包围着的"新女子"的姿态,而是涂着汗水和灰尘从事工作的女工、女驾车员、女教员、女打字生的悲壮的姿态,这是谁都明白的事情。在以前,说起职业妇人,就有些人以为这是错过婚期的丑老姑娘的代名词。可是到了现在,大多数无产者的家庭,总不会没有一两个职业妇人或劳动妇人,若还嘲笑或卑视妇女的职业生活——即工钱劳动,便简直是侮辱无产者自身的意思了。实际上,随着资本主义发展而来的生活困难的增大、家族制度的破坏,女子劳动的发展,以及波及于男子及儿女生活全体的影响,对于无产的男女,都同样地给以妇女问题重要的印象。

妇女问题,有两个方面:一是不分阶级而为一切妇女所通有的女性的特殊利害关系;一是无产妇女所独有的特殊利害关系。自从财产制度确立以来,各阶级的妇女都隶属于男子,都处在劣等地位,但到现在,这种隶属关系,和社会的进步已不相容,一切女子对于一切男子要求对等的权利,乃是当然之事。所以教育上、职业上以及法律上男女平等的要求,虽然觉得只是直接代表有产妇人的利害,但在原则上却又是代表一般妇人的利害的。这些地方,和阶级相异的男子之间不同,在有产和无产的妇女之间,实有做女性的共通的利害。

不过这里要注意的,现在的社会,不是单由男性和女性构成的单一社会,而是分裂为有产无产两大阶级的社会,各个男女,除了性的特殊利害之外,还因其所属的阶级而有经济的特殊利害。这种阶级的利害,又直接间接成为左右那性的特殊利害的社会力,即使在理论上,一切女子可以依据那根本的共通利害采取共通的行动,而在实际上,无产妇人和有产妇人利害不同,那运动的对象和方针自然相异。所以欧美各国,那最直接代表有产妇人特殊利害的单纯女权运动就发达起来了。

然而日本方面,略有不同,日本资本主义发展的阶程,是很急剧而且飞跃的,所以像欧美那样有产者民主主义的繁荣不能实现,因而那半身不遂的有产者的女权论,也没有得到发达的机会。日本妇女,无分上下,都还没有脱离封建的家族制度的束缚,就进到了资本主义末期的反动时代,就全体说,还未曾达到像欧美妇女那样抱着个人主义思想。即如高等妇人,也没有高等教育和独立财产,和以前比较,不过在享乐主义方面算是近代化了,但依旧专做良妻贤母,埋头于家庭生活。就是偶然参加公的生活,也只是做一点慈善事业,至于别的野心和活动力,可说是完全没有。若是西洋妇人,伊们既受高等教育,又有独立财产,不但要支配自己的运命,而且想支配他人的运命。日本妇女和西洋妇女比较,却另是一类的人,不过是和先前一样优美的上品的女奴隶,对于旧道德的破坏和反抗,伊们并没有梦想到。要求教育和职业的门户开放的呼声,倒反是由无产妇女发出来,在绅士阀的妇女中却是不能听到。其实大学门户即是开放,那绅士阀妇女中也找不出一个真实的热心的学究来。像欧美那类形式的女权论,在日本没有人去倡导,而且也难望发生反响。因此,带有绅士阀倾向的妇女运动,微弱不振,不知不觉之间,于纯粹的女权论之外,更揭举社会政策的主张,竟采取了代表广义的无产妇人利害的形式。

但是妇女运动虽迟迟不能发展,而大战以后资本主义的发达,却在筋力劳动和智力劳动一切方面,把职业妇人的需要顿时增加了。就日本说,女子教育和职业范围的扩张,实出于资本主义的发展的必要,在妇女自身没有提出要求以前,早已实行了,所以那在法律上、政治上、教育上要求男女平等的妇女问题,还没有成为充分有力的运动显出来,因而还没有承认这问题的重要,可是那以妇女劳动问题为中心的妇女问题,却在这时候发生出来了,虽然那代表这个问题的运动没有发达,而事实上这个问题的重要和深刻,已经引起了社会全体的注意。

再换过来说,在欧美各国,一说到妇女问题,就觉得这是关于绅士阀妇女的问题的意思,而往往由绅士阀妇女代表的;但在日本,便连那纯粹代表绅士阀妇女的利害的运动和人物,也差不多找不到,所以只有关于无产妇女的问题,能够引人注意,能够代表妇女问题,这是日本的特别情形。

固然,教育上、职业上、政治上、法律上机会均等的要求,本不仅于绅士阀妇女有关系,而且于无产妇女全体也有密切关系的。不过在欧美各国,因为提出这些要求而斗争的是绅士阀的妇女,而这类运动也带有绅士阀的性质,只能代表绅士阀妇女的利害。至于日本,绅士阀的妇女,对于这些问题不感兴趣,也没有用妇女全体名义提出要求的勇气,所以像欧美那样由绅士阀妇女运动而取得的对于男子的权利,在日本也没有完全得到。因为这个缘故,那些在教育、职业、政治、法律等方面的男女平等的要求,以及于无产者有直接关系的经济上的改革,一并归纳于无产妇女运动的范围,因而这种运动,失掉了对于男子运动的性质,多少带有无产者的色彩。关于这些问题,在欧美是由绅士阀的妇女代表妇女全体的共同利益而行动的,所以那运动中带有浓厚的绅士阀的色彩;但在日本是由无产妇女代表妇女全体的共同利益而行动的,表面上虽是同样的要求,而实际上两者的性质却不一样。教育上、职业上和政治上的平等,原是妇女全体的共通问题,原无阶级可分,不过要求这些平等的人若是绅士阀妇女或是无产妇女,其性质却显然不同。由绅士阀妇女去实行,结果只能做到现社会内一部分的改革,(即绅士阀妇女的人权之伸张);由无产妇女去实行，就不是在现社会内所能完满的根本的彻底的改革（即废除阶级，男女平权）。教育和职业的自由以及妇女参政的要求，以前虽曾看作绅士阀妇女运动的特征，但在本质上却不仅是绅士阀妇女的要求，只因以前为这些要求而奋斗的多是绅士阀妇女而偶然带有绅士阀的性质罢了，现在若由无产妇女提出这些要求，就必然带有无产者的性质了。

日本的绅士阀妇女，不像欧美姊妹们那样能够拿出勇气来，为要求男女同权而奋斗。伊们忘却了自己的使命，不愿意为教育、职业、政治上的平等去努力作战。于是一切问题，依然没有解决，完全留待无产妇女去完成。所以日本无产妇女解放运动的战线，不仅限于经济斗争的范围，并且要扩张到要求政治、教育、职业、各方面的平等的方面。所以日本妇女运动的使命是特别重大的。

日本工场劳动者之中，女工占过半数，农民及矿业劳动者之间，女工亦占有不少的比率，最近发达的各种产业，利用妇女劳动的范围，越发推广，即此已可窥知妇女问题在无产者解放运动上的重要了。可是这占多数的无产妇女的群众，却差不多有组织没有训练，好像被无产者运动忘却了。女工问题是都市劳动问题的难关，那些保守的、利己的，只顾自己一家物质利害的妇女们，实是全无产者解放运动重大的障碍。这种状态，固由于妇女的境遇使然，而无产者不了解妇女问题意义因而忽略妇女教育和组织的过去运动方针，也要负一半责任。

阐明妇女问题实际的意义，在无产者解放运动的发展上，固然是很重要，而现代妇女问题既然是社会的历史的发展的结果，我们就不得不首先把那发展的途径找出来。要找出那发展的途径，势不得不溯及原始人类的社会生活，以探寻妇女地位之历史的变迁。

二、男性中心说与女性中心说

（一）神话之解释

据《圣经》说，上帝最初造出男子，说"那人独居不好，要替你造出帮助者"，所以就造了一切鸟类给他。但因亚当没有适当的帮助者，所以"使亚当沉睡……从他身上取出一片肋骨，造成一个女人，领伊那亚当跟前"。于是亚当便说："这是我骨中的骨，肉中的肉，可以称伊为女人，因为伊是从男人身上取出来的。"

可是又有个神话和圣经上的神话相反，这是现在还维持着母系制度而女权极占优势的南美志尼种族所传天地创造的神话。据这神话的传说：母的大地神比父的天神更为强大，更为有力，两神相会造出天地万物之后，母大神便排斥父神，父神就说："你虽是那样想，可是儿女们没人照管"，于是便留下来为母大神做帮助者。

一切神话或传说，都是反映那当时民族的思想和习惯的。所以在男性本位的社会，就像圣经所说，男性从天地创造之时始，便是生物界的主体。因此编出的神话，说女子是因为男性的便宜而从男性诞生出来的，只有卑劣的存在，说"汝必爱夫，彼将治汝"，把男性的优越当作上帝所命的永久真理。依同样的理由，在女性优胜的时代或社会的神话，便流传相反的宇宙观和世界观。今日所传的神话，多是流传男性征服女性而男权逐渐确立的时代的民族宇宙观，若把那当中所表现的思想当作贯通宇宙的永久法则，本有相当的错误，不过我们若要凭借这个来窥察人类社会生活的发达变化，倒反是很有益的材料。

从那些神话看出来的古代妇女的社会地位，拿来和现时妇女的社会地位比较，便成了一个很有趣味的对照。即是：现时的妇女，一步一步地扩张活动的范围,伸张自己的权利;而神话上所表现的妇女,大都渐渐被缩小了活动的范围,被剥夺了自己的权利。例如圣经所载,上帝因女人被蛇所诱,就处罚伊,说"汝必爱夫,彼将治汝"。上帝在那时这样命令女子,就可以推测女子在以前未必有服从男子的义务和习惯了。

日本神话,在最初一页,也反映着男女权力的斗争,这是很有趣的。伊奘册和伊奘美两大神最初会合之时,女神首先发言,男神说"女人先发言,不成体统",果然生出了蛭子。以后改为男神先发言,才得生出好儿女来。这是"古事记"所传说的。

把神话所表现的思想当作宇宙法则的人们,或许要把这个当作证明开辟以来男尊女卑为日本的"国是"的好材料吧。但是这个神话,却表示相反的解释。比方那女神以后不先发言一事,即证明以前女子先男子发言,实是毫不足怪的旧习惯了。男神对此提出异议,不是说明男权确立于初期的形况么?男神有提出抗议打破女权的必要,很可以想见以前的女权是占优胜的了。

思想常是环境的产物,尤其是一定社会内的最有力阶级,就造出当时的支配的思想,传播出来,所以男性中心的社会一旦确立,自然要造出男性中心的伦理道德,原不足怪。人类社会进到文明时代以后,即以男性中心为通则,所以以前的人,说到社会,就不能想到男性中心以外的社会,说到道德,就不能想到男性中心以外的道德。即如科学,也不能超出这滔滔的流俗之外,到最近为止,生物界一切事物,都以男性为中心,把女性只当作继续生命的手段,当作附带的第二义的存在,相信两性的优劣是俨然不可侵犯的天命。

但是近代科学急速的进步,却打破这种臆说,把生物进化过程中女性意义的重要阐明了。据这个新说明:生命原始于女性,生殖作用也由女性经营,男性是由于异种接触的种族进化的必要而发生成长,宇宙万物都以女性为根源、为中心。下等动物中男性的寄生现象,并不足奇,而多数动物,现在还表示女性优胜的事实。这便是那新明的证据。即如昆虫类,除了极少数的例外,雄雌的悬隔并不过大,也有雄比雌少而不及雌的一半的事实。鱼类爬虫类也是一样,从稍为高等的动物到齿类动物为止。男性才达到和女性相同的程度,自雌雄之大小以至色彩装饰,殆无不同。然而鸟类哺乳类,和那些低级的动物相反,男性比女性强大而美丽。不过男性这种强大而美丽的处所,并不是男性自始就有的,乃是因为女性的选择且适合于女性的趣味才发达起来的。而男性虽然强大而美丽,而到现在为止,却并没有利用以虐待女性、征服女性,总是买女性的欢心而且服从其选择,这一点是一切动物的通性。

最近的科学,这样地承认贯通生物界的女性中心的事实;而且证明了女性优胜的事实,在生物进化上发生了很有力而健全的影响。但从动物进化而来的人类社会状态究竟怎样呢?

现在的人类社会,和一切动物相反,配偶选择权,为男子所专有,女子汲汲焉唯恐落选。男子实力权势都优,是人生的支配者,女子只以抑制自己的意思和欲望为美德,唯男子之命是听。

在政治上、社会上、经济上,女子常处于男子的下位,没有做市民的平等的权利。这些究是什么缘故?

既然相信人类是起源于动物,那我们的祖先确有经过女性中心时代的事实,这是任何人都不能否认的。然则由女性中心到男性中心的变迁,究竟是怎样进行的呢? 女性怎样失掉那自由,男性怎样确立那优越权的呢? 妇女的过去是征服的历史。妇女的将来,必是解放的历史。为转换这征服的历史到解放的历史,我们必得把那在过去的征服的原因和途径找出来。

(二)相反的两说

最初的人类,造出了怎样的社会,经营了怎样的生活,现在原不能确定。我们所能做得到的地方,只能就各国的神话、古代史和现有未开化种族的风俗习惯,比较研究,借以推定原始的状态罢了。推定原始状态的假说,大致可以分为两派。一是威斯达马克、休达克、卢兹诺等学者所倡导的家族起源说;二是巴可芬、莫尔甘、乌德所根据的群起源说。

据第一说,许多哺乳动物和大多数脊椎动物之间,家族的本能已是显著发达,和人类接近的类人猿,也实行着一夫多妻或一夫一妻制。他们都有激烈的排他的嫉妒心,往往和他雄奋斗,不许和自己的配偶接近,所以各家族并不杂居而各自营孤立的生活。最初的人类,或许如此,也是构成一男一女或一男数女的小家族而生活的。那些家族虽采用母系的系统,却不必与女子的权利同视。母系主义是许多动物中所常见的,在雄性不顾及雌性和雏儿的地方自然要发生出来,是母性担负育儿责任的当然的结果,这和男子的专横不易共存的。

但是乌德信奉第二说,反对第一说,他力言原始女性的优越。最初的人类,构成小群而生活,群内的两性关系,没有限制。当时,男性因为承受动物时代的余泽,已经是比女性强大而美丽,但这些长处,在博得女性欢心便于中选的必要上,是有利的特征,绝不用做征服女性的武器。在动物时代也是一样,雌雄淘汰的实权,握于女性之手,男性往往不辞与任何女性相交,而女性除适合于自己的趣味的男性外,概不接近。男性虽遭女性蹂躏,也不用暴力报复,却向着同性发泄他的愤恨和嫉妒,和别的男性争斗。

乌德说:"在动物时代,最根本的问题常由女性决定,同样,在原始的人群,也是女性实行支配的,这是可以想象得到的事。过去的遗风和现时未开化种族的实况,就可以充分证明这是自然的状态。在这种状况之下,母权和母性支配之所以实行,乃是生存上的必要。母系主义、母系制度,及其他原始民族间所见的女性支配的形式,并不是例外或变态,不过是人类社会最古最久的历史上某时代的遗风。这事现在虽没有证据,但既然认定人类是起源于动物,这一定是必然的结论了。"

"发见母系制度的巴可芬玛克列南莫尔甘及其他人类学者,还未能充分认识这些现象的意义。由现时两性关系的思想,观察女性支配的事实,以为这是变态的,就当作无价值的例外排斥了,即使有许多所可以打破已成的信念,也不当作必须说明的事实,来加以哲学的观察。切实地说,生物学上真理的进行,因为这种精神,已大被阻碍了。"

这样说来,对于说明原始妇女地位一层,就有相反的两说了,而且在原始民族的实际上,女子优胜和男子优胜两种事实都是有的,至于把哪一种事实当作最古的社会形式决定,那就不容易了。

但是在未开化的社会中,因为男子多从事于战斗的结果,那社会存在所需的物品的生产,都由妇女实行,这是事实。这些工作,在文明人看来,好像是很劳苦的,但在未开化时代的女子,体格和能力都和男子一样,所以伊们是很能胜任的,而且正因为做这些工作,多半能够支配男子。

又如澳洲土人那样虐待女子的事实,我们也可以用同样的理由来说明。因为澳洲气候暖热,天产丰富,女子没有发挥经济力的机会,所以引起了男子的支配来。原始社会的进步,常由取得衣食的方法的发达而定,而取得衣食方法的发达,又有待于妇女的力量的。倘若因为有特殊的事情,使得妇女不能发挥这种能力,那全民族的进步,势必中止。所以支配现在世界的优良人种,必定是经过了女性优胜的时代,至如澳洲土人,因为压迫女性的结果,所以进步中止,变成了劣等的民族。

要而言之,动物界和人类社会的初期,母子关系比父子关系易于明了,所以女系系统之被尊重,乃是事实。至于这母系主义和女子地位有什么关系呢?这是历史上和现存母系种族的事实,可以说明的。同时,若要晓得女子地位的高低,能够在社会上发生怎样的结果,也必须研究母系制度才行。

三、原始女性的地位

（一）现存未开化种族的母系制度

要了解母系制度，先要晓得原始社会发达的次序。对于原始社会的历史，最初用论理的次序划分时代的人，要算是美国人类学者莫尔甘，现在把他对于原始社会的说明介绍出来。

莫尔甘在北美伊洛葛印度人之间，住过很久，他详细地研究过当地的风俗习惯，就用那些事实做基础，去推究太古的社会状态。

据莫尔甘的意见，有史以前的社会，可以划分为蒙昧和野蛮两大时代，而每一时代之中，又细分为上、中、下三个时期。

蒙昧时代的下期，从人类的幼年期起到知道捕鱼和用火的时候为止。这一时期的人专食木实草叶之类，言语也从这时候开始了。

蒙昧时代的中期，从开始用火和以鱼类贝类作食物的时候起，到知道制造粗石器的时候为止。

蒙昧时代的上期，从发明弓箭的时候起，到从事狩猎和经营村落生活的时候为止。

其次，野蛮时代的下期，从发明陶器的时候为始。至于中期，在东半球则以从事畜牧的时候为始，在西半球则以栽种玉蜀黍和制造炼瓦的时候为始。至于上期，则以发明铁器为特征。

最后进到文明时代，则以文字发明的时候为始，直到现在。

把太古的状态推想起来，最初的人类，或者是在群的内部实行乱婚的，及到后来，亲子间的性交首先禁止了，其次同母的兄弟姊妹的性交也禁止了，再次母系的叔侄和其他近亲的结婚也禁止了。拿母系家族做基础的血族共产团体——氏族，就是这样成立起来的。

这种氏族的组织，以及氏族成为最初社会生活单位的一点，在希腊、罗马、德意志，和其他各国的古代历史上，都是共通的事实。现在散布于全世界的母系种族，一切也都是仿效着这种制度的。

人类社会的进步，往往随着自然力的征服和利用的程度而变迁的。所以在生产方法上每逢有新发明或新发见的时候，社会的面目为之一新，而男女关系也随着变迁起来了。

据莫尔甘说，人类社会的男女关系，到现在已经过了五种的形式。第一是乱婚。其次是血族群婚制，即是兄弟姊妹自然地成为一群夫妇的制度，在各个男子和女子，夫妻关系没有一定，一切男人同时把一切女人做妻子，一切女子同时把一切男子做丈夫。

第二是半血族群婚制，即是同母的一群兄弟和异母的一群姊妹构成的团体的结婚。

第三是偶婚，又是一时的一夫一妻制。这种婚制虽是一男一女的结合，但结婚和离婚都是很自由而且容易。母系制度下男女结合的形式就是这一种。

第四是一夫多妻制，这是父家长制代替母系制度以后发生出来的，即是男权确立的结果。

第五是现在最通行的一夫一妇制。

乱婚和群婚的制度，现在地球上差不多绝迹了。但在未开化人种之间，有的地方还存着相仿佛的形式，又有的地方还存留着最近以前确曾行过这样婚制的痕迹。此外各国历史所载的，以及现时边鄙地方还留存着的暂时无限制性交的风气，也可以看作是这类婚制的遗风。

至于偶婚制，在现时散布世界各地的母系种族之中，却是流行很广。这种婚制，据我们推测起来，大概发生于野蛮时代的下期，在野蛮时代的中期，恐怕经过了几千年之久才慢慢衰灭下来的。

由历史上的材料，开始发见古代民族中母系制度事实的人，是德国法律学者巴可芬；其次确定现存各民族中母系制度事实的人，是玛克列南。但对于母系制度发表最科学的研究的人，还是莫尔甘。

据莫尔甘研究，在伊洛葛印度人之间，同戴共通女祖先的母系家族团体，成为一户,家事由最年长的老妇人支配,许多这样的家集合起来,便构成一个氏族。直到 19 世纪初叶,他们所居住的是一种长而且大的长屋。这种长屋,长约 50 尺到 100 尺,用圆木作架子,上面用树皮遮蔽起来。家屋的中央有通行的走廊,两旁排列着收容各个家属的房间,走廊的两端都有门。走廊两旁,通例四个家属为一段,处处设有暖炉,但无烟囱。

各个长屋的内部,都营共财的生活,凡由畋渔或耕种所得的产物,一概作为公有。他们还没有晓得物品私有或个人私蓄的事情。土地和一切财产都归公有,各个长屋,均由总揽家内经济的老妇人监督。每日的食事,在各个暖炉上调理之后,即由老管家妇人把各家属的女家长来,按照各家属的需要,把食物分给伊们。下余的食物,即委托别的妇人管理。这样调理的食物,每天只分配一次,食锅却是整天挂在火上的。凡是觉得肚子饿了的人,不问是否属于那一个长屋的,都有随时到食锅里取出食物充饥的权利。

一切的美洲印度人,因为实行共财生活的结果,对于这种欢待客人的规则,都能严格遵守。对于想吃东西的人总得要把东西分给他,绝没有托故不给的。倘有一户长屋受了灾难,别的长屋就从自己的贮蓄中拿食物充分供给他们。所以美洲的印度人还不晓得什么叫作饥饿或穷乏,一切的人好像都是满足的。像这样的种族,他们取得食物是很费力的,食物的供给实是最重大的事情,而他们对于食物的分配却是这样慷慨,看起来似乎觉得稀奇了。

美洲印度人的生活习惯,虽然实行上述的办法,却绝没有像文明人所顾虑的那样,会造出懒人或不顾将来的人。他们对于身体能够作工而偏要乞食人,固然当作"乞丐"或"卑怯者"轻视,但对于拒绝给食邻人的悭吝者,却看作是"下贱人",比轻视懒人还要厉害。莫尔甘陈述这种土人的习俗,称为文明人所没有的仁慈的制度。

在称为未开化人的民族之间,仁慈的习惯为什么那样流行呢? 这虽不是妇人的功劳,但这样的习俗,和食物由妇人分配保管一事,确实有密切的关系。像那样的制度,与其在那以私财为基础的父家长制度之下实行,不如在这以共同生活为原则而顾全社会全体利益的母系制度之下实行,更为容易了。

至于伊洛葛人的政治组织,据莫尔甘说,一个种族是由大氏族成立的,大氏族是由许多氏族构成的。氏族即是那种族的单位。每个氏族都由大酋长和普通酋长两个头领统率。大酋长是氏族的正式元首,由成年男女公选而出。大酋长和普通酋长都没有优越权,只不过是民意的执行者。种族中一切公共问题,必须各大酋长意见一致,才能解决。这是伊洛葛族的根本宪法,如果费尽力量而意见还不一致时,这个问题便抛却不管。在这样的组织之下,个人的支配或一氏族的支配是不可能的事,所以属于相异的各氏族的一切人,都是权利地位平等的自由人。"自由、平等、友爱"三者,在他们口里虽然不说出,却是支配这些氏族的根本原则。莫尔甘把这种习俗看作是印度人所特有的独立不羁精神的原因。

说到女子在政治上的权力,种族会议的代表,是由各女家长选出的,有宣战媾和之权。酋长在习惯上虽由男子之中选任,但政治上的实权,却操在妇女手中。一切事务都由伊们的赞成与否而决定的。

像这样稀奇的社会和家族形态,在实行母系制度的美洲印度人之间,是共通的现象,成了实际上的支配者的妇女的势力,是很值得注意的。

伊洛葛长屋的总管家是老妇人,总管家死了,就由伊的女儿继任。男儿们须到别氏族女儿们那里去入赘,女儿们总是在自己家中迎取伊们的丈夫。氏族内部的结婚,是严禁的。女儿们是共财家族的一员,不会受丈夫的扶养,各人的经济都是独立的。男子们要把畋渔所得的东西奉纳于母家长和那家的女儿们来献殷勤,像这样成就的婚姻,女子都同属于一个氏族的血统。而男子却都是由别的氏族集合而来的,所以没有势力。生活必需品都归公有,不努力工作的男子,往往要受排斥。受了排斥的男子,不管他在那家生了好多儿女,也不管他有好多东西,什么时候叫他卷起行李走,那是没有一定的。男子一旦受驱逐之后,就没有挽回的余地,除非祖母或叔母的调停成功,否则他只好回到自己家里或跑到别家入赘。妇女的势力真是煊赫,酋长也常由伊们选任,倘若不能使伊们满意,伊们就可以把他解职,把他降到一个兵卒的地位。

伊洛葛种族之中,一夫多妻的事情并不许可,而且也没有人实行过。据说伊洛葛种族中有个瑟尼加族,一妻多夫的例子却是不少,但没有一夫多妻的事实。又女子娩儿以后,授乳的期间是很长的,在授乳期间以内,夫妻并不同居,像这样的种族,实可特别注意。

他们的结婚时期颇早,做丈夫的要替妻家做工,只有凭借劳役来保持地位的安全。男子向女家求婚时，必送给女家许多赠品，结婚后一年所得的东西，一概交给妻子，以后所得的归夫妇均分。结婚由做母亲的决定，做父亲的虽也参加末议，只不过是一种形式，他的赞成与否没有效力。女儿们也有选择配偶者的权利。

离婚由双方合意，没有什么吵闹和争论，实行是很平和而且容易的。夫妇不和，互相欢悦地分开，也有和别的夫妇交换丈夫或妻子的事情。但有幸福而且永久地结婚也多有。

伊洛葛族的另一支族威安特族，比瑟尼加族较为进步，但仍旧维持母系制度。氏族内部禁止通婚，做丈夫的一面住在妻子的氏族中，一面又保留着做出生的氏族的一分子的权利，所生的儿女则属于母亲方面的氏族。结婚之后，夫妇暂时在新妇的母家寄住若干时，后来还是分开另成一个家属。这是由母系制度到父权制度必然经过的第一步。

照亚尔公喀族一支派的麦司喀基族的实例，上述那种由母系制度到父权制度的推移，表现得更为明白。麦司喀基族虽仍旧组成氏族，而母系制度却已废止而成为父系制度了。做丈夫的虽寄住在妻家为妻家做事，却不是妻家氏族的人，而妻子反成了夫家氏族的人。夫妇若是离婚时，所生的子女若是年幼的则属于母方；若已成年则属于父方。

威安特族的政治组织很是周密。各氏族有由母家长们选出 4 名妇人组成的评议会，由这 4 名妇人选出一个男子做氏族长。这氏族长即是评议会的议长。种族的评议会，由各氏族的评议会联合组织而成。所以妇人占种族会议议员的 4/5。计全体议员 55 人，妇人占 44 名，男子只占 11 名。

照上面所说，妇人的议员，在氏族会议中，在种族会议中，都要占大多数，结果，社会上政治上的问题的大部分，当然由妇人决定。至于军事则另有军事会议，男子握有直接的权力。但女子有否决之权，宣战媾和都根据妇人的意志决定的。

至于土地则归氏族共有，但各户也另有区划。土地是由妇女议员区分的，每隔两年重新分配一次。各户虽各有一定的土地，而耕种却是共同举行的，强壮的妇人皆有从事耕种的义务。

其次再说到南美洲，那住在新墨西哥和阿里佐那地方的比埃阿布洛印度人之中，母系制度完全存在。他们的习惯，曾经班克洛夫特、斯库尔克拉夫特、莫尔甘泰洛亚等学者或旅行家详细研究过。当欧洲人类学者开始到那地方去的时候，他们的国度已经分作数州，有许多州已经成了自治体或小共和国了。

他们的共财生活，比北美洲的印度人更为发达。那公共长屋也比伊洛葛人的更为广大，是用更进步的建筑术造成的。家屋用炼瓦石块等作材料，用漆料固定起来。每栋之中，有五十到一百到200的房间，也有到500间的。这是家族的公共财产，建筑时男女一律参加，男子造木架，女子涂漆作壁。

据在脱尼印度人中住过的加新喀氏说，那里的屋子完全由妇人建筑，男子只供给材料。

据莫尔甘的报告，佐尔治州的克里克印度人之中，实行着多少异趣的共财制度。到1790年为止，他们还住着一种小家屋。这样的小家屋，由四五栋至七八栋集合起来，成为一团，食事在别的小屋调理，各家都到那里去领取食物。一村之中，像这样家屋的集团，有五十到一百，至少有十到十①

像上述村落家屋的建筑法，和近时所提倡的田园都市计划偶然相合。英国哥里干女士说："现在的人因为各个家庭经营孤立的生活，就诉说不经济不便利，于是就计划出来那最进步的共同生活方法，而不知文明人这样的计划，他们原始人早已实行了，我们应当好好地学他们原始人。……在未开化的社会里，那样经济的生活形式所以实行，实是和家庭有密切关系的妇人得到势力的结果；现在同样简易生活的主张所以发生，也是妇人在社会生活上恢复势力的结果。"

再回转去说比埃布洛土人的话。比埃布洛种族，多有由几个族内禁婚的氏族组成，而亲族制度则依据女系而采用完全的母系制度的。在那些母系种族之间，结婚之后，夫在妻家居住作为妻家的人。若是家屋狭小就添造房屋收容新夫妇。所以女儿养得多的家里便繁昌起来，只养出男儿的家里便要灭亡了。

有些种族，未婚男女的操行是被尊重的，也有因偶然的恋爱关系而即时成婚的，也有许可未婚妇女有完全自由的地方。但结婚之后，夫妇间的道德，比

---

① 原文此处有一行为空白。——编者注

采用一夫一妻制的文明国民,尤能严格遵守。夫妇彼此不满意,即时可以离婚。在成为夫妇的期间,彼此都和好。也可以换句话说,只有和好的期间成为夫妇。

至于求婚一事,则与文明社会相反,女子发见合意的男子,就商承自己的家属,由家属向对手方面提议。结婚的继续与否,权限操在妇人之手,但妇人却决不滥用这种特权,除了丈夫十分不堪,绝不随便把男子斥逐到他的家里,这事是值得推奖的。夫妇反目,与其一处同居,不如愉快地分手。曾经访问过脱尼印度人的斯几温森夫人很称赞他们亲子夫妇间和蔼气象可以作文明人的模范;并断言这种家庭生活的圆满,实是女子在家庭占优胜地位的结果。

在脱尼族,以前男子没有什么所有权,土地是归公有的,但近来母权日衰,男子对于土地就有一点所有权了。

比埃布洛族中还有一个霍比斯族,风气更古,一切财产都归妇人所有,归男子所有的只有马和驴。比埃布洛人之间,通例谷物仓库由女子管理,他们对于将来的准备极其周到,通常要贮存一年的粮食。如非饥馑连年,是没有困难的。霍比斯族也和脱尼族一样,也是实行一夫一妻制,但对于少女时代的品行,不加裁制。在少女时代,即有情夫,亦不识消,就是生出小孩子来,若非特别的淫妇,也可以和普通的少女一样正式结婚。又在这些种族之中,私生子和嫡生儿一样待遇,小孩子不受别的烦闷。做丈夫的照习惯移住妻家,但他所出生的家是他自己的家,有病时回到自己家中调养,病愈后再回到妻家同住。做丈夫的在妻家若住得不耐烦回到自己家里去以后,在丈夫未回来的期内,妻子也有把他的东西通通搬出户外的。丈夫若看见了这种情形,就不再进妻家的门限了。

比埃布洛人比邻近别的种族要进步些,男女间的习惯较为高尚,家庭生活很有幸福,在他们原始人也奇怪地能懂得恋爱。

妇女的权力达到专横的境界的也有,可引尼加拉喀土人为例。在尼加拉喀土人之中,妻子从事贸易的时候,丈夫唯妻命是听,管理家事,稍有差错,妻子就要把丈夫逐出的。

在古亚那族,女子于结婚之前和伊的爱人当面商量家内各种应当分担的任务,并预先协定是否实行一夫一妻,或是否许可一夫多妻以及一妻多夫等问题。

还有查波特克及其他种族，素以夫妇和睦和节俭的美风著名。在他们之中，女子之数虽多于男子，却也不许一夫多妻的。

此外南北美两大陆许多母系种族的习惯，都证明母系制度是于妇人很有利的。这些事实，都是提供着排斥母权为变则或例外的很明白很彻底的反证。

顺便还要说的，在那些母系种族之中，男女的相貌很相像，绝不像文明人的男女间那样不同，这是很有兴趣的事实。据我们观察，这大概是因为妇女的地位高，而男女间的分业和境遇又没有极端差异的缘故。

住在印度北东部山间的卡西族，地方过于偏僻，或许不受文明的影响，直到现在，还维持着几世纪或几十世纪的独立，还流传古代的习俗，保存完全的母系制度。

卡西族是强健刚毅的种族，男子的身躯虽不高，而筋骨却是坚强，女子貌美，小孩们尤其美丽可爱。男女通例做同样的工作。他们的性质极其率直诚实，更无诈伪，且富于独立不羁的精神。他们对于自然美的鉴赏力也很发达，并爱好音乐。

卡西族是由卡西、新登克、华尔三族构成的，每一族又细分为若干氏族。氏族内部严禁通婚，因此母系血统特别注重，几乎有"卡西族由妇女产生"的传说。一切氏族都是由各个女祖先派生下来的。所以女神看得比男神更为尊崇，更为有力，男神不过因为女神的关系才其存在罢了。各种族的支配者，由各家族长女的儿女们选举而出，当选的虽然限于男子，而名义上的元首还是女子。这是名实均以女子为首领的更古时代的遗风。

到1901年为止，卡西族的男子比女子少，比方男子1000人，女子却有1118人，但还没有承认一夫多妻制。不过后来男子也有正妻以外还有情妇的。

少年男女，到春季会合跳舞，少女们就在那里选举丈夫。他们之中，绝没有把女子当物品看的那种父权制度特有的思想。结婚仅有契约，并不附带别的仪式，结婚以后，丈夫在妻家居住。但近来有一种新习惯，结婚后若生了一两个小孩子，而夫妻感情还是圆满，就可以另成一户。这明明是由母系制度变到父权制度的起点。

离婚的权力,男女平等。结婚固认为两方当事人任意的契约,但双方如要破弃这种契约,任何人不得阻碍,也不觉得是可耻的事情。但离婚的事虽然繁多而且容易,而在卡西族中曾经住过的文明人,却都证明他们中间也有好多永久的幸福的婚姻。离婚只有在夫妇确实不能圆满过活的时候才实行的,离婚的时候,儿女留在母亲方面,在母亲家里抚养,子女长成以后,对于母亲和母亲的一家,总是很留恋的。

离婚的条件,因种族而有不同,在卡西族中,离婚必须经男女双方同意;在新登克和华尔两族却没有这种必要,夫妻反目而要求离婚时,须负赔偿义务。妻子怀孕时,不许离婚。至于离婚的形式,却非常简单,只需拿出当地当货币用的五个"子安"贝,在户外当着证人交换就行了。手续弄清之后,报告人便大声在村中发表道:

"喂! 大家听着! 甲男和乙女经过长者们的证明已经离婚了! 众青年们,现在可以和乙女接近啊! 甲男现在也是独身,姑娘们! 也可以和他接近。他们俩已是没有牵挂了。"

像这样离婚只需双方合意就可简单实行,这完全是母系制度的结果。因为在父权制度之下,亲权属父,在法律上,母亲对于子女并无请求权,离婚之时,小孩们成了烦闷的种子,做妻子的因为不忍和子女分开,不得已忍气吞声,和那并不感觉尊敬和情爱而且有时还存着敌意的丈夫,继续同住。这样冷酷的家庭,对于小孩们当然没有良好的影响。但在母系制度之下,小孩们属于母亲,像上述那样烦闷就少了。所以妇女和小孩常处于最有利的地位。

在母系家族,做父亲的没有权利,倒反是做母亲的方面的叔父们,可以照料小孩,帮办家事。男子在妻子家里,完全没有权利,直到女子离开所属的母系家族而与丈夫共成一家之后,才得到一点在家庭中的权利。

家族的财产由女系承继,女儿们比男儿们当然重视。家里没有女儿就会绝代,这算是一种大灾难,所以卡西族和新登克族都实行养女制度。无女之家的男子们,必须到别家迎接女子来主持家中的祭祀。家中的祭祀,看得非常重要,在习惯上非女子不能主持,所以由别家接来的女子,便做这家的家长,承继这家的财产。

像上述卡西族的实例,也是证明母系制度即母权制度的意思,而提高妇女的地位的。印度有好多母系种族,和南北美的土人相等,男女道德标准相同,离婚也自由,求婚的权利也属于女子。离婚的难易是测定妇女地位高低的尺码。实际上离婚的困难,原是把女子当作男子所有物的父权制度的副产物,在这样的地方,女子的地位必低,运命也是悲惨的。结婚离婚的自由,男女道德标准的一致等事,本是文明社会中最进步的人所热心倡导的,但到现在依旧不容易见诸实行,却是未开化人的社会,除了不感受文明恶习的以外,已经是实行了。

玛列各邦的大部分,到了比较的近代,母系制度已被封建制度推翻,但保存旧习惯的地方,妇人仍占优势,还实行招赘的婚姻。有些种族受了回教(伊斯兰教)的影响,妇女的地位就很低,实行嫁娶制度,妇女遵守深闺独处的习惯。在实行招赘婚姻的地方,由女系承继,在实行嫁娶制度的地方,由男系承继,这是当然的。

在斯玛多拉的巴当山间的种族中,母系制度仍保存旧时形式。他们也住着和美洲印度人的相像的长屋。一座长屋,大约可以收容 100 内外的人,每个家族,由母家长和女儿、男儿以及女儿的小孩们组成的。母权占优势地位,母亲和儿女们聚食的时候,父亲在食锅边为他们添注食物。做父亲的若是好好的男子,便当作出入惯熟的人看待,但仍不算是自家人。

长屋中男子的首领,是老母家长的兄弟。至于长屋中分立的各小家属,也是母亲的兄弟做首领,在母亲指挥之下,统治一家。母方的叔父,通常接受父亲所做的一切任务。母亲的权力很大,血统和财产,都归母系传承,所以女儿重于男儿。

台湾的生番之间,母系制度和父系制度并行。这也是由母系制度到父系制度的过渡状态,但男女的地位,都是一样平等的。在大体上有一种倾向,即是母系主义采用大家族制度,父系主义采用小家族制度。至选择配偶,那是女子的权利,有些种族,结婚照例由女子方面提出,男子方面如违反这种习惯即遭摈斥。

南洋偙尔各岛的土人,也有和卡西种族相同的习惯。他们维持严重的母系制度,各氏族所奉之神都是女神。各种族又细分为外婚的氏族,和母方的血族结婚,视为罪恶。这些氏族,构成部落,实行共同生活。各村大约由 20 个氏族成立的，和小独立国一样。

这个地方，女神比男神早，各氏族都由女祖先派生下来的。承继依据女系，女儿多的家里就发达，没有女儿的家里就灭亡，所以女子也重于男子。女子被尊为"氏族之母"，为"国母"，在政治上和社会上的权利，不仅不弱于男子，而且还有大的权力。酋长不经母亲们许可，什么事都不敢做。女子也和男子一样的有许多集会的地方。照习惯，女人入浴之时，男子若跑进浴所，准其任意击杀。离婚是自由的。但结婚的习俗略有变迁，近来新郎要纳付和身价性质相似的礼物于新妇的父母，这不是严格的母系制度的习惯，是把女子看作物品的买卖婚姻的起点了。

在女子对于产业上有重大贡献的地方，女子的势力是大的，倍尔的妇人，也是这样。农耕是妇人的工作，主要的食品专由妇人造出，所以伊们能维持巩固的地位。伊们不仅造出生命，并且造出维持生命所必要的物资。伊们所以被尊为"国母"，此之故。所以不能因为伊们从事农耕，便说伊们的地位低落了。

在边卡尔的巴尼友捷斯诸族，耕种等事，也和纺织一样，都看作妇人的业务。伊们并不拒绝做工，只是粗重的事务，则归男子操作。母亲照例使女儿早婚。做长女的和做寡妇的，最会选择对手。被选为丈夫的，在妻子的母家居住，家事归长女总揽。入赘的夫婿，对于妻子氏族的家里如有什么损害，须尽力赔偿，妻子如拒绝赔偿时，伊家就将伊丈夫卖作奴隶，像这种的实例也是不少。这个时候，妻子当然可以再醮。

在边卡尔的各族，也和倍尔族一样，母系制度和特殊的产业组织，都是妇人势力的基础。女权占优势的有力原因，一是由于妇人从事劳动，一是由于女系承继财产，这两件事是相等的。财产一层，在野蛮人并不看得怎样重要，但到私财制已经发达，而财产成为大规模的东西时代为止，凡是保存母系制度的民族，必是妇人拥有财产的。

再举一例，说撒哈拉的脱安克族。这个种族，文化颇为进步，到现在还维持独立，而且保存着好多旧习惯，他们的亲族制度，一切依据母系，财产只由女系传承，国内财产的大部分，都在妇人之手。他们的思想习惯，和父系主义之下的相反。父系主义只重男系，对于妇人不过"要借伊的肚腹生子"，但在他们母系制度之下，却说"儿子承继母亲的血"，说"母腹薰育儿子"。父为奴隶，母为贵族，儿子仍作贵族待遇。法律上虽然承认一夫多妻，但女子的势力大，离婚又自由，事实上使得那法律不生效力，仍是实行着一夫一妻制。因为女子对于那使自己添加爱情竞争者的丈夫，立即可以和他离婚的。还有选择配偶，也是妇人的权利。

在非洲，女系承继，成为通则。在法领公哥地方，某官吏曾向土人询问他父亲的名字，那土人说："父亲吗？父亲？父亲"，竟瞠目不能对，末了不经意地只把他母亲的名字说出来。像这种例子，在土人之间，并不奇怪，如华恩知族，父亲即是富有的势力家，儿子们也不顾及。只晓得爱自己的母亲。又如华莫密亚族，男子不把亲生儿子做承继人，反把姊妹的儿女做承继人。在他们之中，男子所说的儿子，实只是妻子的儿子。

在非洲，全体的妇人势力颇强，财产由女系承继，所以夫妇保持平等的地位。财产的私有也是许可的，但做丈夫的不得妻子同意，绝不处分那所有物。妻子对于那做父亲的，代表儿女们的请求权。又如斯里玛族，妻子有任意丢开丈夫的特权，这也是母系主义习惯的证据。而且有些种族中，那做家族首领的母亲的势力，能够影响于种族的评议会，酋长们非得母亲们的承诺，不敢有所施为。

在印度，因为婆罗门教的感化，母系制度，已是减少，但也有好些存在。先前很强大的克拉族，妇人握有一切财产，由母亲传之女儿。丈夫和妻子及其母亲同居，常处于伊们的下位。妇人很勤勉，从纺织到耕种及其他一切力能胜任的工作，都能担任。即如由氏族制度移到父家长制度的种族之中，也多有留存母权的痕迹。譬如女子选择配偶之权以及离婚的自由等，即是实例。两性关系上面这样的自由，和父权制度底下夫权，是难于并立的事情，也可想知母权的痕迹了。

印度的许多种族，有一种共通习惯，夫君在见习时代，留在妻家，替妻家服役。这明明是买卖婚姻的第二步，比方桑德尔种族的习惯，女儿生得丑陋或有废疾，便把女儿许给别家男子要他到家里服役；又如别的种族的习惯，家中缺乏做工的人，便把女儿去换别的男子的劳力，这些都是实证。这种服役结婚，和赘婿同居妻家的母系制度的结婚，完全不同。母系制度的结婚，虽然也要赘婿做工,却只是锻炼他的能力,并不是把那劳力和女子身体交换的意思。圣经上所载的雅各布因为要娶拉班的两个女儿,替拉班做了两个七年的工作,这明明是服役结婚的一例了。

在马里亚那群岛,女子也能够劳动,伊们的地位也是优越的。结婚之时,夫妇都要拿出相等的财产,但家事专由女子主持,夫君非经妻子同意,不得做别的事情。妇人在种族会议也能演说。伊们都是有财产的。妻子若不贞洁,夫君得令其大归,并得扣留伊的财产,扑杀伊的情夫。夫君如有不贞洁行为,或者犯了这样嫌疑的时候,附近的女将们就集合起来去捣毁他的家物,那男子能够平安脱逃,便算万幸。又丈夫如对妻子不满意时,也是一样,妻子退出后,那丈夫也要受女将们袭击的。

现在散布全世界的母系种族,计有二十余种,其风俗和上面所说的大同小异,主要点却是一致的。这些事实,并不是说明母系制度就是女子专制的意思,只是表明母系制度是维持母权,并且增高女子的地位。这种制度,也不是变态的例外,这是社会进化某时期中人类必须经历的经验,通观古代和近代,征诸一切文明社会的风俗习惯中所遗留的这种痕迹,便可明白了。

(二)文明种族中母系制度的遗风

古代埃及的妇人,比较现代任何社会的妇人,自由尤被尊重。据赫洛多他斯所传说:"他们(古埃及人)大部分维持着和别的人类正相反对的法律和习惯。……他们之间,妇人出外买卖交易,男子在家纺织。……儿子们如非自己愿意,没有扶养父亲的义务,但女儿们却一定要扶养的。"这样看来,他们正如现在非洲白尼亚米尔族的习俗一样,财产归女儿承继,扶养的义务也由女儿担任了。

底阿托拉司也说过埃及人的妇人支配着男子,并且举出结婚时丈夫立誓服从妻子的法律。当时的妇人拥有独立的财产,一切都是自由的,母亲比父亲要尊重些,这种习惯,正和前项所述撒哈拉土人的一样,撒哈拉土人经过了数千年直到现在还保全着古代的习俗。所以埃及象形文字的墓碑中,只有母名而没有父名,也不足为奇了。

巴比伦最古的文明时代，母系制度依然保存，女子享乐于独立自由地位的痕迹，还可以看得出来。即如原始巴比伦语的文章中，说"女神与男神"，说"女子与男子"，总是把女子写在前面的。

古代罗马的家族制度，明明表示着由母系主义氏族制度进化的痕迹。即如墓碑也只有母名而无父名，或者母名全部写出，而父名只写出首字母为止。

在原始时代的雅典，妇人也有选举权，儿女承继母姓。又里西亚在赫洛多达司时代，还维持母系制度，女子较男子尊重，男子早已驯服于受女子支配的习惯。儿女们的姓名以及社会地位等，都自母亲承继。

古代克里特岛妇人政治的事实，到最近被发见了。克里特岛的妇人，比埃及的妇人，更有力量，国家的政治，大部分由女子行使。他们所信仰的神，是后世宗教上列亚前身的女神。在母系民族，女神比男神尊重，这是世界共通的现象。此外根据克里特岛所遗留的壁画，也可以窥见当时男女的交际，是很自由而且开放的，那种男女同心和睦的状态，几为现今任何社会所难能。

上述情形，也和美洲印度人、埃及人一样，男女的相貌，略相类似。无论何地，女子地位越是高，男子的体格相貌就相像，此事值得注意。又上面所说的克里特岛的壁画，和希腊的相同，男子的衣服是红的，女子的衣服是白的，男女的区别，即此可知。

古代希腊妇人和女神的势力，可由神话和古美术想象而知。阿令巴斯的八个主要神之中，有五个是女的，这些女神，往往有超出男神以上的权威。用女神名字作街道名称的也不少。这大概是住在那街道的种族的女祖先的意思。在雅典和斯巴达，男子也可以和父方的叔母或异父姊妹通婚，但不能和母方的亲戚通婚。神话中的安的可奈，为丈夫为儿子，并没有像为兄弟波林色斯那样做过事，由此可以窥知当时的血族关系比夫妇关系还要重了。

说起父家长制的家族，我们首先就想到那圣经所载父亲是妻眷的统率者和所有者的犹太人制度。由那种制度，我们可以找得不少材料，推想他们在昔时曾经经过母系时代的痕迹。雅各布为赎取妻子服役七年的故事，便是从前母权时代夫住妻家的遗风。据父权制度，妻子当然为夫所有，但父亲所以要主张所有权的缘故，就明明是表白对于母权家族赘婿的隶属地位，对于妻子儿女并无势力的旧习了。又如亚布拉罕为伊萨克求妻时，不送礼于女子的父亲，而致送于伊的母亲和兄弟,这便是尊重母方血统的旧习,而且表示了买卖结婚的端绪。

创世纪的一节有一句话,说:"因此人当离开父母与妻子合成一家,两人一体。"这句话是说男子要离开父母与妻子合成一家,可见以前的男子并未离开父母与妻子成家的了,这竟是说明"圣经"以前时代的遗风。又士师记第八章第九节所说的"他们是我母亲的儿子"这句话,也可以推知复仇是母方血族的责任了。

在母系制度之下,是不许和母方的血族通婚的,至于父方的血族就不成问题。所以异父兄妹①的通婚,当然是公认的。即在《圣经》中,从亚布拉罕和撒拉的关系为始,父系叔侄的兄弟姊妹通婚的多,这一点也可以依据上述道理说明出来。

古代西班牙的妇人,也是体格强大,性质勇敢,并且从事劳动,参加战争。直到现在,西班牙还有个地方,定下不分男女概由长子承继的法律,长女之夫不犯妻姓。西班牙妇人,在结婚以后仍用做闺女时代的姓氏,儿女们有并用父母两姓的(如英国鲁意乔治氏并用母姓之鲁意及父姓之乔治——这或许是威尔斯地方母权时代的遗风),有单用母姓的。这是古代西班牙妇人地位高而生私生子的母亲不视为非道德的结果。任何国家,绝没有西班牙特别待遇私生子的。而且西班牙欢待外来人的风俗,亦为他国所无。这是那美洲印度人和别的母系种族所仅有的风俗,西班牙这种风俗,实是这样的痕迹。

哥尔妇人的勇敢和精励,为历史所称道,伊们在决定宣战讲和的时候,出席于种族会议。还有和别的种族解决争端,也是妇人的任务。汉尼巴条约之中曾经协定:哥尔人对于加尔达哥有不满的时候得诉诸加尔达哥的将军;加尔达哥人对于哥尔有不服的时候,得诉诸哥尔的妇人。

英国也有实行过母系制度的形迹。苏格兰的匹克特族,承继专依女系,关于王位继承如有困难,必选定女系子孙。英伦也是一样,从加纽特王为始,历代国王中婚配前王之妃的不少。这是王的寡妇有权把王位给予他人的母系制度的一种遗风。哈孟雷特的叔父杀兄之后,即以其妃为妻;而人民所以认为国王,据解释说来,这是依着丹麦古代的习惯,和王妃结了婚,王妃之夫当使作国王。哈孟雷特做复仇者的地位及其烦闷,可以视为新旧两种承继法的胶葛。

---

① 从上下文内容看,此处疑有误。——编者注

英国的格尔特族,维持母系制度的时期,比其他欧洲各族还要久些。尤其是威尔斯和爱尔兰,母系制度的痕迹显然存在。到近代为止,爱尔兰妇人地位还是高,而且是很自由的,男女暂时的结合虽经许可,而代替法律的习惯的力量,仍能保持妻子的权利。

此外母系制度的痕迹,都表现在世界一切地方的神话、传说、风俗、习惯之中,本节不多说了,下面再略述日本的事实。

(三)日本上古之男女关系

关于日本上古的社会制度,可引用堺利彦氏的简要的说明。

堺氏所著男女关系之变迁中说:"日本历史上所表现的氏族制度,和上述北美印度人的氏族制、希腊人的氏族制度,性质完全相同。就大和民族的社会组织看起来,是把氏族做社会的单位的,许多氏族集合起来,便构成了一个大和民族。在这许多氏族之中,有强大的氏族和弱小的氏族……这些氏族,各有称为'部曲'或'家曲'的一团奴隶。后来所称的'家人'或'奴婢',也一样的是奴隶。奴隶的多少,便是表示那氏族的强弱。"

"大和民族既然建筑在这种氏族制度之上,想最初是把土地作为氏族公有,而实行着氏族共有制的,但在历史上出现的时候,早已移到父家长制的家族,土地和其他财产似已变成私有制或半私有制了。但依据种种事实推测起来,当时大和民族,又似乎离脱去偶婚(或群婚的母系制)时期,不甚相远。在这一点,和前述的德意志人或斯巴达人有相似的地方。"

"……虽说一夫制略具形式,而真正成为一夫一妻制,还是后来的事。当时母系制的偶婚制渐渐废止,但犹留有群婚的痕迹,另一方面,父家长制的家族又似乎已经发生了。当时女权仍略占优势,所以出了神功皇后那样的人。天照大神是母系制时代的族长,谁也可以立刻想到,这个只要看看神代史中显明的记载,就晓得母系制时代的记忆是很新的。从那时以后,即到神武时代,我们看那各地方的豪族,称什么彦,什么姬,俨成两酋长之观,就可想见那时女权并未完全扫地而男权尚未十分确立了。"

"再考察大和民族以外的民族,那被称为蜘蛛等等的穴居民族的男女关系,也似乎呈现异状地映入大和民族的眼中,后来的书契上,还留有'男女杂婚,伦序尚未发达'等等文字。由此以观,他们似乎还在群婚时代,因而母系制也还存在的。据山路爱山君所说,神武天皇之时,在纪伊有所谓'名草户畔'、'丹敷户畔'的豪族,那'户畔'的名辞,似指女酋长而言。此外景行天皇征伐筑紫之时,有称为神夏矶姬、速津姬的女酋长。这称为'姬'的,或许是属于大和民族的人,却也可以看出当时是维持母系的。又筑紫有大的女王家,其国王称为卑弥子,这种记事,见诸中国的书籍。这也是母系制度留存很久的一证。"

"垂仁天皇之时,有皇后狭穗姬之兄狭穗彦反叛的事实。骚动之时,狭穗彦曾问皇后这样说:'兄与夫孰爱?后答爱兄。然则吾与汝共临天下。'尔后天皇军队迫攻狭穗彦,狭穗姬投于狭穗彦的稻城,返其所生子女于天皇,自与乃兄焚死。夫与兄孰亲的问题发生时,却答称兄方为亲,由此很可以知道当时夫妇制度还在未发达的状态。"

"神武天皇东征军之中,似有一种女子军。这固然是细节,但也可以想知当时女子的体力和气力是略与男子相等的。"

在大和民族之间,最初对于近亲结婚,也似乎没有限制。古语所说之"背",对于夫与兄均通用,所说之"妹",系指妻而言,又是妹妹的意思。所说的"妹背",可以说是兄妹,又可以说是夫妻,这不是兄弟姊妹自然成为夫妇的群婚制度的遗风么?有史以后,同母的兄弟姊妹通婚虽经禁止,此外殆似乎没有限制。即如到了最进步的平安朝时代,叔侄或异母兄妹间的恋爱事件也很多。伊势物语卷首业平的恋歌,是写给妹妹的;后一条,如后朱雀之二帝,都迎娶叔母即生母上东门院的妹妹为妻。降逮镰仓时代,龟山法皇和异母妹妹的关系,传于增镜。源氏物语描写当时风俗最是逼真,书中到处描写这样的恋爱关系。作者紫式部,虽是保守倾向颇强而信奉习惯的道德的人,照理应当愤恨那样的风俗,他反用同情描写那样恋爱关系,这是可以认为与当时道德不相抵触的了。

日本上代男女关系,如上所述,一夫多妻虽是普通的,但当大化革新之际,却已规定一夫一妻制,立妻妾之别,禁止重婚了。但这也毕竟是空名罢了。例如二条帝以后,同时册立两个皇后,贵族们也同时有两三个正室,这简直是很普通的。若说一夫一妻真正确立，正室只有一人的事实，还是武家时代以后的事。

日本历史是开始于征伐的，所以就在最古的记录上面，妇女的地位也不免总是低劣的。即如古事记所载，那大国主命之妃须势理媛，始则愤慨丈夫多情，后又忏悔作歌，说是"我的大国主呵，你呢是个男儿，仅在岛角，仅在矶边，仅将有你贴心如意的妻子；我呵可是一个女郎，除了你就没有男子，除了你就没有丈夫"之类的歌，便是表示出男权确立后妇女的地位和道德来的好标本。又如日本武尊在东征的途次，抛开同道的橘姬而眷爱美夜须姬，但橘姬并不埋怨，仍随武尊从军，临难时反为武尊舍身。不仅橘姬的境遇如此，往古还有"女子航海必有海神作祟"的传言，或许就是海贼来袭和掠夺女子的意思。假定是这样解释，那么，当着贼难到来，女子只有甘心作掠夺的牺牲，而且同道的男子，与其舍死力争，与妻子同其命运，就只好把妻子委诸敌手而自求安全，像这种风气，不是可以判定当时女子地位的高下么？

男性中心的道德，常尊重女子的贞操。但纵令贞操是那样的应当尊重，而在男性支配的社会之中，贞操并不是为的女子自身。只是为的那所有者的男子。奴隶的美德，不依据自己的意思，实是依据主人的利益而行为的。成了奴隶的女子，也随主人的利益为转移，有时需要以死守节的决心，有时弃如敝屣，或做敌人玩物，或沦落于勾栏的觉悟，也是必要的。

总之，日本妇人地位的低劣，虽是上古以后的事情，但到平安朝的末期为止，却没有像后世那样达到极端。那遗留下来的多少的自由，是依据母系时代遗风和女子有财产权两事才存在的。

在最初确定财产制度的大宝令颁布时，日本妇人已经是所有着财产的。这种遗产承继法，不仅是模仿唐制，到一定程度为止，还是依据日本的实际状况。大宝令中没有遗嘱的遗产分配法是这样决定的："凡有勋劳而由朝廷赐与的功田功封等，不论男女嫡庶，诸子均分；别的财产，母二分，长男二分，次男以下各一分，女子及养子，分与一分之半。"

但到镰仓时代，"贞永式目"制定以后，女子的财产权便被夺去了。依长子承继法，家产完全归长男占领，其他兄弟都当作臣下隶属于长兄，倚赖他的扶养。这种武家总领制度，可看作是父权家族制度的确立；而这种制度的确立,在辨别血统的必要上,女子的压迫顿时加增。自由就被束缚,贞操就被强制,同时另一方面,卖淫之风开始盛行。所谓社交的舞台,从宫廷以至游廊,都不是贵妇作中心,而由游女作中心了。

总领制度确定,女子完全散失以前的所有权,而沦落到所谓三界无家的别无长物的境遇了。于是所谓"借腹生子"的俗言,完全蔑视女子人格而只当作生殖机械的思想也发生了。但在平安朝时代,女子还有财产,不受丈夫扶养亦可生活,所以女子的势力还相当的强,儿女也受母亲扶养,甚至有以母姓为姓的。

到武家时代为止,还留存古昔母系制度的遗风,婚姻不用嫁娶制而用招赘制,在自己家里由自家血族围绕着的妻子,对于外宾的丈夫,处于有利地位,丈夫不合己意就可以驱逐。女子势力既强,贞操也不受强制,独身女子的品行如何,付之不问,对于有夫之妇的奸通行为,制裁也很弛缓。处女恋爱就葬送一生的事是不会有的,业平的爱人做了染殿之后的事例,故事上载的很多。寡妇再醮,向来不成问题。夫死后做嫡子的监护人的妻子不得再婚,是延应元年以后的事,这是武家把再婚看作不道德的开始。

七去之条虽规定于大宝令,但女权优胜的结果,这种规定,只是空文。又到平安朝末期,夫妇的年龄没有大差,早婚的结果,夫妻同年甚至女子年长的事也多,这也许是减少女子隶属男子倾向的一个原因。

武家制度确立以后,母系制度附带条件的招赘制,变为男权制标征的嫁娶制,女子的财产权、选择配偶权,以及恋爱的自由等,均遭颠覆,及到明治时代,女权只是日见缩少了。但在现时边鄙地方,也还说长女出嫁七代作祟,习惯上不论有无男子承继,长女必招赘婿,由此可知母系时代的习惯是怎样地长久怎样地根深蒂固了。

(四)原始文明与妇人之功绩

大体上古代原始民族共通的分业法,女子从事育儿生产事业,男子从事畋渔战斗。但这种分业的境界线,也不怎样明了,在必要的时候,女子从事畋渔战斗的例子也不少。还有男子协力于女子工作的事,也不稀少。

譬如世界上大部分的地方,纺织成了女子的工作,但在那维亚知族,比埃布洛族和几亚那印度人之中,男子从事纺织的也不少。东部非洲地方,裁缝完全是男子的工作,丈夫若不替妻子缝补裤子,妻子可以作为和丈夫离婚的理由。

说蒙昧人的女子特别受压迫的推想,多是错误的观察。由柔弱的文明人看来,伊们的生活多是苦痛,但由伊们自己看来,却决乎不然。原始妇女,心身皆健,最能劳动,确是社会上最必要的分子。人说"澳洲妇女在战时不仅不累及男子,而且和男子一样勇敢,或者更勇猛地参战",这绝不是例外的事情。希尔伦克曾经精密地研究过纽几尼亚的德意志保护国巴比亚人,他断定他们中的妇女比男子尤为强壮。公哥的安多姆比族的妇人,虽做很激烈的劳动,而生活却是很幸福的。伊们比男子强,筋肉更为发达。衰老的妇人,能够提举文明社会壮年男子所不易提起的重量。

人类开始组成社会以后,食物常由妇人准备。通观全世界,农业都首先由妇人创始。在烹饪、汲水、盛食物等的必要上,发明陶器的也是女子,开始编竹篮的也是女子。调理食物、柔靭兽皮、纺、织、染等为维持生命所绝对必需的劳动,都由妇人开始,而且使其发达。动物的驯养,通常也是妇人的工作,最初的建筑家也是女子。在加菲尔、佛友几亚、波里奈西亚、康姆查达等地方,建筑小屋的也是女子。美洲印度人的共同家屋,为主的也是妇人建筑的,前面已经说过。分娩前后,为调治发见草药的用处,借以启发医疗途径的,也是女子。即如克尔特人中,医术成了妇女的专门。此外酒精的制造,也是妇人做成的。

依上所述,现在一切平和的事业,都由妇人发明出来并促其发展的,原始时代人类的生存和繁荣,即谓为皆出妇女之赐,亦不为过。

原始社会妇人之从事劳动,绝不是被男子所强制的,也不是因为地位低劣的缘故,这是容易证明的。换过来说,反是伊们因为劳动的结果,得到了很有利的地位。伊们因为在生产上做了重要的任务,不仅不遭轻侮,反是受人尊重。现在无论什么地方,女子劳动的地方,女子总有权势;女子懒惰的地方,女子总受压迫。

还有劳动的结果,女子得成为最初的财产所有者。在生产物和生产工具都归生产者自有的时代,这是当然的过程。在当时,女子是劳动者,劳动的所得归自己所有。所以劳动能使女子富足，能使女子有幸福，并不使女子感觉苦痛。伊们实是没有主人压迫的自由独立的劳动者。这一点，和那现在为劳动被人轻视，为劳动损害健康，为劳动牺牲做人做女子的一切幸福和自由的劳动妇人比较起来，真有云泥之别了。

母系时代的社会，恰当农业家具由妇人发明而且略见发达的时代。这个时代，妇人是生活必要品的生产者，同时又是生产物的所有者。这种事实，是伊们占有势力的根源，是伊们心身超出文明妇人的原因。

四、文明社会之男女关系

（一）由母系制度到父系制度

由母系家族制度到父系家族制度的变迁,乃人类生产方法进步经济组织变化的结果,是数千年来徐徐进行的一种大的社会变革。原始社会获得食物的方法,是男子从事畋渔,女子从事农业。农业被尊重为主要产业,其收获亦归妇人管理,妇人在种族内部的经济地位,自然是提高的。后来社会进步,取得生活资料的畋渔工作,渐次失其必要,畜牧事业便发达起来了。畜牧是男子的工作,由畜牧所得的丰富物资也归男子管理,于是男子的地位便大大增高了。同时农业日增发达,那致力于畋渔工作日少的男子,便代替女子从事这方面的主要劳动,因而妇女的活动范围便限于家事和育儿一方面,男女经济的地位从此便颠倒起来了。

在生产方法还是幼稚,一人劳作只能生产一人生活资料的时代,蓄养奴隶一事是没有利益的,所以奴隶也不会有。这时候,战争中所得的俘虏,便只有鏖杀,或者拿来烹食了。直到畜牧农耕进步,一人的劳作,能够生产出数人到数十人的资料,那处理俘虏的办法,与其鏖杀或烹食,就不如让他们活着,使他们从事生产劳动,反为有利了。发见了这种方法之后,就渐渐产出把俘虏作为奴隶的风气,往后就把捕获奴隶当作战争的目标了。这样得来的奴隶和那生产者的物资,最初是属于种族公有的,往后就作为酋长的私有,作为酋长左右僧侣、军人等一群强者的私有,提高那经济的地位,如此便形成了对于一般种族或奴隶的征服阶级和特权阶级。酋长或军事指挥官等职,在昔时本是由一般种族人员公选的暂时性质,到这时候,便因为财产和奴隶的私有而君临于民众之上,其地位也变为世袭的了。

奴隶本是因为生产上的目的才发生的,而原始时代的妇人早就是重要的生产者,遂至奴隶制度,也把妇人作为重要的要素。如是产生了掠夺妇女之风,掠夺妇女不仅作为婚姻的对象,而且还有使伊们作生产的奴隶的目的。

于是,以母系为基础的氏族制度,那内部就包容了与本来性质不相容的异分子——由异种族捕来的奴隶,必然要起分解作用了。

在最初由异种族捕得的奴隶作为本族公有的时候,只有单一的征服种族和被征服种族对立;到了奴隶和那生产物逐渐归酋长,酋长一族和强者所私有的时候,同一种族之内,便发生分裂,就有国王、贵族、僧侣、武人等非生产的支配阶级和从事一切劳动的生产的被征服阶级相对立了。这样一来,血族共财时代利害一致的社会内部的自由、平等、亲爱,便不能做到,而利害相反的复杂社会,便由支配阶级根据阶级利益实行统治,于是一方面设备军队警察等强制力,一方面制定从精神上支配被征服阶级的法律道德制度,所谓国家的组织,便这样地发生、发达了,血族共财制度的崩坏,使得种族内部一切人员的地位都发生变动,各人的地位,随各人个人财产之有无多寡而异,同时男女间的地位也绝对地不同了。

私财发生,跟着产出遗产的个人承继制度。在母系制度之下,婚姻的离合容易,以一时的一夫一妻制的常则,要追溯父系,比较容易。到了私有制发达起来,男子的经济地位远在女子之上,先前财产——还不配说是财产,只不过是些可怜的家具家财罢了——由母传女的,现在由父传子了。男子经济地位增高,招赘婚制便随而变为嫁娶婚制,女子不在自家招婿而嫁到男子家中,经济上、社会上完全失掉了和男子平等的权利。妇女的境遇,不问其身份高下如何,都比古时大见低劣了。像这样的变化,固然是经过了几千年之久,逐渐积下来的,其过程或亦因地方、因种族而异,但在大体上,全人类到达现在的男女关系确曾经过了这样的途径。

父系制度确立,必然要期望血统的确实可靠,于是女子的贞操便成为必要。在以前,性欲也和别的情欲一样,是单纯自然的事实,没有当作罪恶看的倾向。但到父系制度确立之后,就很怕父系的血统不明,女子的性欲便受了极端的限制,倘跳出了那个限制,就用极刑来处罚伊。美洲印度人之间,采用母系制度的种族,没有死刑之例,到采用父系制度之后,就有一个把通奸的妻子处死刑的种族了。像这样地要求贞操，实由于父系承继财产的必要而起的，毕竟是保护财产的道德和制度罢了。

女子地位降低以后，跟着发生的事情，便是在性的关系上，把女子当作污秽的、邪恶的、愚昧的人看待，成立了所谓禁欲之戒，作为排斥女子的手段。比方在印度卡西族那一类母系制使的种族，祭祀总是由女子举行的，但一到男性中心时代创成的佛教基督教之下，便把女子看作罪恶的化身，斥责无所不至，以为圣人们、贤人们都不应和女子接近的。

贞操的要求，在最初只以做妻的妇人为限，但到后来，便连处女也要波及，而压迫私生子和生私生子的女子了。圣西马利亚称基督之父为神，得免于社会的制裁，也是这种习惯必然的结果。在母系氏族之下，男女一样的自由，一样的独立，处女生了儿子，不会受社会诅咒，而且母子都受和普通人一样的待遇。所以母系种族所崇奉的女神或女祖先，都是自由的母亲。但是到了男子对于女子的所有观念发生的时候，到了蔑视女子天性而要求那不自然的道德不合理的贞操的时候，婚姻以外的性交便认为和死相等的罪恶，比方像圣母马利亚那样处女怀胎的事情，就必须用不合理的说明来把事实遮盖了。基督教发生当时的犹太，男性中心势力已是很大，单看他们否定马利亚的人性，勉强把伊当作永久的处女，而认定伊有当作特别女性崇拜的价值，就可以知道了。

要而言之，生产方法发达了，便产出新经济组织，那旧时的血族共财制度已是不能存在，因此建筑在那种制度上面的男女的自由平等，也自然要破坏了。

生产方法进步的结果，一个种族大概可以造出生活必需品以上的剩余产物，于是便促进了种族之间的交易。交换在最初并不是个人的，而是种族的，由各种族的代表去实行，但到后来，交换就渐次变为个人的工作，那因交换所得的物资也就归那些人所私有了。最初的物物交换，因为交易范围的扩大，在便宜上就有代表一定物价的等价物的货币发生出来，往后就专用货币来交换了。如是，私财制度发达，货币经济普及，因而一无所有的女性的运命，就越发陷于悲惨的境遇。

男子的经济力发达，自然不愿意处在女子的下位，而希望得到那顺从自己意思的女子。于是他们便不到女子的氏族入赘，往往向别的种族掠夺女子，拿来当作奴隶兼妻子。但掠夺妇女是很危险的事情,势必至要和别的种族战斗起来,所以这种掠夺婚姻的风气,不能长久行下去,那么,为免除母系结婚的束缚的方法,就只有拿财物去买妻子了。这样一来,做妻子的便和自己的血族断绝关系,成了丈夫的所有物,而服从丈夫的支配了。这是女子商品化的开始,是世界各处尚留有痕迹的买卖婚姻的习俗。

同时采用母系的结婚和买卖结婚两种方法的种族也不少,这是表示过渡期的状态的。譬如霍瓦特尼尔地方哈撒尼亚、亚剌比亚种人,是实行部分地结婚的。这是妻子在一定期间认定丈夫主权的奇怪风俗。新郎和新妇双方的父母,在事前会商新妇的代价。这种代价,由妻子每星期承认丈夫主权的日数多少而定,双方父母在大声争议之中,决定一个数目。每星期除了几天的贞操日之外,其余日数完全听新妇自由行动。

在斯玛多拉有两种结婚法,一面是纯粹母系的结婚,一面男子又可以把妻子当作财物购买。丈夫若付清了妻子的身价,妻子就绝对做丈夫的奴隶;若是大部分没有付清,丈夫就须做妻家的奴隶。赛隆地方也有两种婚制。妻子住在娘家或娘家的邻舍,便有继承兄弟遗产的权利,但是妻子若移居夫家,就丧失在娘家所有的权利。

在米亚海兰特的玛阿曼卡西等种族之中,习惯上,男子在结婚以后要住在妻家,但若付出了赔偿金,便可把妻子接到自家去。

在查姆巴尼亚种族,父亲可以把家畜换得子女,否则子女当属于母方。

在非洲的巴威种族,母亲有典当儿子的权利,但事前须与丈夫商量。在亚伊乌阿里海岸阿拉底种族,母亲可以典当儿子,但父亲有赎取之权。这是很奇怪的风俗,也是承认父权的开始。

无论在那一种形式,娶妻要支出身价,总是女权衰微的征兆。这样,妇女便成了男人的所有物。要而言之,男子对于妻子儿女有主权,完全是由买卖而来,这是无数事实可以确证的。男性的胜利,绝不是肉体的优越的结果,实是经济的优越的结果。女子一到自愿卖性的时候,那自由和独立的过去光荣历史,便转到堕落和屈服的黑暗路途去,妇人从此便被征服而丧失其人性了。

女子商品化最露骨的表现,是卖淫制度。卖淫制度,是和男子强求妇女的贞操一事同时发生,同时兴盛的,都是男性支配必然的结果。女子当没有支配自己心身的能力——即丧失独立之时,所能选择的道路只有两个,不是卖力,便是卖性。但在古代,女子的劳力没有现在这样重大的意义,而且也没有现在这样的需要。于是多数女子,或者永久地,或者暂时地,就专靠卖性保持生活的安全了。

又,对于女子强求贞操的结果,男女间的自由交际或自然恋爱,就不能求之于良家妇女,因而要满足男子对于夫妇或亲属以外的异性的要求,而卖淫制度就随着发达起来了。

女子遵守一夫制的结果,社会便有上面所说那样缺点发生出来,卖淫制度就是因为填补这种缺点发生的,所以卖淫和一夫制实有不可分离的因果关系。换言之,父系制度所诱致的男女关系的形式,可说是永久的买卖结婚或一夫一妇制(实则是女子的一夫制和男子的多妻制),和一时的买卖结婚的卖淫制。

世界自有文字以来,几千年之间,都流行着这两种结婚的形式。

(二)希腊的妇女

说明古代希腊妇女地位的变迁的,有下面一节神话。

"两件不可思议的事,同时在大地发生了。橄榄的树生出,同时水也涌了出来。人民惊恐起来,都集合到亚波洛所在的德尔费神殿去。亚波洛以为橄榄是文化女神亚德纳的权力的意思,水是海神波赛以东的权力的意思。两神之中,要用谁的名做街道的名,那是市民的随意。男女市民便都集起会来,因为当时女子有参加公共会议的风俗。于是男子选了男神波赛以东,女子选了女神亚德纳。但女子方面多了一人,所以亚德纳占了胜利。波赛以东便赫然震怒,立即把雅典全土浸入水中。市民为缓和海神的震怒起见,便把他们的妻子处了三种罚。以后妇女们便失去了选举权,子女不得承继母姓,更不得用女神亚德纳的名字做自己的名字。"

这个神话,很能够说明古代希腊妇女地位的变迁。

希腊妇女的地位,由神话时代到英雄时代,已是逐渐降低,尤其是全盛时代的雅典,女子完全变成男子的奴隶。当时的妇人,深居家庭以内,替丈夫管理婢妾和女奴隶,丈夫以外的男子一概不许交际,走路的时候也要把衣服遮盖以避人目,说到教育,只不过是裁缝纺织之类。良家的妻子,只因其为血统继续的手段而承认其存在,贞操是要用死字逼迫遵守的。至于男子的荒唐和卖淫的盛行,却是达到极点,所谓赫底列的淫妇群,公然成了社交的中心。伊们之中,也有不事卖淫而只因为忍受不住做良家妇女的无理束缚才来加入的,尤以模仿雅典习惯的外来妇人居多。伊们和良家妇女不同,得以自由和社会接触,所以见闻自然广阔,其中多少有点学问的人,都做了一流学者政治家的友人,也不觉得耻辱。譬如亚斯巴西亚之于辟里古列斯,达纳尔之于伊壁鸠拉斯,亚尔克纳撒之于柏拉图,都是实例。像这样,所谓名垂不朽的希腊人之中,可说没有一个不与娼妇有过关系。最初的立法者梭伦因为设立公娼制度,谋娼妇的定价划一,大得时人的感谢。

德莫斯得奈斯说:"我们为得后嗣,为得良好的家事监督而结婚。其次为得使女呼唤兼娱乐,置妾数人。其次为得爱恋的快乐,求赫德纳(卖淫妇)。"修德特斯说:"好坏都不传名于家庭以外的女子,最值得称赞!"亚里士多德说:"女子应服从丈夫,又不得不认其有忠告丈夫的特权。"像这些人所说的话,都是希腊一流代表的妇女观。至于柏拉图却是例外,他不承认男女间有优劣之分,而且主张男女平等的。

但在斯巴达,却与别的地方不同,还维持着母系制度,所以妇女还能保持尊严,男女关系自由,绝无奸通之事。列阿尼古斯王之妻,当着外国对伊说"支配男子的事,只有你们拉克多莫尼亚的妇人"的时候,伊便回答说:"生出男子来的人,也是我们妇人哟!"这种逸话,很可以说明斯巴达妇女的地位。斯巴达的少女,到青春时代为止,都是裸体地受男女合同的教育。伊们的衣服最尚简素,专努力发挥肉体的美。所以伊们的体格不弱于男子,能够完全成做人和做母的责任,比较后世优柔怯懦的妇女,真有云泥之别了。

(三)罗马的妇女

介于母系氏族制度和一夫一妇的,个人的小家族制度之间的,是父系氏族制度。父系氏族制度也是包容几代家属的小共财团体,家长的权力,在最初也不是怎样绝对的,但到后来,财产和奴隶逐渐增加,家长便变为绝对专制的君主,妻子以下家属人等都与奴隶无异了。

罗马市建设当时的拉丁民族,正在维持着父系氏族制度。财产仅由男系承继,女子一无所有。但这种制度衰弱下来,女子又恢复势力,既可以继承遗产,又有自由使用自己财产的权利。妇女们为恢复这些权利所起的骚扰,竟把当时的政治家弄得没有办法。

卡得在公元前 3 世纪曾经慨叹地说道:"假使各家族之长都仿照祖先的旧例,使自己的妻子好好服从,妇女们不会公然酿出这样烦恼事来。"过了三四十年,他又愤慨地说道:"假使我们男子,个个都能够在妻子身上维持男性的权威,不会有现在这样被妇女们烦扰的事情吧!在家庭中已被破坏的我们男子的权力,现时又在政厅被妇女们的横暴打破了蹂躏了。我们不能个别地制服伊们,所以对于伊们全体就不得不更为害怕。我们祖先,对于妇女们,如未经监护人的许可,连处决自己个人私事的事情,也都禁止的,并且命令伊们要从父、从夫,从伊的兄弟呢。然而现在,对于伊们占有共和国参与人民会议一层,就不得不甘愿了。像伊们这样难于驾驭的人,若任其发挥横暴的性质,伊们的暴威,就没有止境呵!伊们毕竟是喜欢自由的,不,是喜欢放肆的。妇人一旦和我们平等时,就立刻凌驾于我们之上啊。"

在卡得这样演说的时代,妇女的地位,确实可怜,伊们一生,即在结婚之后,还是处于父亲的监督之下,父亲死后,那监督权就移交血统最近的男子。监督人又能随时把那督人让与任何人。所以罗马的妇女本来就当作没有法律上意思的人看待的。

罗马风俗的颓废,有令人不忍言者。尤以帝政时代,淫风自经皇帝自身垂范而愈益加甚,男女竞相淫乱。公娼之家到处皆是,而且男色流行的结果,相姞之数竟比娼妇居多。

娼妇们用宝玉装饰裸体的姿态,周围都是帮闲的人围绕着,后面一些小伙子跟着,自己坐在黑奴所抬的轿子上,半身横靠着,走遍大街小巷,游尽戏院和游戏场,这正和日本的花魁在路上行走着一样。贵妇人有两三个情夫,只算常事,甚至一流名家的妇人,为谋免除奸通罪起见,往往自请作娼妇登记的。罗马因为风俗这样颓废和内乱频仍的结果,人口就大大减少起来。于是到了公元前 16 年,就颁布了养儿子的优待法,与人通奸的妇人,罚伊拿出一半的妆嫁费交给丈夫了事。这样一来,那想得妆嫁费而希望妻子通奸的丈夫也就多起来了。但这时候,骑士后嗣的妇女们,却是禁止当娼的。至于男子的品行怎样,绝对不加制裁。

（四）基督教与妇人

除了支配阶级的豪奢而外,那由被征服国带来的无数男女的惨状,就非言语所能形容了。他们之中,离开父母、丈夫、儿女而来的女奴隶,数目不少,伊们整日过着悲惨的生活。此外罗马妇女中因不满意环境而抱厌世观念的也多,伊们只是希望把现状打破。

于是便有基督教流行起来了。基督教是反抗罗马大帝国中富者权力者所遵奉的动物的肉欲主义而起的,是体现对于弱者的侮蔑抑压的反叛而出的。妇女们也和别的不幸者一样,也希望灵魂的净化和解放,都来相信这新宗教了。古来任何大运动,总是有待于妇女的力量才能大成,才能达到目的。所以基督教也是有待于妇女的力量,才能成就今日的势力。

然而基督教原是归犹太教和希腊哲学的混合物。犹太教和希腊哲学,都发源于印度巴比伦埃及等更古的文明之中,而这些国家的文明,都在母系制度废灭之后才起来的,当然是立脚于男性中心主义之上。所以有这样来源的基督教的妇女观,当然有男尊女卑的精神了。

摩西十诫,专对男子说的,关于妇女的事,只有第九条说过一点,譬如说"汝不可贪恋邻人的妻子、仆婢、牛驴,并他一切所有的"。即是把女子等于奴隶、牛驴,算在主人的所有之中了。

使徒保罗,是使基督教发扬到今日这样伟大状况的一个人,他的妇女观,就更加显著了。

保罗说:"男不近女倒好。但要免淫乱的事,男子当各有自己的妻子,女子也当各有自己的丈夫。""出嫁的人是好,不出嫁的人更是好。""丈夫是妻子的头,如同基督是教会的头。""人的头是基督,女子的头是丈夫。"依他说来,不问正邪贤愚,一切男子对于一切女子,正如基督对于信徒是同样的关系。像这种思想,可说是和日本女大学上所说:"妇女别无主君,以夫为主君,应谨慎事之。……女人以夫为天。勿逆夫以受天罚",简直是一样了。

保罗又说:"女子凡事从静学道。我施女教不许在男子身上执权。女子只宜静默,因为亚当是先造成的,夏娃是后造成的。亚当不受诱惑,夏娃受了诱惑,陷于罪戾。但伊若谨守信仰、爱和纯洁,可以由生子得救。""妇女在会中闭口不言,不许伊们说话。正如法律所说的,伊们若要学什么,可以在家里问自己的丈夫,因为妇女在会中说话,原是可耻的。"

彼得也说:"做妻子的要顺服自己的丈夫。""古时仰赖上帝的圣洁妇人,正是以此为装饰,顺服自己的丈夫。就如撒拉听从亚伯拉罕,称他为主。做丈夫的人,你们待妻子,当如软弱的器皿。"此外还有某高僧大呼道:"女人哟!你是地狱之门。"基督教历史上遗传的名僧知识的女性观,可说是完全和佛教的相同。若勉强要找出不同的地方,那么,在佛教一方面,因为是广布在进步停滞的东方,总是墨守着顽迷的信条;基督教一方面,却因为广布于资本主义故乡的欧洲,受了周围空气激动,实际上已不得已让步一些了。

在政权与教权互相勾结的中世黑暗时代,当然不会承认女子的真价值。譬如奥古斯庭也还认定公娼制度的必要,女子有灵魂与否,还成为神学者间所讨论的大问题,由此可以窥见当然的状况了。即如新教,也是大同小异,他们许可妇女充当牧师,也是妇女运动的结果,而且也只有少数国家如此。

离婚和再婚的难易,若是测定妇女地位的标准,那禁忌离婚和再婚的原始基督教的女性,也容易判断了。教父们之侮蔑女子,竟是无所不至,若严守他们的信条做去,两性的同心协力就绝对无望,人类社会的进步也要大受威胁。人类所以能够得有今日,还是因为人类的社会性强于教父的信条,而调剂人类关系的力量也比较超越的缘故。

(五)中世纪的妇女

在奴隶存在的地方,照例不承认妇女有自由的。中世纪之时,奴隶制度虽然废灭,而随着封建制度发生的农奴制度,实际上也纯然是奴隶制度。所以妇女在经济上,也和奴隶制度之效果相同。

中世纪之时,中流以下的妇女,因为自足自给的经济所束缚,终身从事繁琐的家庭劳动,绝没有取得经济独立的方法。

中流以上的妇女,也是一样,既不是农奴的所有主,也不是社会上所必需的经济要素,也完全没有经济的独立。伊们在外观上好像是美化了、诗化了,被人当作天使看待,诗人或美术家因以赞美伊们为事,而诸侯和骑士们也相率跪倒于伊们的石榴裙下,但这种夸奖的仪式,这种崇拜的根据,都是出于强者保护弱者的态度,并且只是性的肉欲主义罢了。妻子总处于丈夫的监督之下,即有权力,也是渺乎其小。诗人歌咏骑士贞洁的恋歌,而骑士恋爱的对手,却多是妻子以外的妇人。当时妇人,除针线以外,没有教育,管理家事和取媚丈夫便是一生的工作。财产由长男继承,女子一无所有。

上流妇女,供家世门阀的政略之具,没有选择丈夫的权利。下层妇女任凭领主糟蹋,什么时候被强制和别的男子结婚,自己也不知道,只是作为诸侯领主们的娱乐品,尽那做臣下的义务罢了。所谓"初夜权",即是农民把初娶的新娘,让给领主睡第一夜的习惯,这是事实,并不是无据的风传。

成了后世诗人感伤的怀想之的中世社会实况,使得下层人民备尝了言语不能形容的苦痛,而上流人士却沉酣于不忍见的奢侈淫靡之中。在故事上所传说的贵妇人,好像是美与淑德的化身,而其实只不过随侍那醉生梦死的骑士们的酒席,做他们猥亵笑谈的对手,和现在上等妓女的生活一样。伊们做男子的奴隶和玩弄物,与别的妇人相同,所不同的只不过伊们是美的,和花一样的奴隶,是富于技巧和变化的较为有趣的玩弄物罢了。要而言之,徒然是肉感的赞美,不能说即是尊重妇人的人格,反是失掉真实的尊敬的结果。

十字军的勇士把贞操之带赐给妻子然后出征的故事,以及违背丈夫即作为奴隶的多数妇女的故事,都是推知当时妇女地位的好材料。又如,各都市维持公娼制度,使娼妇裸体欢迎外国贵宾的实例,也还有的。这一点,和现在使用艺妓跳舞飨宴外宾的日本国粹,竟是相似。

欧洲中世产业组合的特色,是同业公会。这是制造业者排他的独占组织,被特权阶级强制服役的工人阶级,便隶属于公会之下,这是封建制度代表的东西。同业公会最初本是因为对抗暴虐诸侯而保护同业者的目的而组织的,也有顾全公众利益防止滥造货物的意义,但是不久就得到了法律上的特权,渐渐地发达起来,成了阶级独占的强有力的制度,到处建筑起藩篱来了。

在这种制度之下,职工最初是徒弟,要栖息于师匠的家门,经过七八年的奴隶待遇之后,若能合格,便可以做职工,但也没有许多自由的。结婚一事很受限制,结婚的对手,以行东方面的寡妇为限。若不是行东的儿子,就不容易做到行东地位。同业公会为防止竞争者起见,由一市的行东们,规定学习那种职业的徒弟的数目。普通职工要想做行东,经行东们考验合格之后,还要拿出大宗的入会费才行。因此有许多职工,只好不作此想。

这种制度,在事实上使得妇女不能从事职业。徒弟和做职工的虽有学习手艺的必要,而妇女却是不许当徒弟的。妇女除非承继遗产,便没有经济独立的机会。贫家未婚的女子,除作婢女之外,只靠卖淫维持生活,所以卖淫便盛行起来。

当时都市虽然繁荣,而地方却是荒凉。男女的浮浪人之多,达到可惊的数目,英国政府为谋防卫起见,自 16 世纪中叶以降,竟将浮浪之徒,打上灼热的火印,当作奴隶处理。

奴隶每日除得到一些面包和水之外,在主人的鞭挞之下,做一切苦痛和污秽的工作。假使私自脱逃过了两星期以后,捉回来就罚作终身奴隶,在额角和两颊上,再打上小字的火印。若再逃亡,便处死刑。主人可自由把奴隶卖掉,或者贷借,或赠给别人。浮浪人在途中被官吏捉获,就在他胸部打上 V 字的火印,押回原籍,用链子锁住做苦工。若假报原籍,便作为市厅的奴隶,还要盖上火印。

(六)产业革命与妇女

同业公会,本是拥护行东们利益的一种限制的组织,时代变迁了,那行东们的利益,也要大受阻碍。因为欧洲自从文艺复兴时代以后,文明进步,生产力渐渐增加,尤以美洲新大陆和印度新航路发现以后,商业更加繁盛,后来蓄积的财富,只供享乐之用,现在却变为企业的资本了。同业公会那种组织,就成为资本和生产力使用的障碍,和最初保护特殊阶级的目的大相违背了。资本是需要十分广阔、十分活动的余地的,范围愈大就愈好。于是从前有限制的组织归于消灭,这是从前富裕的阶级所要求其实现的。从此便进于自由竞争时代。

新产业组织,是集合几千几百工人于一堂,在同一指导之下,用最经济的方法,不以直接消费为目的,而以交换为目的从事生产的,所以能够显出可惊的效果来,因而以前属于地主的一切权力和利益,便逐渐移到商工业者手里来,便造出了新的经济的支配阶级。所以像英国那种纯粹农业的国家,不久就变成纯粹的工业国家了。同样的过程,在别的国家中也依样画葫芦,把国民的性质都变化了。

新产业组织,又造出了轮船火车的交通机关,那为工业上目的而起的人口移动,也就容易进行起来。新产业组织,消灭了贵族的荣光,打破了门阀爵位的区别,那社会的平等虽未撤废,而政治的平等却是实现了。新产业组织造出了从古未有的大财富,并且不用暴力或强制的服役,只是依着经济组织的作用,自然地而且机械地使得一个阶级替别个阶级做生产工作。

新产业组织,虽然打破了那用法律力量造成的旧独占制度,但是不久却又用经济力量建设了新的独占制度出来。关于教育、地位、财富等类,在法律上、在外观上都不设立什么限制,也只用经济力的作用,把大门关上,不让别阶级的人闯进去,其效果和中世的法律制度所表现的竟是一样。所以在口头上所说的自由平等,终于不能实现,实际的结果,完全和封建制度及行会组织相同。

新产业的组织和封建组织不同的地方,可以用下面的几句话说明出来。在封建时代,人的终生,由祖先传下来的身份和职业所决定,生下之后,大概就可以想到身世的前途,各人社会的和政治的地位,都严格地由习惯和法律明白确定。但在新产业组织之下,一个阶级全部的命运,都一样陷于黑暗的不安状态,所以由这个产业革命而起的社会的大变革,竟使那数千年处于男子下位而只以家事和生育为主的妇女的地位和境遇发生了很大的变化,因而思想也根本翻新了。

五、妇女解放论及其批评

（一）妇女问题之经济的基础

产业革命波及于妇女生活的影响，实在是复杂多端。就社会一般地说，富者愈富，贫者愈贫。贫者生活的不安扩大了，就是妇女们，假使不是有产者，就有讲求糊口的方法的必要。这生活不安的结果，结婚越是困难，男女独身的期间，自然要延长起来，妇女们也不得已把旧日生活的形式打破了。因为机械的发达，把向日家庭中的小工业移到大规模的工业，家庭工作的范围和种类都减少了，尤其是都会中的变化更大，一般上流和都会的妇女生活，因此时间的余暇也更多。而且许多生产事业，都简单而容易实行，百人的工作可以减到十人，十人的工作可以减到一个人，这种工作就是没有力气没有熟练的妇女和小儿，也能够发挥和成年男子相等的效力。于是在妇女方面看起来，因为家庭生活变化的结果，也有从事工钱劳动的可能，而且在生活上也有必要。

资本主义继续存在的条件，要求低廉的劳动，要求能在任何条件都肯工作的失业者众。而最能满足这必要的条件的人，便是无智识、无组织、而安于恶劣待遇和最低工资的女工和童工。数千年以来，以服从和温柔为美德的、不知身家利害的、只知利己而缺乏公共心的，而且迫于饥饿的无产妇人，如是便变成了工场主很好的剥削对象。因工商业发达而增多的工作机会，不问是体力或精神劳动，都需要妇女去承乏了。

以前，因生产方法进步而生的无意识的经济条件之变化，把妇女在原始时代所有的自由和独立都夺去了；现在，那超出人类意识以外的机械的经济的作用，却又使妇女复返于自由，得与男子平等地做社会的工作。这是什么缘故呢？因为资本主义的生产方法，需要无限的劣廉劳动，所以要使男女都能得到人身的自由。但是要充分剥削并利用妇女的劳动,那封建的束缚,就非打破不行。封建的旧道德旧习惯等等,在资本主义发挥最大的生产力一事上是有妨碍的,所以资本阶级极端表示反对。固然这种新思想的代表者,并不是自己意识了这种事实,不过这种新理想、新正义是拿这种社会的事实做背景、做基础才成立的,他们自己不能觉察,所以往往抱着殉教热心和诚意去行动。我们若把这些人的思想来源过细检查一下,就可以看出那所谓正义人道的根本上,实在含有经济的事实在内的。

发端于 19 世纪的妇女解放的主张,其起源和那成为法国革命导火线的自由民权思想相同,而且直接受了自由民权思想的刺激,这是不待言的。但自由民权思想,本来是绅士阀对于封建阶级要求自由解放的呼声,妇女解放论即是自由民权论的一部分,而专为中产阶级妇女要求自由解放的。社会上只要有阶级对立的事实存在,所谓一般的自由,只是抽象的观念,在实际上是不会有的。形式上名称上的自由平等,因为事实上经济的限制,就会变为有名无实的东西。所以真正拿出殉教的精神为妇女解放论而战斗,以及这类妇女们的高价的牺牲,在实际上也只不过为有产的妇女们张目罢了。

妇女解放论,虽然有上面所说那样的缺点,可是那打破数千年性的偏见而开拓妇女们向上和进步途径的功绩,却是不可抹煞的。"资本主义虽有其错误和缺陷,到底是优于封建制度的组织。"所以妇女解放论虽然产生于资本主义经济组织之中,而代表中产妇人的利益,固不免有许多缺陷,可是和那过去否认妇女人格而视为财产一部分的封建时代以前的思想比较起来,到底是高尚的、进步的思想了。

在几千年前的社会之中,完全于无意识之间,使妇女陷于不利地位的经济进化的潮流,到了现在却转到反对方面,对于妇女开始发生有利的作用了。妇女在原始社会中的地位,和男子是同等的独立的生产者,是独立的经济单位,一入文明社会,这种地位便被夺去了,经过几千年之久,直到现在,妇女们又回复到那个地位,渐渐回复做人做女子的自由了。资本主义固然使得生活艰难,使得结婚困难,使得离婚的事实增加,更因妇女劳动的普及使得家庭破坏,但妇女们也因此可以得到些少独立的收入,得到不依赖男子而生活的方法,而且得到和家庭以外的社会相接触的机会,以至于促进做人,做社会一分子的自觉。对于资本主义所诱致的这两重影响的估价,实是妇女问题上所以发生种种见解的原因。

(二)对于妇女解放的反对论

资本主义社会,因为有充分发挥那生产力的必要,所以在一切方面,要求妇女劳动力的解放,来参加生产工作。在产业方面,妇女们固然成了重要的生产要素,即在行政、教育、及其他一切方面,也有要求妇女协力的必要。然而妇女们在这时候虽然和男子一样地担负社会的义务,可是因为性的区别,总要使妇女受那不与男子同等的待遇,忍受那不利的条件,这明明是不合理的事情了。于是因为适应新产业组织的必要,对于那根据性的关系而成立的男子的阶级差别,就发出反对的议论来了。这种思想,本来是代表资本主义社会的利害关系的,却有许多人还不能看出这个事实,这是很奇怪的事情。封建的男女间的阶级制度,只有在封建的经济组织之上才能成立,才是有用,但到现在,构成那样道德那样制度的封建经济组织,已经破坏,只留着有损无益的形骸罢了,不料竟有许多人还把旧道德旧习惯当作很合理的东西,而反对那根据新经济组织而来的新思想和新习惯,因而反对妇女解放的。

就日本说,由封建制度到资本制度的变迁是很快的,所余的只有一些封建习惯的外壳,可是一般人却还借口"日本固有家族制度"为名,来反对妇女解放论。他们并不知道:家族制度也和别的制度一样,并非一定不变,而是随时变迁,即在将来也是继续进化的,因此就以为那过去五六百年以来为维持武人专制政治的尊严而被尊重的那种家长中心男主女从的家族制度,是日本开辟以来唯一无二的固定家族制度了。殊不知封建的家族制度,也是经过几千年的进化才产生的,不但日本古代和中世没有封建时代那样特殊的家族制度,即在明治维新以后,经济组织发生变革,家族的权利义务关系,也跟着起了变化的,他们所说的"日本固有家族制度",也只是抽象的观念,在事实上早已不存在了。日本的现行法令,大部分模仿19世纪欧美的自由主义和个人主义的立法,不过参酌日本一部分的封建习惯在内,所以户主和家属的关系,已不是古时主奴间权力服从的关系,也不是所有者和所有物的关系,相互之间,只有相对的权利义务关系而已,在事实上已经承认个人主义了。在封建时代,家长对于家属,也和诸侯对于臣民一样,操有生杀予夺之权,家属人员个人的自由和人格都不承认的。代表家属而认为有人格的,只有家长,家属全体勤劳的所得,都归家长一人。

但到现在,那样团体的家族制度,已不为法律所承认,户主的权力不特大见缩少,而且因为经济的变化,家长已不能保证家族人员的生活,而家族人员大都能够凭着自己的劳动,取得独立的收入,事实上旧的家族制度已是不能撑持了。这样说来,所谓"日本固有的家族制度",事实已是相反,变成了空虚的观念,不过留着一点思想上的形骸罢了。可是现在竟还有许多人固执着这些形骸,而不承认目前的事实。所以日本封建的家族制度,事实上虽遭破坏,而在形式上、在思想上,好像还是实在的东西,那违背现社会实际利益的道德思想,竟成了束缚青年男女行动的结果。切实地说,日本的资本主义发展得太快了,这类思想的形骸还来不及埋葬,所以支配未来时代的妇女劳动者,一面要和资本阶级思想奋斗,同时又要和封建思想的形骸奋斗。

封建的家族制度之遗习,不但束缚有产妇人的自由,并且束缚无产妇人的思想和行动,因而妨碍那团体的行动。在妇女看来,最重要的是"家"、是丈夫,这种观念,使得妇女们只顾家属的利害,看轻无产者全体的利害,此外社会以其为女性之故而施的限制和压迫,又能减低全体妇女智识的标准,延迟伊们自身的进步,因而阻碍社会全体的进步。所以不单是就女性全体的问题打算,即就无产者全体的利害打算,也要把那封建的家族制度遗习、以男性为中心的家族生活和一切迷信,一并打破。

日本反对妇女解放的议论中,多是从"日本固有的家族制度"的固定观念出发的。此外还有主张男女先天的差别而否定两性平等的论者,这是东西洋所通有的。

这班论者,最注重男女生理上的差别,因此极力地说男女的心理上自然也有差别,社会的任务亦不相同,而确信妇女在职业和教育方面要求和男子受同等待遇并主张同一权利的事情,不但不合理,并且不可能。他们为证实此说,往往说古来妇女少有伟大的天才,或者说女子头盖骨比男子的少,脑髓的重量比男子的轻,因此主张女子的先天劣于男子,除了家事以外没有别的能力,若使伊们参与政治,那简直是蹂躏伊们的天性了。

说到男女生理上、心理上的差别的话,我们在估量价值之前,有两个重要点必须加以考虑。第一,男女间这些差别,假使是先天的、固定不变的,那么,这些差别,并不是男女间有优劣的意思,而是两性间的特征的意思了。两性间的这种特征,在女性对于社会的协力上,更有必要、更有意义,只能成为升高女性政治的、社会的地位使与男子同等的理由,却不能成为轻蔑女性而夺去其发展机会拒绝平等权利的理由。但现在的社会中,一切法律、习惯、道德,都是以男性为中心的,所以一切事物都拿男性作本位来估价、来判断。男性和女性,本来是各用相异的特征,互相和合,共同代表人类的,却有许多人专把男性当作表示人类进化极致的模型,不承认女性的特征的意义,反说是女性劣于男性的证据。这种观察,即使带着近代的科学的假面具,究其实和古代轻蔑女性的迷信是一样。古代的人因为女性先天的有些和男子不同的特征和使命,便轻蔑女性为罪孽深重,为污秽不堪的。

两性先天的差异,自有其特别的目的和使命,这正是表示男女有平等协力的必要,并不是男女相抗和男尊女卑的理由。可是在这些地方,却有许多人,往往凭着男性本位的偏见,对于女性的地位,作无理解的议论,作不公平的判断。妇女运动的真意义,并不在于女性自己否定或抑制自己的特征,而是打破那不理解这种特征的偏见——把这种特征作为女性低劣的证据,而借口拒绝女性在政治上、社会上和男子享有平等权利的偏见。换句话说,妇女运动,并不是女性否定自己的性的意思,而是为要求"对性作适当估价"而奋斗的。

其次,除了那绝对不变的两性间根本的差异和特征之外,还有好些附带的特征可以认作决定两性优劣的要素,这是我们应当承认的。比方说女性比男性是非理智的、是感情的;说女性缺乏公共心,不能树立远大计划,往往不想到和一己生活有直接关系的问题以外的事情;此外还有许多类似的事实,都是决定男女先天优劣的女性的特征。不过我们要注意一切这样的倾向,不限定女性是这样,就是那些久安于被治者的生活,不知倚靠自己的智力和意识力而仅被他人强制服从的阶级,都有这类共通的特征。譬如无产者就是一例。无产者在精神上、在肉体上,均不及有产者,然不能因此引出无产者永久安于现状的结论,倒反可以引出无产者必须反抗现状的结论。同样,女性后天的缺陷,只能成为否定产生这缺陷的男女关系的理由,却不是永久保存那种男女关系的理由。

许多反对妇女解放的人的计划,都拿两性比较,来证明女性的低劣,可是那种比较,并没有就人类社会生活的全部历史着想,只是就那比较新的而且短期间的事实,选择些目前的材料立论,所以不是全人类普遍的、永久不变的法则。

现代文明人都盛行着私财制度,男女间心理的、生理的能力之差异,不一定是两性先天的特征,社会进到文明时代,两性关系,较之原始时代,大有变化,女性受男性支配已有数千年之久,男女间那种差异,不过是继承那一种社会生活的结果发达而来的后天的倾向罢了。这一点,只要考察原始人类的生活和现存野蛮民族的状况就可知道。即如我们所晓得的,只要把欧美妇人和日本妇人比较一下,或者把日本封建时代的妇人和现代的妇人比较一下,就可以晓得那些后天的特质,是随着社会条件的不同而变化的。

至于比较头盖骨的大小和脑髓的多寡来决定两性的优劣,那就更无意识了。就男子方面说,脑髓和头盖骨,不但不是决定贤愚的标准,而且伟人之中,也有头盖骨比普通人平均要小些,而脑髓也比较要轻些的;又有头盖骨和脑髓在普通人的平均以上的人之中,反有疯癫白痴在,这是很明白的事实。不单如此,即就对于骨骼全体的相对比率看起来,女子头盖的大小和脑髓的重量,可说是都比男子为优。又如原始民族女性的头盖骨,比今日的女子要大些,而且当时男女骨骼全体的差异,没有像现在这样显著,这是现代科学家所证明的。

反对妇女解放的三种代表的议论,上面已经介绍了。第一种是把现在快要消灭的过去家族制度的概念,来规律妇女的现在及将来;第二种是把男女先天的差异做论据,来否定平等的权利;第三种是把男女先天的特征和因社会条件而生的后天的倾向相混淆,作为根据来主张男女绝对的优劣。

妇女解放论者对于这三种议论的驳论,这里不详细介绍,总之,这三种议论是蔑视科学的事实,蔑视社会发达历史的空虚假说,是臆断,上面已经论证过了。只有一种最有力的驳论,可以否定这三种意见的价值的,就是这三种意见,并没有搔着妇女问题的根柢。

上面也曾说过,妇女问题,是妇女地位怎样随着资本主义经济的发展而生变化的问题,绝不是因为妇女们偶然的思想发生出来的,也不是因为梦幻或启示等偶然原因,使得妇女们觉到男女同等的人格的价值,才发生出来的。质直地说,这个问题是纯粹的经济问题,因为妇女们拿做人的资格,在那经济基础上要求自然的、平等的人权,才发生出来的,说什么男女先天的差异或优劣,那简直是离开这问题的中心的废话。比方当着无产者要求解放的时候,若去比较无产和有产两阶级各个个人能力的优劣,或者比较两个阶级全体能力的优劣,可说是毫无意义。同样,男女间后天的特性是几千年来社会条件的结果酿成的,现在当着妇女要求解放的时候,也去比较那后天特性的优劣,或先天的差异,也是毫无意义了。因为妇女所以主张和男子享受同等权利,并不是出于生物学或社会学上的意见,乃是对于在经济上已成事实的妇女地位和境遇的变化,要求道德上、法律上的承认罢了。切实地说,那些拿生物学的差异作根据的一切反对论调,不但是在蔑视妇女问题的经济基础这一点,看错了妇女问题的性质,简直可以说是否认妇女问题的存在。假使从妇女问题中拔去了那经济的性质,或许可以说只有那生物学上的差异或优劣的问题存在。但是这样一来,妇女问题便失掉了社会问题的性质,就变成了纯粹在学术上讨论两性差异的问题,和现社会必须解决的、当面的妇女解放问题,完全没有关系。这正如天文学、地质学上的问题,和当面的劳动问题、妇女问题毫无关系一样。

然而多数人当着讨论这成为经济问题、社会问题的妇女问题(即实质的妇女问题)的时候,偏要和生物学上、人类学上的问题混淆起来,并且从这些见地来非议,或者说是不可能。像这样混淆的事实,往往使得无知之徒发生迷惑,因而作谬误的判断,同时又能挫折那在解放路上的妇女的勇气,实足以发生很有害的作用。所以我们不厌重复地说,从生物学社会学的见地看来,两性的平等也是可以充分证明的事情,至于男性本位的意见,既不是生物学上的原则,也不是社会学上有根据的定论。

(三)母性保护论

对于妇女解放论的种种批评者之中,除了根本否认两性平等的非解放论者以外,还有一种人,站在个人主义、自由主义的见地上,赞成妇女解放,不限定主张一般的两性平等，而特别对于女性的特殊利害，打破惯例，主张权利。这种人的代表，当然是瑞典的爱伦凯女士。爱伦凯的主张，力陈做母亲的妇人的使命，和结婚与恋爱的自由，在这一点，对于从前的妇女解放论，实曾加以补充和修正。不过伊的母性保护论和以前的妇女解放论，似乎没有根本的冲突，因为两者之间都有共通的自由主义思想。

女性自归男性支配以来，虽然在某时代在某种人之间，把那隶属关系略为缓和了，可是在全体的原则上，女性总是不能拿出和男性平等的自由的个人资格来结婚来恋爱的。今日的结婚制度，是从男性把女性当作私有物的时候开始，直到现在，形式上不论怎样，而在实际上这种制度的性质依然存在。所以许多的结婚，与其说是出于男女的自由意志或自由爱情，不如说是由于日常的便宜、物质的算计，和法律习惯成立起来，继续下去。而且法律或宗教上的手续，又看得非常重要，离婚不易实行，男女非经过正式手续结婚，不得结合别的关系，否则生出的子女就当作私生儿看待，剥夺种种的权利。因为这样，所以爱伦凯一流母性保护论者，就反对从来因袭的结婚，主张由女性自己选择的结婚才算是唯一正当的、神圣的结婚，而且不论有无丈夫和父亲，凡做母亲的都应享受做母亲的平等权利，凡做子女的都应享做子女的平等权利，均应获得社会的保护。伊这种思想，是因为现代结婚制度不好才发生的，比方美国离婚案件之多，很可以证明结婚制度的缺陷，而德意志、斯干底那维亚各邦私生儿之多，更引起了伊的注意。德意志、斯干底那维亚各邦，因受基督教和加特力教的影响，把一夫一妇制度，认为绝对的，离婚最是困难，当作罪恶看待，所以不幸的结婚以及有关联的弊害最多，爱伦凯受了这样感触，所以发出了关于离婚结婚的新思想。

爱伦凯把恋爱作为使结婚神圣化的唯一要素，说"贞洁是指灵肉合一而言，若没有这样的关系，任何性的关系都可以说是不道德的"。又说："不论结婚与否，凡不尽做父母的责任的事，总是罪恶；不论正式结婚与否，凡是尽做父母的责任的事，总是神圣。"

爱伦凯这种思想，是对于把女性当作男性附属物的旧结婚制度挑战，可说是得到正鹄，而且和许多妇女解放论者的意见也是一致的。不过伊所主张的结婚制度的理想和母性的权利，在原始时代已经实行过，而且在未来的新社会也是当然再现的,这和一切社会主义者所指摘、所主张的是一样。

妇女经济地位的变化,必然反映于道德思想。资本主义经济,打破了妇女对于男性的隶属关系,使得伊们成了独立的生产要素,成了社会的单位。妇女们既然成了社会的单位,在完成其性的职分上,就有和男子同等的自由,这是当然的结果。近代妇女在选择学校和职业一方面,主张和男子有同等权利,所以在选择爱情一方面,也主张和男子有对等的权利。爱伦凯关于恋爱和离婚的自由的主张,只不过反映资本主义发展所诱致的男女关系罢了。所谓新道德,是因为立在这样的经济基础上,才有反应,才有势力。

爱伦凯不单主张女性在性的关系上的自由,而且更进一步,主张把母性和家庭生活当作妇女的天职,相信妇女个性的完成,必因此才能成就。伊把男女间性的职分的差异,特别看得重要,以为妇女得到和男子平等的自由以后,那使用这自由的方面,除了例外的人以外,要算做母亲和家庭妇人的任务最重要了。

母性是妇女的重要使命,谁也承认。不过把母性和生产的劳动或社会的劳动对立,而必须断定两者不能并立,究竟有理由么?生产的劳动或社会的活动,若仅是用资本制底下的工钱劳动或有产妇女卖名的运动的形式显现,那或许是永久不能和母性并立的要素。不过就我们所见,那些都是资本主义底下特殊的产物,任何时代,总不能断定妇女生产的劳动或社会的活动,采取现在这样形式,像现在这样不能和母性并立的。

爱伦凯的思想,是从现社会有产妇人的考察出发的,并没有考虑无产妇人现在和将来的利害。恋爱的自由、母性的尊贵、个性的发挥等主张,在理论上谁都承认是当然的,不过在大多数人一方面,那些主张的是非善恶的抽象议论,不成问题,而成为问题的地方,只是怎样使这些主张在现社会能够实现。男女分业的范围怎样,在一切男女都能随其所趋而生活之后,是自然可以解决的问题,但在现代,世界大多数男女都为了一块面包去做工钱奴隶,空说那些理想,又有什么意义呢。

爱伦凯的议论,对于以前有产者的妇女解放论所加的修正和补充,可说是成功了。除了这一部分之外,对于妇女问题的全体,眼界未免太狭,未免为小有产者和基督教的"家庭"概念所拘束,而忘掉了无产妇女的存在。

（四）社会主义的妇女观

社会主义者之中，也有种种派别，对于各项问题，意见不尽相同，所以对于妇女问题，态度也不一致。但到现在，像伯伯尔，所著"妇女与社会主义"之中所表现的思想，可说是代表了一切社会主义者的意见。如"妇女与社会主义"书中所说，社会主义者不把现在的两性关系，看作固定的永久不变的制度，却当作是随生产方法进化而变迁的社会关系中一个重要要素。两性相亲相爱，虽是一切动物通有的原则，但人类社会之中，两性关系，并不像别的动物那样一定，一夫多妻、一妻多夫、一夫一妻等种种形式都有，此外尚留有痕迹的古代形式，也有多种。人类社会关系，像这样的随时变化，那最根本的动力，究竟潜伏在什么地方呢？

支配历史进化的东西，假使有一种原则或动力存在，我们就必须看出那原则来，必须晓得那原则究竟怎样支配过去社会，怎样影响于将来社会，又将发生怎样的变化。旧式历史家，只把历史当作某种个人的武勇、才智、恶毒所发动的偶然事实的记录，但近代的历史家却不然。近代历史家，要从环境的物质条件之中，找出支配社会生活的原动力。物质条件之中，那气候风土的自然条件，固然也包括在内，不过这自然条件，在未开化人是很重要的，到了文明时代以后，那取得衣、食、住等生活资料的生产方法，却是愈加重要了。自然力在原始人是很大的，但文明进步，社会的条件次第加重，人类受自然条件支配得少，受社会条件支配得多。食物固然是任何时代最必要的东西，而获得食物的方法，时时进步，因而全社会的有机组织也随着发生变化。这种经济条件，实是破坏或创造那上层建筑的一切制度、习惯、思想、道德的最根本的原动力。

因为有那样经济条件的变迁，男女关系也跟着变迁起来。所以母系制度，并不是由于恶人的恶意才消灭的；父系的家族制度和女性中心的道德，也不是由于善人的善意才发生的。人类的感情思想，只是社会环境的产物，而社会环境又归原于经济的条件。自从社会进到文明时代以来，常使妇女陷于不利方向的经济的发达，到了资本主义时代，一方面就有残酷的剥削和母性的破坏来压迫妇女，同时又使妇女复成为独立的生产要素，脱离了男性的羁绊。到了取得独立的收入和独立的社会地位,妇女才开始主张独立的人格,抱着独立的思想。像爱伦凯所说的新道德,是以妇女职业生活和经济独立做背景,才能认为成立新道德的原因,才能确定那博得反响的理由。假使在封建时代,妇女没有营独立经济生活的能力和机会,因而个人主义的思想也受妨碍而不能普及,这时候虽有千百个爱伦凯呼号,也不会有反响的。

然而社会主义却不像有产者的妇女解放论那样,并不承认资本主义所引起的一切变化都于妇女有利。社会主义以为过去妇女地位的变迁,是经济条件变化的结果,将来也要在相同的基础上逐渐进步的。资本主义时代妇女的地位,固然比过去任何文明时代要好些,但因为生产和分配机关属于个人所有,就酿出许多罪恶来,使得大部分无产的男女降到工钱奴隶地位,由经济条件的作用,剥夺了个人的自由,阻碍了向上发展的途径,这是明白的事实。不过我们要知道,过去一切经济组织,总是在那发展的过程中,渐渐地破坏自己,使得那替代自身的新组织成长起来,这是进化的公例。比方原始经济变为奴隶经济,奴隶经济变为农奴制度,而资本主义又从那以农奴制度为基础的封建制度之中发达起来。到了现在,资本主义又在自身发展的过程当中,渐渐地使得那可以威胁自身存在而代表新组织的新阶级发达起来了。妇女的地位也是随着这些变化为转移的,所以社会若是由现在的状态更进一步而变为新的比较高级的组织时,妇女地位当然是随而改善的。至于这种高级的社会状态又是怎样呢? 简单说来,就是各人都能按照自己的天性,担负有益的劳动,从社会获得高等生活的保障和保护。换句话说,这种社会,是以一切个人都有平等的权利和义务为基础条件,生产和分配的机关归为公有,由公众利用来谋全体的福利。

如上所述,妇女地位常随经济变化而变化,那变化的性质又看妇女和当时经济组织的关系怎样才能决定。现代的资本主义经济组织,能够使得妇女和女子一样成为独立的生产单位,成为国民经济的重要元素,所以妇女的地位,比在封建时代已经改好许多了。但是妇女全体解放所必要的经济独立——完全的生活保障,还是不能做到。这样意义的解放,只能够求之于资本主义以后的新时代了。现社会一切的不安状况,都是新旧两经济组织转变期中人类苦闷的表现。人类的大苦闷之一的妇女问题也是一样,那解决的方法已在社会进化的法则之中暗示了,我们只要觉悟这进化的趋势,加强我们的力量。新的理想和道德,毕竟是代表这种经济的变化,而向前推进的力量罢了。

社会主义的妇女观大概如此。以前妇女解放论的精神,也是承认的,爱伦凯所主张的母性保护论的精神,也是承认的,不过这两说都不能拯救现在大多数妇女的患难,而且也没有解决全人类的妇女问题的力量,唯有未来的新经济组织,才是解决一切难问题的关键。

六、妇女地位之改善

（一）英　国

从 18 世纪到 19 世纪,英国妇女的境遇,受了产业革命的影响已是大生变化,可是当时的道德和习惯,却很不容易承认这种事情。自由民权的思想,虽然成为法兰西革命的标语,成为新兴资本阶级的金科玉条,而当时的解释,却以男子为限,女子是没有民权的。即是自由民权论的思想的代表者卢梭,也以为女子应该安慰男子、扶助男子,应该牺牲一身,充当男子的愉乐品。他以为妇女要实现自己的欲望,应该用性的魔力,诉诸男子、操纵男子,至于要凭借什么正义或理由,堂堂地主张自己的权利,那便不是女人应有的态度。譬如当时人所说的,女人们应有的态度,"与其说什么正当计算或真正读书,不如说伊们那种看了老鼠要害怕,听了笑话要害羞的态度",才是女人们的本来面目,才可以增高做女人的价值。

19 世纪中叶,那"妇女天职在家庭和儿女方面"的观念,还很能支配人心,所以当时的女子教育,还停顿在幼稚的状态,收容中流以上妇女的学校,与其说是求学的地方,不如说是社交和跳舞的练习所,对于中流以下的妇女教育,并没有什么设计。妇女们侥幸生育于富裕而自由的家庭的人,也有偶然以学问著名的,不过这是例外,大多数妇女还在无教育状态。

然而资本主义急速地发展,妇女也卷入经济生活的漩涡,不得不用自己的力量,为生活的困难而奋斗,所谓"像女人的态度"和无智无识,不但不是女子的幸福,而且使女子更陷于不幸的境遇。

对于这样风潮首先挑战的人,是梅丽威斯顿克拉夫特(1758 — 1790年)。梅丽生在不甚有福气的中流人家,伊的父亲好酒贪杯,心肠冷酷,伊的母亲是有坏脾气的人,伊的弟弟妹妹们只有依赖心是很强的,家庭中这样波澜重叠,又要养自身,又要养家人,或者做教员或者当书记,为极端的困难而奋斗,男子的横暴和女子的卑屈,一切酸甜苦辣都尝到了。恰好这时候法国革命的波澜震动英国,那成为标语的"自由平等"论,和伊所得生活的经验相投合,于是伊便十分相信两性平等和妇女解放的必要了。

梅丽思想的表现,便作成了有名的"女权拥护论"。伊这部书,到现在还被看作是女权运动的宝典,内容详述男女的差别待遇的弊害,痛斥女子性的寄生的毛病,要求教育职业和政治上的两性平等,主张不分性别,务要使各人都能自由发展天赋的才能,只有这样,社会才可望有真的进步,若两性不互相理解,不互相扶助,社会的安固是便无望。

梅丽这种主张,在少数急进的思想家固然能够容纳,但一般的人还没有脱离封建思想的支配,对于伊的主张只作无理解的攻击,说是强迫女子的男性化。所以伊的"女权拥护论",在当时还未得到有益的反响。

然而时世进步,渐渐地使得女子教育也发生力量,先前讲究女子礼节和交际术的学校,至此也渐次扩张学科的范围,而添授地理、历史、数学等科的初步了。

1850年,佛兰瑟巴诗女士所创立的伦敦女子专门学校,为现今高等女学校的创始,程度之高,科目之多,在当时都是模范的。1867年,学务调查委员会调查女子教育实况的结果,知道女子教育制度乱杂无章,学科的设立,都没有依据科学的方针,专致力于无益的外貌,忽视了启发智能的重要方面。从此大加改革,教育制度改良,初等教育和普通教育,也逐年进步。

1867年,参政运动领袖爱美特德维斯女士,创立卡登大学;1873年,安纳克拉夫女士创立纽罕姆大学。这两校都是最初的女子高等教育机关,以教授女子以专门大学的智识为目的。两校的毕业生,曾经受过剑桥大学通常学位的试验,都没有及格,所以以后剑桥大学不给女子学位。牛津大学也是一样,女毕业生的成绩即使胜过男子,也不给学位。但伦敦、威尔士、柳亚布尔、爱丁堡、格拉斯哥、曼彻斯特、里德、巴敏干、古布沐等全英大学,都反对剑桥、牛津两大学的顽迷态度,都给女子以学位。

妇女可以学法律,也可以受律师试验,但不许营律师生业。妇女学习医学,在当时曾发生过很大的骚动。

1867 年,伊利查白·加列特欲入医校肄业,都被拒绝,后入医院充护士,经历许多困难,通过医师试验,成了英国最初的女医。

1865 年,捷克斯布列克女士,想取得爱丁堡大学的学位,曾约集几位女子,要进那里的医学校,遭了意外的反对。当时反对女子学医的人,信口雌黄,有的说女子学医是出于好奇心,有的说女子想到学校找情夫,有的说女子学医为的是要找好丈夫。此外还有说女医生接近男病人恐怕紊乱风俗,有说解剖学对于女子是猥亵事,有说医学究非女子能力所及。这种反对论调,实是无理之至。女医生接近男病人若是紊乱风俗,那么,男医生接近女病人不是同样的紊乱风俗吗?女护士早应该禁止了。这种矛盾议论,不过借口排斥女子学医罢了。还有一种稍为说得高尚的反对者,就说男医生已是多到不可位置,若加上女医生便更困难了;或者说女子即能入学,试验也不会及第,不如打消此种念头为好。但妇女方面对于这两说的回答是:我们也不希望什么恩惠,只要求和男子同等待遇,万一试验不及格,自然心愿,至于说和男医生竞争的话,无论哪一方面营业兴旺,那是各人的能力问题,或胜或败,也不得埋怨别人。

但是大学方面,最初取宽大态度,允许女子入校。后来有一个女学生叫作白智女士,对于化学试验,获得优等成绩,若是男学生当然领受奖学金,白智却是女子,大学没有发给伊。于是可否的议论沸腾,捷克斯布列克便代表女子方面,要求发给白智的奖学金,主张男女平等的待遇。这个问题经过两年没有解决。爱丁堡市和大学,分为赞成和反对两方面,发生激烈的争论。大学方面禁止教授们教授女学生。男学生列队游行,遇着女学生便抛石撒泥,加以侮辱和压迫,于是女学生们出外,必须和赞成伊们的学生团同行,依赖他们,他们也用棍棒随身保镖。可是有个强硬的教授竟违背大学的命令,偏对女学生授课。

这件事情,捷克斯布列克曾经向法庭起诉,第一审得胜,命令该大学许可女子就学并给以学位;可是第二审败诉,竟遇到反对的结果。于是女子们不得已到外国留学,取得医师的许可证。

到了 1876 年,议会始通过大学应许可女子学医的法律,多年的纷争,始告解决。

此外教授女子学习畜牧、农业、园艺等事的公立学校,自 1898 年以后,亦继续创设。英国输出牛奶、鸡蛋、家畜等物颇多，这种职业，也得了不少的收入。熟练女园艺家的需要，超过供给以上。

大战的结果，妇女职业模范骤见推广，对于教育的限制也废止了，这是最近的事。即如向来不收容女生的工业学校，也开放起来，采用女技师，便是一例。此后女子教育，愈益改良，比较男子教育，毫无逊色。

英国妇女参政权运动，曾耸动世人的耳目。这个运动，发端于1819年，到成功之时为止，恰好经过百年。

古时有选举权的人，法律上并没有限于男子的明文，与男子有同等资格的妇人行使选举权的实例也是有的。到1819年，发生扩张选举权的激烈运动，当军队出动与民众冲突的时候，妇女之中也有负伤者。1832年，对于男子的选举权虽然扩张了，但从前男女通用的"人"（Person）字却改为"男子"（Male Person），表明选举权只以男子为限。

1840年时代，骚动英国的撤废谷物条例和反对奴隶的两大社会运动，教训妇女们知道政治问题的意义，因而政治的社会的自觉，也倏然进步了，主张妇女参政权的小册子，也于1847年出现。

1866年，纳税资格减低，选举权较前扩张了。这时候，有四通请求许可妇女选举权的请愿书，提出于议会。提出的人是约翰斯鸠亚特弥尔。但这个动议，以74对96的少数失败了。

到这时候，伦敦、爱丁堡、曼彻斯特、巴敏干布里斯特五市，都创立妇女参政权协会，从事有组织的运动。

改正了的选举法，又将"男子"改为"人"字。于是英国的法律，"除了声明不包括女子在内的以外，一切指男子而说的法律，都可以通用于男子①"，因此妇女们居为奇货，而与男子有同等资格的妇女，一致要求登录于选举人名簿，但有些地方答应登录，有些地方便拒绝，那被拒绝登录的妇人便诉诸法庭。可是普通裁判所和高等法庭，都下之不利于妇人的判决。于是大规模的宣传运动便开始了。结果，到1869年，妇人纳税者，始于英伦、苏格兰、威尔士诸洲，取得了地方议会议员的选举权。

---

① 此处的"男子"疑应为"女子"。——编者注

从 1870 年到 1884 年，妇女政治的团结，越发巩固，成立了妇女参政中央委员会，佛阿瑟特夫人等著名的雄辩家，便向全国各地游说。

1884 年，纳税资格又经减低，选举法又经修改，这时妇女参政权法案亦经提出，仍遭失败。

1885 年，"布里姆洛兹里克"妇女政治结社，以援助保守党为目的，组织起来了；其次自由党妇人，也成立"妇女自由主义同盟"，和前者对抗。这两个团体，于助长妇女之政治的智识及运动，非常有力。

1897 年，三次提出妇女参政权的法案，又遭失败。

当南阿战争之时，妇女参政运动，暂呈停顿状态，到 1904 年，渐成为议会的问题。但成绩无所表现。

当时，参政权论者，因为长期的运动无效，开始表出疲倦的态度，而社会的冷淡又依然如故，所以参政运动，异常沉滞。要挽回这种颓势，必得讲求新的方法，扫除敌方和同志的惰气。所以班克哈司特母子所领导的"社会及政治妇女同盟"，就起来代替佛阿瑟特夫人一派的"妇女参政权国民同盟"，采用新奇的战术开始活动了。这个同盟，开始引起世人注意的时候，是 1905 年秋季。

当时英国由自由党组织内阁，其首相为加米尔巴拿曼，在阁员和 600 名的议员之中，有 400 多名是赞成女子参政的人，所以妇女方面就大大地活动起来。伊们以为自 1870 年以后提出的十三次议案所以都遭失败，因为是由普通的议员提出的缘故，现在若作为政府提案，下院必定通过的，所以伊们就要求政府把这个案提出。但以政府方面拒绝了。原来自由党表面装出表同情于女子参政的样子，以便于总选举时利用妇女活动来扩张本党的势力，一旦掌握政权，就变了态度，不特不容纳妇女参政论者的要求，反而当作一件讨厌事情看待，因此使得妇女们激怒起来。妇女们于是抱了决心，无论怎样的政府，若不尽力于妇女参政，便要推倒它。

战斗派的妇女的战术是这样的：首先到全国各地，尽量地多开会议；举行露天演讲和示威运动；派出一流的雄辩家发行机关杂志；阁员及其他名士开演说会时，必派同志参加，由傍听席发出质问，求其答复，故意妨害演说的进行。因此之故，有时伊们被用暴力扶出场外。

妇女代表，对于议会也去参加。伊们主张：总理大臣既然可以面见男代表，当然也可以面见女代表,女子用纳税者的资格,当然有在议会质问大臣的权利。于是议会为防避妇女们闯入起见,在开会的期间,就用骑马或步行的警士,警戒于附近地带,使伊们不到议会去,假使故意要闯入警戒线以内时候,便用骚扰罪、道路防害罪、公安紊乱等罪名处罚,因此联袂入狱的有数十数百之多。入狱以后,自由党政府又不当作政治犯人看待,偏要当作普通犯人看待。于是入狱妇女,不甘受这种冷酷待遇,便用执拗的"饥饿同盟"来抵抗,使得政府没有办法。

战斗派的妇女,为唤醒社会的冷淡态度,故意多多破坏官有私有的产物,所用的手段,无所不至。因此社会发出很大的反响。一般保守的男女,很愤恨伊们这种旁若无人的态度,打着"妇女天职在家庭"的陈腐腔调,便组织了"反对妇女参政的同盟",用演说和文章做反对的运动。但另一方面,却有许多人称赞伊们这种不屈不挠的态度,而表同情于伊们。这样一来,暂归沉静的妇女参政运动,顿时恢复生气,不但成了全英国的大问题,而且集中了世界的视听。

1914 年夏季,那连年妨扰议会的妇女参政权法案,又因少数之差被否决了。此后发生的世界大战,与百年前的拿坡仑战争相同,国内一切革新运动归于沉寂,在宣传血腥的爱国主义之中,断送了 5 年的岁月。大战期内欧洲各国,因为男子大批的从军和死伤,国内产业及行政机关一切方面,都要求妇女援助,仰赖伊们的公共活动,继续大战的进行。于是妇女在社会上的势力,已成为不可变更的事实,国家方面不得不予以承认,所以到了 1918 年 2 月,妇女们经过了半世纪的奋斗,才开始得到了选举权,是年 10 月,又得到被选举权。但是年龄的标准,在男子方面规定为 21 岁,在女子方面,却规定为 30 岁,而且限定自己或自己的丈夫,必须每年有 5 磅收入的才算合格。此种限制,妇女劳动党表示反对,并要求男女平等的选举权和被选举权。保守党反对这种主张,另用一种折中办法,将女子年龄降到 25 岁,将男子年龄升到 25 岁,一面抚慰妇女,一面剥夺青年劳动者的选举权,可谓一举两得。但劳动党曾经声明激烈地反对。

1919 年 12 月,删除女子无资格的条文的法律通过了,妇女可以做官,可以从事自由职业,律师裁判官,也有人去充当了,劳动党内阁当中,也有女子去做次长的。

英吉利本国的妇女参政权,虽到最近才被承认,但殖民地各邦却早已承认了。殖民地各邦是新建的,不受旧的因袭所烦扰,诸事有赖男女共同尽力的必要。所以澳洲之承认妇女参政，比世界各国都早。至于州的选举，新锡兰于1893年首先承认；其次南澳洲于1895年，西澳洲于1899年，新南威尔士于1905年，维克多利亚于1908年，均次第承认了。1900年，各州联合的联邦会议成立之时，对于妇女的选举权也承认了。妇女参政的成绩很好，从前唱反对论调的人，现在看了也有大表赞成的。8小时劳动、职业妇人的保护、少年劳动者的保护、养老金制度、男女对等的离婚条件等等，也多有赖于妇女的努力才能成就的。

在坎拿大，各州大都承认妇女在地方议会有选举权，又对于国会的选举权和被选举权也承认了。到1918年，通国都承认妇女有参政权了。

在澳洲，在坎拿大，对于男女的教育，都不设差别的限制。

（二）德　意　志

德国妇女，被称为欧洲模范的主妇，德皇也断定地说"妇女的天地是儿童住室、厨房，和教会"，所以德性质素而忠实，又善于劳动，这是被称赞的主要之点，说到要取得和男子平等的政治上、社会上的权利的话，在伊们不感兴趣。不单如此，还有那普鲁士传统的军国主义，巩固了封建的男性中心思想的根基。还有一层，德国的社会民主党发达很早，劳动阶级的妇女，多被吸收，伊们是不愿支持那单纯的妇女运动的。所以德国妇女运动的势力，比不上英美各国。但是中流妇女的团结，在1848年革命以前早已成立了，伊们对于教育的改良和职业范围的扩张，也曾热心奋斗过。尤以当时妇女，因为经济的变化，感受生活的压迫，所以妇女运动之发生，以振兴女子教育为直接的目的。这一方面的功绩，却是很显著的。

1864年，德意志妇女俱乐部创立了。以前的妇女团体，专致力于教育方面，而新立的妇女俱乐部，却更为急进，从事于政治的、社会的革新运动。往后这俱乐部发生分裂，急进分子便加入了社会民主党，保守分子便加入了保守党。

后来，哥尔、奥古斯堡、赫曼、西尔马捷等女士，创立了妇女参政协会，继续活动，以期达到目的。这西尔马捷女士，在大战以后所开的德国国民会议（地点在华马尔），被举为保守党的议员。

母性保护运动，也收得相当效果，对于促成母子保护的制度，也有功劳。

德意志军国主义，被欧洲大战打倒了。大战后的德意志，受了联合国军国主义的威胁，由帝国的废墟中，建成了新的共和国。当此危急存亡之际，对于在战期中有过功劳的妇女，自然给以协力建设新国家者的地位，而且在实际上确是必要的。所以1919年的德意志宪法第22条，便规定：

"代议士基于比例选举的原则，皆由满二十岁之男女，用无记名投票法选举之。"

于是德国的妇女，就得到与男子平等的政治权利。这一年的选举结果，便有36名的女代议士当选。

然而德国，在大战中被打倒的，只是德皇的帝冠，而资本阶级的黄金魔杖依然无恙。德意志民众经济的隶属，成了本国资本阶级和联合国侵略主义剥削的对象，其由革命所得形式上的政治的民主政治，对于民众也没有什么效果。德国妇人，固然得到了和男子平等的政治权利，不过对于那要从小儿口中夺取最后一片面包的资本阶级，并没有抑制的能力。革命后所得的8小时劳动制，已遭破坏了，革命的劳动者往往流血或入狱，失业者和娼妓，充满了都会的街市。

（三）法兰西、意大利及其他欧洲各国

法国是妇女解放论的发祥地。1789年，阿林布古玖女士，仿照有名的"人权宣言"，发表了"妇女权利宣言书"，主张男女同权，并和德洛奴特米里克、斯达尔夫人、罗兰夫人等协力，要求妇女的参政权。可是当时的人权论者的自由平等论，只以男子为限，对于妇女的要求不仅不理，而且因为妇女常充民众运动先锋之故，终于1893年用维持治安的名义，禁止妇女作政治集会，一切运动都被镇压下来了。

拿坡仑是极端的男性中心主义者，他出世以后，形势更坏了。有名的"拿坡仑法典"，把妇女完全放在男子支配之下，妻子非得丈夫许可，不得从事交易，妻子的财产，概归丈夫管理，亲权仅归父亲所有。尤其奇特的处所，给丈夫以杀死不贞洁的妻子之权。又私生儿的母亲，若找到父亲时，不许那做父亲的担负赡养的义务。私生儿入孤儿院，待遇很坏，死亡率非常之高。

自从进到 1830 年、1848 年的革命时代以后,妇女参政问题,渐渐引起世人注意。圣西门、博里耶一派社会主义者和佐治桑等,都主张男女同权。这几次革命,都有妇女做民众运动的先锋,任何政变,牺牲者之中,都有妇女在内。1876 年,有生长于富裕家庭而被称为雄辩家的有名共和主义者玛丽多利斯姆女士,发起了"女权拥护同盟",于 1878 年开最初的妇女大会。1909 年,修摩尔夫人等所提倡的妇女参政协会也设立了。直到最近,妇女参政法案,在下院以 344 票对 97 票的多数通过,但被上院否决了。

法国最初就没有禁止女子入大学,大学生之数,男女各半。从事女子教育的人,大部分是妇人,在小学当过三年教员的人,男女的薪俸同等。1907 年,玖里夫人充任索尔波恩奴大学的教授,女子当大学教授,自伊为始。1899 年以后,妇女当律师的也多。在公务方面,女子只能做下级官吏。

从法兰西为始,以至意大利、西班牙等拉丁系民族各国,都不是像英、德那样的工业国,而加特力教的势力又是根深蒂固,所以妇女的思想很保守,一般的解放运动也不发展。至如西班牙,全国长在半永久的混乱漩涡之中,产业不发达,上流阶级腐败不堪,下层阶级大受剥削,义务教育,有名无实,妇女之无智识者尤多。所以参政权还没有成为迫切的问题。

比利时的妇女运动也是不振。妇女在法律上的地位,像拿破仑法典所规定的一样,可说是退化之至。大战之后,只有战死者的妻子或母亲以及在战争时为祖国而入狱的妇女得有参政权。

瑞典、丹麦、芬兰等国,民族和文化程度都相类似。这三国都是古农业国,妇女们比别的国家都自由些。因为自从中世纪以来,战争迭起,女子的人口过多,古来男子又从事长期的远征,所以产业及其他业务,多由女子处理,妇女们的自由,大概是这样得来的。瑞典、挪威、丹麦、荷兰、奥大利、波兰等国,在大战以后,妇女们都得到了选举权和被选举权。

（四）亚美利加

南美和中美诸邦,现在还没有承认妇女的参政权,这正和欧洲拉丁系民族各邦妇女运动的不振是一样。

　　北美合众国却是不然。合众国几乎成了近代妇女运动的发源地,自从1774年到1783年的独立战争之时起,妇女之间,就已有主张两性平等的人。独立战争时代的妇人,和男子共尝艰苦,和男子一同尽了市民的义务。所以1788年在费州开的国民大会,妇女也要求以市民资格投票的权利。13州之中,哥奈克知加特、德拉威亚、乔尔治、美利兰、新夏知、北加洛里那、南加洛里那、彭西尔巴尼亚、洛特爱兰等9州,规定一切自由民、纳税者或家长都有选举权,资格相合的妇人,当然也行使投票权。但纽约、马萨抽塞、纽汉布夏、及瓦治尼亚4州,自1699年至1784年,渐渐地把选举权限于男子。

　　于是妇女们,对于费州的国民大会,要求把妇女参政权制定于联邦宪法之中。但是大会拒绝这个要求,说妇女参政权,照旧由各州自治法决定。从此以后,那在殖民时代承认妇女有参政权的9州,也仿照纽约等4州的办法,于选举权的明文之中,插入"男子"一语,把女子除外了。自那时以来,约有150年,美国妇女,为取得参政权继续奋斗。所以美国的妇女运动,最初就带有政治的性质。那骚动一时的奴隶解放运动,便是对于妇女们训练社会问题的好机会,也是这时候的事情。

　　于奴隶解放运动有大功劳的古埃加教会,以男女绝对平等为信条,因此和主张男尊女卑的新教徒屡起冲突。古埃加的安比克勒女士,是奴隶解放论者中的一流雄辩家,新教徒的牧师就很攻击伊,说"女子也出来演说!"甚至骂伊是"豺狼"。伊的同志安捷里加克里姆女士,于1837年,曾在彭西尔巴尼亚听过奴隶解放的演说会,群众们就在那会堂放起火来。次年在马萨抽瑟州会议群众们也骚扰起来,说要把伊处死。当时的议场状况,混乱之至,"群众怒号,新闻吵闹,牧师大骂",这是最初的女大学生女权论者斯顿传出来的。

　　智识阶级,也轻视女子为"第二义的人"。1840年,克勒女士被选为奴隶废除的委员时,他们就主张辞退伊。伊便说:"若说我不适任,就辞职罢。"他们说:"那倒不是那个意思。"伊又说:"那么就是怎样呢?"他们又说:"因为你是女子……"伊便说道:"那不成理由,我就留在这里!"智识阶级对于女子的态度,竟是这样。

　　这一年,伦敦开废除奴隶的大会。美国方面,也有好多热心主张废除奴隶的人参加,内有女子三名。伊们都是随着丈夫,以"全国奴隶废除大会"的代表名义出席的。但英国这个大会,是一个新教牧师主席的,这牧师是把女子当作劣等动物看待的人,伊便借口女子没有参政权的理由,不承认那三个女子为代表,命令伊们退到傍听席。美国人道主义者威廉加里逊,看见这种样子,便愤慨起来。他虽是男子,却也离开座位,退到傍听席,表示反对的意思。

女代表中有一个叫作斯坦登夫人,伊回到旅馆之后,就说道:"我们回国后的第一件工作,是研究妇女的奴隶问题。"

斯坦登夫人回国之后,就在自己家里召集同志开会,当场提出妇女独立宣言(仿照合众国独立宣言的形式,内容分 18 条)和关于妇女参政的决议,经全体一致表决了。数日之后,这件事经新闻发表,引起世人非常的骚扰。所谓新闻的新闻,又加以种种嘲笑和申斥,惹得斯坦登夫人的父亲,也以为女儿发了狂,连忙乘夜车赶回家去。因为①署名独立宣言的许多妇人,立刻声明取消。

然不论一切压迫和反对,斯坦登夫人的意志,终究征服了俗论,而参政运动也逐年发达了。至于援助这孤军奋斗的斯坦夫人,造成这种大趋势的,却是斯桑安脱尼女士的大功劳,伊是万国妇女大会第一届会长,世人称为妇女参政运动者的拿破仑。

奴隶解放实行之后,黑人的男子也和白人男子一样地有选择权,但妇女们只因为性的理由不能参政,这使得妇女们越发不平起来。

自从 1869 年,华伊渥敏州承认妇女有参政权之时为始,到 1920 年为止,37 州都规定在一定的程度许可妇人参政了。1920 年,修正合众国宪法承认男女参政的议案,经联邦议会通过,因此全国一切妇女,都有平等的选举权和被选举权。就英国宪法说起来,男女间有年龄的差别,女子选举资格,定为 30 岁以上,有资格的妇人,仅为妇女总数 1/3,即 600 万人;就美国宪法说起来,21岁以上的妇人约有 2500 万,都有选举权。

美国女子高等教育很发达,毋须赘说,女子教育程度,可说在男子的以上。

(五)俄 罗 斯

革命以前的俄国,在少数贵族专制之下,不分男女,民众的力量都不伸张。

---

① 此处的"因为"疑应为"因此"。——编者注

这个国家,并不是只有男子得享受民主政治的恩惠而女子除外,乃是男女都一样没有政治的权利。这样极端专制政治的结果,凡是多少有点进步思想的男女,都相率加入革命运动。所以即使像英美那样提倡和平女权运动或改良运动的自由主义者,也都加入革命的队伍。因为革命旗帜底下的派别复杂,所以自由主义者和主张无产者经济解放的人两派之间,当然不免有激烈的斗争。

俄国因有上述的情形,所以在大战以前,高等教育机关,虽然对于男女同样地开放了,而妇女运动终究未能发达。

三月革命,是社会主义各派利用 1917 年 3 月 8 日妇女宣传日的示威运动的机会,爆发起来的,这是最近的事,不必絮说。这年 11 月 7 日,克伦斯基政府颠覆,共产党政府成立,同时把男女间一切的不平等废除了。新宪法制定的根本目的,是"完全废除一切人对于人的剥削,永久撤废社会阶级的分裂,实现社会主义组织"。这个宪法规定:"凡从事于社会有益的劳动而取得生活资料的人以及因为使这些人从事劳动而在家庭工作的人、从事农工商业等一切种类的劳动者和使用人、不雇用他人的劳动以取得利润的农民和哥萨克农业者",不分宗教别、民族别、国别、性别,凡满 18 岁者,皆有苏维埃的选举权及被选举权。

新宪法颁布,政治上男女的地位固然是平等了,但单是这样,妇女们还不能和男子携手做政治建设的事情。因为妇女受了传统习惯的熏染,加以不识字的太多,所以发生了很多障碍。革命以后,政府虽努力办成人教育,而妇女中不识字的人,还有全体 73%,比较不识字的男子,约有 3 倍的比率。妇女中无智识的这样多,所以郡与村苏维埃的选举实行之时,妇女放弃选举权的人,占有选举权者总数 86%,投票者只有 14%。州苏维埃选举时更甚,投票者只占妇女有选举权者总数 5.5%。全俄苏维埃大会选举时,行使选举权的人,只有 2.9%。行使选举权的妇女已经这样少,那当选为委员的人当然更少了。1922 年,在郡执行委员会当选的女委员,只占全体委员 9%,州执行委员会的女委员,也只有 23%。

照以上所说,女子得到了参政权,却因没有智识不能利用。新俄的国家机关,有赖于妇女协力的地方是很多的,所以政府认为有发达女子教育、减少女子日常生活障碍的必要,讲求种种补救的方法。

1918 年,以施行政治教育为目的,特于共产党设置妇女部。妇女部是专为没有读书、讨论、集会等习惯而忙于家事虚度半生的无产妇女设置的,先就育儿、食粮、被服、住宅及其他日常生活的浅近问题,作平易的讲演或讨论,然后再教以社会主义的理论。那些于妇女生活全体有关系的问题,同时又是国家的政治问题,对于国家政治冷淡,其结果就和不顾及自己和儿女的生活是一样,都是根据事实做通俗恳切的说明的。施行这种教育的手段,是由女子工场劳动者中,挑选一批代表出来,使伊们参加苏维埃各部,或学习国家的政务,或举行读书讨论的集会,以 3 个月为期,期满再挑选一批,轮流学习。此外又于都市或农村,召集无党派的妇女大会,练习讲演、讨论和决议等事。又组织主妇会,实行家庭的户外访问,开读书会和研究会,使见闻社会一切问题的智识,以做练习批评力的机会。

十一月革命以后,政府于各地方苏维埃设立妇女局,处理妇女及儿童保护的事务。男女的工资率平等;一切职业都为女子开放;妇女参与重要政务的人,政府一律欢迎、奖励。妇女已有充人民委员和大使的,这是大家都知道的事。但对于妇女的健康有害的劳动(如化学工业、矿山的地下劳动等),却禁止妇女工作,夜工也是禁止的。劳动时间每日 8 小时(授乳期中的女工 6 小时),产前和产后,有 8 星期的休息期间,照常发给工资。除婴儿的食料和被服之外,更发给产母以营养品。国立产科医院,不当慈善事业看待,一般妇女,人人都可利用。对于希望在自己家里分娩的妇人,也发给必要的费用和物品,医生和产婆的费用,由国库负担。

为节省主妇和做母亲的劳力,俾便从事公共活动起见,又设有乳儿寄养所、寄儿所、儿童公社、寄宿学校等,全国都一律办理,炊事、裁缝、洗衣等事,都逐渐离开主妇之手,移于公同的组织之下经营。

反对俄国的人,都说俄国实行"妇女国有",日本人也信以为实,大兴愤慨,实际上却是相反,妇女们也不是国有,也不是男子私有,乃自己归自己所有的主人翁。新的婚姻法,根据于男女平等的原则,结婚只需打一个报告就发生效力,夫妇结婚之后,要用哪一个的姓氏,可以自由决定。结婚以后,或保留自己的国籍,或变为夫或妻的国籍,都可以任意实行。离婚或由双方合意行之,或仅由一方的希望,亦可办到。结婚后,双方的财产,不一定归公,如双方订有这种契约,在法律上不发生效力。妻或夫,在婚姻期内,或在离婚以后,如一方陷于不能劳动的状态,他方须负抚养的义务。但对手方面确实没有担负抚养的能力,则由国家抚养。对于子女,父母协同行使亲权,子女未成年期内,父母协同担负保护监督的义务。离婚之时,或由双方协议,或经裁判的结果,决定由父母的某一方面,担负教育的责任。但养子制度,绝对禁止。俄国的儿女,不问是谁生养的,都作为社会全体的儿女看待,不是父母的私有物,所以做父母的不能任意赠送他人。嫡生儿和私生儿的称呼,完全废止,不问结婚与否,一切做母亲的人,都有做母亲的平等的权利,受国家平等的保护。一切儿女,不问做父母的法律关系怎样,都当作全社会的儿女抚养,都享受平等的权利。未婚的母亲,至少须在临褥的三个月以前,将受胎的时期和那做父亲的人的姓名住所报告于官厅。被指为父亲的人,若不承认,须在两星期以内提出抗告。然被认定为那胎儿的父亲时,这人必须担负妊孕、分娩和扶养所需的费用。那做母亲的若曾经和几个男子发生关系,这些费用就由那几个人分担。未经法律手续结婚的,也认为事实上已经结婚,不许重婚。

要而言之,据俄国的新制度看来,结婚离婚都很容易,不论手续怎样,事实上过着结婚生活的男女,都有同等的权利义务,对于儿女有做父母应尽的义务。

俄国劳动组合,在奖励妇女加入的一点上,固然有很大的功绩,但依据在政治机关方面同等的理由,妇女所占组合的责任的地位,却是很少。因此1922年9月第五次全俄劳动组合大会,决定组织妇女为组合一般事业的一部,并任命拥有多数女工的组合或职业内部的专门妇人组织者。1924年女劳动组合员,占总数37%,占争议委员22%,占劳动保护委员32%,占教育委员30%。组合的干部,不但不排斥妇人,而且希望妇女去做事,奖励妇女加入高级机关,但妇女进步稍迟,不易实现。

农村妇女的教育,是最难办的事情,但近来也很有成绩。欧俄中部的里白几郡,在1924年,村苏维埃有67名农妇当选,州苏维埃有31名农妇当选。那些苏维埃之中,妇人当选为议长的也有几处。这一州,也有妇女做裁判长的,农业委员会也有多数农妇参加。在亚塞尔巴江地方,当1922年时,各处苏维埃的女委员只有一二人,到1923年,就加到25名至50名。俄国各州,常开农妇大会,讨论日常生活问题,以及外交政策和德国的国情等一切事项。农妇自己主笔出版的农民新闻,也有数种,以善于组织而闻名的农妇也不少。

随着经济改革而起的男女关系的更新,不但欧俄是这样,就是属于苏俄联邦的近东、远东、和中央亚细亚一切民族,也大受影响。数年前伏处深闺的回教(伊斯兰教)妇人以至山地半开化种族的妇人,那风俗、习惯思想上,也都起了急剧的变化。

俄国革命,是人类破天荒的事情,在全世界妇女看起来几乎是一件很可惊而难信的奇迹。

(六)中　国

大战以来,受了世界社会大变化的影响,尤其是受了俄国革命的影响而急速觉悟的国家,要算是和俄国境界相接的回教(伊斯兰教)各国了。这些国家的妇女,看见俄国境内姊妹们地位的向上和智识的进步,自不得不反省到本国的状态。所以土耳其波斯那样快要死灭的陈旧颓废的国家,当着那国家脉管中沸腾着青年民族精神的血液,高叫着民族解放的标语的时候,那妇女解放的呼声,也跟着提高起来了。至于老大国家之中也有觉悟的,要算是中国的变迁了。

世界文明先驱的中国,一旦从长年大梦醒过转来的时候,他们的国土已不是自己的东西,他们的民族,已化作外国资本的奴隶了。青年的中国,在和外国资本决战以前,就不得不先和那出卖国土与民族的旧帝室以及一切封建制度习惯决战。在关系民族全体运命的这种重大危机,必须男女一致去加入斗争的,男子的妇女观不论是怎样,总没有不希望女子协力于国家大事的理由。所以每逢革命发生,新的中国妇人的活动,总能够加增势力,而伊们这种活动到了具有民族的重要意义时,自然会发生男女平等的要求。所以仰赖青年男女的支持,成了中国改革所不可缺的要素。

全关西妇女机关杂志《妇人》第二卷第二号,曾载有《政治上社会上有伟大觉悟的中国妇女界》一篇文字,对于中国妇女运动的介绍,很得要领,这里特将全文引用出来。作者为大阪《朝日新闻》记者中村桃太郎。

中国妇人开始做团体运动,是最近十几年以来的事情。当时中国,因为义和团事变的结果,觉悟到本国文明不是怎样可以尊信,就有提倡研究外国文明的必要,以前伏处深闺的妇女们的耳中,听到了这种呼声,也有到外国留学的,也有凭借着书籍观察天下的情势的。然而本国的状态,内则感受满洲朝廷重大的压迫,外则感受列强横暴的侵略,真所谓国事日非,所以国内虽有急进缓进之别,而革新的机运,却是澎湃起来了。因此有见识的妇女们,就向着这方向,和男子携手致力于革命运动。有名的秋瑾女士虽成为最初的牺牲者而见杀,而妇女方面有力的团体却随着男子革命的热烈成立起来,到辛亥革命爆发的时候,就有浙江女子军、湖北国民军、女子决死队、暗杀团、江苏女子军团、女子共和会等团体发现,都站在战线上去奋斗。但这些运动,只是参加一般政治运动的一小部分,并不是后起的妇女自身的运动,而且也没有站在和男子同等的地位,左右社会政治运动的大力量。并且也没有可以从事这样运动的社会的余裕,做这种运动的妇人,也没有走到这一步来,加以这样思想尚未普及,所以没有大的力量发生出来。

后来,从事这些运动的妇女们,渐渐地从推倒清朝的工作,进到妇女解放的方面,开始有真正的妇女运动起来了。当革命成功之时,这些妇人所组织的女子参政会、女子共和会、女子同盟会、女权维持会、女子后援会等政党或社会运动的团体,便出现于上海、北京、广东各方面,同时男子方面,那革命党所组织的同盟会,也于政纲之中,插入"主张男女平等"一项,援助妇女运动,所以妇女运动愈益得力。加以受革命运动所刺激的妇女界,也能觉悟到自己的地位,妇女运动因而更加兴盛起来。民国元年一月,全国妇女代表成立妇女参政同盟会于南京,推林宗素女士为会长,宣言九项的政纲:1. 男女同权之实现;2. 女子教育之普及及实施;3. 家庭妇女地位的向上;4. 一夫一妇主义之实行;5. 自由结婚之实行与无故离婚之禁止;6. 妇女职业之励行;7. 蓄妾及妇女买卖之禁止;8. 妇女的政治地位之确立;9. 公娼制度之改良。如此堂堂的妇女运动,耸动了各方面的观听。但是这种运动,因为一部分急进派和卖名的妇女惹事招非,失掉了各方面的同情,那做首领的人成了非难的目标,因此离职,而这项运动也归于失败了。不过这中间也有成了大功的,便是革命发祥地的广东。当时广东不但承认妇女有选举权和被选举权,而且临时省议会最初就有李佩兰等 3 名女议员参加,接着又选出了 7 名的女议员。但这些运动,原是革命的副产物,且含有政治色彩,一般国民,还不能理解革命的精神,所以到革命党失势而军阀政府强有力的时候,就消灭下来了。不过一旦发出来的思想,不是外部的压迫可以消灭的,只是暂时成为潜伏的、研究的罢了。因此这种思想,渐渐脱离职业的运动家的范围,而真实地流传于教育界了。所以这种思想,到了"五四运动"当时就表现出来。而其势力的中心,便是上海、广东、汉口、长沙等地的女学校。这个运动当中,思想的色彩愈益浓厚,恰好当时中部和南方各省,都有联省自治运动发生,于是就和这种运动结合起来,带有政治的色彩。民国九年,湖南省市民于革命纪念日举行召集省宪法会议的示威运动,当时有多数妇女要求"结婚自由"和"身体自由",到十年二月湖南女界联合会成立,提出男女平分财产、公民选举及被选举权、教育同等权、职业对等权、婚姻自决权等五项要求,从事运动,于是省政府在十二月发布之省宪法,承认妇女有身体自由,并给以参政权,十一年选举省议员时,遂有女议员一名当选。

浙江省,自五四运动以来,成立女界联合会,于民国十一年设置地方自治筹备处之事,盛行参政运动,九月间省政府所发布之省宪法草案,也承认了妇女的参政权。

至于广东省,如上所述,在民国初年,就已经有了女议员。以后在具体上虽没有发展,表面上也似乎沉寂,但当五四运动之时,女教育家和女学生成立了广东女界联合会。民国十年的省宪法,也承认了女子参政权。

然而中央的北京,当时军阀势力很大,省自治一事并不成问题,直接的参政运动没有成功。民国十一年六月,直隶系军阀战胜奉天,为收集人心起见,召集第三次宪法会议。其时男女同学,已经实行,北京专门以上各校女学生,认为不可错过的好机会,立即发起参政运动。但他们的干部分为两派,一派是以中国大学和法政专门学校的女生为中心的女子参政协会,主张于宪法上规定男女平等的权利,经吴景濂、林长民、褚辅成等各方面的介绍,向国会提出请愿书,此外又派遣代表赴各地纠合同志,发行杂志,从事宣传。努力的结果,河南、山东、湖北、江西、江苏各地妇女会参加者颇多。

另一派是以女高师为中心的，伊们更为猛烈，不但主张在宪法规定妇女参政和男女平等，并揭举制定女工保护法，及禁止娼妓及买卖妇女等纲目，参加实际政治，也举行讲演，发刊杂志，征求同志，向国会提出请愿书。这些运动，多由女学生做中心，所以传播很广，伊们毕业之后，依旧从事运动，而新进的女学生，多半加入，势力更是巩固，这两派参政运动的支部，以及各地类似的妇女团体，都受了伊们的刺激，或者做政治运动，或者做社会改良运动。其结果，民国十二年，内务部发表废娼计划，司法部发出禁止蓄妾令。然民国十二年十月十日北京政府所发布的新宪法之中，仍未插入妇女参政和男女平等的明文。可是当时南方的国民党大会，却已设立了妇女部，并有一名女中央执行委员。

北京方面，妇女们要求在宪法上确定妇女地位的运动，归于失败，一时失掉了活动的目标。当时直隶系受了各方面的攻击，到十三年九月反直隶系打倒直隶系，由北洋军阀推戴段祺瑞做执政。段祺瑞把这回的政变看作革命，废除十二年所发布的宪法，另立新制度，而与段氏协力收拾时局的孙文氏，他是国民党的首领而承认妇女参政的人，所以妇女们又活跃起来了。但当时宪法须由国民会议制定，对于妇女的要求，尚未表现。

最初，上海各女学生团体，以及南洋烟草公司失业女工会、华商烟公司女工会等十五团体，组织上海女界国民会议促成会，以参加国民会议为目的，通电于孙段两氏要求赞助，并通电各地妇女团体一致进行。所以浙江、天津、广东等处的妇女团体，都努力宣传，做了运动的急先锋。此后的参政运动和社会运动必同时扩张于各方面。

（十三年①十二月二十一日）

中国的国民运动，和那要求由外国资本解放的无产者运动，利害一致，可说是"二而一"。渐趋于热烈的这种运动，有要求妇女一致努力的必要，所谓妇女解放的要求，已无议论的余地，这只是看那民族的阶级的运动成功与否而

---

① "十三年"即 1924 年。——编者注

定的。半野蛮国俄罗斯,超过先进文明国的英吉利、法兰西,着了妇女解放的先鞭;同样,东洋颓废的老朽国、外国资本的奴隶国的中国,也会超过所谓先进国之前,垂下妇女解放的模范,为期或者不远罢。

（七）日　本

镰仓时代以后,到封建制度末期为止,最能表现日本妇女地位的真相的,要算是贝原益轩所著的"女大学"二十一条了。

"妇女别无主君,应以丈夫为主人而敬慎以事之,不可轻侮。要之,妇人之道,在于从人。对于夫君,须和颜悦色,殷勤将事。有疑义时宜询问夫君意旨而行。夫君见问,须正确返答,如语涉暧昧,即为无礼。夫君发怒时,宜恐惧以从命,不得反唇相稽,以逆其心。女以夫为天,勿逆夫以受天罚。"

"一旦出嫁于人家,即以不出其家为妇道,此乃古圣人之教训。若有背于妇道而被出,乃一生之耻也。妇人有七出之条。一、不顺舅姑者出;二、无子者出,盖娶妻所以生子续后也;但妾有子则妻不当出;三、淫乱者出;四、妒忌心重者出;五、有癫疥等恶病者出;六、多言不慎,以至六亲不和而乱及其家者出;七、有窃物之心者出。此七出皆圣人之教也。"

到明治维新之时,支配两性关系的东西,就是这种思想。受了儒佛两教的影响以及成为封建时代武家制度的结果而产生的这种女性道德,其阻害女子心身的发达,可说是达到极点了。

这样的思想,即在维新以后,也还保留很久的年月,所谓女子教育,是在一切别的改革之后才着手的。

立在封建制度废墟上面的新资本主义日本的建设,不能不仰赖那占国民一半的妇女来协力工作。任何国家,当其变迁之始,产业还不大发达,这时候最需要女子协力的方面,要算是教育后起的国民的教育事业了。所以日本明治七年,就创立小学女子师范,作为养成女教师的机关;其次,少数的女学校和多数的小学校也创办起来。这时候,社会上一般人,觉得男女间智识能力悬隔过大,足以阻碍新兴日本的发达,加以感受外来尊重女性的思想习惯的刺激,就发生了反对"女大学"的道德习惯的议论。明治九年,代表当时新思想的基督教徒土居光华,就出版了"近世女大学",主张基督教的一夫一妇制和妇女人格的平等。明治十五年,约翰斯体亚特弥尔有名的"妇女之服从"一书的日文译本出版;明治十八九年,福泽谕吉氏著妇人论及男女交际论,攻击封建的男女关系的习惯,主张妇女之个人的自由、基于理解及爱情的结婚、及严正的一夫一妇制——蓄妾制尚为当时所公认。

从明治十年到二十年的时代,是自由民权论最盛行的时候,也是急剧的欧化主义流行的时代。新兴资本阶级,也想踏袭封建的传统思想和习惯,建立新的自由社会关系。可是这些自由主义新进气锐的战士,终于卷入了后起的爱国和国粹主义的潮流之中。觉悟稍迟的日本,把争夺朝鲜和满洲当作发展资本主义的好食饵,不得不和强大的邻国作对。于是一面扩张军备,一面唤起国粹主义精神,准备战争。因此,明治十年以来发芽的自由民权论和男女同权论,到日华战争时为止,已完全被国粹主义征服了。明治三十年以后所实行的民法,虽然踏袭外国个人主义的立法,却仍旧要固执封建的家族制度,两者之间虽有种种矛盾,而男性本位的思想并无变动。封建式家长制度遗物的户主制度,不仅束缚妇女个人的自由,而且把已结婚的妇人作为未成年者、禁治产者或残废者一样看待,作为在法律上没有能力的人,不能管理自己的财产,而须将财产移归丈夫管理。又,实行长子承继法律的结果,丈夫死后,妻子没有继承丈夫的遗产权利。妻子如与丈夫以外的男子相通,即作为奸通罪,丈夫可以和伊离婚;丈夫如与妻子以外的女子相通,妻子不能据以为离婚的理由。而且妻子私通于人,如经丈夫告发,须处 2 年以下的劳役。

在政治上,妇女没有中央及地方的选举权和被选举权,而且在明治三十二年以后,复经治安警察法第五条之规定,连加入政治结社和政治集会的权利也被剥夺了。

自从日华、日俄两次战争以后,日本资本主义大见发展,妇女的活动区域,也随产业的膨胀而日趋广大了。教育事业、商样业、官营事业等一切方面,都大大地利用妇女的劳动,妇女的经济独立因而增加,人格的自觉因而发生,对于旧式家族制度的反抗,对于偏颇的道德、教育的诅咒,也自然而然地起来了。

此时以前,少数社会主义者,曾经介绍过马克思派对于妇女问题的研究或解说。明治三十八九年,虽有西川文子、今井歌子、远藤清子诸氏,接受这种思想,提出妇女参政的请愿,但是没有成为问题。

明治四十四年九月,平塚明子等少数女文学家,拿"青踏"杂志做中心,为妇女之个人的自由吐气。此种运动的目的,原在发达女流文学,多数都没有作进一步的主张,只有平塚明子和伊藤野枝两人,能够脱离文学境界,把妇女问题当作社会问题着想,纯粹用个人主义的见地,批评并解剖妇女生活。"青踏"杂志上所表现的思想,极其幼稚复杂,伊们大部分都是有产的、年轻的、喜欢文学的小姐,智识和观察虽然肤浅,却很能和一切旧道德习惯奋斗,伊们的热诚和勇气,对于一般受封建习惯束缚的妇女们,实曾给以异常的刺激。但这个运动,后来因为伊们受了种种牵制,终于冷淡下去了。

世界大战,使得日本资本主义得到了突飞猛进的发展机会,同时各种业务对于妇女劳动的需要也增加了。这种趋势,一面促进了妇女的独立和自觉,同时世界各国妇女运动的成功——法律上、政治上平等的实现,也与日本妇人以不少刺激。这种社会变迁的结果,使得那倾向抽象的思索和哲学的个人主义的平塚明子辈,重新变为实际的战士,伊们欢迎市川房枝等一流人,于大正九年,组织新妇人协会,企图妇女地位的改善。伊们奋斗两年的结果,于大正十一年要求议会改正了治安警察法第五条,从此妇女也有参加政治集会的权利了。

新妇人协会成立只有两年,便解散了。但以后妇女解放的要求愈强,而且趋于普遍化。大正十三年十二月,除已成立的两个妇女参政同盟之外,市川房枝、新妻伊都子、河崎奈津金子茂等一般非职业的运动者,重新成立了妇女参政期成同盟会。这三派互相提携,为同一目的而奋斗。虽然是不彻底而且非具体的事情,而在男子普通选举既告成功之后,这种运动,必当愈益得势。

要求教育上机会平等的运动,也和参政运动并行,而日趋显著了。在初等教育,男女两方固略有不同,而程度大致一样,至于中等教育,男女学术的差异却非常显著,若说到中等以上的教育机关,除了两个女子高等师范和音乐学校以外,殆归男子独占。大学的听讲制度,对于女子塞断了学习高等课程的途径,事实上不能发挥效力,所以到了大正十四年,就有女子学生同盟组织起来,该同盟会员 400 名,分途奔走,或向当局陈情,或从事唤起舆论,以期达到目的。

　　大正十四年三月十日，几乎可说是议会的"妇人日"，关于妇女解放的各种议案，一律列入议事日程，帝国议会开始以来，那反动的有产者议会的议员们，最初把妇女问题当作眼前切迫的问题，就算是这一天了。

　　这一日开议的，是治安警察法第五条改正法律案，即承认妇女加入政治结社一事。这一案虽经众议院通过，却被贵族院搁置了。

　　第二是关于振兴女子高等教育的决议案，第三是赋予妇女以参加自治团体的公民权的建议案，这两案虽经众议院通过，却都是建议案的性质，只能促起当局注意，并无拘束力，前途尚未可乐观。

　　自从"青踏"一派妇女提倡妇女解放以后，日本的妇女运动，约经 15 年之久。现在站在运动的第一条线上的人，和当年"青踏"社的同人不同，伊们不是无生活责任的良家小姐或女学生，乃是中年的职业妇人或主妇，伊们多年靠着自己的力量，或者和丈夫同负生活的责任，抚养子女，饱经了世路的辛酸，努力奋斗，直到今日。伊们的学识经验、年龄，都远在"青踏"社同人之上。往日"青踏"社同人，只是漠然地空想地希望"发挥那潜伏于女性身上的天才"，而现在的妇女运动者，却更进一步作妇女参政及其他更具体的、实际的要求。我们单就运动的指导者比较，也可以看出十年前和今日之间，那运动的进行，已经快要到成熟的地步了。

　　以妇女解放为目的的团体，离合无常，往往惹起世人嘲笑，甚至有人质疑于妇女解放的可能性。这种事实，诚然不错，我们仅由某种一定的团结的历史观察，本来有许多主张不彻底、团结力薄弱、战术拙劣、寿命短促的。但就日本妇女解放运动的潮流看起来，却有一定的思想的联络，有自然的发展的途径，我们不要把那观察的对象放在特定人物、特定团体的短期事业上面，只要看看长期间妇女解放的大潮流所趋的地方，就可知道那些不仅是悲观的材料。

　　除了上述运动之外，那在大正八九年暂时抬头的社会运动潮流中，也有妇女社会主义的团体的赤澜会，成为日本社会主义同盟的一部。赤澜会本不是实际运动的团体，只是研究社会问题的很弛缓的结合，会员约 40 名，由仲曾根津代、堺真柄等所指导，后因官吏猛烈压迫，未得发展机会。

　　到了最近，无产党组织的要求增高，大正十三年构成无产政党重要份子政治研究会，经岛中雄三、青野季吉诸人努力组织起来，内有妇人部，是以新妻伊都子、堺真柄等为中心组成的。这妇人部于大正十四年三月七日,在东京劳资协调会馆,举行了第一次演说会。随着无产政党运动的发展,那妇人部已不是赤澜会那样智识分子的集合,自当进而为无产妇人的组织了。

日本的妇女劳动者(工场矿山及其他),据大正十二年底社会局的调查,有 1259502 人,加上农业及其他职业妇人,共有 358.1 万人(据大正十三年底社会局的调查),在女子总人口 2800 万之中,约有 13% 独立从事劳动。这些妇女劳动者,完全在无组织的状态,近年男劳动者中发达的组合运动,好像没有顾及伊们的余暇。日本的妇女劳动者在产业上所占的地位,虽比男子还重要些,却几乎被无产阶级运动除外了。这时期中,只有友爱会的妇人部曾经在大正六年底担当了组织女劳动者的责任(虽然女劳动者人数很少)。大正八年开大会之时,经女代议员野村伊智和山内见奈参加,整顿了妇人部的新阵容,市川房枝氏被举为职员正式就任了。

是年十月,为阐明劳动妇人对于国际劳动会议的态度,于本所区业平小学校,召集妇女劳动者大会,纺绩工场约 1000 名的男女傍听者出席,有 9 名女工试行热烈的演说,要求劳动条件的改善。这在资本家和社会上一般的人看来,以为伊们女工不过是些无知识的封建时代的服役者,现在竟能这样表明自己的地位,真可算是惊人的事件了。日本女工自己站在公众之前陈述自己主张的记录,也以此年为始。友爱会后改称日本劳动总同盟,大正九年七月,该总同盟妇人部的中坚东京府上押下的富士纺工场,为要求确认组合权,举行大同盟罢工,有女组合员 1800 名,对于公司的怀柔和官吏的压迫,勇敢作战,但最后归于失败,那组合也消灭下去了。

大正十二年,妇女组合运动又逐渐发达,到大正十三年九月,日本劳动总同盟的女组合员有 1260 名,加上别处女组合员,共约 7700 名,只占全体女工场劳动者 1% 罢了。总同盟妇人部的活动者,在关东为野坂龙子、丹野世津子,在关西为久津见房去及山内见奈子,多数女战士,都由伊们训练。

从事农业的妇女,有 131.59 万人(据大正十三年东京市社会局调查),若加上在家庭由父亲或丈夫指导的农妇,共计约有 650 万人。大正十一年十二月成立的最大农民团体"日本农民组合",到大正十三年年底止,有组合员 5.5 万余。大正十三年四月在大阪天王寺公会堂所开的农民组合大会,有熊本县的代表彬谷津摩高呼有团结农妇加强农民运动力量的必要,于是便因这个动机,产出妇人部,不过一年,便有 6 万会员。妇人部运动最盛之处为冈山县、香川县、熊本县,及京都府。关于小作争论而站在第一线上奋斗的妇人也多①。做妇人部的委员的人,为山上君惠河本小夏诸人。

---

① 此句疑有排印错误。——编者注

七、两个指导精神

　　妇女问题和妇女运动,怎样发生、怎样发展,上面已经把大略介绍了。世界上的人,对于妇女社会的协力的重要,不单在平时的产业上感觉到,而且因为大战的经验也痛切地感觉到了。所以大战以后的各国,对于教育、职业及参政各方面的男女机会均等,在理论上已认为当然之事,而在形式上,至少可以认定妇女运动已经得到胜利了。

　　但实际的社会问题,不是单单的法律上形式的平等所能解决的。"法律之前的万人平等",在以私产制为基础的经济的阶级对立社会,只不过成为一片的空文;同样,男女的机会均等,在原则上虽经承认,而在大多数妇人照旧做有产者和男子附属品的组织之中,仍没有发生什么大变化。于是发生出来的问题,便是怎样打破这种状态,造出男女真正平等的社会,以实现妇女完全的解放? 大战之后,为解决这个问题,曾发生两个大潮流。其一,是美奥各国坚持女权论者集团的妇人党的运动;其二,是第三国际妇女部的活动。

　　妇女解放的反对论者,力言男女先天的差异,以为两性在社会上、政治上的协力是不可能的,而且是不利益的,前面已经说过了。可是最奇怪的事情,那些急进分子的女权论者的妇人党之中,也有人做这样的主张,伊们以为两性之间存有先天的差异,因而有不可超越的利害不一致,所以引出一种结论来,说妇女们要代表与男子不同的利害,应当超出一切阶级的差别,做纯粹意义的女性结合,组织在社会上和政治上与男性对立的集团。最近维克多里市的哥尔顿女士当作"妇女的抗议"而分送于各国妇女团体的意见,很能代表妇人党一派的倾向,特在这里译录出来。

　　一、大战期内妇女的活动,证明了妇女不倚靠男子也有经营大事业的能力。

二、妇女无论是用个人资格，用集团资格，总以离开男子独立行动，能够成就伟大的工作，这是经验所表示的。

三、妇女比较男子，更是道德的，所以在政治上，必须从事于社会改良事业——尤其是为妇女儿童谋利益。

四、为谋此项事业之成功起见，妇女团体不加入任何党派，必须完全独立。

五、妇女不分社会阶级的区别，概为同性的利益，而集合其所投之票。

六、若是妇女的投票，站在两大政党之外，妇女就可以成就一切改革事业。

七、妇女应由有选举权的妇人组织妇女评议会，专为增进妇女及儿童的利益问题，开会讨论，并制定法规。

八、妇女应当按照有选举权者的人数的比例，选出代表。

九、妇女应有保护同性幸福和利益的议会。男女议员间意见如不一致，可开男女两院的协议，取决多数。

十、妇女须选派代表参加于内阁，方可与阁员协议一切事宜。

十一、妇女的选举日须与男子同日行之。

十二、妇女评议会，可与男子评议会一样设置执行委员会。

十三、男女不得相互对异性投票。

这种意见，把男女看作两种利害完全不同的人类，把妇女儿童的利益，当作和包括男女老幼的全社会利益相对立的特殊要素，可说是几千年来成为文明特征的两性对立和性的偏见的遗物。要而言之，无论法律上形式的平等怎样，在资本主义社会，总是不顾妇女儿童的利益的，除了这种社会不能想到别种社会的女权论者绝望的态度，已在上述的意见中表明出来了。

此外还有一个妇女解放运动的中心，是第三国际的妇女部。大战以前，各国社会主义运动，虽然认定组织妇女为阶级的必要，但因为有许多困难，只在原则上认定新社会中的男女可由经济的阶级制度之废除而一律解放罢了，实际上对于都市和农村无产妇人的智识程度以及相当的政治教育，却是没有顾虑到。然自大战发生以来,从俄国为始,各国的革命及反革命,已经证明妇女们阶级意识的发达和阶级组织的有无,对于全体解放运动有很重要的关系。尤以战后各国承认妇女参政的结果,若照旧不给妇女以教育,那么,各国有选举权的妇女们,会成为无产者的敌人(如英国保守党的胜利、法国国权党的胜利,都有赖于妇女投票的),终至破坏解放运动,所以第三国际于本部设立妇女部,又于各国支部设立妇女部,担负无产妇女的教育、组织和联络的责任。第三国际成立于1921年,其后每年开大会一次,召集各国无产政党的妇女部代表行之。他们的决议案是:

"无产者的协同战线及其扩张,必须小资产及无产的妇女们,对于无产者一切的斗争,拿出和男子一样热诚和决心来,才能做到。反革命派早已看出有使妇女协力于这些斗争的必要,所以一切改良主义政党和法西士蒂政党,为他们自身的目的而努力利用妇人。根据这些事实,我们必须赶快从反革命势力救出无产妇人,加入我们的战线。"

"由目前国际形势看来,最紧要的事情,是要使近东和远东的妇人起来参加国际运动。东洋方面,那些被压迫被掠夺的民族,已经开始反抗他们的压迫者,要求国民的独立,并反对一切种类的支配和剥削了。同时东洋的妇人,也从几千年来黑暗的隶属中挣扎起来,为使社会承认伊们做人的事实,而要求平等的权利了。东洋妇人之参加反帝国主义运动,便是几千万反对社会生活、传统习惯及宗教偏见的束缚的军队,来参加解放的战争呀!"

(下略)

社会科学概论[*]

（1929.3）

---

    * 《社会科学概论》由日本杉山荣著、李达和钱铁如合译，1929 年 3 月由上海昆仑书店出版，至 1935 年 11 月共印行 8 版，各版内容相同。该书原目录中有"原序"一项，但正文中却付诸阙如。——编者注

译者的话

本书著者杉山荣氏说:"我本来是学习社会学——尤其德国派社会学的人,最近却觉得我们所研究着的社会学,显然是倾向于思辨的一方面,而对于实际社会的阐明、理解和把捉,似乎没有多大用处了。为充实这个缺望起见,我于彷徨和摸索之余所探求出来的东西,即是本书上所表示的立场。"他又说:"这本书可说是拿科学的社会思想家的社会观,在科学上整理排列出来的东西。"译者们觉得,这本书确是一种崭新的科学的社会科学概论,内容有许多精彩处,如书中的第三章、第四章、第五章,尤其是第三章的第四节和第六章的第一节,据著者自己说,很有些新的见解,这是译者们所承认的,而且觉得对于这些处所,也还有讨论的必要,这是我们要对读者们特别说明的。

我们生活在现代的社会里,很痛切地感到从前的社会科学没有多大用处,诚如著者所说,因此才把这本书翻译出来,借供国内人士的参考,希望读者们拿这本书和从前的社会科学书籍对照读读,总可以理解到新的社会科学的立场和它的用处。

不过原书引用各种名著中的文句太多,而且所引用的文句的理论都是很艰深的,译者们从事移译的时候,虽然努力地要把原意保存着,可是文字上总觉得不很流畅,希望读者们能够加以指正。

第一章　社会科学是什么

第一节　科　学

科学是探寻因果关系的作业。因而科学的目标,是在于从混沌的现象中抽出因果关系的法则。

然则因果关系的法则是什么?

先就因果关系来解说一番。因果关系,是各种现象间的依存关系,即是因为有了 A 现象即有 B 现象继起的关系。譬如小孩向玻璃窗投石子,玻璃被打破了。这时候,玻璃被打破了的现象,是依存于小孩向玻璃窗投石子的现象的。因而可以说这两个现象间有因果关系。

不过我们要注意的,因果关系和继起关系,不能混淆。譬如就昼夜的关系举例。夜是继昼而起的。但夜不依存于昼,所以两者间虽有继起关系,却无因果关系。夜不依存于昼,而依存于太阳的运行。因而夜和昼没有因果关系,而和太阳的运行有因果关系。

关于因果关系,还有两事应当特别注意:

第一,不可把因果关系当作已成停滞状态的孤立两现象间的依存关系来考察。向来世人把因果关系当作死物看待,以为:在一定的瞬间,有已成停滞的 A 现象,他一瞬间,同样有已成停滞的 B 现象,在两者之间有依存关系存在时,这就叫作因果关系。这种见解是错误的。一切的现象,都要当作生成、流动的过程来把握。关于这点,恩格斯曾经给了下列的注意。他说:"原因和结果,只在适用于孤立的个别的情形时,才是具有妥当性的观念。当我们把个别情形和世界全体一般地关联起来而考察之时,就可以知道个别情形和世界全体归于同一,结局两者必归着于全体的交互作用,即原因和结果不断地变换位置,现在或在这里是结果的东西,到将来或在他处就变成原因,有时还成为它的正反对。"①

第二,不要忘记原因和结果之间有交互作用显现着。这一点,由前面所引用的恩氏的注意,也可明了,又 1893 年恩氏在寄给麦林格的信札中也曾说:"把原因和结果看作固定地相对立的两极,那是对于原因和结果的通俗的非辩证法的见解,是交互作用之绝对的看过。"②又 1890 年恩氏的信札中也曾说:"所以那是无数互相交错的力,是力的平方四边形无限的群,结果——历史的事变——是从这产生出来的。"③

但是,因果关系的自身,虽能成为科学的手段,却不是科学的目标。科学的目标,不在于发见单纯的因果关系,而在于发见"因果关系的法则"。

因果关系是一次的关系。就前例重说起来,小孩向玻璃窗投石子的时候,玻璃有被打破的事情,也有不被打破的事情。我们研究那玻璃被打破了的情形,就发见了那原因是由于小孩投石子,换句话说,即是发见了单纯的因果关系,但是它还不能立即变为科学。

要使它成为科学,就要发见"因果关系的法则"。

然则"法则"是什么?

法则是现象和现象间相关联的必然性。即是有了 A 现象即有 B 现象继起的必然性。因为是必然性,所以不论时空如何,在任何处所必定常是妥当的。"生下来了的人终是死的","死了的身体终是腐烂的",这些,和上述投石、打破的情形不同,不论时空如何,都是妥当的。因而这便是法则。

但是,上述意义的"法则",还须加以重要的限制。

在严密的意义上,果能有不问时空而都妥当的法则么?(一)科学的研究,日增进步,今日的法则到明天便毁坏了,到明后天又定出新法则来;(二)科学——法则的发见和决定,是受着生产工具、生产力、生产形式、生产关系等项的影响,受着社会组织的影响的;即使离开这两项事实,姑且不说,首先我们可以晓得世间的一切都在不断地流动生成着(参看第二章第二节),顷刻都不

---

①　F.Engels.*Herrn Eugen Dührings Umwälzung der Wissenschaft Int*.Bib.1921.S.8.

②　K.Korsch.*Kernpunkte der Materialistischen Geschichtsauffassung*.1922.S.56.

③　G.Plechanow.*Grundprobleme des Marxismus*.Übs.v.M.Nachimson.1910.S.62.

静止,都不停滞。所以那在完全相同的条件之下有同一现象反复发生的事情,是不能想到的,而且也是不会有的。由这种意义说,一切现象都是一次的。这样看来,那"不问时空而都妥当的法则"之发见,完全是不可能的事情。

由此也可以说,所谓"不问时空而都妥当的法则",只不过是一种呓语罢了。

然而我们在不断地生成流动的潮流中探求一定的"类型"(Typus),却非难事①。例如为岩石所回漩的水流,是采取一定形式而奔腾的,而水之为物,却不断地更代,片刻也不静止。和奔腾的水流的"一定形式"相类似的东西,在自然和社会的流动中也可以发见出来。这就是"类型"。所以"类型"不外是近似的法则。在近似法则的意义上的法则,是可以有的。这里所说"不问时空而都妥当的法则",也只是上述意义的法则而已。

由以上所述看来,所谓"因果关系的法则",也就自然明白了。

总括起来,所谓因果关系,是各种现象间的依存关系。所谓法则,是各种现象间相关联的必然性。所以因果关系的法则,就是各种现象间之必然的依存关系。即是因为有 A 现象而必然地有 B 现象继起的关系。例如物体的温度上升,那体积就增大;液体受了充分的强热,就变成水蒸气。这些都是因果关系的法则②。因为温度的上升和体积的增大之间,不仅有着依存关系,而且有着关联的必然性;液体和蒸发之间,也有同样的关系。

由错杂的现象之中,发见那样的关系,才是科学的目标,才是科学的使命。

第二节　社会科学与自然科学

成为科学的研究对象之现象,可以分为二类:一是社会现象,二是自然现象。

社会现象和自然现象的差别,在于下列三点:

---

①　M. Weber. *Gesammelte Aufsätze zur Wissenschaftslehre*. 1922. S. 190. 191. 192.—M. Weber. *Grundriss der Sozialökonomik*. iii. Abt. *Wirtschaft und Gesellschaft*. 1922. S. 9. 10.—H. Oppenheimer. *Logik der Soziologischen Begriffsbildung*. 1925. S. 36 ff.

②　N. Bucharin. *Theorie des Historischen Materialismus*. Übs. v. F. Rubiner. 1922. S. 23.

第一，社会现象，一切都是有意识的，自然现象是无意识的。

社会现象的发生，总与人类有关系，这一层后面还要详说。所以社会现象，必须经过人类的意识才得发生。恩氏说："凡是使人类活动的一切东西，都要通过于人类的头脑。至于他在头脑之中采取怎样的形态，要依据周围的事情而定。"①

第二，社会现象，一切都是有目的的，自然现象是无目的的。

恩氏对于这一点的说明是："然而社会的发达史，在某一点，本质上表示和自然的发达史不同。在自然一方面——若把人类对于自然的反作用置之度外——交互发生作用的东西，是纯无意识的盲目的能因，在其交互作用之中，有一般的法则显现着。在发生的一切东西之中——无论是表面上所显现的无数外表的偶然事情，也无论是证明那偶然事情内部所存在的法则性之终极的结果——总没有一个是成为意欲了的意识了的目的而发生出来的。反之，在社会的历史上，行动者总是赋有意识、用反省或热情而行动、向着一定目的而行动的人类。无意识的企图、无意欲的目标，总不至于发生出来。"②

"各人为追求自己有意识的意欲了的目的而活动，即令常常不能顺利地进行，总是创造自身的历史。在种种方面活动的多数意志和这些意志对于外界的种种作用的结果，就是人类的历史。"③

证明这种差别而最切当的，要算是马克思所举的例子了。他说："蜘蛛所营的作业，也和机织工人所营的作业相类似，又蜜蜂建筑出来的蜡巢，使得木匠也有些觉得惭愧。但是最不好的木匠所以异于最好的蜜蜂的地方是：木匠于蜜蜡中造巢之前，必先要在头脑中把那巢构造起来。劳动过程最后所表现的一个结果，在开始的时候，早已存在于劳动者的表象之中，换言之，在观念上早已存在了。劳动者不仅变更自然物的形态，同时他还实现他的预定的目的——他所意识着并且作为法则决定他行为的种类形式以其意志遵从的目的。于劳动的各机关的努力之外，还有注意表现出来的目的意志，在劳动的全

① F.Engels.*Ludwig Feuerbach*.S.44.
② F.Engels.*Ludwig Feuerbach*.S.43.
③ F.Engels.*Ludwig Feuerbach*.S.44.

部继续期间中,也是必要。"①

人类以外的动物,已如前述。至于其他自然物(例如星石等)的变化,其为无意识的无目的的,更不待说了。

第三,社会现象中的劳动和自然现象中的劳动,形式各不相同。

在大部分的自然现象中,劳动虽没有显现,即在显现着的部分之中,那劳动形态也和社会现象中的劳动形态异趣。

"劳动首先是人类和自然间的一个过程,是人们因其自身的行为,以媒介、整理并统制他和自然的材料交换的一个过程。人们成为一个自然力,和自然材料相对立的。人们为要用可供自身生活使用的形式占有自然材料起见,才运动那属于自己身体的自然力,即是运动自己的腕、脚、头、手。他们借这个运动来作用于在自身外部的自然,一面变更它,同时又变更他们自己的性质。"②

但是这种"最初的、动物的、本能的形态"的劳动③在动物界也是共通的现象。因此要区别社会现象和自然现象,是不可能的事情。

于是"只属于人类的形态的劳动"④,便成为问题。

只属于人类的形态的劳动,是使用已加工的劳动器具的劳动。动物的搜集果实等事,也营着和人类相似的劳动。但其劳动器具,在原则上只是身体各部的机关,并不是使用已加工的劳动器具。能够制作劳动器具的,在原则上只有人类而已。所以马氏说:"劳动器具的使用和创造,在它的萌芽上,某种动物的种属中虽然也有,却是特别地构成了人类的劳动过程的特征,所以福兰克林所下的人的界说,说是制造器具的动物。"⑤

如上所述,劳动器具的使用和创造,是人类的特色,因而又是区别社会现象和自然现象的标帜。

总括起来,社会现象所以别于自然现象的标志是:1. 有意识的;2. 有目的

---

① K.Marx.*Kapital*.I.S.10.

② K.Marx.*Kapital*.I.S.140.

③ K.Marx.*Kapital*.I.S.140.

④ K.Marx.*Kapital*.*I*.S.140.

⑤ K.Marx.*Kapital*.I.S.142.

的;3.劳动形态的差异。

从社会现象中抽出因果关系法则的东西,即是社会科学;从自然现象中抽出因果关系法则的东西,即是自然科学。

社会科学和自然科学,若更依其不同的各种研究对象细分起来,又形成多种个别的科学。

先就自然科学说,在同以无机界为研究对象的学问之中,可以分出数学、天文学、机械学、物理学、化学等科学;在同以有机界为研究对象的学问之中,可以分出动物学、植物学、生理学、医学等科学①。这些个别的科学,各自成为个别的自然科学。

次就社会科学说,又形成经济学(即恩氏的分类中所谓以"人类生存条件"为研究对象者)、社会学(即恩氏所谓以"社会的关系"为研究对象者)、法律学(即恩氏所单称为"法律"者)、政治学(即恩氏所谓以"国家形态"为研究对象者)、宗教学、美学、教育学、伦理学等科学②。这些个别的科学,各自成为个别的社会科学。

然则如上所述,所谓"由自然现象中引导出各种个别的自然科学,由社会科学③中引导出各种个别的社会科学"的引导线,究竟是什么? 这在前面已经说过,即是研究对象自身的差异。

但是关于这层,恐怕会发生异议的吧。或许要说:先设定向导概念,从混沌现象中抽出那和向导概念相适合的现象来,加以整理,才产出各种个别的科学的,譬如先设定"人类的生存条件"的向导概念,从社会现象抽出和它相适合的现象,发见那因果关系的法则把它确定下来,这便是成为社会科学之一的经济学。例如齐美尔(Simmel),就明明是这样说的。④

这种观察方法,有充分的根据,也不一定说它是不对。但是我们却有更深入而加以考察的必要。即所谓向导概念,只不过是现实世界的反映。换句话说,对象自身的差异,不外是在人类头脑中"换置了的翻译了的东西"。若没

---

①　F.Engels.*Herrn Eugen Dührings Umwälzung der Wissenschaft*.S.81.82.83.

②　F.Engels.*Herrn Eugen Dührings Umwälzung der Wissenschaft*.S.81.82.83.

③　此处的"社会科学"疑应为"社会现象"。——编者注

④　参见 G.Simmel.*Grundfragen der Soziologie*.S.15.

有研究对象自身的差异,就不会发生向导概念的差异。这样说来,那引导出社会科学、自然科学、个别的社会科学、个别的自然科学的差异的东西,就不能不说是研究对象自身的差异了。

由前面所说的看来,科学体系中社会科学和自然科学的地位,就会自然明了。即:社会科学,是个别的各种社会科学之上位概念(Übergeordneter Begriff);自然科学,是个别的各种自然科学之上位的概念。

但是,社会科学,和经济学、社会学、法律学、政治学等个别的各种社会科学之总计,果有完全相同的领域么?换言之,社会科学自身所营的机能,果完全没有剩余了么?

对于这一个问题,可以作如下的答复:社会科学自身所营的机能,还是存留着——恰如,国家之与市、镇、乡等地方团体,虽有完全相同的领域,而于地方团体所营之机能以外,还有国家自身所营的机能存在。

然则,为社会科学所存留的机能是什么?

经济现象、社会关系、法律现象、国家形态、其他成为个别的各种社会科学之研究对象的各种现象的地位及其相互关系之确定,各种现象中一种现象的变化发达所及于其他各种现象的影响之确定,以及贯通这些现象的法则之发见规定等等,都是替社会科学留下来的使命,是"社会科学概论"的题目。

第三节　社会法则与自然法则

从社会现象中抽出来的因果关系法则,普通称为社会法则;从自然现象中抽出来的因果关系法则,普通称为自然法则。

在社会法则与自然法则之间,究竟有什么性质上的差异呢?

在答复这个问题之前,必先说明社会法则与自然法则所共有的几种限制。

不问为社会法则或自然法则,法则之为物,总不会一定具有超越时空而都妥当的绝对性或至上性。

第一,我们所认为是出发点的那种"认识",在它的性质上,不但不是绝对的正当的东西,而且往往要受"实在"的影响而变化。恩氏说:"征诸一切从来的经验,与其说认识是没有例外的不需改善的东西或是包含着正当的东西,不如说是常常包含着可以改善的东西。"①

在那样不足信赖的认识之上建立起来的科学——即法则,当然不是至上的绝对的东西。所以,昨天成为法则的东西,到明天便毁坏了,到明后天更定出新法则来,科学就有"进步"了。

固然,我们可以想定有单单处理绝对的法则的一天。但那也只是思维上的事情。所以恩氏说:"人类若是到达了专门处理那具有永久的真理、至上的妥当性或无条件的真理要求的思维之结果的境地时,那么,人类就到达了知识界的无限性在现实上在可能上都能实现的境地,到达了有计算的无数有名的奇迹已经实现的境地。"②

所以,现在我们不想觊觎那样的境地。

第二,后面还要详细说的,不是意识规定存在,而是存在规定意识;不是意识的形态规定生产力、物质的生产形式、社会关系等等,反之,乃是生产力、物质的生产形式、社会关系等等规定意识的形态。

"由物质的生产之一定形态,第一产出社会的一定编制,第二产出人类对于自然的一定关系。国家的形态和精神的见解,都是由这两件来规定的。因而那精神的生产也是一样。"③

"这些生产关系的总和,形成那社会之经济的构造,即形成法制的政治的上层建筑所依以树立,和一定社会的意识形态与它相适应的真实基础。物质的生活之生产形式,是决定社会的政治的和精神的生活过程一般的条件。不是人类的意识规定他们的存在,反之,乃是人类之社会的存在规定他们的意识。"④

所以,所谓建立法则的精神生产物,势必易受生产力、生产形式、社会关系等等的影响。马恩两氏对于"一时代的支配的观念"和社会关系的关系⑤,曾经说明了出来。又布哈林也曾说过:"市民的学者开始说到科学的时候,总是

---

① F.Engels.*Herrn Eugen Dührings Umwälzung der Wissenschaft*.S.80.

② F.Engels.*Herrn Eugen Dührings Umwälzung der Wissenschaft*.S.81.

③ K.Marx.*Theorien über Mehrwert*.I.S.381.382.

④ K.Marx.*Kritik der Politischen Oekonomie*.S.IV.

⑤ K.Marx und F.Engels.*Manifest*.Hrsg.v.H.Duncker.S.27.

用秘密的私语,说科学不是从地上产出的东西,而是从天上产出的东西。但在实际上,任何科学,不问是什么,都是由于社会……的必要产出的"①。由此可以明白知道科学究竟是由社会关系规定的。

这一点在自然科学范围内也是一样,我们翻阅西洋历史的时候,也可以间或看出有因为和社会形态不相适合而不容于当世的自然法则的发见者,有因为和支配时代的观念(例如基督教思想)相反而被排斥的自然科学的学说。

第三,一切都是不断的流动生成的,严密地说起来,一切现象的发生,不过是一次,所以要建立适合于任何时间、任何空间而都妥当的绝对的法则,是一件不可能的事情。所谓法则,只不过都是"类型"——近似法则。

第四,一切法则,只有在一定的界限内、而且在一定的条件下才是妥当的。

例如"波以耳的法则,只有在一定的界限内,才是正当。但是这个法则,在这个界限内,果是绝对的,是终极的真理么?恐怕任何物理学者都不会这样主张的罢。或者要说,在一定压力和气温的界限内,只对于一定气体具有妥当性。但他总不会否定:就是在这种狭隘的界限内,由于将来的研究,可以产生更狭隘的界限或别样的见解"②。

这种事实,在社会科学范围内也是一样,我们要在没有货币的时代或地方,建立古勒襄的法则,是不可能的;同样,要在资本主义生产的萌芽都不存在的地方,发见资本集积的法则,也是不可能的。

所以,我们说起未来的法则时,至少在那里要看见那可以成为它的根据的萌芽才好。所以说:"人类往往只提出可以解决的问题,因为更正确的观察起来,就会发见问题自身,必需有那可以解决问题的物质的条件已经存在,至少亦必在生成过程中可以把握的时候,才能发生。"③

由以上所说的看起来,可以知道法则的妥当性在很强的意义上,只是相等的东西。"所以,若有人要追求终极的绝对真理,要追求真的概无变化的真理",那么,他必不能得到结果,例如说"二的二倍是四么? 三角形内角之和等于二直角么"? 或者说"一切人类都是要死的么? 一切哺乳动物的女性都有

---

① N.Bucharin.*Theorie des Historischen Materialismus*.S.1.

② F.Engels.*Herrn Eugen Dührings Umwälzung der Wissenschaft*.S.86.87.

③ K.Marx.*Kritik der Politischen Oekonomie*.S.LVI.

乳腺么"？或者说"人类一般非劳动不能生活么？人类向来多是分为支配者与服从者么？拿破仑死在 1821 年 5 月 5 日的么？诸如此类，除了最浮薄的平凡事情通俗事情以外，总不会得到什么收获的"①。

所以，我们不主张法则的永远性或绝对性，而且也不想主张。大体上，所谓法则的妥当是相对的那个主张自身，也只有相对的意义。马恩两氏也曾嘲笑过"永远的真理"。即如马氏所说"成为研究的指南针"②的唯物辩证法与唯物史观，也绝不能说是永远的真理（这一点，第二章和第三章还要详细说），而且正是相反。例如，恩氏在《杜林氏的科学改变》中，曾经这样说道："我们于上述科学之外，还可以举出研究人类思维法则的科学，即是论理学与辩证法。但那个关于永远的真理，也不指示很善的结果的"③。

然而所谓法则只是相对的妥当的话，因社会科学和自然科学而有程度上的差异。即自然法则比诸社会法则，妥当的时间较久，妥当的空间较广。

这一点，马恩两氏也是认定的，在他们所著的书籍中，到处都可以看到。例如马氏说："经济学者所说现在的各种关系——市民的生产关系——是自然的话，其意思就是说在那关系之下，财富的生产和生产力的发展，是依自然法则而行的。因而那种关系自身（著者注：依他们谬误的见解说来），是和时代的影响没有关系的自然法则。那常常是支配社会的永远的法则"④。又说："生产无宁与分配不同——例如弥尔——把它当作离历史独立的为永久的自然法则所围绕的自然法则来叙述，而于这种机会，和那抽象的社会之不可颠覆的自然法则相替换"⑤。又说："自然科学上所能忠实证明的物质上的变动和……法律上政治上宗教上艺术上或哲学上的，质言之即观念上的各种形态，须加以区别"⑥。他这样说的时候，在他的意识中，实已潜伏着"超越了时间影响的确定的永久的自然法则"和"受着时间影响而容易动摇的非永久的社会法则"，这是容易想象得出的。这里所说"超越时间影响"、"确定的"、"永久

① F.Engels.*Herrn Eugen Dührings Umwälzung der Wissenschaft*.S.81.84.

② K.Marx.*Kritik der Politischen Oekonomie*.S.LV.

③ F.Engels.*Herrn Eugen Dührings Umwälzung der Wissenschaft*.S.85.

④ K.Marx.*Elend der Philosophie*.S.104.

⑤ K.Marx.*Kritik der Politischen Oekonomie*.S.XVIII.

⑥ K.Marx.*Kritik der Politischen Oekonomie*.S.LV.

的"的话,即是前面所说限制的意思。又,《耶司特尼埃夫洛比》杂志批评马氏的学说,也有下面一段话:"但或许有人说,经济生活之普遍的法则是同一的,不问其适用于现在或过去,都是妥当的。……据他的意见,却是相反,一切历史的时代都有它自身的法则。……当生活终结其一定的发达之时期时,即当由一阶段进到他阶段之时,就开始受别种法则所支配。……从来经济学者把经济上的法则拟于物理学及化学的法则,是误解了经济学上的法则的性质。"①马氏对于该杂志说出这段话的时候,他是欢喜容纳的(但所谓物理学及化学的法则,如前所述,也只能解做限制的意义,这是恩氏所给予我们的注意)②。

然则为什么自然法则是比较的不变的,而社会法则反是可变的呢? 这是因为自然法则主要的是由自然自身所造成而由人类发现出来的法则,而社会法则是由人类所造成并由人类发现出来的法则。

人类"作用于在自身外部的自然,一面变更它,同时又变更他自己的性质"③。但自然现象,不是由人类造成的。因为自然现象的显现,本来和人类的思维与行为,比较的没有关系。自然法则,不过通过人类的认识整理出来提示出来而已。所以自然法则,即使是被枉屈了,但那也只是通过人类的认识而整理而提示的时候才是那样的。

反之,社会现象在根本上,是适应于物质的生产,而由有意识与目的的人类造成的。因而社会法则,也是由人类适应于物质的生产力和社会关系创造出来发见出来的。用马氏的话来说,人类是社会法则的"创作者,也是演技者"④。所以社会法则,是更为敏感的反映物质的生产力或社会关系,物质的生产力(或社会关系)变化了,社会法则也是敏感的随着变化的。

"依从他们的物质的生产形式而形成社会关系的那同一的人类,又依从他们的社会关系而形成原则、观念、范畴"。"所以这些观念或范畴,和刻印那些东西(即观念和范畴)的各种关系同样,并不是永久的东西。这些东西是历

---

① K.Marx.*Kapital*.I.S.XVI.

② F.Engels.*Herrn Eugen Dührings Umwälzung der Wissenschaft*.S.81.83.

③ K.Marx.*Kapital*.I.140.

④ K.Marx.*Elend der Philosophie*.S.98.

史的、一时的、无常的生产物"①。在这个"原则"的名词之前，即插入"社会法则"的名词，也是同样的妥当。

所以马氏说："各种原则，各自有其可以显现自身的世纪。例如个人主义的原则，有着 18 世纪；权威的原则，有着 11 世纪。……假使自问，为什么那样的原则只显现于 11 世纪或 18 世纪而不显现于别的世纪，那就必然的不能不详细研究：11 世纪和 18 世纪的人类究竟是怎样的人类，他们当时的欲望、生产力、生产形式以及他们粗制的生产原料究竟是怎样的东西，最后这一切生活条件所引起的人与人的关系究竟是怎样的。像这样深入的研究这一类的问题，不就是研究各世纪的人类非神圣的历史吗？换言之，不就是把这些人类当作他们自身戏曲的创作者和演技者来表示的吗？然而把人类当作他自身的历史的演技者兼创作者来表示的时候，从那一瞬间起一面转换路径一面开始回到真的出发点。因为那成为最初出发点的永远的原则，在这里被放弃了。"②

基于以上的理由，所以说社会法则比较自然法则更是一时的，更是无常的。

第四节　其他的两个问题

一、科学与实践的关系

如上所述，科学的目标，在于从混沌的现象中抽出因果关系的法则。然则科学除了整理智识以外，没有别的任务了吗？

我们首先把马恩两氏对于这个问题的见解来研究一下。

马氏极力主张科学的实践性。他说："思维——离实践而孤立的——的实在性或非实在性的争论，是纯粹烦琐哲学上的问题。"③恩氏也曾引用"布丁的证明是吃的事情"一句英国谚语，主张科学的实践性。④

---

① K.Marx.*Elend der Philosophie*.S.91.

② K.Marx.*Elend der Philosophie*.S.97.98.

③ *Marx-Engels Archiv*.I.S.227.—Engels.*Ludwig Feuerbach*.S.63.

④ K.Korsch.*Kernpunkte der Materialistischen Geschichtsauffassung*.S.16.—G.Plechanow.*Grundprobleme des Marxismus*.S.82.

这在马氏,乃是自然的结论,譬如他说:"最初先有行为,所以他们在思维以前,首先行为了"①;又说:"服物因为穿的行为,才成为现实上的服物;没有人住的家屋,实际上不是现实的家屋"②。

据我的解释,马氏所说科学的实践——即所谓理论和实践的统一(Einheit von Theorie und Praxis)(他对于自然科学也具有同一的见解,我们看他在《德国观念形态》③上所说的"就是这'纯粹的'自然科学,其目的和材料,也是依据商业和产业,即依据人类之感觉的活动,才能取得的"④一段话,便可以充分了解),包含着三个连环的成分:第一是成为科学对象的社会生活的实践性,第二是认识的实践性,第三是依据于实践的推移。兹再分别说明如下。

第一,从来的科学,对于那成为对象的社会生活,只作静止的抽象的解释。即,他们"只把人类当作'感觉的对象'解释,不当作'感觉的活动'解释。……因而不能到达于现实的生存看活动着的人类,反之,(一切方面)只静止于'人类'的抽象性"。("德国观念形态")⑤

上述的见解,实是根本的错误,"那应该是要从现实的活动的人类出发的"⑥。"人类的存在,是他们现实的生活过程"⑦,因而"社会生活,在本质上是实践的"⑧。"所以环境的变化和人类的活动,或自己变化的合致,……只能作为实践来把握,而且合理的去了解"⑨。

第二,那种实践的社会生活之认识,又必须是实践的。

"一切从来的唯物论(费尔巴哈的也包含在内)的缺陷,就是:对象、实在、感觉性,只在客体或直观的形态去把握,不能作为感觉的人类的活动和实践去把握。因而活动的方面,和唯物论相反,只能抽象的从观念论——当然不是如

---

① K.Marx.*Kapital*.I.S.82.

② K.Marx.*Kritik der Politischen Oekonomie*.S.XXIII.

③ 本书中所说的"德国观念形态"、"德意志观念形态",均为马克思、恩格斯的《德意志意识形态》。——编者注

④ *Marx-Engels Archiv*.I.S.243.

⑤ *Marx-Engels Archiv*.I.S.244.

⑥ *Marx-Engels Archiv*.I.S.239.

⑦ *Marx-Engels Archiv*.I.S.240.

⑧ *Marx-Engels Archiv*.I.S.227.228.229.—F.Engels.*Ludwig Feuerbach*.S.62.63.

⑨ *Marx-Engels Archiv*.I.S.227.228.229.—F.Engels.*Ludwig Feuerbach*.S.62.63.

实的认知现实的感觉的活动的——去解释而已"①。

简单地说,从来的唯物论,"若不用'眼',换言之,若不通过哲学家的'眼镜'去观察,是不能处分感觉性的"②。

第三,"哲学家只不过是各色各样的解释世界罢了,但问题……"③。

"只是从现存的各种状态来说明这理论的拙劣的鼓吹,却是问题。这些拙劣的鼓吹之现实的实践的解消,这些表象之从人类意识而废除,如前所述,不是由理论的(论证)演绎所能成就的,而是由那已经变化的环境成就的"④。

"历史不外是各个时代的连续。各种时代都利用那由一切先行时代所遗让的材料、资本和生产力,因为各个时代,一方面在完全变化了的环境之下,继续那传承下来的活动,他方面依着完全变化了的活动来变化从来的环境……"⑤。

"(前略)于是意识的一切形态和生产物所到达的结果,不是由于精神的批评,也不是由于向'自己的意识'的解消(论证)或向'妖怪'、'幽灵'、'错乱'等的转化,而只由这些观念论的拙劣辩论所由生成的实际社会状态的实践……才能解消的,即历史、宗教、哲学及其他学理的推进力所得到的结果,不是批评的……"⑥。

"说及环境和教育变化的唯物论的教理,环境固由于人类……却忘掉了教育者自身必须受教育的事情。"⑦

关于上述马氏的见解,或许有种种的议论吧。但我只想说到下列各点为止:

第一,成为科学对象的社会现象和自然现象,当然是实践。(恩氏说:"运动是物质的实在形式。任何地方决没有不运动的物质,而且也不能有。""无运

---

① *Marx—Engels Archiv*.I.S.227.228.229.—F.Engels.*Ludwig Feuerbach*.S.62.63.

② *Marx—Engels Archiv*.I.S.242.

③ *Marx—Engels Archiv*.I.S.230.—F.Engels.*Ludwig Feuerbach*.S.62.

④ *Marx—Engels Archiv*.I.S.262.

⑤ *Marx—Engels Archiv*.I.S.254.

⑥ *Marx—Engels Archiv*.I.S.259.

⑦ *Marx—Engels Archiv*.I.S.227.228.—F.Engels.*Ludwig Feuerbach*.S.62.

动的物质和无物质的运动,同样是不能想到的。"①)

因而要在静止状态和抽象状态把握现象的从来的科学方法,实在是错误了。

第二,对象的认识,在两重意义上,也是实践的。——即:(一)认识是由那实践的地方的实在来决定的,所以承认自身不能不是实践的。(二)那个认识是选择判断,而选择判断,本来是实践的。②

第三,科学的目标——因果关系法则的发见和确定,不只是以它的自身为目的。恩氏说:"若果杜林氏把辩证法想做形式论理学初等数学一样,以为只是证明的工具,那么,就是完全缺乏了关于辩证法的性质的知识。而且形式论理学,在较优的意义上,首先是发见新结果的手段,是由已知到未知的进步的手段,辩证法也是一样。"③

这一点,对于科学也是相同的。而且只有这样,不能超出这个范围。

二、社会科学的方法

如上所述,社会科学的目标,在于从社会现象中发见并确定因果关系的法则。但是他的方法究竟怎样?

关于这个问题,我们必先把研究方法和叙述方法区别出来。"叙述方法,在形式上当然要和研究方法不同。"④

我们先从研究方法开始考察。但社会科学研究方法怎样?

"所谓研究,就是把材料——当作自己的东西,来分析那一种发达形态,追求那内在的纽带的事情。"⑤例如选定"社会"的特定材料,把它加以充分地检讨,完全作为自己的东西,接着分析它的发达形态——即封建的、古代的、亚细亚的各种社会形态,追求那内在的关联。这就是社会科学的研究方法。

在这种研究方法,有特别要注意的两件事:一是关于所谓"分析"的;一是

---

① F.Engels.*Herrn Eugen Dührings Umwälzung der Wissenschaft*.S.49.50.

② W.Windelband.*Einleitung in die Philosophie*.1923.S.8-13.

③ F.Engels.*Herrn Eugen Dührings Umwälzung der Wissenschaft*.S.136.137.

④ K.Marx.*Kapital*.I.S.XVII.

⑤ K.Marx.*Kapital*.I.S.XVII.

关于"追求内在的关联"的。

第一,不可混同分析与抽象,而实行没有分析的抽象。"例如人口,除掉构成它的阶级之外,是一个抽象,这些阶级若是不知道构成那基础的各种要素——例如工钱劳动与资本等,也是一句空话。这些东西,也是以交换、分业、价格等作前提的。"①

"像那样只有抽象而没有分析存在,在终极的抽象中,一切事物成为论理的范畴表现出来的,不是无足惊异的事情吗?假若把形成一个家屋的个别性的东西,一切都次第地剥开下去,假若忽视家屋所由构成的建筑材料,忽视它和别的东西相区别的形态,那么,就只有一个物体剩下在那里了,——而且若是忽视这个物体的轮廓,那就只有一个空间在那里了,——最后若是抽象这个空间的容积,那么,除了量,除了量的论理的范畴以外,就没有什么东西剩下了,像这样的事情,不是无足惊异的事情吗?我们可以说,若照这样,一切的主体,不问是人或是物,若把一切有生无生的表面的偶然事情抽象到终极的境地,那么,在终极的抽象中,就只有论理的范畴成为实体剩下了。因此,形而上的学者们把这样的抽象误解为分析,误信以为离对象愈远愈是透入于对象,可以说:这些形而上的学者们是把这世界上的事物,只当作用论理范畴造成的缝箔布上的刺绣的。"②

像这样没有分析的抽象,是初期经济学所采用的方法,也是黑智儿所采用的方法。前者把完全的表象蒸发起来化为抽象的各种规定而止,③后者"陷于总括实在的东西于自身之中,深化于自身之中,作为由其自身运动的思维结果的幻想"④。

总之,唯心论和对于永远的真理的妄信,是从这种没有分析的抽象过程产生出来的。

第二,当着"追求内在的关联"时,必须有唯物辩证法的把握。即是必须在生成和运动中把握一切,在全体上观察一切,在关联上把握一切。关于这

①　K.Marx.*Kritik der Politischen Oekonomie*.S.XVII.

②　K.Marx.*Elend der Philosophie*.S.37.

③　K.Marx.*Kritik der Politischen Oekonomie*.S.XXXV.

④　K.Marx.*Kritik der Politischen Oekonomie*.S.XXXVI.

点,下章还要详说,这里不多说了。

至于社会的"分析",应当从什么地方开始呢？

"关于人类生活的思索以及那科学的分析,一切都是遵循那和现实的发达相反的途径的。那是把后来的发达过程所完成的结果做起点的"①。

所以社会的分析,要从那发达过程所完成的结果开始,即是从现在市民的社会开始。

"市民的社会,是生产最发达最复杂的历史的组织体。表现那状态的范畴以及那组织的理解,同时给予市民社会以'一切已经凋落的各种社会形态的组织和生产状态上的洞察'。而市民社会,是建筑在这些(著者注:一切已经凋落的各种社会形态)的废墟和要素之上,其(著者注:一切已经凋落的各种社会形态)中一部分,成为未经克服的残滓,在那中间(著者注:市民社会中间)延长余命,一部分只不过是暗示的东西(著者注:在市民社会中)发达起来,具有充分的意义。人类的解剖,是到猿猴解剖的关键。反之,由低级动物种族到比较高级动物种族的暗示,只有在比较高级动物完全知道了的时候,才能理解的"②。

"还有市民的社会自身,不过是发达的对立形态,因而那以前各种形态的状态,往往只是萎缩起来而在那中间(著者注:市民社会中间)发现出来呢,或者例如公共团体的财产那样……"③

所以我们依着分析那成为"生产发达最复杂的历史的组织体"的现代市民社会,才能知道发展到现代市民社会的各种社会形态的发达过程。即如市民的经济学,也是"当着市民社会的自己批评刚开始的时候,才见到达封建的、古代的、东洋的社会的理解"④。

以上是研究方法的大要。

然而如上所述,叙述方法却必须和研究方法不同。"这个工作(著者注:上述的研究)完成之后,现实的运动,才能适当的叙述出来。到了这事

---

① K.Marx.*Kaptial*.I.S.42.

② K.Marx.*Kritik der Politischen Oekonomie*.

③ K.Marx.*Kritik der Politischen Oekonomie*.

④ K.Marx.*Kritik der Politischen Oekonomie*.

成就而材料的生命在观念上反映之时,那就会显出是用一个先验的构造做成的了"①。

至于"叙述"所用的方法,简单地说,即是一面从最单纯的范畴(例如"劳动"、"人类"等)再生产出具体东西(例如"分业"、"阶级"等),一面依次经由复杂的具体东西,最后便可以达到那由多种规定和关系造成的丰富的总体性的国家和社会等。

关于这种叙述的方法,马氏曾经有下面一段话(这虽是经济学的叙述方法,而叙述方法之为物,在社会科学上却无不同)。

"但我们在经济学上观察一定国家时,我们开始就要观察那个国家的人口、人口的阶级、都市、田园、海洋、到种种生产部门的配置、输出与输入、每年的生产消费、商品消费等。从现实的前提之实在的具体的东西开始观察,例如经济学上开始观察全社会的生产行为的基础或主体的人口一样,好像是正当的事情。但是这个方法,若更详细加以观察之时,就知道它是错误。例如人口,若把构成他的阶级除外,便是一个抽象。这些阶级,若不知道那构成基础的各种要素——例如工钱劳动与资本等,便是一句空话。这些东西,也是以交换、分业、价格等为前提。例如资本,若没有工钱劳动、价值、货币、价格等,便是空虚。我们若以人口为始,人口是全体的一个混沌的表象,我们就会依着接近的规定而分析地顺次到达于比较单纯的概念;由那表象了的具体物次第进到稀薄的抽象物,终于达到最单纯的规定。"

"从那里起,再把旅行开始转到后方来,最后再来观察人口,这时人口已不是全体混沌的表象,就会达到由多种规定和关系造成的丰富的总体性的人口。"

"第一个方法,是经济学发生的时候在历史上采用了的方法。例如17世纪经济学者们,常常从有生的全体——人口、国民、国家、多数国家等开始,但他们常常依着分析而探出二三规定的抽象一般的关系——例如分业、货币、价值等,就终止了。"

"到了这些个别的主要原因多少固定了抽象了的时候,就开始了另一经济

---

① K.Marx.*Kapital*.I.S.XVII.

学的体系——由劳动、分业、交换、欲望、价值等单纯的东西提高到国家、各国民间的交换、世界市场的经济学的体系。后者明明是科学的正当的方法。"①

"在第一个方法,完全的表象,被蒸发起来变为抽象的各种规定;在第二个方法,抽象的各种规定,于思维的路程上引导到具体物的再生产。"②

概括起来,叙述方法有两种:一是由具体的总体出发,顺次由抽象的各种规定,达到最单纯范畴的方法;二是由最单纯范畴出发,再生产具体的东西的方法。换言之,一是由具体到抽象的方法;二是由抽象到具体的方法。

前者是从来的科学所采用的方法,后者是新科学所要采用的方法,马氏说前者是错误的方法,只有后者才是科学的正当的方法。当他叙述经济学的时候,他自己也把旧经济学者由具体进到抽象的结果所达到的单纯的范畴(终极点),作为出发点,然后再向后方(即向着旧经济学者的出发点)开始旅行的。

照这样,马氏采用旧经济学叙述方法的已成物把它综合起来,形成了新的叙述方法。

因此我们叙述社会科学的时候,也要把旧科学家所提示的抽象物——即最单纯的范畴(即他们的终极点)作为出发点,不要从他们自己作为出发点的具体物出发。

只有依着这样的叙述方法所做成的叙述,才"会显出是一个先验的构造所造成"的东西。③

把前面说下来的"社会科学的方法"概括起来,约略如下:

第一,社会科学的研究方法,是在于从市民社会的解剖开始,不只是抽象社会种种发达形态,而是要分析起来以追求那内在的关联。

第二,社会科学的叙述方法,是在于从最单纯的已成的范畴开始,一面再生产具体的各种状态,一面达到由多种规定和关系所造成的总体性的社会。

---

① K.Marx.*Kritik der Politischen Oekonomie*.S.XXXV.

② K.Marx.*Kritik der Politischen Oekonomie*.S.XXXI.

③ K.Marx.*Kapital*.I.S.XVII.

第二章　唯物辩证法

第一节　唯　物　论

马克思深化了费尔巴哈的唯物论和颠倒了黑智儿的辩证法，把两者综合起来，形成了唯物辩证法，作为科学研究的导线。

然则唯物论是什么？——我们首先要考察这个问题。

一切的现象，我们可以区别它们为自然现象和社会现象的两部分。但若更进一步作原始的区别时，一切的现象，又可以分为精神（思维、意识）和物质（存在）两项。精神就是思想、意志、感情之类，在空间没有位置，没有延长，是不能见、不能听、不能嗅、不能触的东西；物质在空间却有位置，有延长，是可以见、可以听、可以嗅、可以触的东西。

精神和物质两者之中，哪一种是原始的呢？换句话说，究竟是先有思维而规定存在呢，还是先有存在而规定思维呢？

关于这个问题，古来流行两个观察方法：一是主张思维规定存在的唯心论；一是主张存在规定思维的唯物论。

唯心论和唯物论，究竟哪一种是对的呢？我们考虑了下列四事之后，就会容易判明。

（一）人是自然界的一部分。即是我们人类由自然产生而服从其法则的那个自然的一部分。

（二）生物是在自然界经过了一定时间之后才在那上面发生出来的东西，而人类又是从那些生物中的一种动物进化而来的。即：自然界最初只是充满着不能思维的物质，到后来才由那些不能思维的物质中产出了能够思维的生物。因此我们可以说：自然是产出能够思维的生物之母，物质是思维之母。

（三）思维是在物质组成一定形式之时才出现的东西。思维是由那成为人体的一部分的脑筋而行的，而脑筋又不外是微妙的物质的材料之精巧的组织体。除此以外，并没有别的机巧。所以我们依照一定模型把时表的各种材料结成完全的组织体的时候，时表便可以动起来；同样，若是有人能够把形成人类的物质的极小部分再度结合起来构成完全的组织体时，那组织体恐怕也会开始思维的。至少，在反对方面，若是把那形成脑筋的物质材料破坏了，离散了，那时候思维早已不能存在，这是我们容易预料得到的事实。

（四）没有思维，物质能够存在；没有物质，思维不能存在。如上所述，在思维的生物发生以前，物质已经存在，或者现时存着，但思维若没有那脑筋的物质的材料之组织体，寸刻也不能存在。即如欲望，若没有那起欲望的主体（即组织体），也是不能发生的。

由此可知物质离开思维可以存在，思维离开物质寸刻也不能存在。简捷地说，思维是组织于一定形式的物质的一个特性，是它的机能。详细些说，物质的材料组合起来，构成时表时，时表的特性是开始运动；同样，物质的材料组合起来构成人体，放在一定的物质世界（自然、社会）时，人体的特性和机能，即是开始思维。

考察以上四点的时候，唯物论和唯心论的是非自能决定。即不是先有思维而规定存在，乃是先有存在而规定思维。

马氏自然是采取唯物论的，但他的唯物论，还不止于上述各点，他还深入地把唯物论深刻化了。

然则马氏和恩氏的唯物论究竟是怎样的？

上面说过，马氏是采取费尔巴哈的唯物论把它深化了的，但费尔巴哈的唯物论究竟是怎样的，这里应当说一说。据费尔巴哈的《哲学改革的暂定论纲》看起来，唯物论的原则如次：

"思维对于存在的真实关系，只如下述：存在是主格，思维是客语。思维是由存在给予的，而存在却不由思维给予。存在是由其自体通过自体而给予的。……存在在其自体中有它的基础。……"①

费氏由这种立场去批评宗教,他说:"横在宗教的本质和意识中的东西,即是横在那自体的人类及成为世界一部分的人类的本质和意识中的东西。"②他说:"宗教是人类的本质,那种东西的反射和反映"③。他说:"神的启示,即是人的本质的显示,是他自己的开展。"④他说:"因此宗教史(即神的历史),是在人的历史以外的……"⑤。

费氏的唯物论,止于上述之境,没有更进步的造诣。

马氏和恩氏,当然是采用了费氏的唯物论的。马氏说:"观念世界,即是在人类头脑中换置了的翻译了的物质世界"⑥;他又说:"人的意识不规定他的存在,反是人的社会的存在规定他的意识"⑦。恩氏说:"因此观念论由那最后的逃避所的历史观被驱逐出来,而由唯物史观代替了。人的存在,不是像从前那样由他的意识来说明的,那由人的存在说明人的意识的途径,已经是发见了"⑧。由此可知他们建造唯物辩证法和唯物史观的基础,完全是根源于费氏的唯物论的。

但马氏和恩氏,也不是如实地采用了费氏的唯物论的。他们实在是依据下列诸点,把费氏的唯物论更加深化了。

(一)费氏只把意识的规定者的人(存在),单看作自然的人(Naturwesen),而马氏却更进而把人看作是社会的人(Gesellschaftswesen)。费氏说:"原始的由自然生产出来的人,只不过是纯粹的自然物"⑨。他这种说法,也只是把人的本质当作种族把握而止,但马氏却把人当作是社会化了的人——当作社会状态的总体解释的。譬如说:

---

① L.Feuerbach.*Vorläufige Thesen zur Reformation der Philosophie*.(G.Plechanow.*Grundprobleme*.S. 13.—H.Cunow.*Marxsche Geschichts-,Gesellschafts- und Staatstheorie*.II.S.204)

② L.Feuerbach.*Wesen des Christenthums*.1903.S.27.

③ L.Feuerbach.*Wesen des Christenthums*.1903.S.77.

④ L.Feuerbach.*Wesen des Christenthums*.1903.S.141.

⑤ L.Feuerbach.*Wesen der Religion*.1923.S.19.

⑥ K.Marx.*Kapital*.I.S.XVII.

⑦ K.Marx.*Kritik der Politischen Oekonomie*.S.LV.

⑧ F.Engles.*Herrn Dührings*.S.12.

⑨ H.Cunow.*Marxsche Theorie*.II.S.250

"费氏没有认清那分析着的抽象的人是属于一定社会形态的事实"①。

"因此(他以为)本质只有当作种族,只有当作把多数个人自然的结合起来的内的暗默的普遍性,才能把握的"。"但人的本质,绝不是特别的个人中内在的抽象物。在那实在性之中,人的本质,乃是社会关系的总体"②。

"新唯物论的立场,是人的社会,或是社会的人"③。

(二)费氏只在静的方面观察意识的规定者的现世界(存在),而马氏和恩氏却把现世界当作人类活动所参加的过程来把握的,而且是当作辩证法的发展的过程来把握的。譬如说:

"费氏……单把人类当作'感觉的对象'解释,却不把人类当作'感觉的活动'来解释"④。

"从来一切唯物论(费氏也在内)的主要缺点,就是只能在客体或直观的形态中去把握对象、实在和感觉性,却不能在主体上当作感觉的人类的活动、实践去把握的"⑤。

但其实"人类的存在,即是他们现实的生活过程",因而"社会生活,在本质上是实践的"。

"现世界的基础自己使自己……在云中确立自立之国的事实,只有现世界的基础自身……和由自身……来说明的"⑥。

(三)和上述各点有关联的事情,费氏只是一面地观察人类和环境(社会和自然)的关系,而马氏和恩氏却是交互的观察人类和环境的关系。即是认识了人类和环境间的交互作用——主体和客体的统一性。譬如说:

人类"作用于在自身外部的自然,并且变更它,同时又变更他们自己的性质"⑦。

"说及环境和教育的变化的唯物论的教理,环境固由于人类……,却忘掉

---

① *Marx-Engles.Archiv*.I.S.229.230.—F.Engles.*Feuerbach*.S.63.64.
② *Marx-Engles.Archiv*.I.S.229.230.—F.Engles.*Feuerbach*.S.63.64.
③ *Marx-Engles.Archiv*.I.S.229.230.—F.Engles.*Feuerbach*.S.63.64.
④ *Marx-Engles.Archiv*.I.S.244.
⑤ *Marx-Engles.Archiv*.I.S.227.—F.Engles.*Feuerbach*.S.61.
⑥ *Marx-Engles.Archiv*.I.S.228.—F.Engles.*Feuerbach*.S.62.
⑦ K.Marx.*Kapital*.I.S.140.

了教育者自身必须受教育的事情"①。

以上三点,是马氏恩氏的唯物论和费氏的唯物论的差异。

这些差异,变成了产出更大的差异的萌芽。第一,马氏因为要把费氏的唯物论深化,因为把现世界当作过程来把握,所以形成了唯物辩证法。第二,因为要把人类当作社会的人来把握,而不仅是当作自然物来把握,所以把社会科学建筑在唯物论的基础上,完成了唯物史观。恩氏说明这一点,曾有下面一段话:

"我们不仅是在自然之中生活着,并且是在人类社会之中生活着。人类社会不劣于自然,自有其特殊的发达史和科学。所以切要的事情,是要把社会的科学,换言之即是把所谓历史的及哲学的科学的总体,在唯物论的基础上调和起来,并且从新改造过。但这事,在费氏的见地是不能容许的。"②

第二节　唯物辩证法

如上所述,马氏从费尔巴哈采取唯物论,使它深化,从黑智儿采取辩证法,使它颠倒,然后把两者综合起来,便形成了唯物辩证法。

但是黑智儿辩证法,究竟是什么? 这里应当说一说。

黑氏哲学的前提是:精神——普遍的理性,是世界历史的能动者。所以他的历史哲学的基础,常是普遍的理性。譬如说:

"哲学所引起的唯一概念,是单纯的理性概念——理性——支配世界的事情。因而在世界历史方面,也是这样。"③

"第一,我们要注意:我们的对象——世界历史——是在精神的基础之上前进的。"④

固然,人类的欲望、本能、热情等,也是参加于世界历史的。但是这些东

---

① *Marx-Engles.Archiv*.I.S.227.228.—F.Engles.*Feuerbach*.S.62.

② F.Eugles.*Feuerbach*.S.22.

③ G.W.F.Hegel.*Philosophie der Geschichte*.Recl.Ausg.S.42.

④ G.W.F.Hegel.*Philosophie der Geschichte*.Recl.Ausg.S.50.

西,据黑氏说起来,只是"成就世界的目的工具,是手段"①。

然而黑氏又说,这种历史,在其发展的进程中,是采取辩证法("正—反—合")的形式的,所以黑氏的主张,毕竟要归着于"精神的发展形态是辩证法的"一事上去了。

辩证法本是古代希腊人的讨论法。这个名词是从"甲主张,乙反对,丙综合甲乙意见成立新说"的普通讨论的形式产生的。这种发展形式,黑氏只当作是精神的发展形式,而马氏和恩氏却当作是自然、社会和思维的发展形式。

所以,辩证法的意思,暂时只从那形式上说即是采取"正(These)—反(Antithese)—合(Synthese)"(又在论理学上,可说是"肯定—否定—否定之否定")的形式的事物和思维等无限发展的形式。例如这里有一粒麦子,放在适当的土地之中(肯定),于是因为热度和湿度的关系,那麦子便发起芽来,即是那最初的麦子消灭了(否定)。然而这发了芽的麦子,渐渐成长起来,由开花而结实,最后复变成麦子。但那麦一成熟,同时那麦茎就死灭,即是那身被否定了(否定之否定)。这否定之否定的结果,我们可以得到和先前一样的麦子。但所得的新麦子,并不止是一样,却得到了 10 倍、20 倍、30 倍的多数。而且这否定之否定的结果,我们不仅得到了种子,并得到了那开了更美的花的质地改善的种子。在这个过程的每次反复中,即在每次新的"否定之否定"中,那完成的程度就逐渐增高了。

前例已经说明,在这"肯定—否定—否定之否定"的过程中的"否定",并不是单纯的否定。也不是说某种事物已不存在,或是把那种事物任意破坏了。所以说:"不仅是否定,而必是那否定再行扬弃(Aufheben)的。所以有了第一的否定,那第二的否定就有可能,或者必须是可能的。"②就前例具体地说明起来,我们若是把那麦子打碎了,第一的否定虽然做成,但第二的否定却是不可能。像这样,就不能说是辩证法的发展。反之麦子因发芽而被否定之时,那可以造出更多麦子的第二的否定(否定之否定),就成为可能了。这个可以叫作是辩证法的发展。

---

① G.W.F.Hegel.*Philosophie der Geschichte*.Recl.Ausg.S.61.
② F.Engles.*Herrn Dührings*.S.145.

辩证法的意思,若只是从那形式上说,就是如此。

但是我们却不能把辩证法当作单一形式论理的一种来解释,也不能当作思维的工具来解释。假使轻率的那样断定,"那就是暴露了他完全缺乏关于辩证法的性质的知识"。杜林氏因此曾被恩氏嘲笑过呢。

然则辩证法是什么?

辩证法包含着互相关联的三种要素:

第一,自然发展的辩证法;

第二,社会发展的辩证法;

第三,思维发展的辩证法。

关于这一层,恩氏曾经说过:"辩证法即是关于自然、人类社会和思维的一般运动和发展的法则的科学"①,"全世界及其发展、人类的发展以及在人类头脑中这些东西发展的映像之正确的叙述,只有在辩证法的方法上,才能实现,即是只有依着生成经过之一般的交互作用和前进的或后退的变化之不断的注视,才能实现的"②。

第一,就自然辩证法说,上述麦子的例,已经明白,在动物界,在植物界,也是一样。即如地壳及其他一切自然,没有例外,都正在辩证法地发展着。所以说"自然是辩证法的证据"③。

第二,就社会的辩证法说,社会也正在辩证法地发展着。这里可以引用恩氏的话来说明"一切的文化民族,都以土地共有为起点。在脱离了一定程度的原始阶段的一切民族,随着农业的发展经过,这种土地共有,便变成生产的桎梏。于是便被扬弃,被否定,经过了种种长短的中间阶段,就变为私有了。然而到了因土地私有的自身而引起的农业的更高度的发展阶段中……"④

其次马氏也曾举出下例的社会辩证法:

正:竞争的先行者封建的独占。

反:竞争。

---

① F.Engles.*Herrn Dührings*.S.136.144.

② F.Engles.*Herrn Dührings*.S.(这里原文阙如)

③ F.Engles.*Herrn Dührings*.S.(这里原文阙如)

④ F.Engles.*Herrn Dührings*.S.140.141.

合:近代的独占。

在以竞争的支配为前提的限度中,这是封建的独占之否定,在独占的限度中,这是竞争的否定。因而,近代的独占——市民的独占,是综合的独占,是否定的否定,是对立的统一。①

最后就思维的辩证法说,如上所述,思维毕竟只是"在人类头脑中换置了的翻译了的物质",所以成为物质世界的自然和社会,即是辩证法的发展,那成为反映而出的思维,必然也是辩证法的发展。

前面说过,辩证法本是古代希腊人的讨论法。这个名词,虽然是从"甲主张,乙反对,丙综合甲乙意见成立新说"的普通讨论的形式产生的,但思维的发展,也采取同样的形式。实在点说,这种讨论的形式,实是反映思维发展形式的。

这种思维辩证法的发展,即是:(一)自然和社会是辩证法的发展的东西;(二)思维是成为反映而出的当然的结果。但是,那"开始用包括的而且意识的方法,叙述了辩证法的作用之一般形态的学者"黑智儿,却不是这样说的,"他以为称为观念而成为独立主体的思维过程,是现实世界的创造主,而现实只不过是思维过程之外的现象"。黑氏说这种思维过程是辩证法的发展,所以由唯物论者看起来,黑氏的辩证法是把程序弄颠倒了。所以"黑氏是观念论者,换言之,在他说起来,自己头脑中的思想,不是现实的事实及其过程的多少抽象化了的映像;反之,事物及其发展,是在世界以前某种地方已经存在的'观念'现实化了的映像。因此他颠倒了一切,把世界现实的关联完全弄得相反了"②。

而且,"辩证法在其神秘化了的形态上,变成了德国的流行"。但是我们在前面说过,马氏是采用费氏的唯物论使它深化,和黑氏的辩证法综合起来,把颠倒的辩证法再颠倒过来。这是唯物辩证法。"于是观念辩证法之为物,只是现实世界辩证法的运动之意识的反映,而头脑中的辩证法,实则用头竖立了的辩证法,已被颠倒而用脚来竖立了"③。

---

① K.Marx.*Elend*.S.137.

② F.Engles.*Herrn Dührings*.S.9.10.

③ F.Engles.*Feuerbach*.S.38.

由以上所述,唯物辩证法的特质,可以列举如次:

(一)一切都是不断地流动而且生成着。运动是物质的存在形态。所以在自然中,在社会中,在思维的世界中,一切都是不断地流动着。一切都不是永远的,而是无常的。而且这种流动,不断地扬弃旧的形态,生成新的形态。所以我们"对于一切形成了的形态,必须在运动之流中,即是追究那经过的方面而把握它"。

(二)一切都不断地设定矛盾,解决矛盾。这个特质,是从第一个特质中自然地抽出来的。即,所谓流动生成,自然就是运动。然而"那运动自身,便是一个矛盾。即如单一的机械的位置之移动,也是由于一物体于同一瞬间在某位置同时在他位置(即不在同一位置)的事实而显现的。像这种矛盾之不断的设定和同时的解决,必然就是运动"①。

"既然单一的机械的位置之移动,也含有矛盾于其中,那么,物质的更高度的运动,尤其有机的生命及其发展,就更不待说了。……因此,生命也是事物和过程自身中所存在的而常常设定自身解决自身的矛盾。矛盾一停止,生命也就停止,即是要死了"②。

所以这个现实世界的基础,"必须在它自身、在那矛盾中去理解"。

如此,一切都是辩证法的——即是不断地流动生成,一面自己设定矛盾解决矛盾,一面进行的,所以当着观察一切的时候,必须在流动生成的过程中,在矛盾中去把握。这是不待多言的事情。此外还有两点:

(一)一切都必须从全体上去观察。因为一切都是流动生成的,若不就全体上去观察,就不能了解它的真相。假如"为个个事物所拘泥而忘却它的关系,为它的存在所拘泥而忘却它的经过,为它的静止所拘泥而忘却它的运动,那就是只看见树木不看见森林了"③,像这样,就不能说是辩证法的把握。

(二)一切都必须从关联上去观察。就生产和消费的关系举例来说,"生产是因为消费才把材料作为外的对象来创造,消费是因为生产才把欲望作为

① F.Engles.*Herrn Dührings*.S.120.
② F.Engles.*Herrn Dührings*.S.121.
③ F.Engles.*Herrn Dührings*.S.7.

内的对象,作为目的来创造。无生产则无消费,无消费则无生产"①。"一个都是成为别个的手段表现出来,都是由别个所介绍"②,所以像旧的社会科学把生产和消费看作是固定的相对立的东西,实是错误。所以相信辩证法的人,必须从关联上去观察一切。

所以恩氏举出了下面的话,当作是辩证法的把握的特质,即是:"在其本质上,在其关联上,在其连锁上,在其运动上,在其生成和经过上,去把握事物及其概念的映像。"③

如上所述,自然和社会都是辩证法的发展,那成为反映而出的思维,当然也是辩证法的发展,所以唯物辩证法是贯通自然科学和社会科学的研究方法。换言之,在自然科学的研究上,在社会科学的研究上,都必须应用唯物辩证法。"在这两者的情形(在历史上,在自然上),唯物论在本质上也是辩证法的,早已没有在别的科学上建立哲学的必要"④。恩氏这句话,就是上面所说的意思。

第三节　唯物辩证法与进化论

末了再略略说明唯物辩证法和进化论的差别,因为这个同时又是表示唯物辩证法的重要的特质。

进化论说一切都是很缓慢地变化的。反之,唯物辩证法却说及发达过程中的飞跃的必然性。

说明一切东西的发达过程中都有必然的飞跃事实存在的话,乃是黑氏的辩证法。黑氏曾经指摘进化论所说一切都是徐徐变化的谬误。他说:"若要说生成的缓慢性,那么,必定是说生成的东西,在感觉上或在一般上虽是现实的存在,而因为那是小量的缘故,所以不能认识了。又如说消灭的缓慢性,也必定是说无存在或代它而起的东西最初虽是存在着,却是不能认识的"。

---

① K.Marx.*Kritik*.S.XXV.

② K.Marx.*Kritik*.S.XXVL.

③ F.Engles.*Herrn Dührings*.S.8.

④ F.Engles.*Herrn Dührings*.S.11.

所以"存在的变化，一般的不仅是由一量到他量的过程，又是由量到质的过程，和由质到量的过程。即是变成别的东西，换言之，缓慢性中断，对于既存的实在发生质的变化了"。

马氏和恩氏，采用黑氏上述的观察法，并且把那观念论在物质的基础之上颠倒过来，说明了一切若没有飞跃就没有变化。所以说："不论它是缓慢的，而由一种运动形态到他种运动形态的移动，常是一个飞跃，是决定的转换"。例如就自然科学的领域观察，"在热了的水或是冷却了的水，沸点和冰点虽是它的结节点，但那时到新的形态的飞跃——在通常压力之下——却是完成了，这即是由量到质的变化"。又就社会科学的领域观察，"因为生产而垫付的货币的最低限度，若是更超过中世纪最高限度时，于是货币或商品的所有者，开始现实地成为资本家了。单一的量的变化，若达到一定之点，也转化而为质的差别，这个经黑智儿在那论理学中发见了的法则，正和在自然科学上的一样，在这种情形，证实了它的正当"。

这个事实，齐美尔也曾举出了一个实例——麦子在 10 粒 20 粒的时候，还只是单单的麦子，但是麦子的量若激增起来，就堆成一个小山；兵士在二人三人的时候，还只是单单的兵士，但若兵士的量增加起来，就造成一个军队。像这种情形，若是并合起来考察，就容易明白了。

第三章　唯物史观

第一节　题　言

如第二章第一节所述,费尔巴哈的唯物论,(一)只把意识规定者的存在解作"自然的";(二)只在静的方面把握存在;(三)因而他只能把握人类与环境关系的一方面。

因此费尔巴哈的唯物论,在其自然的归趋上,未能踏入社会科学的领域便终止了。恩氏关于这一点曾经说过下面一段话:"费尔巴哈看着单纯自然科学的唯物论,说'它虽是人类知识建筑物的基础,而不是建筑物的自身',完全正当。因为我们不仅生活于社会之中,并且生活于人类社会之中,人类社会也不亚于自然,自有其特别的发达史和科学。因此,切要的事情,是要把社会科学,换言之,是要把所谓历史的及哲学的科学总体,在唯物论的基础上调和起来,并且在那上面另行改建。但这种事情,是费尔巴哈所不能允许的"①。

然而把现世界当作过程把握、把人类当作社会的东西把握的马氏,却综合费尔巴哈的唯物论和黑智儿的辩证法,形成了他的唯物辩证法,拿来应用于社会科学。他一面分析社会的构成,同时显示社会发达的过程。这就是他的唯物史观。

关于唯物史观的内容——尤其社会的构成和社会发达的过程,次章以下,固然要详细说明,但这里为便于理解起见,特先依据《经济学批评》②序文中的数节,试作一个关于唯物史观全体的构造的鸟瞰图。

---

① F.Engles.*Feuerbach*.S.22.
② 本书中所说的《经济学批评》和《经济批判》,均为马克思的《政治经济学批判》。——编者注

第二节　社会构成的概观

一、生产关系的分析

在《经济学批评》的序文中,他先说了下面一段话:"我的经济学的研究是在巴黎开始的,因为基佐的驱逐命令,我便移到不律塞,在那里继续研究。我研究所得的而且得到之后即成为我的研究的指南针的一般结论,可以表现如下。"①在前文之后,他就接着说明社会的构成如次:

(A)人类在他们的生活之社会的生产上,容受一定的必然的离他们意志而独立的关系,这关系即是适应于他们物质的生产力之一定发达阶段的生产关系。

在解释这段文章之前,首先要说明的,是马氏关于"社会"的概念。

马氏使用"社会"(Gesellschaft)一语,有广狭二种意义。

第一是意指生产关系总和(或总体)的社会,狭义的社会。

他在《工钱劳动与资本》一书上说:"在生产上,人类不仅作用于自然,而且互相作用。他们只有协作于一定形式,互相交换其活动,从事生产",这就是生产关系。②

然而如后面所详述的,那种生产关系,在一定时代固然不是唯一的,常有数种的关系并存着。譬如说市民的生产关系旁边,还有封建的生产关系并存着,就是一个例子。

这样并存的数种生产关系的总和(或总体),叫作社会。

即,"在其总和上的生产关系,即形成所谓社会关系或'社会'的东西……"③。

"在那中间,生产把持者对于自然又互生关系的,即他们在那中间生产的这些关系(著者注:生产关系)的总体,只有这总体,如实的……是社会"(见《资本论》第三卷,之二)④。

并且"只有在这种社会的联系和关系之中,才发生向自然的作用,发生生

---

①　K.Marx.*Kritik*.S.IV.

②　K.Marx.*Lohnarbeit*.S.25.

③　K.Marx.*Lohnarbeit*.S.25.

④　K.Marx.*Kapital*.III.2.S.353.

产"(见《工钱劳动与资本》)①。

其他如《经济学批评》序文中所说的"其物质的生存条件,在旧'社会'母胎内孵化完结之时为止……"又如他所分的"亚细亚的、古代的、封建的、市民的社会"等的区别。又如在《关于剩余价值学说》第一卷之中,也说:"从物质的生产之一定形态,第一产出'社会'之一定编制,第二产出人类对自然的一定关系"②。诸如此类,都是这种意义的"社会"。

其次,马氏也常常使用"社会关系"(gesellschaftliche Verhältnis)一语,"社会关系",即与上述意义的"社会"完全相同,如所谓"在其总和上的生产关系,形成社会关系或社会的东西……"。所以社会关系也是人类为生产而容受的人与人的关系之总和。

他在《资本论》第一卷上说:"劳动工具……是在那中间实行劳动的'社会关系'的指示器";在 Achtzehnte Brumaire des Louis Bonaparte 上说:"全阶级是从那物质的基础和与它适应的社会关系创造出来形成起来的";又在《哲学的贫困》上说:"人类获得新的生产力,同时就变更那生产形式;生产形式的,即生活资料的方法之变化,同时就变更他们一切的生产关系";又说:"因其物质的生产而形成社会关系的那同样的人类,又因其社会关系而形成原则、观念、和范畴";又说:"生产力之增大,社会关系之形成,观念之形成……"③。诸如此类,都是这种意义的社会关系。

他又常常使用"社会的联系"(gesellschaftliche Beziehung)一语,都和上述意义的"社会关系"完全相同。例如他在《工钱劳动与资本》上说:"只有在那种社会的联系和关系的内部……";如在《法兰西的阶级战争》上说:"一切社会的联系……由其社会的联系所生的一切观念……",都是实例。④

他又常常使用"社会形态"(gesellschaftliche Formation, Gesellschaftsform,

---

① K.Marx.*Lohnarbeit*.S.25.

② K.Marx.*Elend*.S.91.

③ K.Marx.*Elend*.S.91.

④ 这里能成为疑问的,马氏于这里所引用的文章之前,曾说过"适应于这生产关系的一切社会的联系……"的话。据这点看来,似乎"生产关系"的层和"社会联系"的层是不同的。但他所说"适应于生产关系"的话,如上所述,是因为一时代的生产关系有种种,其总和即为社会的联系(社会关系),所以是表示那"总和"和生产关系相适应的,当然不会是两者存在的层不同的意思。假使不是这样解释,《工钱劳动和资本》上面的"社会的联系和关系"的话就不能理解了。

gesellschaftliche Form）、"社会组织"（soziale Organisation，gesellschaftliche Konstitution）、"社会秩序"（Gesellschaftsordnung）等话，这是指着上述"社会关系"（"社会"、"社会的联系"）之多少带有类型化的永续的性质的东西说的，绝不是属于法制的或政治的范畴的话。他所说"社会组织"，如后所述，不属于社会的"上层建筑"，而是属的"基础"的。这一点后面还要详述。

上面说过，马氏所说的"社会"，虽有许多地方是意指着生产关系的总和，但同时他又有关于对"自然"的"社会"——广义"社会"的概念，这可以容易推定出来。详言之，如后所述，他又说到在生产关系的总和——社会（狭义的社会——"基础"）之上树立"上层建筑之一及二"的话，就是从他所说"基础"和"上层建筑"的用语的关系考察起来，从他把"上层建筑之二"配置于"社会的意识形态"的事实考察起来，也不能想到这些上层建筑是存在于"社会"以外的。由此可以推定，他是有着意指"基础"和"上层建筑之一及二"的总体的"社会"的概念。例如他说：在"社会"的内部，强权支配分业之事愈少则愈……"的话①，不就是他所指广义的"社会"的实例么（我们所说的"社会的构成"，当然是指广义的社会的构成说的）？

以上，我把马氏关于"社会"的用语，大致说完了，现在再回到上述关于唯物史观的引用文，顺次说明下去。

在上述的引用文中，首先要了解的，是"人类在他们的'生活'……"一句。

这"生活"两字，是指着生活所需物质的生活资料之生产过程和人类自身的生产过程——即人类的生殖过程两项说的。

其次马氏所以特别说"社会的生产"的意思，大约可以推定他是本着下列三个有关联的根据。

（一）"他们因为生产而互相容受一定的联系和关系，只有在这种社会的联系和关系之中才发生向自然的作用，发生生产。"（见《工钱劳动与资本》）

"在社会上生产的多数个人——因而多数个人经过社会的规定的生产，本来就是出发点。斯密氏和李嘉图所据以为始点的个个孤立猎夫或渔夫，是18世纪缺乏想象力的幻想。"（见《经济学批评》）

---

① K.Marx.*Elend*.S.120.

"在社会外部孤立的个人的生产……也和那没有共栖共话的多数个人的言语的发达一样,同是无稽之谈。"(见《经济学批评》)

"所以我们说到生产的时候,常常说到在一定的社会发达阶段的生产——社会的个人之生产。"(见《经济学批评》)

所以生产在这种意义上,已是社会的生产。

(二)马氏这个用语,不是表现那充当个人消费的个别的生产,而是要表现那"充当在一定发达阶段的社会全体消费"的"社会全体的生产";并且不是表现那"为社会当时生存的单纯的生产",而是要表现那"为社会的继续存在和发达的生产"——即再生产。①

"一个社会,不能止于消费一事,同样,也不能止于生产。所以在不断的关联和更新不已的流动上观察起来,一切社会生产过程,同时是再生产过程。"(见《资本论》第一卷)

"任何社会,若不把那生产物的一部分继续地再转化到生产机关——即新生产要素方面,便不能继续的生产,因而不能再生产。"(见《资本论》第一卷)

(三)此外,马氏这个用语,也不止于表现人类生活的物质生存条件之生产及再生产,还表现社会形态的生产及再生产。

"我们知道,资本家的生产过程是社会生产过程一般之历史的一定形态。这后者是人类生活的物质条件之生产过程,同时又是生产并再生产那'在特殊的历史的经济的生产关系中显现的这个生产关系自身、这个过程的把握者以及那物质生存条件与其相互关系'的过程。"(见《资本论》第三卷之二)

这样说来,马氏所说的"社会的生产",实含有很深的意义,而且是把它当作无间断的过程表现的。我们要在下面顺次了解他的唯物史观,就必须充分理解他所说的"社会的生产"的意义才行。

其次在上述的引用文之中,须要注释的,是"生产关系"。

上面也曾引用过的,马氏在《工钱劳动与资本》中说:"在生产上,人类不仅作用于自然,而且互相作用。他们只有协动于一定形式,互相交换其活动,从事生产",这个关系,即是生产关系。换句话说,人类为生产而容受的人与

---

① H.Cunow.*Marxsche Geschichts-*,*Gesellschafts- und Staatstheorie*.II.S.148.

人间的关系,叫作"生产关系"。

最后,在上述引用文中还要注释的,是"生产力"。关于这个,次章还有详说的机会,这里暂不说它(参看本书第四章第二节之二)。

由上述各种用语的说明看来,前面所引用的那一段文字,就会自然明白。

马氏在这里首先说人类在"社会的生产"上所容受的生产关系,是已存的、必然的,并且离人类意志独立的关系。

第二他说人类所容受的那生产关系,是和当时的生产力相适应的,即是由生产力所规定的。唯其因为是由生产力所规定的生产关系,所以不是人类意志的产物,而是"一定的、必然的、离他们意志独立的关系"。

二、社会构成之静的表现和把握

其次马氏接着开始社会构成(广义的)的分析,并在静的抽象的方面去把握它。他说:

> (B)这些生产关系的总和,形成那社会之经济的构造,即是形成那法制的政治的上层建筑所依以树立和一定社会的意识形态与它相适应的真实基础。

第一,他在这里表示的,是种种生产关系的总和,形成社会之经济的构造。即如上面所述的,一时代的生产关系虽是和那时代的生产力相适应的,但在那生产关系之中,却以成为那时代的特色的主要生产关系为中心,而有其他多种隶属生产关系并存着。例如在现代市民的生产关系的时代,中心的主要生产关系即是市民的生产关系,在它的旁边,还有封建时代的遗物手工业经营和小农经营并存着。所以马氏说:"市民的社会,是在那些(著者注:一切已经凋落的各种社会形态)的废墟和要素之上建筑起来的,那些(著者注:一切已经凋落的各种社会形态)的一部分成为未经克服的遗物,在那中间(著者注:市民的社会中)还延着余命,一部分只不过是暗示的东西(著者注:在市民社会中)便发达起来,具有充分的意义……"①;又说:"那以前各种形态的关系,往往只是完全萎缩下去而可以在那中间(著者注:市民的社会之中)看出来,或如公

---

① K.Marx.*Kritik*.S.XLI.

共团体的财产一样……"①。在这许多并存的各种生产关系之中,那主要的生产关系,是构成那个时代的特色的。马氏说明这一点,曾有下面一段话:"在一切社会形态中,有一定的生产在显现着,这一定的生产优越于一切,并且那生产关系,对于其余一切东西,是表示等级和势力的。它是一般的光亮,其余的一切的颜色都为它所涂染,而且那特殊性也为它所修正。"②所以即使把生产关系发达的阶段,区分为亚细亚的、古代的、封建的、市民的生产关系各时代,它当然是对于那时代各种生产关系总和的名称,但结局仍是根原于那时代的主要生产关系(表示那时代的特色的生产关系)的名称。

所以一时代的生产关系,是以主要的东西为中心,而有种种别的东西并存着,这一切种类生产关系的总和,便构成"社会之经济的构造"。

第二,他说这个经济的构造——即生产关系的总和,是法律制度和政治制度(他所说的上层建筑之一)的基础,而且在这法律制度和政治制度上面,又树立社会的意识形态(他所说的上层建筑之二)。③

所以,依据马氏的分析,社会当是照下列第一表构成的。

【第一表】

意识形态(上层建筑之二)

法制及政治(上层建筑之一)

经济的构造

| 隶属生产关系 | 主要生产关系 | 隶属生产关系 |

物质的生产力

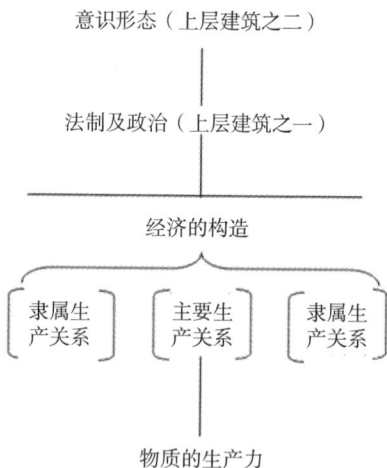

① K.Marx.*Kritik*.S.XLII.

② K.Marx.*Kritik*.S.XLIIL.

③ "法律关系"和"政治关系",以这法律制度和政治制度为中心而存在。马氏有时用"政治关系"(politische Verhältnisse)或"政治编制"(politische Gliederung)来表现这两者,例如在《德国观念形态》上所说的。

三、社会构成之动的表现和把握

如上所述,意识形态(上层建筑之二)建筑于法制及政治(上层建筑之一)之上,法制及政治建筑于生产关系的总和(基础)之上,——这即是在静的抽象的方面观察了的社会的分析。单是这样,不但动的社会之构成没有明了,即是"基础"和"上层建筑之一及二"之间的作用,也没有明了。于是马氏更作下面的说明。

(C)物质的生活之生产形式,是决定社会的政治的及精神的生活过程一般的条件。不是人类的意识规定他们的存在;反之,乃是人类之社会的存在规定他们的意识。

这里第一要注意的,是把社会作为动的,而且具体的东西来分析的事情。详细地说,在(B)段引用文中所说的"社会之经济的构造"、"基础"、"法制的及政治的上层建筑"(即法律制度及政治制度)及"意识形态"等,都是表现静的状态的语句;但这里所说的"社会的政治的及精神的生活过程"、"意识"、"存在"等,除了"生产形式",都是动的东西。

第二要注意的,在(B)段所表现的语句和(C)段所表现的语句的关联。在(B)段中,马氏分析社会时所使用的语句,是"物质的生产力"、"生产关系"("社会之经济的构造")、"法制及政治"、"意识形态"等,但在这里,却有"物质的生活"、"生产形式"、"社会的政治的及精神的生活过程一般"、"社会的存在"、"意识"等新语句出现。然则前一起的语句和后一起的语句之间究有怎样的关联呢?

关于这个问题,我以为当如下面解释:

(一)所谓"物质的生活之生产形式"是指物质的生活之生产方法说的。马氏在《资本论》第二卷中,使用"物质的生活生产过程"一语,在《哲学之贫困》中,又说"生产形式即获得生活资料的方法"。若更就《资本论》第一卷,试作"生产形式"之具体的说明,就有下面几段话。

"小规模的农业经济和独立的手工业经营,都是一部分的形成封建的生产形式之基础,一部分在封建的生产形式解消以后,还和资本家的经营,同时并现。"

"就生产形式自身说,例如初期的工作场,除了同时多数劳动者由同一资本所使用以外,和行会制度的手工业并没有好多差异。"

"协业常是资本的生产形式之根本形态。"①

而"人类获得了新的生产力,同时就变更他们的生产形式,随着生产形式的变化,即随着获得生活资料的方法的变化,同时就变更他们一切的社会关系"(见《哲学之贫困》)。

因此,所谓"物质的生活之生产形式"究竟是什么东西,大概可以明白,而且它在社会构成上的地位,也可以明白了,质言之,"物质的生活之生产形式",在前面所述的"生产关系"和"生产力"之间,是变动生产关系的主要因子。

(二)其次所谓"社会的政治的及精神的生活过程"中之"社会的生活过程",究竟说的是什么?——这是学者间颇有异议的问题。

据我的解释,所谓"社会生活的过程",即是"社会的生活生产过程"。换言之,就是以生产关系、社会组织做中心而经营的人与人间之关系的生活。

所以社会的生活过程,在社会构成之中,占居"基础"(参看第一表)的地位,里面包含着物质的生产过程和生殖过程。

前面已经说过,"在那总和上的生产关系,是形成所谓社会关系或社会的东西"。这生产关系的总和所带来的多少类型化的永续的性质的东西,即称为社会形态或社会组织。所以社会形态或社会组织,属于"基础"的方面,是还没有硬化(即上升)为法律制度或政治制度(上层建筑之一)的形态。所以这里还有未曾化成法律及政治制度的生产组织、阶级组织、家族组织等存在。

但这里所说的"社会关系"(或生产关系总和)及"社会组织"(或社会形态),都是静的而且抽象的把握了的形态,不是动的而且具体的把握了的形态。那动的而且具体的把握了表现了的东西,即是"社会的生活过程"。

所以,社会的生活过程,是以生产关系以社会组织为中心而经营的,而且是生产这些组织的、动的、活的、具体的生活过程。

---

① K.Marx.*Kapital*.I.S.286-300.

"社会的生活过程,由两种方法显现:一是物质的生活资料之生产过程;一是人类的生产过程——生殖过程。"

"依据唯物史观,历史之终极的决定因子,是直接的生活之生产及再生产。但其自身,又由二种方法显现。一方是生活资料——即衣食住及其所需工具的对象的生产,一方是人类自身的生产——即种族的存续。"①

所以"社会的生活过程",不是像通常所解释的属于"上层建筑之一",而是处于"基础"的地位。

(三)其次,所谓"社会的政治的及精神的生活过程"中之"政治的生活过程",究竟说的是什么?

所谓"政治的生活过程",是以法律制度及政治制度为中心而经营的生活过程。因而政治的生活过程,在社会构成之中,占居"上层建筑之一"一层的地位,里面包含着种种法律的生活和种种政治的生活的过程。

马氏于《经济学批评》序文中描写唯物史观的梗概时,在"前文"中说道:"我的研究所达到的结论是:法律关系和国家形态(著者注:"上屠建筑之一","国家形态"是统治治态之一,下仿此),不是可以从它的自身理解的,也不是可以从人类精神(著者注:"上层建筑之二")的所谓一般的发展理解的,它的总和,反是根源于黑智儿仿照 18 世纪英法人的先例而包括于'市民的社会'名称之下的物质的生产关系(著者注:"基础")……"。他又在那文中说:"这些生产关系的总和,形成那社会之经济的构造,即法制的政治的上层建筑所依以树立的……"。这里所说的"法制的上层建筑"(前文的"法律关系")及"政治的上层建筑"(前文的"国家形态"),都是静的而且抽象的把握了的形态,不是动的而且具体的把握了的形态。那动的而且具体的把握了表现了的东西,即是"政治的生活过程"。

所以"政治的生活过程",是以法律制度和政治制度为中心而经营的、而且生产法律制度和政治制度的、动的、活的、具体的生活过程。

(四)最后,所谓"社会的政治的及精神的生活过程"中之"精神的生活过程",究竟说的是什么?

---

① F.Engles.*Ursprung*.S.VIII.

所谓"精神的生活过程",是以"社会的意识形态"为中心而经营的生活过程。因而精神的生活过程,在社会构成之中,是占居"上层建筑之二"一层的地位,里面包含着法律的政治的宗教的艺术的科学的及其他种种精神上的生活过程。

马氏于概述唯物史观时,说"社会的意识形态"是立于法制的和政治的上层建筑之上的,他又在"前文"中,说"法律关系和国家形态,不是可以从它的自身去理解的,也不是可以从'人类精神'的所谓一般的发展去理解的"。说"社会的意识形态",说"人类精神",都是静的而且抽象的把握了的形态。那动的而且具体的把握了表现了的东西,即是"精神的生活过程"。

所以"精神的生活过程",是以"社会的意识形态"为中心而经营的、而且生产意识形态的、动的、活的、具体的生活过程。

(五)如上所述,无论是社会的生活过程,是政治的生活过程,是精神的生活过程,都包含着种种的生活过程,所以马氏说了"生活过程一般"。

(六)由以上所说看来,"生产形式"、"社会的生活过程"、"政治的生活过程"和"精神的生活过程"等的大概,总可以明白了。

据马氏所说,这"生产形式"("基础"中的一个因子)是决定"社会的生活过程"("基础")、"政治的生活过程"("上层建筑之一")和"精神的生活过程"("上层建筑之二")的条件。

但我们要注意的,不可把"决定条件"的作用,单解做是片面的东西。

"把原因和结果看作是固定的相对立的两极,是对于原因和结果之通俗的非辩证法的见解,是交互作用之绝对的看过"。

"各种要素之间,发生相互作用。这对于一切有机的全体,也是同样"。

"政治上、哲学上、宗教上、文学上、艺术上等等的发达,依附于经济上的发达。但这些在相互之间,在经济的基础上,也起反作用"(参看第一章第一节)。

所以说"生产形式"是决定各种生活过程的条件的意思,即是说"生产形式"在终极上(in letzter Instanz)是规定这些东西的因子。若说这是唯一的规定的因子,那就是"无意味的、抽象的、不合理的歪话"①。

---

① K.Korsch.*Kernpunkte*.S.40.

据以上所述,已经算是能够分析那成为动的表现的社会构成,和阐明各因子之间的相互作用了。于是我再补充上面关于社会构成的图表(第一表),作成下列的新图表(第二表)。

【第二表】

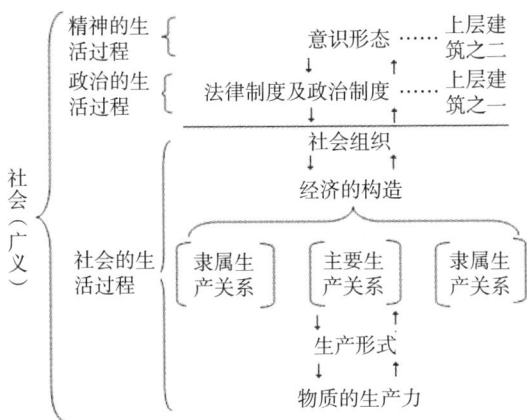

(七)此外,马氏所说"不是人类的意识规定他们的存在,反之,乃是人类之社会的存在规定他们的意识"这一段话,前面已经反复说过,绝不再有新的意义。

在唯物论和观念论斗争之时,仿效黑智儿、费尔巴哈的语汇,"存在"或"意识"的用语,很是流行,他自己也是使用了的,所以他就采取这个用语,说人类——即"存在"("基础")规定"意识"("上层建筑之二"),绝不是它的反面。但如前面所述,马氏和费尔巴哈不同,他不把人类看作自然的东西,而当作是社会的东西来把握,所以特别在"存在"之上加上"社会的"文字。

第三节　社会发达的概观

一、社会发达的过程

社会的构成,约如上述,马氏于分析社会的构成以后,就进而分析社会发达的过程。

（D）社会之物质的生产力，在它发达的一定阶段上，就和它在那中间活动而来的现存生产关系，即是和那仅仅是法制上的表现的所有关系，发生冲突。这些关系，便从生产力的发达形态，转变成它的桎梏。于是……到来。

前面说过，人类在他们社会的生产上，"容受那适应于物质的生产力之一定发达阶段的生产关系"。

所以当时的生产关系，是在适应于生产力而助长生产力发达的状态。布氏所说"社会各要素间的均势"的时代，就是这时的状态。①

这种生产力（因之，生产形式，下准此）之继续发达的变化，一经达到一定阶段时，就和以前适应于生产力因而助长其发达的生产关系（社会关系），发生冲突。换言之，生产力和生产关系之间的适应一破裂，那从前助长生产力发达的生产关系，转变而束缚它的发达了。

"所有关系"之为物，前已说过，是生产关系的上层建筑，即生产关系的法制化，所以生产力到了和生产关系相冲突的时候，也就和所有关系相冲突了。这些生产关系、所有关系，以前虽是助长生产力发达的"发达形态"，到这时候反成为碍障生产力发达的"桎梏"了。这样，社会革命的时代便到来了。

（E）随着经济的基础的变化，那一切巨大的上层建筑，就或缓或急的变动起来了。

生产形式随着生产力的发达而变化，接着生产关系（社会关系）也变化了的时候，那在它上面树立着的上层建筑，如法律制度和政治制度（政治的生活过程）社会的意识形态（精神的生活过程），也就变化了，这是马氏所说的。

关于这一点，他在《哲学的贫困》上，也较为详细地说过。他说：

"人类获得新的生产力，同时就变更那生产形式；生产形式即获得生活资料的方法变化，同时就变更他们一切的社会关系。"

---

① N.Bucharin.*Historischer Materialismus*.S.143.

"但因其物质的生产形式而形成社会关系的同一的人类,又因其社会关系而形成原则、观念和范畴。"

"因而这些观念,这些范畴,和刻印这些东西的关系一样,不是永久的东西。这些东西,是历史的、一时的、无常的产物。"

"我们只是在生产力的增大、社会关系的推移、观念的形成等不断的运动之中生活着。"

　　(F)一个社会组织,到一切生产力发达之时为止,在那于生产力尚有充分余地之间,绝不殁落;而新的比较高级的生产关系,在那物质的生存条件没有完全孵化于旧社会自身的胎内之时为止,绝不到来。

基于上述的过程,社会也和蛇蜕皮一样,顺次成就它的发达的,但生产力若是没有充分发达——即是在旧社会关系里面没有达到再不能发达的程度,社会组织绝不殁落。因而一切的上层建筑也不变动,新的社会组织自然也不能出现。——这是马氏所说的。

但马氏上面一段话,绝不是表示他是一个定命论者的。他还是反定命论者。譬如恩氏说:"经济状态是基础,但上层建筑的种种因子,也把那作用影响于历史的……经过上面,在许多情形,大致是规定它的形态的。这一切的因子之间,有相互的作用……"①;又如马氏说:"说及环境和教育的变化的唯物论的教理,惟其环境是由人类……,不可忘记教育者要受教育的事情"。由此可以推定他们绝不是定命论者。

　　(G)所以人类往往只提出可以解决的问题,因为更正确的观察起来,就会发见问题自身,必需有那可以解决问题的物质的条件已经存在,至少亦必在生成过程中可以把握的时候,才能发生。

在这里,马氏把上列(F)段文章的内容,从别的方面反复地说明它。即如

---

① K.Korsch.*Kernpunkte*.S.40.

上述,"比较高级的生产关系,在那物质的生产条件没有完全孵化于旧社会自身的胎内之时为止,绝不到来",但至少提出关于所谓"比较高级的生产关系"的问题时,必是那时已经有了可以解决问题的物质的条件存在,或至少亦必是在那生成过程中的时候。——这是马氏所说的。

二、社会发达过程的观察方法

其次马氏又说社会发达过程的分析方法(观察方法)。

（H）当观察这种变动之时,人们对于那在经济的生产条件上自然科学所能忠实证明的物质上的变动,和人们在那中间意识这个冲突而且和它决斗的法制上、政治上、宗教上、艺术上或哲学上的,质言之即观念上的各种形态,须加以区别。

前面说过,社会的发达,是由于生产力的增大,变更生产形式,接着又变更生产关系(社会关系)(以上是"基础"),从此那"一切巨大的上层建筑,就或缓或急的"变动起来,所以当着分析社会发达的过程而加以考察之时,必须分别"基础"上的变化和上层建筑的变化。基础的变化,即生产力的增大,生产形式和生产关系(社会关系)的变化;"上层建筑"的变化,即法律制度、政治制度及以它们为中心的政治的生活(上层建筑之一)和意识形态,换言之,即法制上、政治上、宗教上、艺术上、哲学上等观念的诸形态及以它们为中心的精神的生活(上层建筑之二)。

（I）人们不能由个人自身所想象的地方以判断个人是什么,同样,人们不能由那时代的意识以判断那种变动的时代,反是要从那物质的生活的矛盾,即是要从那社会的生产力和生产关系之间所存的抵触,去判断时代的意识。

如前所述,马氏曾说"不是人类的意识规定他们的存在,反之,乃是人类之社会的存在规定他们的意识";当观察这种变动时代之时,也是一样,不是可以从"意识形态"（上层建筑之二）去证明去解释的，反之，应当要从物质的生活（基础）的矛盾，即是从生产力和生产关系的抵触去把握去解释的。

这是社会有上述的构成和上述各要素间的作用的当然结果。

三、社会组织之进步的阶段

其次马氏举示几种社会形态，作为社会组织之进步的阶段。即如：

> （J）综其大要，可以列举亚细亚的、古代的、封建的、近代市民的生产形式，作为经济的社会组织之阶段。

前面说过，一时代的生产关系绝不是一样的，实有种种东西并存着。这许多种类生产关系的总和，虽表示一时代的发达阶段，但一时代的发达阶段，也自有其时代的主要生产关系作特征。因为那时代的主要生产关系，"优越于一切（著者注：即一切隶属的生产关系），因而那个关系（著者注：即主要生产关系），对于其余一切东西（著者注：即隶属的一切生产关系），是表示等级和势力的。这（著者注：即主要生产关系）是一般的光亮，其中一切残余的东西（著者注：即一切隶属的生产关系）都由它所染色，并且由它修正那特殊性。"（见《经济学批评》序说）

这样，基于那时代主要的生产关系，造成社会组织之历史的阶段时，就得到了上述亚细亚的生产形式的时代、古代的生产形式的时代、封建的生产形式的时代和近代市民的生产形式的时代，共为四个阶段。

最后，马氏于上述四个时代中，关于近代市民的社会，有下列附带的说明：

> （K）市民的生产关系，是社会的生产过程之最后的敌对形态。所谓敌对，不是个人的敌对的意味，而是由个人的社会的生产条件发生的敌对的意味。但在市民的社会胎内发达的生产力，同时造成解决这个敌对之物质的条件。所以随着这个社会的构成，人类社会的前史，便告终结。

这里是马氏说明市民的社会形态及其历史的倾向的。

以上是《经济学批评》序文中所表现的"唯物史观"字义的研究。

第四节　唯物史观的唯物史观

以上关于马氏唯物史观之字义的研究,大致已经说完了,以下要附带说的,是唯物史观的唯物史观——更就唯物史观的见地来观察唯物史观。

唯物史观说道:"不是人类的意识规定他们的存在,反之,乃是人类之社会的存在规定他们的意识";又说:"反是要从那物质的生活的矛盾,即是要从那社会的生产力和生产关系之间所存的抵触,去判断时代的意识";其次又说:"因其物质的生产形式而形成社会关系的那同一的人类,又因其社会关系而形成原则、观念、范畴等";"因而这些观念,这些范畴,和刻印这些东西的关系一样,不是永久的东西。这些东西,是历史的、一时的、无常的产物"。

然则教训这种事实的唯物史观自身的地位,究竟在哪里? 究竟是怎样形成的?

固然,它是占居在意识("上层建筑之二")一层的地位的。并且它是"因其物质的生产形式而形成社会关系的那同一的人类,又因其社会关系而形成的"东西之中的一个。

这样,唯物史观也必须"从物质的生活的矛盾,即是从社会的生产力和生产关系之间所存的抵触去说明",因而它不也要是"历史的、一时的、无常的产物"么?

我们以为这些问题,都应当承认它们是正当的。我们只得回答:唯物史观是"历史的、一时的、无常的产物",是要"从社会的生产力和生产关系之间所存的抵触去说明的"。

据我的管见说来,这种事实,马氏没有否认过,而且也不能否认的。

因为否认这种事实,便会变成否认唯物史观自身了。

唯物史观所占的地位,在"上层建筑之二"一层。所以它是由"基础"规定的,是要"从社会的生产力和生产关系之间所存的抵触去说明"的,因而它当然必是"历史的、一时的、无常的产物"。

唯物史观,是不会能够独自站在唯物史所发出的光线以外的。

不过下面一句话，我们可以确实相信，即"唯物史观比诸别的史观，较有长期的生命"。

为什么是这样呢？借马氏的话来说，是因为"它（唯物史观）对于各个时代，没像观念的史观那样探究范畴的必要，不是继续的立在现实的历史地盘上而由观念说明实践，乃是由物质的实践而说明观念组织"①。即因为不是从"上层建筑"说明"基础"，而是从"基础"说明"上层建筑"。

我在本书第一章第三节上曾经说过，"我们可以想到只处理绝对的法则的一天。但那只单是思维上的事情"，接着又说自然法则和社会法则都不能是绝对的理由。后来又说两者虽不能是绝对的，而其中自然法则，比诸社会法则，"妥当的时间较久，妥当的场所较广"。并且又说明这个理由是："自然法则，主要的是由自然自身所造成而由人类发见出来的法则；社会法则，主要的是由人类所造成而由人类自身发见出来的法则"。

然而，从来观念的史观，不知道"上层建筑"是由"基础"规定的，所以不从"基础"去说明"上层建筑"，而从"上层建筑"去说明"基础"。

唯物史观，把这"倒竖"了的史观再行"倒竖"过来，要从"基础"去说明"上层建筑"。即唯物史观是从一定的生产关系和在那生产关系底下从事着生产活动的人们出发，由此以说明"上层建筑"的。

在这种"基础"上——即，"在现实的生活上没有空想的东西，所以开始有现实的实证的科学——即人类实际的活动之实际的发展之叙述。关于意识的拙劣鼓吹终止，现实的知识就不能不起而代之。"（《德国观念形态》）

加之，人类在那下面活动的生产关系，是依据一定生产条件的关系，但那生产条件，比较上层建筑，更是依着因果关系的必然的过程而发达的。因而那发达过程，大体上可依自然科学的方法去观察。

所以我们可以说：唯物史观，较之从来观察的史观，更是自然科学的——或更是合于自然科学的史观。

自然科学，原处于"上层建筑"的地位，固然要受那时代的"基础"的影响，但是那法则，比诸社会科学上的法则，所受于"基础"的影响较少，所以"妥当

---

① *Marx-Engles.Archiv.*I.S.259.237-240.

的时间较久,妥当的场所较广"。

基于这种意义,可以说,唯物史观比诸别的史观,有较为长期的生命。

于是便发生了下述的逆论:观念史观因为说了真理的永远,所以生命短;唯物史观因为说了真理的短命,所以生命长。

第四章　社会构成之分析(其一)

第一节　三个前提

一、引言

在第三章,我们已经把社会的构成及其发达过程的概观说完了,以下更就社会的构成作细密的分析。

但要分析社会的构成,必须先把它的三个前提,研究一番。

社会构成的三个前提:一是人类;二是人类的行为;三是物质的生活条件。马氏关于这点的说明如下:

"我们所认为当先的前提,绝不是任意的东西,也不是独断的东西,乃是现实的前提,只有在想象中才能抽象出来。它是现实的个人、个人的行为以及不问是已经存在或由个人的行为生产的物质的生活条件。"[1]

所以,我们对于这三个前提,必须加以充分的研究。

二、人类

人类是社会构成的第一前提。

"一切人类历史的第一前提,自然是活着的人类个人之存在。"[2]然则从何处区别人类与动物呢?"从意识上,从宗教上,从其他任何事件上,固然都可把人类从动物中区别出来。可是人类自身,当他们开始生产自己的生活资料时,即当他们由于肉体组织所决定而开始有一种进步时,就开始把他们自身从

---

[1]　*Marx−Engels Archiv*.I.S.237.

[2]　*Marx−Engels Archiv*.I.S.237.

动物中区别出来了。"①

即,人类"能与动物区别之最初的历史行为,不是他们思维的事情,而是他们开始生产自己的生活资料的事情"②。

然则生活资料的生产,究竟怎样实行的呢?"人们为要用可供自身生活使用的形式占有自然材料起见,才运动那属于自己身体的自然力,即是运动自己的腕、脚、头、手。"③但这种"最初的、动物的、本能的形态"的劳动,④是动物所共通的,绝不能成为区别人类与动物的划线。

然则,"只属于人类的形态"⑤的劳动是什么?

"总之,劳动过程多少发达了,就必需加工的劳动器具。"⑥这就是说:只有使用加工的劳动器具的劳动,是"只属于人类的形态"的劳动。

本来,动物在搜集果实的时候,也经营和人类相类似的劳动。但它的劳动器具,在原则上,只是身体上的各部机关,至于使用加工的劳动器具,依原则上说,只有人类是那样。所以马氏说:"劳动器具的使用和创造,在它的萌芽上,某种动物的种属中虽然也有,却是特别地构成了人类劳动过程的特征,所以福兰克林所下的人的界说,说是制造器具的动物。"⑦

照这样,劳动器具的使用和创造,实是人类的特色,并且是把人类从动物中区别出来的划线了。

但是我们却不可把所谓人类当作固定的或孤立的东西去理解。他"不是幻想的隔离中、固定中的人类,他乃是在一定的条件之下的、现实的、并能从经验上观察的发达过程中的人类"⑧。

第一,他们是"现实的活动的人类"⑨。"人类的存在,是他们现实的生活

① *Marx-Engels Archiv*.I.S.237.
② *Marx-Engels Archiv*.I.S.237.
③ K.Marx.*Kapital*.I.S.140–142.
④ K.Marx.*Kapital*.I.S.140–142.
⑤ K.Marx.*Kapital*.I.S.140–142.
⑥ K.Marx.*Kapital*.I.S.140–142.
⑦ K.Marx.*Kapital*.I.S.140–142.
⑧ *Marx-Engels Archiv*.I.S.239–240.
⑨ *Marx-Engels Archiv*.I.S.239–240.

过程。"①并且他们的活动,只是"在一定的条件或制约之下才能显现。即是"在一定的物质的并离开他们意志而独立的制约、前提、条件之下的活动"②。

第二,他们是由其活动而与"自然"相联系的人类。换言之,就是一面对于自然生作用,一面又为自然所影响的人类。"劳动首先是人类和自然间的一个过程,是人类因其自身的行为,以媒介、整理并统制他和自然的材料交换的一个过程"③。而"他借这个运动(著者注:劳动)来作用于在自身外部的自然,一面变更它,间时又更变他自己的性质"④。

第三,他们是由其活动而与其他人们相联系的人类。即,他们不是孤立的而是与人们相联系以造成社会的人类。"在生产上,人类不仅作用于自然,并且互相作用。他们只有协作于一定形式,互相交换其活动,从事生产。他们为着生产,互相加入一定的联系和关系,他们只有在这种社会的联系和关系之中,才发生向自然的作用,发生生产。"(见前)

"人类,尤其在文字的意义上,是社会的动物。他不仅是社会的动物,并且是只有在社会内才能个别化的动物。在社会以外孤立了的个人的生产……也和没有许多共栖共话的个人,言语发达一样,同是无稽之谈。"⑤

"但所谓人类的本质,绝不是内在于个别的个人的抽象物。它在实在性上,是社会关系的总体"。"新唯物论的立场,是人类社会,或社会的人类"。(见前)

照这样,人类实是在一定条件下一面活动、一面生产并一面形成社会的人类。

然而向来的科学,第一,不去把握人类的活动,却把他看作一个抽象物;第二,设想着从自然解放了的人类;第三,设想着离群索居而没有人与人的关系(社会)的人类,而以这种设想的人类为前提,为出发点。

那真等于鲁滨孙的故事。

---

① *Marx-Engels Archiv*.I.S.239-240.

② *Marx-Engels Archiv*.I.S.239-240.

③ K.Marx.*Kapital*.I.S.140.

④ K.Marx.*Kapital*.I.S.140.

⑤ K.Marx.*Kritik*.S.XIV.

其实他们很高兴放在科学出发点上的这种抽象人、从自然解放了的人、孤立人，不过是自由竞争盛行着的市民社会之反映。那并不是社会的出发点，反是社会的产物。

三、劳动

这里还得重说一遍的——"它（著者注：我们所认为是当先的前提的）是现实的个人、个人的行为及……物质的生活条件"。

以上三者之中，关于"现实的人类"，已经说过了，这里再考察个人的行为。

"我们……必须从确定一切人类存在的前提开始，这个前提，也是一切历史的第一前提，即是人类为'造成历史'而先要有生活的可能的前提。"

"然而生活上最切要的，即是属于一切的饮食衣住及其他二三事项。"

"所以，第一的历史行为，就是为着生产那满足这些欲望的手段，即是为着的物质的生活那种东西的生产。并且只有这个，在今日也同在千年前一样，是人类为保持其生活，每日每时都必须满足的历史行为，是一切历史的根本条件。"①

这里所谓"生产"（广义的），可区别为二：一是抽象的去把握的劳动；二是显现于社会关系（生产关系）之中的现实的劳动。前者是离开了人与人的关系，即是离开了社会关系去把握的劳动；后者是并着社会关系去把握的劳动。只有后者才是狭义的"生产"。

于是，现在所必要的，是探究抽象的把握了的劳动了。

然而为说明劳动起见，必须先从"劳动力"说起。

"在劳动力，——劳动能力一语之下，我们就理解那存在于人类肉体中，——即人类活着的人格中之物理的及精神的能力之总括。人类每逢要生产某种类的使用价值时，就要运用它。"②

然而——

---

① *Marx-Engels Archiv*.I.S.244-245.

② K.Marx.*Kapital*.I.S.130.

"他(著者注:人类)成为一个自然力,和自然材料相对立的。人们为要用可供自身生活使用的形式占有自然材料起见,才运动那属于自己身体的自然力,即是运动自己的腕、脚、头、手"(见前)。

"他借这个运动来作用于在自身外部的自然,一面变更它,同时又变更他自己的性质。他展开在那中间(著者注:自然中)的伏能力,把那力的活动放在他自己的支配之下"①。

像那样的劳动力在自然中活动的状态,就是劳动。所以——

"劳动首先是人类和自然间的一过程,是人们因其自身的行为以媒介整理并统制他和自然的材料交换的一个过程"(见前)。

然而这样的劳动,是动物也能行的劳动,绝不是"只属于人类的形态"的劳动。

然则"只属于人类的形态"的劳动是什么?

"只属于人类的形态"的劳动,有两个特色:其一,是意识着目的的劳动;其二,是使用劳动器具的劳动。即——

(一)动物的劳动是本能的,没有着目的意识;而人类的劳动,则具有目的意识。因而人类在劳动开始时,普通即已在事先欲想着劳动过程之最后所表现的结果。

关于这一点,马氏有如次的例说:"蜘蛛所营的作业,也和机织工所营的作业相类似,又蜜蜂建筑出来的蜡巢,使得木工也有些觉得惭愧。但是最不好的木匠所以异于最好的蜜蜂的地方是:木匠于蜜蜡中造巢之前,必先要在头脑中把那巢构造起来。劳动过程最后所表现的一个结果,在开始的时候,早已存在于劳动者的表象之中,换言之,在观念上早已存在了。劳动者不仅变更自然物的形态,同时他还实现他的预定的目的,——他所意识着并且作为法则决定他行为的种类形式以其意志遵从的目的。而且这个服从,不是断片的行为。于劳动的各机关的努力之外,还有注意表现出来的目的意志,在劳动的全继续期间中,也是必要。"②

---

① K.Marx.*Kapital*.I.S.140.

② K.Marx.*Kapital*.I.S.140.

（二）动物的劳动，普遍是不能使用劳动器具的，而人类的劳动，则以使用劳动器具为原则。

"劳动器具，是劳动者用以联系他自身和劳动对象间的东西，并且具有传达他的活动于那对象之导体的功用，又是物的复合体。"①

"总之，劳动过程多少发达了，就必需加工的劳动器具。在最古代的洞窟中，我们也曾发见石造的工具和石造的武器。在人类历史的最初期，除已加工的石、木材、骨、贝壳等物之外，还有被驯养的动物，即由人类的劳动所变化、所饲畜的动物，尽了劳动器具的主要任务。劳动器具的使用和创造，在它的萌芽上，某种动物种属中虽然也有，却是特别地构成了人类劳动过程的特征。所以福兰克林所下的人的界说，说是制造器具的动物。"②

因此，劳动器具的使用和创造，诚如前述，是区别人类和动物的划线，并且是把人类的劳动从动物的劳动中区别出来的划线。

以上二者，才是"只属于人类的形态"的劳动之特色。即是："那样，人类的活动，是在劳动过程上，用劳动器具以成就其最初所企图的劳动对象之变化的"③。

然而上面所说的劳动，不过是"抽象的把握了的劳动"，换言之，不过是"离开一定的社会形态去观察"的劳动。马氏关于这点的说明如次：

"我们在单纯而且抽象的要素上指示的劳动过程，与其说是生产使用价值而为人类的欲望占有自然物的目的的活动，与其说是人类和自然间行材料交换的普遍条件，与其说是人类生活之永久的自然条件，与其说那个离开其生活的任何形态而独立着，不如说那在一切的社会形态上，是相等的共通的东西"。

"因此，我们没有在劳动者和其他劳动者的关系上指示劳动的必要。即一方面说人类与其劳动，他方面说自然与其材料，那就十分够了。我们对于那种劳动过程，不能辨别它是在什么条件之下进行的，正和对于小麦一样，不能

---

① K.Marx.*Kapital*.I.S.141–146.

② K.Marx.*Kapital*.I.S.141–146.

③ K.Marx.*Kapital*.I.S.141–146.

尝出他是谁种出的"①。

那种抽象的把握了的劳动,在社会关系(即生产关系)内部显现时,——严密地说,并着社会关系去把握时,那就是狭义的"生产"。

"在生产上,人类不仅作用于自然,并且互相作用。他们只有协作于一定形式,互相交换其活动,从事生产。……他们只有在这种社会的联系和关系之中,才发生向自然的作用,发生生产。"(见前)。

关于那种狭义的"生产",是次节以下所研究的题目。

四、物质的生活条件

社会构成的前提,最后所当研究的,是物质的生活条件。

物质的生活条件,可以区分为二:一是已存的条件;二是人类行为的所产。

(一)先就第一的已存条件说,那便是广义的自然条件。

"若离开社会的生产多少发达了的形态而观察时,劳动的生产性,是结合于自然条件的。"②

这广义的自然条件,又可区分为二:(a)人类的自然,即人种与人口等;(b)外的自然,即狭义的自然条件。

"那(著者注:广义的自然条件)一切都可归着于人种等人类的自然自身,和环绕他的自然。"③

"这同一的经济基础……由自然条件(著者注:广义的)、人种关系、从外部作用的历史的影响等无数种类经验的事情,能于现象中显示无限的种别和阶段……"④

"相异的自然条件,是同量的劳动,因国土的变异而充足相异的欲望量的事情,因而在其他各点上,虽在类似的事情之下,也发生必要劳动的时间之差异的作用,影响于劳动上面"⑤。

---

① K.Marx.*Kapital*.I.S.141-146.

② K.Marx.*Kapital*.I.S.476.

③ K.Marx.*Kapital*.I.S.476.

④ K.Marx.*Kapital*.III.2.S.325.

⑤ K.Marx.*Kapital*.I.S.476-479.

这狭义的自然条件,又可细分为二:(A)生活工具之自然的财富;(B)劳动器具之自然的财富。

"外的自然条件,在经济上可分为两大部门,即土地的肥沃性、富于鱼类的河海湖沼等生活工具之自然的财富,及瀑布、可以航行的河川、材木、矿石、石炭等劳动工具之自然的财富。"①

所以我们对社会构成的前提物质的生活条件,可以分类如次。

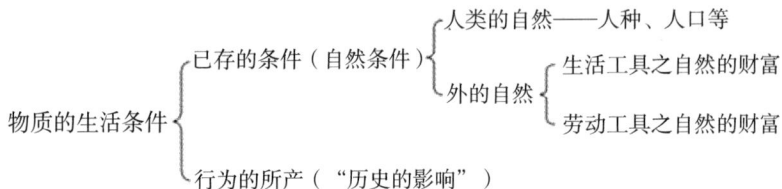

物质的生活条件 {
　已存的条件(自然条件) {
　　人类的自然——人种、人口等
　　外的自然 {
　　　生活工具之自然的财富
　　　劳动工具之自然的财富
　　}
　}
　行为的所产("历史的影响")
}

然上述自然条件(无论是广义的或狭义的)所及于社会构成上的作用之强弱,是与产业发达为反比例的。即是产业愈不发达的时代,自然条件所及于社会构成上的作用愈益强烈。

"一切的生产,都是在社会形态的内部,并因其媒介而由个人实行之自然的占有。"②

"这个自然的限制之后退,以产业的进步为比例。"③

"它(著者注:资本主义的生产)以对自然的人类之支配为前提。"④

但在这种情形,是不能分离人类和自然去考察的。虽说是"人类对于自然的支配,却不可忘掉那人类也是受自然所支配的人类"。

"他(人类)借这个运动作用于在自身外部的自然,一面变更它,同时又变更他自己的性质。"(见前)

换言之,所谓人类支配自然,不外是把支配自然的那自然法则去认识,去占有,并有计划地使它发生作用,而"展开在自然中的伏能力,把力的活动放

① K.Marx.*Kapital*.I.S.476−479.
② K.Marx.*Kritik*.S.XVIII.
③ K.Marx.*Kapital*.I.S.477−479.
④ K.Marx.*Kapital*.I.S.477−479.

在他自己的支配之下"。

以上关于广狭两义的自然条件都说过了。然更就狭义的自然条件(即外的自然)说,可得到如次的法则:

外的自然条件,即如上述,可区分为两大部门:(A)土地的肥沃性、富于鱼类的河海湖沼等等生活工具之自然的财富;(B)瀑布、可以航行的河川、材木、矿石、石炭等劳动工具之自然的财富。但文化程度愈低落,则前者的作用力愈强大;反之文化若发达,则后者的作用力就渐次猛烈。

"在文化的初期,则赋与前项种类之自然的财富以决定;在文化达到较高度的阶段,则赋与后项种类之自然的财富以决定。"①

(二)其次所谓人类行为的所产,是含有生产工具的范围、能力、劳动者、熟练的平均程度、科学及其技术的应用之发达阶段、生产过程之社会的结合等意义的。

前面说过,"这同一的经济基础……由自然条件、人种关系、从外部作用的历史的影响等无数种类经济的事情,能于现象中显示无限的种别和阶段"的东西。然其中唯有"历史的影响",相当于《德意志观念形态》内所谓"由人类的行为所生产"的——即这里所说的"人类行为的所产"。所以把它作为下面研究的问题。

人类行为的所产之中,第一要说明的,是生产工具的范围和能力。

这里所说的生产工具(Produktionsmittel),是指劳动工具(Arbeitsmittel)、劳动对象(Arbeitsgegenstand)而言的。即是马氏所说的:"劳动过程成为生产物而告终……从其结果的生产物的立场观察全体过程时,则劳动工具及劳动对象两者呈现为生产工具,而劳动自身呈现为生产的劳动。"②

"一个使用价值,从劳动过程中产生出来而成为生产物的时候,则过去劳动过程的生产物的他种使用价值,就成为生产工具而加入劳动过程之中。这(著者注:过去劳动过程的)生产物的使用价值,便成为那(著者注:新的)劳动的生产工具。所以生产物,不仅是生产过程的结果,同时又是它的条件"③。

---

① K.Marx.*Kapital*.I.S.476.
② K.Marx.*Kapital*.I.S.143-145.
③ K.Marx.*Kapital*.I.S.143-145.

"……在一切的生产部门中,都是处理那由过去劳动所滤过的劳动对象之原料,即是处理那自身已成为劳动生产物的劳动对象。譬如农业的种子,便是例证。普通当作自然生产物去观察的劳动和植物,也有多数不仅是前年的劳动生产物,即就其现在的形态说,它也是通过了许多年代,而在人类的统制下,由人类的劳动所继续变化的生产物"①。

"尤其就劳动器具说,即令是皮相的一瞥,也可以认识出来她的大部分还残留着过去劳动的痕迹。"②

"一个使用价值,究竟是呈现为原料或呈现为劳动器具? 抑呈现为生产物? 那完全要看它在劳动过程中的机能,即依存它在那劳动过程中所容受的地位而定。由于后者的地位的变化,前者(著者注:或呈现为原料,或呈现为劳动用具,或呈现为生产物)的规定也就变化的。"③

然而人类行为的所产,也不仅限于生产工具那种有形的生产物,并有劳动者熟练的平均程度、科学及其技术的应用之发达程度、生产过程之社会的结合那些无形的生产物。

这些无形的生产物,又自各成为社会构成的前提,演出了重要的任务。

"生产力的发达,在终极上,往往归着于活动着的劳动之社会的性格、社会内部的分业、精神劳动的发达,即自然科学的发达。"④

这里,我们可以把前列的分类表,加以补充,另成下表:

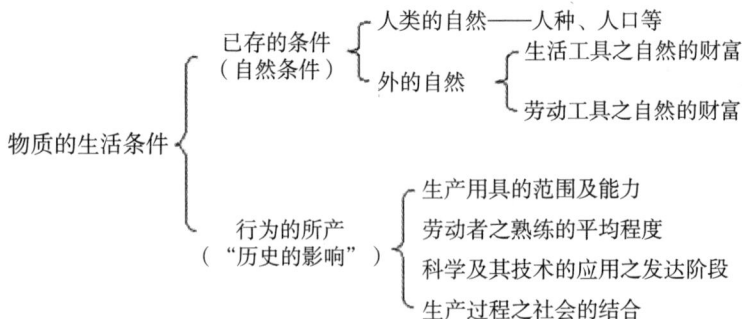

物质的生活条件
- 已存的条件(自然条件)
  - 人类的自然——人种、人口等
  - 外的自然
    - 生活工具之自然的财富
    - 劳动工具之自然的财富
- 行为的所产("历史的影响")
  - 生产用具的范围及能力
  - 劳动者之熟练的平均程度
  - 科学及其技术的应用之发达阶段
  - 生产过程之社会的结合

---

① K.Marx.*Kapital*.I.S.143−145.

② K.Marx.*Kapital*.I.S.143−145.

③ K.Marx.*Kapital*.I.S.143−145.

④ K.Marx.*Kapital*.III.2.S.56.

第二节　生产过程(基础)

一、狭义的生产过程一般

在前节,我们已经研究了社会构成的三个前提,从本节起,顺次研究社会构成的分析。

现在第一要说明的,是劳动过程和生产过程的关系。在前节之(三),我借用马氏的说明,把劳动力说明过。即——

"在劳动力——即劳动能力一语之下,我们就理解那存在于人类肉体中——即存在于人类活着的人格中之物理的及精神的能力之总括。人类每逢要生产某种类的使用价值时,就要运用它。"

然而那样的劳动力,不过是离开一定的社会形态之抽象物的范畴。

那种劳动力在自然中活动的状态——即"劳动",事实上,只是显现于社会关系之内的东西。

"在生产上,人类不仅作用自然,并且互相作用。他们只有协作于一定的形式,互相交换其活动,从事生产……。他们只有在那种社会的联系和关系之中,才发生向自然的作用,发生生产。"

照这样,抽象的把握了的劳动,在社会关系(即生产关系)内部的显现时候——严密地说,并着社会关系去把握的时候,那便是狭义的"生产"。

然则一切的生产,就是社会的生产,离开了社会关系,是不能考察生产的。

劳动过程和生产过程之间,实有上述的关系。

再就价值的立场观察它的时候,就发见两者间存有如次的关系:

(一)劳动过程,常是生产使用价值的过程;

(二)劳动过程,不仅生产使用价值而已,有时还是形成价值的过程;

(三)劳动过程,不仅生产使用价值并形成使用价值①,有时还是增值价值的过程。

以上第一种情形,是纯粹的劳动过程;第二种情形,是商品的生产过程;第

---

① 此处的"形成使用价值"疑应为"形成价值"。——编者注

三种情形,是资本主义的生产过程。

关于上述各点,马氏说明如次:

"劳动过程,成为生产物而告终。"(见前)

"生产物……如丝,靴及其他物品,是一个使用价值"。

然而——

"这里所说的一般的使用价值,只因为它是交换价值之物质的基础和把持者,才被生产,并且只在那个范围内才被生产。"

"于是我对于资本家,发生两件事的问题。第一,他是要生产具有交换价值的使用价值的,换句话说,他是要生产贩卖用的物品——即商品的;第二,他要生产有较高价值的商品,比较那生产上所费的各商品的价值总额还要大,即是比较他在商品市场花费宝贵货币得来的生产工具和劳动力的价值总额还要大。"

就是说——

"他不仅要生产使用价值,还要生产商品,即是他不仅要生产使用价值,还要生产价值,而且他不仅要生产价值,更要生产剩余价值。"

"商品的自身,是使用价值和价值的合一;同样,它的(著者注:商品的)生产过程,必也是劳动过程和价值形成过程的合一。"

"生产过程,成为劳动过程和价值形成过程的合一,就是商品的生产过程;成为劳动过程和价值增值过程的合一,就是资本主义的生产过程,即是商品生产之资本主义的形态。"①

照这样,劳动过程和生产过程就显现了。

二、生产工具与生产力

然上述生产过程,是受各种要素所规定而显现的。这些要素中最是横在基础上的,就是"生产工具"。故从理论上说,必先说明"生产工具",但为便于理解,不得已先说被生产工具所规定的"生产力",后说生产工具。

所谓生产力是什么?

---

① K.Marx.*Kapital*.I.S.149.160.

这里再把马氏关于劳动力的说明,重述一次。

"在劳动力——即劳动能力一语之下,我们就理解那存在于人类肉体中——即存在于人类活着的人格中之物质的及精神的能力之总括。人类每逢要生产某种类的使用价值时,就要运用它。"(见前)

然而那样的劳动力,不过是离开一定的社会形态而抽象的把握了的范畴。

因此,那样的劳动力,只有活动于自然中的状态——劳动,在社会关系的内部,才能显现。

抽象的把握了的劳动,在社会关系(即生产关系)的内部显现时——严密的说,并着社会关系把握的时候,就是狭义的"生产"。

同样,抽象的把握了的劳动力,在社会关系的内部——严密的说,并着社会关系把握的时候,那就叫作"生产力"。

这个生产力,是横在社会"基础"的基地上而变革"基础",并引起上层建筑之一及上层建筑之二发生变化的要索。即——

"人类获得了新的生产力,随着变更其生产方式,并随着生产形式的即获得生活资料的方法的变化,而变革他们一切的社会关系。"(见前)

"人类在其生活之社会的生产上,容受那一定的、必然的、离开他们意志而独立的关系,即容受那适应于他们物质的生产力之一定发达阶段的生产关系。"(见前)

然而这生产力的自身,又为各种事情所规定。即——

"这同一的经济基础……由自然条件,人种关系,从外部作用的历史的影响等无数种类经验的事情,能于现象中显示无限的种别和阶段。"(见前)

"劳动的生产力,由种种事情所现定,尤其是由劳动者之熟练的平均程度,科学及其技术的应用之发达阶段,生产过程之结合,生产工具的范围及作用能力,和自然关系等所规定。"

"生产力的发达,在终极上,常归着于活动的劳动之社会的性格,社会内部的分业,精神的劳动的发达即自然科学的发达"(见前)。

"在那中间生产者互生关系的社会关系,即他们在那下面交换活动并参加生产的总体行为的条件,自然因生产工具的性格而有不同。随着所谓火器的一个新武器之发明,军队内部的组织必然的要变化,在那中间,各个人组织军队以及能成为军队而发生作用的关系,也必变化,并且种种军队相互间的关系也变化了。"①

"所以个人在那中间生产的社会关系——即社会的生产关系,和物质的生产工具,生产力的发达,同时发生变化。"②

"人类获得了新的生产力,随着变革其生产形式,随着生产方式,即获得生活资料的方法的变化而变革他们一切的社会关系。手转粉挽车,产生封建诸侯的社会,蒸汽发动的粉挽车,产生产业资本家的社会。"③

然则生产工具是什么? 就是前面说过了的劳动工具和劳动对象。

"由其结果的生产物的立场去观察全部劳动过程,则劳动用具与劳动对象两者呈现为生产用具;劳动自身呈现为生产的劳动。"

然则生产工具究竟是什么?

所谓劳动工具的,就是前面说过了的"是劳动者把他自身和劳动对象联系起来,并且具有传达他的活动于其对象之导体的功用的东西,又是物的复合体"。

"他(著者注:人类)因为要根据他的目的,把他(著者注:物之机械的、物理的及化学的特质)作为权力手段,他在他物之上(著者注:劳动对象之上)发生作用,就利用物之机械的物理的及化学的特质。例如采取果实那样已成的生活手段时,他的身体各机关,固然有成为劳动器具的功用,可是若把这种情形置之不论,则劳动者所直接占取的对象,不是劳动对象,而是劳动器具。所以自然物那个东西,就成为他的活动机关,即是成为(圣经上虽有明训)他把它附加于自己身体机关上而延长他自然的体格的那个机关"④。

然而劳动器具,当然绝不仅是棒、石那样的自然物。"就劳动器具说,即依着皮相的一瞥,也能认出它的大部分还残留着过去劳动的痕迹。"

这就是说,劳动器具可区别为(一)自然的劳动器具和(二)加工的劳动器

① K.Marx.*Lohnarbeit*.S.25.

② K.Marx.*Lohnarbeit*.S.25.

③ K.Marx.*Elend*.S.91.

④ K.Marx.*Kapital*.I.S.141.

具两项。

"总之劳动过程多少发达了，就需要加工的劳动器具。在古代的洞窟中，我们发见过石造的工具和石造的武器。在人类历史的最初期，除了加工的石、木材、骨、贝壳等物之外，还有驯养的动物——即已由劳动所变化所饲畜的动物，尽了劳动器具的任务"。

"劳动器具不但是人类的劳动力发达的分度器，而且是人类在其中实行劳动的社会关系的指示器。"①

再说劳动对象是什么？

劳动对象有两种：一为天然存在的劳动对象；一为劳动生产物的劳动对象（原料）。

"由那依着劳动而与地球体的直接结合相分离的一切物品，就是天然存在的劳动对象。如离开那生活要素的水的鱼，即被捕获的鱼、在原始林采伐的木材、从矿脉中掘取的粗矿等等就是的。"

"反之，劳动对象自身，由过去的劳动滤过了的时候，名为原料。譬如从矿脉中掘取出来又洗净了的粗矿即是。一切的原料，诚然是劳动对象，而所有的劳动对象，不一定就是原料。原料依着劳动的媒介而完成其变化时，才成为原料。"

"（前略）在一切的生产部门，都处理那由过去的劳动所滤过的劳动对象的原料，即是处理那自身已经是劳动生产物的劳动对象。譬如农业的种子就是例子。普通当作自然生产物观察的动物和植物，也有许多不仅是前年的劳动生产物。就它现在的形态说，它已是通过了许多时代而在人类的统制下依着人类的劳动所继续变化的生产物。"

"原料既能够形成生产物的主要成分，又能够成为辅助材料而参加它（著者注：生产物）的形成。"②

基于以上所说，我对于本书第三章第二节之（三）所列的社会构成的图表（第二表），实有补足之必要，如第三表便是。

---

① K.Marx.*Kapital*.I.S.142.
② K.Marx.*Kapital*.I.S.141-144.

【第三表】

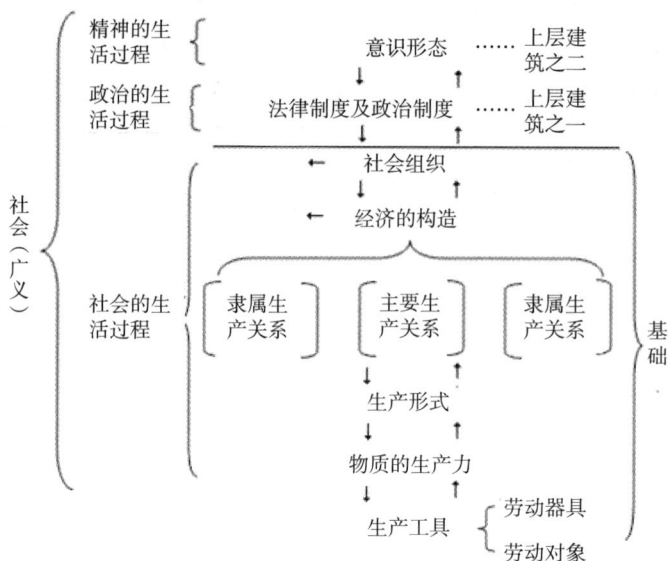

三、生产形式

在生产过程上,如前所述,生产工具虽规定生产力,而生产工具和生产力,又规定生产形式。

"人类获得了新的生产力,随着变革其生产力,随着生产形式即获得生活资料的方法之变化,而变革他们一切的社会关系。"(见前)

"生产形式的变化,在工场手工业,以劳动力为出发点;在大工业,以劳动器具为出发点。"①

例如工场手工业和家内工业的生产形式所由发展到工场经营的生产形式的,是由于采用机械的生产工具和基于那种采用而生产力遂以增进的结果。

"一经达到此点……则机械的采用及分散的家内劳动(或工场手工业)转到工场经营的时期开始。"②

"社会的经营形式(著者注:生产形式)之变化,那是生产工具(著者注:因

---

① K.Marx.*Kapital*.I.S.334.

② K.Marx.*Kapital*.I.S.435.436.438.

而又是生产力)的变化之必然的生产物……"①

四、广义的生产过程一般

生产过程,是由上述各种要素所规定而显现的。但更现实的而且更全体的观察时,生产过程却是采取最复杂的形式而显现的。

即,生产过程,是不断的和流通(交换、消费、分配等)过程互相密接的联系着而显现的。

"它(著者注:生产过程)在现实世界,是由流通过程补足的(中略)。资本主义的生产过程,在全体上观察起来,那是生产过程和流通过程的统一。"②

不但流通过程如此,即分配过程也有同样的关系。

"但分配不是生产和交换的单纯被动的产物,它也同样给两者(生产和交换)以反作用。"③

更就消费过程说,也是一样。例如说——

"一个使用价值,成为生产物而由劳动过程产出时,那过去劳动过程的生产物的其他使用价值,就成为生产工具而加入其中(著者注:劳动过程中)。这个(著者注:过去的劳动过程)生产的使用价值□成为那个(著者注:新的)劳动的生产工具。所以生产物不但是生产过程的结果,同时又是它的条件。"(见前)

"劳动工具和劳动对象自身,既是生产物(著者注:过去的劳动的),劳动就应当是为着创造生产物而消费生产的了……"④

所以《经济学批评》序言上把生产、分配、交换、消费的关系,总括起来,作下述的说明。

"我们所得到的结果,并非生产、分配、交换、消费是同一的,乃是它们形成一个全体的成员,即是形成一个统一体的内部之差异的。生产也和他在生产之对立的规定中的自身一样支配其他各种要素(著者注:分配、交换、消

---

① K.Marx.*Kapital*.I.S.435.436.438.
② K.Marx.*Kapital*.III.I.1.
③ F.Engels.*Dühring*.S.151.
④ K.Marx.*Kapital*.I.S.146.

费）。由此（著者注：由生产）不断的创始新的过程……所以生产的一定形态，规定消费、分配、交换的一定形态和这些要素间的一定关系。但是生产，在其一面的形态上，又为他种要素（著者注：消费、分配、交换）所规定（中略）。各种要素之间，于是发生交互作用。"①

照那样在全体上观察了的"生产过程"，就是广义的生产过程。

五、生产关系与其总和

前面说过，在生产过程上，生产工具规定生产力，而生产工具和生产力，规定生产形式。

然而这些生产用具、生产力、生产形式，又规定"生产关系"。

所谓生产关系，就是前面所说人们因为着生产而容受的人与人的关系。再重说一次，"在生产上，人类不仅作用于自然，并且互相作用。他们只有协作于一定的形式，互相交换其活动，从事生产。他们为着生产而相互加入于一定的联系和关系之中。并且只有在那种社会的联系和关系之中，才发生向自然的作用，发生生产。"（见前）这个关系，就是生产关系。

那样的生产关系，是被生产工具、生产力、生产形式规定的。即——

"人类在他们生活之社会的生产上，容受一定的、必然的、离开他们意志而独立的关系，即容受那适应于他们的物质的生产力之一定发达阶段的生产关系。"（见前）

然如前所述，那种生产关系，在一定的时代，不仅有一个存在，而是有几种东西并存着。即是把那成为那时代的特色的主要生产关系做中心，而有其他许多隶属的生产关系并存着。即如现代市民的生产关系时代，也是以那主要生产关系的市民的生产关系做中心，在它的旁边，还有封建的生产关系之遗物的手工业经营和小农经营残留着。

"市民的社会，是建筑于这些（著者注：已经没落的各种社会形态）废墟和要素上面的。其一部分（著者注：已没落的各种社会形态的一部分）成为未经克服的残滓，在那中间（著者注：市民的社会之中）延长余命；一部分在以前只

---

① K.Marx.*Kritik*.S.XXXIV.

是暗示的东西(著者注:在市民的社会内),就发达起来,具有充分的意义……"(见前)

在那样多种生产关系并存之中,主要的生产关系,就形成那时代的特色。

"在一切的社会形态,有一定的生产显现着,它优越于一切,因而那个关系,是对于残余的一切东西显示等级与势力的。"(见前)(其详参看本书第三章第二节之"一"与"二")

照这样,一时代的生产关系,既以主要的生产关系为中心而有种种隶属的生产关系并存着,那么,这一切生产关系的总和,就叫作"社会的经济构造",或"社会"(狭义的),或"社会关系",又叫作"社会的联系"。

"社会的经济构造"——"这些生产关系的总和,形成那社会之经济的构造……"(见前)

"社会"或"社会关系"——"在那个总和上的生产关系,是形成那叫作社会关系或社会的"(见前)。"在那中间,生产的把持者对于自然又互生关系的总体,即他们在那中间生产着的这些关系(著者注:生产关系)的总体,这个总体就是……社会。"(见前)

"社会的联系"——"唯有在那种社会的联系和关系的内部……"(见前)"一切社会的联系……由那社会联系产生之一切观念……"(见前)

那种生产关系的总和(即"社会的经济构造"、"社会"、"社会关系"、"社会的联系"),又为生产工具,生产力,生产形式所规定。

"人类获得了新的生产力,随着变革其生产形式,随着生产形式,即获得生活资料的方法之变化,而变革他们一切的社会关系。"(见前)

"由其物质的生产形式而形成社会的那同一的人类,又由其社会关系而形成原则、观念、范畴。"(见前)

六、阶级关系

以上我们从横在社会的基地上之最下层的生产工具顺次上升,经由生产力,生产形式的各层,遂达于社会关系层(生产关系的总和即社会之经济的构造)。

然而在社会关系层上,还有阶级关系。并且这个阶级关系,和前述生产过程上的社会关系一样,是受生产工具、生产力、生产形式的规定而造成的。所以要想说明阶级关系,势不得不又从生产工具出发,特别是必须就分业观察一下。

A. 分业之发生

"劳动由于使用的器具而为种种的组织并分割,手转粉挽车和蒸汽发动的粉挽车相比较,以相异的分业为前提。"①

马氏是那样说的。为着容易理解马氏的这个说明,我把关于社会构成的图表中,只就现在所说的一部分,再于下面列出。

【第三表的附属表之一】

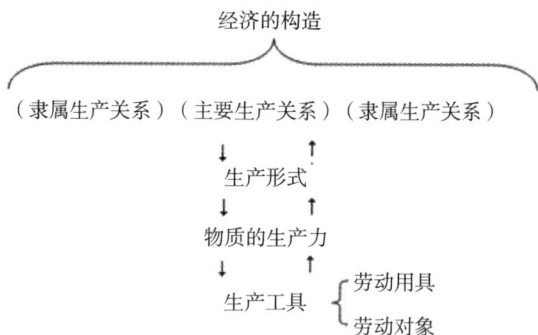

经济的构造

（隶属生产关系） （主要生产关系） （隶属生产关系）

↓　　↑
生产形式
↓　　↑
物质的生产力
↓　　↑
生产工具 { 劳动用具
　　　　　 劳动对象

马氏所谓"由于器具"的话,当然就是"由于变异了劳动器具"的意义。具体的举一个例说,就是"由于手转粉挽车和蒸汽发动的粉挽车之差异"的意义。其次所谓"劳动,……为种种的组织并分割"的话,就是指的生产形式。

所以据马氏说来,分业和协业的生产形式,是由劳动器具所规定的(这与上面所说的全是同一的事件)。因此要把它在上表内为适当的表现,则生产器具规定生产力,而此两者是产生分业和协业,或规定其形态的。

B. 分业与阶级

分业是那样产生的,而阶级又从分业出来。

"……阶级及……到阶级的社会的分割,是由于从前生产不甚发达的必然的结果。当社会的总体劳动所提供的,收获,除供给一切要求者所必要的生

---

① K.Marx.*Elend*.S.91.117.123.126.

存必需品以外而超过之程度很少时,从而劳动须要求社会人员大多数的总时间或者差不多要要求总时间的时候,则社会必然地要分割为阶级。即完全在从事劳动的大多数人之傍,从直接生产的劳动中解放出来,而有从事劳动指导、国务、法制、科学、艺术等社会共同事务的阶级出现。所以横在阶级分割的基地上的,就是分业法则。"①

然而阶级不仅是基于上述的过程而发生的,于"这种阶级形成之外,还有另一个的阶级形成"——即阶级形成,"是由两重道路发生的"②。

那么,另一个的阶级形成,是怎样显现的呢? 那就是基于奴隶制度的阶级之发生。

"农耕的家族内部之自然发生的分业,在财富的一定程度的阶段上,就能够处分一个人或多数人的劳动力。这种事实,在土地的旧式共同所有崩坏的时候,或至少在旧式的共同耕作为各家族分割地之个别的耕作所代替的地方,尤其是那样。生产发达,则人类的劳动力,能产出超过维持他自己的生活之必要的东西。(中略)于此,劳动力成了价值。"

"然而自己的共同体及其所属的联合体,不能供给可得而使用的过剩的劳动力。反之,战争却供给(著者注:战争的俘虏即是)了这个(著者注:过剩的劳动力)。(中略)在现在已到达了的'经济状态'的阶段,这些俘虏就成为一个价值,于是人们便使俘虏生存,从事劳动。(中略)那样一来,奴隶制度就发见了。于是超越旧式共同体而发达着的一切民族,就拿奴隶制度做生产的支配形态。"

"在人类的劳动,还不是多量的生产的,而于必要的生活资料以上只能提供些少剩余的范围内,生产力之增进、交通之扩大、国家与法律之发达、艺术与科学之建设等,只有依靠进展的分业为媒介,才有可能(中略)。那种分业之最单纯而最自然发生的形态,正是奴隶制度。"③

像那样说,阶级虽也发生于奴隶制度,但仍然是由分业发生的。所以阶级

---

① F.Engels.*Entwicklung des Sozialismus Von der Utopie Zur Wissenschaft*.(Hrsg. v. Kautsky).1923.S.49.

② F.Engels.*Dühring*.S.186-191.

③ F.Engels.*Dühring*.S.186-191.

在上述的两个过程中,不论是由哪一个过程发生的,都不能不说它是基于分业的阶级形成。

"……阶级与……阶级之从来一切历史的对立,在人类劳动比较未曾发达的生产性之中,可以找出说明来。劳动于现实的人们,当其忙碌于必要劳动,而没有余暇从事社会的共同事务——劳动指导、国务、法律事务、艺术、科学等——之时,每不得不发生那从现实的劳动中解放出来而处理这些事件的特殊阶级。"①

照那样,阶级发生于分业,而分业(生产方式)又和前述,要受生产工具、生产力所规定。所以阶级也当然是为生产工具、生产力所规定的。

C. 阶级与生产关系

其次,为探究在生产过程上的阶级地位,不能不明了地说及阶级和生产关系的关系。

"在最皮相的把握上,分配呈现为生产物的分配,而远远离开生产,并对于生产呈现为准独立的东西。然而分配在生产物的分配之先,第一,是生产器具的分配;第二,是同一关系之更深的规定,而走向生产的各种类之下的社会人员的分配(走向一定的生产关系之下的各个人之摄取)。生产物的分配,很明显的是包括在生产过程的自身中,而为规定生产之编成的那种分配的结果。"②

所以,在生产过程(广义)上,先于生产物之分配的,第一是生产器具的分配,接着就是社会人员走向生产的各种类之下的分配。

像那样的"走向生产的各种类之下的社会人员的分配",在上述"人类的劳动,还不是多量的生产的,而于必要的生活资料以上仅能提供些少的剩余"那种时代显现时,就造成阶级(但还未成社会组织的)的。

换言之,阶级——但还没有类型化,因而没有带着永续的性质的,或将类型化而似乎带有永续的性质的阶级,是在生产关系之上造成的。马氏在《哲学之贫困》内所说的"资本的支配,对于这些群众,造出了共通的地位、共通的

---

① F.Engels.*Dühring*.S.186-191.

② K.Marx.*Kritik*.S.XXX.

利害。于是这些群众对于资本(著者注:显示生产关系),已是一个阶级,但对其自身则尚非阶级的东西"①,像那种程度的阶级,就是这个。兹为划出这一程度的(或属于此层的)阶级与属于其他层的阶级之区别,暂称这一程度的阶级为"阶级之一"。

那么,一旦阶级发生,则生产关系,当然成为阶级的生产关系,生产关系之总和的社会关系(或社会),便成为阶级的社会关系或阶级社会。

所以要补足前列的图表(第三表附表之一),以表示说到这里的阶级,特列出第三表的附属表之二于下。

【第三表的附属表之二】

经济的构造

（隶属生产关系）（主要生产关系）（隶属生产关系）——阶级之一

生产方式

物质的生产力

生产工具 { 劳动器具
　　　　　 劳动对象

此"阶级之一",若更类型化起来,就带有永续的性质而成为"阶级之二"。这一点在"社会组织"一段内另行说明。

D. 阶级的定义与种类

阶级的定义如次:"社会阶级,是在生产上尽同一任务,在生产过程上,对于其他人们又立于同一关系——此关系在此场合,于物(生产手段)中发见其表现——之上的人们的总和。"②

所以由分配过程观察起来,"生产物的分配关系是由生产关系规定的,所以一切阶级,在分配过程上,是由同一的收入泉源结合而成的"③。

马氏在《资本论》第三卷之二内,说明阶级由分配过程而分类,其言如次:

"以工钱为收入泉源的单纯的劳动力所有者、以利润为收入泉源的资本

①　K.Marx.*Elend*.S.162.

②　N.Bucharin.*Historischer Materialismus*.S.323.

③　N.Bucharin.*Historischer Materialismus*.S.324.

所有者以及以地代为收入泉源的土地所有者——即工银劳动者、资本家及地主这三种人,形成了那立足于资本主义的生产形式上面的近代社会的三大阶级"①。

固然,那样的分类,也不是不可能,可是马氏在别的处所(《关于剩余价值的学说》第二卷之二)却说出那样分类的缺点,而把阶级分为资本家和工钱劳动者两类。譬如说:

"资本家工钱劳动者,是生产的唯一机能者和要素,而他们的关系和对立,是从资本主义的生产形式的本质发生的。(中略)他——土地所有者——就资本主义的生产说,不是必然的生产要素……"

"基于资本主义的生产形式的本质……是直接从事于生产的阶级,还原到资本家和工钱劳动者,而土地所有者除外的事情……是资本主义的生产形式之适当的理论的表现,并且是表示它的特征的东西。"②

所以要穷究起来,就可以理解马氏所以列举资本家与工钱劳动者作为资本主义的生产时代两大阶级的道理了。

E. 阶级与身份

最后要说明的,是阶级与身份的关系。

"社会的阶级,怎样才能与身份相区别呢? 即如前述,所谓阶级是指的那由生产过程上的共同任务所结合的人们的范畴,即是各人对于生产过程的其他参与者,具着些微类似的状态之人们的总体。反之,所谓身份,是指的那由法制的、法律的、社会的秩序上之共通状态所结合的人们的集团。"

例如:

"大地主是一个阶级。贵族是形成一个身份的。何故? 因为大地主有一定的经济的生产标识,而贵族却是没有。贵族是具有为一定的法律的、即该国家的法律所认许的权利和那'贵族身份'的特权的。"③

"在社会的先资本主义形态内,较之在资本主义内,一切的关系是保守的,生活步调是缓慢的,变化是很少的。此时的支配阶级,可以说是田园贵族,

---

① K.Marx.*Kapital*.III.2.S.421.

② K.Marx.*Mehrwert*.II.1.S.292-294.

③ N.Bucharin.*Historischer Materialismus*.S.327.

又可说是世袭阶级。此关系之显著的不动性,即是由一联的法律的规范,一方使阶级特权有固定的可能,他方使义务有固定的可能。即是这个不动性,是容许以'身份'的衬衣包裹阶级(或各阶级)的。"①

根据这个见解,则所谓身份的,就是指的那因法律而确定的阶级。恩氏所说"此处所谓身份的,就是指的封建国家之身份的历史的意义上的身份,即是具有一定限度的特权的身份"②,也可解释他是表现这个意义的。

但依据恩氏的意见,却说:

"有产者团……把身份及其特权同时……市民的社会,现在只知有阶级。"③

七、家族关系

此外在社会关系(生产关系的总和)层上,还有家族关系。

"据唯物史观说起来,历史的终极的要因,是直接生活之生产及再生产。然而它的自身也是由两重方法显现的。一方是由于生活资料——即衣、食、住及其所需要的工具的对象之生产;他方是用于人类自身之生产,即种族之存续。"(见前)

家族虽是以比较带有永续性之性的结合为中心的血缘关系,但这种家族关系又受生产工具、生产、生产形式等所规定。如果摘出相异的家族关系而探究其原因,就必然可以在那基地上,发见相异的生产工具、生产力及相异的生产形式。

所以,家族关系,是和生产关系有密切关系的。

"我们愈远溯历史,愈发见个人,因而生产的个人,不是独立的,而是属于较大的全体的。最初完全是由自然的方法而属于家族,属于家族扩大的部族,其后则属于由部族的对立融合而生之种种形态的共同团体。"(见前)

"较为接近的例证,就是那为着自家使用而生产谷物、家畜、丝、亚麻布、衣类等项的农民家族中之田园家长制的产业。(中略)产出这些生产物的各

---

① N.Bucharin.*Historischer Materialismus*.S.329.
② K.Marx.*Elend*.S.163.
③ K.Marx.*Elend*.S.163.

种劳动,即农耕、饲畜、纺织、裁缝等事,是与商品生产同样,具有它自身的自然发生的分业之家族的各种机能。所以在其自然形态上,已是社会的机能。"①

即家族关系,是存在于他自身的生产关系上面,并且是永远存在于那个上面的。

然而家族关系在生产关系上所尽的任务,随生产力之增加而逐渐减少,于是替代它的阶级关系就挤进来。换言之,阶级关系,逐渐吸收家族关系在生产关系上的机能,而把家族关系化为纯粹的血缘关系了。

"劳动的发达较少,生产物的量或社会的财富越是较受限制,那社会秩序就越受血缘团体所支配。然而在立脚于那种血缘团体的社会编制之下,劳动的生产性次第增加……立足于血缘团体上的旧社会,在与新发达的社会阶级接触……替代他的新社会,便为国家的形式要约进来,而其下层的地位,已不是血缘团体而是地域团体……"②

照这样,家族关系虽然早已不是生产关系,而它的形态要由生产用具、生产力、生产形式所规定,却依然不变。

例如——

"在资本主义制度内部的旧家族体……无论看作怎样讨厌的东西,而大工业(著者注:生产形式),在家族体的他方而于社会上组织了的生产过程上面,用分配于妇女、两性的青年、幼童等的决定的任务,对于家族和两性关系的较高的形态,造出新的经济基础来。"③

即是以比较带有永续性之性的结合为中心的血缘关系——"家族的这本质的原型,怕是不容易变化。然家族关系的大小,家族关系的内部的权力之所在(例如男权、女权),家族生产关系上所尽的机能等等,是和上面说过了的一样,适应于生产工具、生产力、生产形式的发达阶段,而各自变化的"。

基于以上所述,把前列的图表(第三表附属表之二)加以补足,便得了"第三表附属表之三"。

---

① K.Marx.*Kapital*.I.S.44.

② F.Engels.*Ursprung der Familie*.S.VIII.

③ K.Marx.*Kapital*.I.S.455.

【第三表的附属表之三】

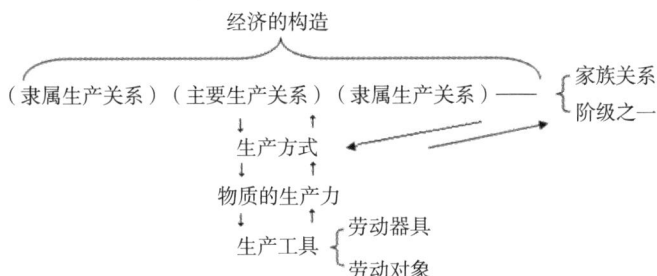

```
                    经济的构造
          ┌─────────────┴─────────────┐        ┌ 家族关系
 (隶属生产关系)(主要生产关系)(隶属生产关系)──    {
          ↓          ↑        ↓                 └ 阶级之一
               生产方式  ◄────────────────────┘
              物质的生产力
          ↓          ↑      ┌ 劳动器具
               生产工具   {
                            └ 劳动对象
```

八、社会组织

我在上面已经说明生产工具规定生产力;生产工具和生产力两者又规定生产形式;而生产工具、生产力、生产形式三者,又规定生产关系(其总和为社会的经济构造),并发生阶级关系,规定阶级关系,又规定家族关系。

然而这个生产关系(其总和为"社会的经济构造"、"社会"、"社会关系"),与适应于它的阶级关系和家族关系(都还没有类型化,因而也就没有带着永续性质的)等等,若多少类型化了而又带有永续性质的时候,就造成社会组织(或"社会形态",或"社会秩序")。

所以,在这一层上的社会关系、阶级关系、家族关系等项,都是带有永续的、固定的性质而组织化的。

"社会组织,(中略)是以生产的两方法,即一方以劳动的发达阶段(著者注:生产关系及阶级关系)为条件,他方以家族(著者注:家族关系)的发达阶段为条件。"(见前)

"那么,同样,分业的种种形态,就是社会组织的基础。"(见前)

"走向阶级的(著者注:类型化、组织化)差别一般的……并走向(著者注:阶级的差别一般)所依存的总体的生产关系……"(见前)

所以,在这一层的阶级,与在生产关系层的阶级(阶级之一)不同,乃是已经类型化、组织化了的东西。我们把它下一个假定的名称,叫作"阶级之二"。这个"阶级之二",更上升而达于法律制度政治制度层,所谓被法律的"衬衣"包裹着的时候,那就成了"身份"。

"现在的市民家族(著者注:类型化、组织化的家族),是立足于何处的呢?那是立足于资本、私的所得(著者注:生产关系)之上的。"

"在资本主义制度内部的旧家族体的……无论把它看作怎样讨厌的东西,而大工业,在家族体的他方而于社会上组织了的生产过程上面,用分配于妇女、两性的青年、幼童等的决定的任务,对家族和两性关系的较高形态,造出新的经济基础来。"

那么,所谓社会组织,是把组织化的生产关系(也可说是生产组织)、组织化的阶级关系(也可说是阶级组织)、组织化的家族关系(也可说是家族组织)等等包含于其中的一个统一的组织。

九、社会的生活过程

上述的生产关系(其总和为社会、社会关系)、社会组织等等,都是把基础上的社会构成要素在静的方面把握的、表现的形态。如果是从动的方面把握它,表现它,那就是社会的生活过程——所谓"物质生活的生产形式,是形成社会的、政治的及精神的生活过程一般的条件"之社会的生活过程。

所谓社会的生活过程,就是社会的生产过程。换言之,就是以社会组织(即生产组织、阶级组织、家族组织等的统一组织)为中心而经营的,并生产这些组织之动的、具体的而且活着的生活过程。

社会的生活过程,已如前述,是由两种方法显现的:一是物质的生活资料之生产过程(那主要的是以生产组织及阶级组织为中心而经营的);一是人类的生产过程,即生殖过程(那主要的是以家族组织为中心而经营的)。

"根据唯物史观,则历史的终极的要素,是直接生活的生产及再生产。然它的自身也是由两种方法显现的:一方是由于生活资料——即食、衣、住及其所需要的工具之对象的生产;一方是由于人类自身的生产,即种族之存续。"(见前)

十、结论

以上对于社会构成的基础,大略分析完了。因此,基于以上的记述,把前列的图表补足起来,制成"基础"的图表,即下例的"第三表附属表之四"。

【第三表的附属表之四（基础的概略）】

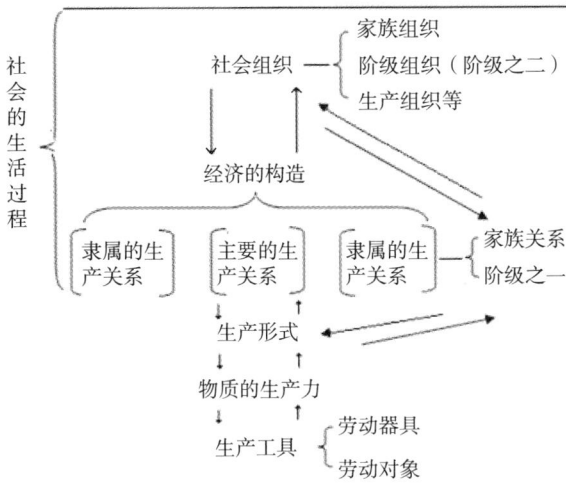

社会组织 ── 家族组织
阶级组织（阶级之二）
生产组织等

社会的生活过程

经济的构造

隶属的生产关系　主要的生产关系　隶属的生产关系　家族关系　阶级之一

生产形式

物质的生产力

生产工具 ── 劳动器具
劳动对象

第五章　社会构成之分析(其二)

第一节　法制及政治过程

一、政治制度(特别是国家形态)

"这些生产关系之总和形成社会之经济的构造,即形成法制的政治的上层建筑(著者注:"上层建筑之一")所依以树立并与它相适应的一定社会的意识形态的真实基础。"(见前)

我们既然观察了社会构成的基础,必须更进而观察那建筑在基础上面的"上层建筑之一"——法制及政治过程。

我们为着研究的便利,先从政治制度入手。

"生产的各种形态,产生那特有的法律关系、统治形态(著者注:政治制度)等等。"①

生产关系,产生适应于它的特有的统治形态(政治制度)。而各种统治形态中,特别要研究的是国家形态。

成为统治形态之一的国家形态,和其他统治形态不同。何故?恩氏在其《家族私有财产及国家之起源》一书内,把国家形态和氏族组织的不同之点,列举如次:"与古代的氏族组织相对照,国家有两个特色,第一,是它因地域而分割其所属人员;(中略)第二,它是公权的机关……"②

国家,虽有那种特色的统治形态,然它却是一定的发达阶段上面的生产关系的产物,因之它必须适应于生产关系,也和其他的统治形态,没有什么不同。

---

① K.Marx.*Kritik*.S.XIX.

② F.Engels.*Ursprung der Familie*.S.177.

即所谓:

> "那(著者注:国家)不待言,是在一定发达阶段上面的社会(著者注:生产关系的总和)的生产物。"①

因之,国家形态,要从其基础的社会——生产关系去理解它。"我的研究达到一个结论,法律关系及国家形态,不是从它的自身,所能理解的,也不是从人类精神之所谓一般的发展所能理解的,反是根源于黑智儿所仿效英法人的先例把他的总和包括于市民社会的名称之下的物质的生产关系。"(见前)

然则生产关系和国家形态具体的观察起来,究有怎样的关系呢?

我在前章说过,生产工具、生产力、生产形式三者,规定生产关系、阶级关系、家族关系等等而这些关系多少类型化了而带有永续性质的时候,才造出社会组织来。据马恩两氏的意见:与其说……形态就是如实地反映这社会组织(生产组织、阶级组织、家族组织等),不如说上述由于地域之所属人员的分割,公权机关参加于这社会组织的时候,那就成为……形态。

> "在与社会之阶级的分割而必然连结的经济发达之一定阶级上,依着这种分割,而国家遂成为一个必然性。"

> "那是这个社会和它自身错综于不能解决的矛盾的告白,即是社会分裂为不能排除矛盾的不可调和的这件告白。可是像那样,这个对立——即具有互相抵触的经济的利害之各阶级,为着不使自己和社会消耗于无益的斗争起见,必至于需要一种被认作立于社会之上的权力——即抑制那个抵触而使它停止于'秩序'的制限内的权力。像那样从社会中出现而且立于社会之上,渐次与社会疏隔而行使的权力,那就是……"②

> "基于那理特殊利害与共同利害之矛盾,共同利害……采取那现实的个别利害及离开共同利害的一个独立的形态,它虽同时成为幻想的共同性,然常是建立于那存在于一切家族集团及部族集团的纽带(著者注:结合)之现实的基础上的,血肉、言语、大规模的分业及其他的利害——特别是……已由分业条件决定的阶级……之利害的共同性……"③

---

① F.Engels.*Ursprung der Familie*.S.178.

② F.Engels.*Ursprung der Familie*.S.182.

③ *Marx-Engels Archiv*.I.S.250.

"在其中，从直接生产者榨取不支给的剩余劳动之特殊的经济形态……规定……及……关系……然那由生产关系自身生产出之经济的共同体的全形态，同时又和……形态是在这上面建筑起来的。"①

"国家由于抑制阶级对立的要求而产生，同时又产生于阶级的抵触之中，所以它总是那最有力的经济的支配阶级的国家，而那种阶级，又因国家而成为政治的支配阶级。"②

二、法律制度

政治制度，常与法制度互相提携而起作用。

法律制度，不用说，也是反映出生产关系——因而又是反映出社会组织（生产组织、阶级组织、族组织、家族组织等），而且受它所规定。

"国家及国法，如果由经济关系所规定，则那本质上单是存在于个人与个人间，并认定当时的事情为常态的经济关系的私法，不待言也是同样的"③。

"政治的立法和市民的立法，都不过是把经济关系布告出来、记录出来的。"④

"不问是否在法律上发达的东西，以契约为形态的这个法律关系，就是在那中间反映经济关系的意志关系。这种权利关系——意志关系的内容，是由经济关系那东西给予的"⑤。

所以，关于所有关系，马氏也说："现存的生产关系，和它（著者注：生产关系）仅仅在法制上表现出来的所有关系……"他又为指示生产关系和所有关系的关系起见，把过去的英国及法国的例证举出来，说："法律能使生产器具例如土地这东西，在一定的家族内永久化。那种法律，例如，英国的，在大土地所有制和社会的生产相调和的时候，才获得经济的意义；又如在法国。大土地，所有制虽经认许，而小规模的农业一经施行，那大土地所有制，即因……而

---

① K.Marx.*Kapital*.Ⅲ.2.324.

② F.Engels.*Ursprung der Familie*.S.180.

③ F.Engels.*Feuerbach*.S.49.50.

④ K.Marx.*Elend*.S.62.

⑤ K.Marx.*Kapital*.Ⅰ.S.51.

破坏。"①

又对于商品交易,也说:"行于生产者当事间之商品交易的正义,是依存于这个商品交易能否从生产关系中成为自然的结果而发生的事情。在那中间,这经济的商品交易,成为当事者的意志行为,成为彼等一致的意志之表现,更成为对于一个当事者由国家所强制的契约而出现的这种法制形态,单成为形态,是不能规定此内容自身的。那(著者注:法制形态)不过是表现它(著者注:内容)的。这个内容,在它适应于生产形式、适合于生产形式的范围,才是正当的,在和它(著者注:生产方式)相矛盾的范围,就是不正当的。比如在资本主义的生产形式上,奴隶制度,和关于商品之品质的欺骗同样,是不正当的。"②

又对于劳动法规,也说:"在族长制度之下,在恰士特制度、封建及基尔特制度之下,通过社会全体,因一定的规则而行分业。此等规则,是由一人的立法者所制定的么? 不是,它是原始的即由物质的生产条件发生,其后很久,才被提高到法律的位置的。"(见前)

"⋯⋯工场法典,不外是伴着大规模的协业和共同的劳动器具——尤其是伴着机械之应用的必要而生之劳动过程的社会的规则之资本主义的⋯⋯"③

三、政治的生活过程

上述的政治制度及法律制度,都是把"上层建筑之一"的社会构成要素,在静的方面把握了表现了的形态,如果在动的方面把握它、表现它,那就是政治的生活过程,即所谓"物质生活的生产形式,是形成社会的、政治的及精神的生活过程一般的条件"中的那个政治的生活过程。

那么,所谓政治的生活过程,就是以政治制度及法律制度为中心而经营的,并生产这两个制度之现实的而且动的生活过程。这一层已经反复说过,那是受"基础"所规定的。

① K.Marx.*Kritik*.S.XXXIII.
② K.Marx.*Kapital*.III.1.S.323.324.
③ K.Marx.*Kapital*.I.S.389.390.

第二节　意识过程("上层建筑之二")

一、意识形态

A. 意识之发生与发达

"这些生产关系之总和,形成社会之经济的构造,就是形成法制旳及政治的上层建筑(著者注:上层建筑之一)所依以树立和与它相适应的一定社会的意识形态(著者注:上层建筑之二)的真实基础。"

我们已经说明了基础,观察了"上层建筑之一",必须更进而观察"上层建筑之二",即观察意识形态。

所谓意识是什么?"所谓意识(Bewusstsein),除了意识了的存在(das bewusste Sein)以外,什么东西都不会有,而人类的存在,即其现实的生活过程。"①

所以,没有存在,因而没有现实的生活过程,意识是不会有的。所以意识是社会的产物,在他种物类和人类的交通(即关系)发生的时候,就是意识发生的时候。

"……言语与意识一样,都是由交通欲望,即是由于与他人交通的必要才发生的。只要有一个关系存在,那(著者注:关系)就是对我而存在。动物是与任何东西都没关系的,并且一般地也没有关系,动物与别个的关系,不是成为关系而存在的。所以意识,本来早已是社会的生产物,并且在人类的存在范围内,一般地存在着。"②

意识的发生,原是从最接近的周围——即关于物与人之动物的感觉的意识开始的。

"意识,最初当然只是关于最接近的周围的感觉的意识,并且只是那意识着的个人受了他人及物所限制的关系的意识。"

"那同时是自然的意识,而自然最初是完全成为未知的全能的不能把握

---

① *Marx-Engels Archiv*.I.S.239.

② *Marx-Engels Archiv*.I.S.247.

的力而和人类相对立，因而它和人类的关系，完全是动物的关系。人类把它如动物般的渴仰，因而他对于自然是纯动物的意识（自然宗教）——这是因为自然还没有在历史上被变化的缘故。"

"他方关于不能不与周围的个人相结合之必然性的意识，是他于一般的生活在一个社会内的事情的意识之发端。这个发端，同这个阶段的社会的生活自身一样，也是动物的，都只是畜群的意识。所以人类与羊的不同之处，仅在于人类代本能以意识，而本能即成了意识的本能这一点。"①

然则那种动物的感觉的意识，是怎样发达的呢？

"这个群意识或部族意识，由于生产力之增加、欲望之进展及横于此两者基础上的人口之增加，而遂其较高的发达与成长。同时，那原始的不过是在性的行为上分业的……分业就发达起来（中略）。分业从物质的劳动与精神的劳动初事分裂的一瞬间中，开始为现实的分裂。"

从这一瞬间起，意识可以现实地想象出来，可以变为已存的实践的意识的以外的东西，并且即不思维现实的东西，也能现实地思维某种事情。——从这一瞬间起，意识把自己从世界解放出来，能够转变而形成"纯粹学理"、神学、哲学、道德等。但若这些学理、神学、哲学、道德等，到了和已存的关系相冲突之时，只是依着已存的社会关系和已存的生产力间发生矛盾一事，才得发生的。

"生产力、社会状态及意识的三要素，常互相陷于矛盾，并且不得不陷于相互的矛盾。何故？随着分业这件事情，给予精神的及物质的劳动、享乐与劳动、生产与消费以归属于相异的个人的可能性并现实性。因为这些东西之不陷于矛盾的可能性的，只有存在于分业之再度扬弃的这件事当中。"②

照那样，"不是人类的意识规定他们存在，反之，乃是人类之社会的存在规定他们的意识。"（见前）

B. 知识阶级之发生与其机能

如前所述，独立的意识形态，是随着物质的劳动与精神的劳动（马氏又称

---

① *Marx-Engels Archiv.*I.S.249.

② K.Marx.u.F.Engels.*Manifest.*S.19.

为"精神的及物质的活动")之分业而发生的。同样,意识形态之生产者的知识阶级——即精神的劳动者之总和,也随着物质的劳动与精神的劳动之分业而发生。即——

"……阶级与……阶级之从来一切历史的对立,在人类劳动的比较未发达的生产性中,可以发见它的说明。现实的劳动的人们,在忙着他的必要劳动,没有片刻工夫担任社会的共同事务——劳动指导、国务、法制事务、艺术、科学等——之内,就不得不产生那从现实的劳动解放出来而处理那些事情的特殊阶级。"(见前)

知识阶级是那样产生的。更加严密的观察,那种知识阶级的成分,是从两个不同的部分成立的,即自然的部分与外来的部分是。前者是为着委以社会的共同事务,由团体的内部选任的;后者是从团体的外部——尤其是由于以战争的俘虏为奴隶,委以那些事务之一部的这件事发生的。

所以,自发的产生出来的知识阶级,本质上是支配阶级;而外来的产生出来的知识阶级,势必成为被支配的阶级,这是很容易想象得到的事情。这里,就可以想见同是从事精神的劳动者之中,一定发生有的入于成为支配者的范畴,与有的入于成为被支配者的范畴之区别的开端。这个区别,最初虽是严格的适应于自发的产生出来的知识阶级,与外来的产生出来的知识阶级的区别,然随着生产力之增进,其后——尤其是奴隶制度的废止以后,自然的产生出来的精神劳动者的大部分,就从支配阶级的范畴中,渐次脱离出来,而造成中间阶级的知识阶级,这也是可想而知的。

成了中间阶级的知识阶级,常依附于该时代的支配阶级,从事于适应当时支配阶级的宗教、哲学及其他意识形态的生产。所以成了中间阶级的知识阶级,也可说是依附于当时的支配阶级而生产适应于支配阶级之意识形态的依附阶级。

然而生产更加增进,到了有产者团的时代产生,那成为中间阶级的知识阶级,就再度分化而发生有产者团的知识阶级与无产者团的知识阶级;更进一步,则前者被摄入于有产者团的胎内,后者被摄入于无产者团的胎内的倾向发生。①

---

① *Marx-Engels Archiv*.I.S.265.

那么一来,阶级关系,就逐渐单纯化了。

"有生产者团的时代,是由于把阶级对立单纯化的那件事情显示特征的。"(见前)

那么,知识阶级的经营机能——在社会生活上所尽的任务是什么?

知识阶级,如前所述,是随着精神的劳动与物质的劳动之分业而产生的,所以从事那精神的劳动,换言之,从事那艺术、哲学等类的意识形态之生产,就是他的社会任务。

然则知识阶级经营出来的意识形态,具着什么内容呢?

在还没有成为中间阶级以前的知识阶级,那自发的发生出来的,自身是支配阶级,外来的发生出来的,又明白的是从属于支配阶级。所以他生产的意识形态,其成为反映支配阶级之意欲与意识,乃是自然的结果。

就是成了中间阶级以后的知识阶级,也同样的在其生产的意识形态的内容,反映支配阶级之意欲与意识。——抽象地说,这是意识不规定存在,而存在却规定意识的结果;具体地说,就是处理那为物质的生产之手段的阶级,因之也处理那为精神的生产之手段的结果。

"支配阶级的思想,在各时代都是支配思想,即是社会之支配的物质的权力的阶级,同时便是那支配的精神的权力。把那为物质的生产的手段,自由处理的阶级,因之同时也处理那为精神的生产的手段。所以同时换一个说法,就是没有那为精神的生产之手段的人们的思想,要从属于这个阶级。所谓支配思想,不外是支配的物质关系之观念的表现……"①

C. 时代精神

由以上的事情,自然可以说明称为时代精神这东西的内容。各时代,各具有成为那时代的标帜般的类型的精神——即具有思维、感情、气氛等等类型的潮流的②,而此精神,此意识的潮流,是把当时的……意识反映出来的。

"一时代的支配精神,常不过是……观念。"③

"在贵族……时代,则荣誉、顺从等观念盛行,而在有产者团……时代,则

---

①　N.Bucharin.*Historischer Materialismus*.S.241.

②　K.Marx.u.F.Engels.*Manifest*.S.27.

③　*Marx-Engels Archiv*.I.S.266

自由、平等各种观念盛行。"①

D. 各种意识形态

如上所述,所谓意识,虽是被意识出来的存在,即由感觉、思维及其他所采取的存在,而那种意识中,则有顺次类型化而带来永续的性质的倾向。那样类型化了的意识,就称为意识形态(又称"观念形态"、"观念体"、"精神的生产物")。

这些意识形态,更可把它细分为几种部门。即法制上的意识形态,政治上的意识形态,宗教上的意识形态,艺术上的意识形态,哲学上的意识形态等等是。

"当观察那种变动的时候,人们必须区别那能在经济的生产条件可依自然科学忠实证明的物质的变动,和人们在那中间意识着这个抵触,而与它决斗的法制上、政治上、宗教上、艺术上、哲学上,约言之,即观念上的形态。"(见前)

我现在根据这个区分,以下关于各个的意识形态,试加以多少的说明。

E. 法制上及政治上的意识形态

法制上的意识形态及政治上的意识形态,更凝集为法律学,政治学,又成为权利、义务、契约、责任、自由、平等及其他种种的观念与原则、范畴,这些东西,都是把"基础"和"上层建筑之一"反映出来,而且受其规定的。

马氏关于这些处所,曾经说:"但因其物质的生产形式而形成社会关系的那同样的人类,又因其社会关系而形成原则、观念、范畴等。"(著者注:这决不仅是这个部门的原则、观念、范畴)又说:"各种原则,各自有其可以显现自身的世纪。例如个人主义的原则,有着 18 世纪,权威的原则,有着 11 世纪(中略)。假使自问为什么那种原则只显现于 11 世纪或 18 世纪,而不显现于别的世纪,那就必然的不能不详细研究:11 世纪和 18 世纪的人类,是怎样的人类?他们当时的欲望、生产力、生产形式以及他们生产的粗制原料究竟是怎样的东西?最后,这一切生活条件所引起的人与人的关系是怎样?"

这关于道德方面也是一样,恩氏就道德与经济的关系说明如下:

---

① F.Engels.*Dühring*.S.89.

"然而我们若要知道近代社会的三阶级——即封建贵族、有产者团及无产者团各个所具有的特殊道德，就只能从这件事抽出下面的结论：人类是有意识的、无意识的把自己的道德的见解，在终极上，是从那成为自己的……状态之基础的实际上的关系，——从他们在其中生产、交换的经济关系内造出来。"①

惯习、礼仪及其他规范，也和道德一样，是受"基础"及"上层建筑之一"规定的，尤其是反映社会组织（生产组织、阶级组织、家族组织）的。

F. 宗教上的意识形态

宗教上的意识形态，也是把"基础"及"上层建筑之一"反映出来而受其规定的。

"宗教的世界，只是现实世界的反映。……在商品生产者的社会内，崇拜抽象的人类的基督教，特别是在其市民的发达上，即在新教、自然神教等上，是最适当的宗教形态。"

"那种古代社会的生产组织……是由劳动生产力之低度的发达阶段，和与它相适应的物质的生活过程之内部的人类被局限的关系，即人类相互的关系及人类对自然的关系所决定。这个现实的局限性，又在观念上反映于自然宗教及民族宗教。"②

所以，"那些忽视物质的基础的一切宗教史，其自身——是无批判的。"③

"费尔巴哈把宗教的本质，解消于人类的本质。然所谓人类的本质，绝不是内在于个别的个人的抽象物，那在实在性上，是社会关系的总体。"④

"然则一切的宗教，不外是那支配人类之日常的实在的'外的力'，在人类的头脑中，反映于空想的，即不外是地上的力，摄取空中的力的形态之反映。在历史的初期，第一成为那种反映的是自然力……然不久，则于自然力之外，社会力也开始作用起来。"

"在现在的市民社会中，人类由其自身所创造的经济关系，由其自身生产

① K.Marx.*Kaptial*.I.（Hrsg.v.Kautsky）S.42.

② K.Marx.*Kapital*.I.S.46.

③ K.Marx.*Kapital*.I.S.236.

④ *Marx-Engels Archiv*.S.229.—F.Engels.*Feuerbech*.S.63.

的生产工具,恰是由'外的力'支配的。于是,宗教的反射作用之实际的基础,同时和宗教反射的自身,是持续的东西。"①

G. 哲学上的意识形态

哲学上的意识形态,也是同样。

马氏关于宗教及哲学,也说——

"比较高度的,距离物质的经济基础更远的观念体,采取哲学及宗教的形态。这里,表象与其物质的实现条件之关联,愈益错综着,因其中介物而更不明了。然那(著者注:关联)是存在着的。"②

如前所说,法制上的意识形态,凝结而为政治学,同样,其他的意识形态,也各自凝结而为各种科学,而这些科学,自然是要受"基础"及"上层建筑之一"规定的。

"市民的学者,关于开始说明科学的时候,他们总以为那不是地上产出的东西,而是从天降下的东西,拿着神秘式的语气讲话。然而在实际上,任何科学(不问它是什么),总是从社会或社会……的必要产生出来的。"(见前)

所以——

"……在把那观念的上层建筑的哲学、宗教、艺术等,横亘于历史的继起与现在的结果上去研究的历史学(著者注:我们所谓的社会科学等,参照本书第一章二节)上,是关于永久的真理上很不利的事"③。

H. 艺术上的意识形态

艺术上的意识形态(也可说是它的凝固体的艺术品、美学等,也是同样),也当然是反映出"基础"及"上层建筑之一"而受其规定的。

"亚基列士能与弹药共同存在么?或者一般的伊利亚德能与印刷物和印刷机械共同存在么?歌谣、传说、米又知(著者注:艺术之神)不是与印刷棒之出现而必然归于消灭么?又英雄诗之必然的条件还不会消灭么?"

"然而要理解希腊的艺术及英雄诗与一定社会发达形态相关联之处,不

① F.Engels.*Dühring*.S.342.343.

② F.Engels.*Feuerbach*.S.52.

③ F.Engels.*Dühring*.S.83.

是困难的⋯⋯"①

就是说,艺术的内容,必然是反映出那时代的——当时的发达阶段的"基础"及"上层建筑之一"的。然艺术的最盛期,并不就是显示那基础的社会发达阶段的最盛期的东西。反而艺术之最丰富的姿容,是在幼稚的社会发达上出现的。

"在艺术上,和一般的所知道的一样,其一定的最盛期,绝不是与其社会的,因而物质的基础的,即其组织的骨骼之一般的发达相比例的。试把希腊人与近代人或莎士比亚比较罢。某种一定的艺术形态,例如就英雄诗说,成为艺术生产的艺术生产(Kunstproduktion als solche)一旦表现出来,就可以认出英雄诗早已不能在那划分世界一时代之古典的姿容上生产,即是可以认出艺术自身的领域内部,它一定的显著的形态,只有在艺术发达之幼稚的阶段上才有可能。假使此事在艺术自身的领域内相异的艺术种类之关系上发生,则它在艺术的全领域与社会之一般的发达的关系上也发生出来,这是毫不足惊异的。"②

然则这个矛盾是从哪里发生呢?那是因为艺术由想象而表示并且补充现存的生产关系及社会关系等之不足的缘故。即是因为艺术立于今日的基础上,而表示对于明日之欲求的缘故。马氏把这一点说明如次:

"那(著者注:矛盾)在它特殊化的时候,就已经说明了的。试以对于现代的希腊艺术及莎士比亚的关系为例。谁也知道,希腊的神话,不仅是希腊艺术的仓库,并且又是它的地盘。关于横在希腊的空想上,因而横在希腊艺术的基地上的自然及社会关系的见解,还以为自动机械、铁道、蒸汽机关、电气,是可能的么?布尔康(著者注:手工业的保护神)对于罗巴亚志公司,旧比塔(著者注:最高神)对于避雷针,黑尔蔑士对于证券担保贷借银行,是存续在何处?一切的神话,是在想象之中,并由想象而克服自然力,支配自然力,形成自然力的。所以神话随着这些东西(著者注:自然力)之为现实所支配而消灭。法麻(著者注:运命神)与印刷术(著者注:伦敦的)并列,是怎样的?希腊的艺术,

---

①　K.Marx.*Kritik*.S.XLLX.

②　K.Marx.*Kritik*.S.XLVIL.XLVIII.XLIX.

是以希腊的神话为前提的。即是以自然及社会的形态自身,已被那基于民族的空想,无意识的拿艺术方法加工的事情为前提的。这就是它的(著者注:希腊艺术的)材料。"①

因而——

"不是什么都只要是随便的神话就好,也不是什么都只要是自然(此处说的自然,是包含着成为一切对象,即社会的)的无意识、艺术的加工就好的。埃及的神话,绝不是希腊艺术的地盘和母胎。然而总不能不说它是一个神话。"②

然则希腊的艺术,何以到现在还有生命呢? 那是因为希腊的艺术尚未发达,而且是从素朴的社会的发达阶段产生出来的原故。关于这一点,马氏说明如次:

"困难的事,就是要理解它还能给我们以艺术的享乐,它在一定的关系上还是妥当的成为规范,成为难以到达的模范。"

"大人除了没有孩子气,总不能再回到孩子的时代,然而孩子的素朴性,不会使他喜欢么? 并且他不想在较高度的阶段上,再把孩子的纯真性,努力再生产么? 孩子的性质中,无论在什么时代,不都是留有他自然的纯真性的那种特性么? 人类最美满的发达着的那社会的幼年期,不是成为绝不再来的阶段,而发挥永远的魔力么? 也有难教的孩子,也有早熟的孩子,古代民族多是属于这个范畴的。常态的孩子是希腊人,其艺术对于我们的魔力,不是与他们成长于其上的未发达的社会阶段相矛盾的。那魔力还是它的结果,那艺术还是在它下面生长且只有在它下面才能生长的社会条件,绝不再度归来,这两者是不可分的有关联的事情。"③

二、精神的生活过程

上述的意识、意识形态(观念形态、观念体、精神的生产物)等等,是把"上层建筑之二"一层的社会构成要素,从静的方而把握了表现了的形式。把它

① K.Marx.*Kritik*.S.XLVIL.XLVIII.XLIX.

② K.Marx.*Kritik*.S.XLVIL.XLVIII.XLIX.

③ K.Marx.*Kritik*.S.XLVIL.XLVIII.XLIX.

从动的方面把握了表现了的形式,就是精神的生活过程——"物质的生活之生产形式,形成社会的、政治的及精神的生活过程一般的条件"之精神的生活过程。

然则所谓精神的生活过程,是不外以意识形态(前面说过,在《经济批判》序说引言上,也称为"人类精神")为中心而经营的,并且生产意识形态之动的、具体的而且活着的生活过程。

这个精神的生活过程,不待言,是受"基础"及"上层建筑之一"所规定的。

第六章　社会发达的过程

第一节　从经济的立场观察

一、总论（矛盾的设定与解决）

"人类生活于其中的两个世界：一为字宙界或自然界；一为经济界或人为界（由人类的活动而产生，故称人为界），并不是永久不变的，也不是常常同样的，那简直是不断的变化着的东西。"

"但自然界是徐徐发达的，至于呈现某种显著的变化，常要数千年。所以，动植物类的生起原因的各种条件，不是那样明显的变化着，我们便认做它似乎是不变化的东西。反之，人为界的发达非常迅速，所以，人类的历史若和动物的历史比较，则人类的代谢是显示剧烈的变化的经过的。"①

一切都是在不断的运动、变化、发达之中生活着的。"运动，便是物质的存在形态。"（见前）

人类尤其是这样，"我们只是在生产力的增大、社会关系的推移、观念的形成等不断的运动之中生活着。"（见前）

所以，"一个社会，不能止于消费的一事，同样，也不能止于生产的一事，所以在不断的关联和更新的流动上观察起来，一切社会的生产过程，同时是再生产过程"（见前）。

然则如是不断的运动、变化、发达、再生产是由什么形态表现出来的呢？那已经说过，是由辩证法的，即正、反、合的形式表现出来的，——换言之，是由设定矛盾、解决矛盾的事情表现出来的。

---

① K.Korsch.*Kernpunkte*.S.41.

"运动的自身,便是一个矛盾。即如单一的机械的位置之移动,也是由于一物体于同一瞬间在某位置同时在他位置(不在同一位置)的事实而显现的。像这种矛盾之不断的设定和同时的解决,必然就是运动。"(见前)

"既然单一的机械的位置之移动,也含有矛盾于其中,那么,物质的更高度的运动,尤其有机的生命及其发展,就更不待说了。……因此,生命也是事物和过程自身中所存的而常常设定自身解决自身的矛盾。矛盾一停止,生命也就停止,即是要死了。"(见前)

社会是那样不断的设定矛盾而一面解决一面发达的前进的,本章想更具体的研究、观察那种矛盾的设定与解决,是怎样施行的。

二、基础的发达

我在第三章、第四章、第五章,把社会的构成,分析为"基础"、"上层建筑之一"及"上层建筑之二",而说明"基础",是由生产工具(劳动器具、劳动对象)、物质的生产力、生产形式、生产关系(其总和为社会的经济构造)、社会组织各层所形成的事情。

社会的发达,先从基础的变化开始,——尤其先从生产关系的变化开始。

"社会之物质的生产力,在它发达的一定阶段上,就和它在那中间活动而来的现存生产关系,即是和那仅仅是法制上的表现的所有关系,发生冲突。这些关系,便从生产力的发达形态,转变成它的桎梏。"(见前)

然则至于与现存生产关系相矛盾的生产力,原来是怎样的变化起来、发达起来的呢? 那便是原因于生产工具的变化、发达。

"在那中间的生产者互生关系的社会关系,即他们在那下面交换活动并参加生产的总体行为的条件,自然因生产工具的性格而有不同。随着所谓火器的一个新武器之发明,军队内部的组织必然的要变化,在那中间,各个人组织军队以及能成为军队而生作用的关系也必要变化,并且种种军队相互间的关系也变化了。"(见前)

"手转粉挽车,产生封建诸侯的社会,蒸汽发动的粉挽车,产生产业资本家的社会。"(见前)

"所以个人在那中间生产的社会关系——即社会的生产关系和物质的生

产工具、生产力的发达,同时发生变化。"(见前)

即,在终极上,是生产工具的发达,使生产力发达。

然则生产工具是什么?"从其结果的生产物的立场观察全部过程,则劳动器具及劳动对象两者呈现为生产工具……"(见前)

那就是说,生产工具,即是劳动器具与劳动对象。

然则劳动器具与劳动对象二者中,是谁的发达,更强度的使生产力发达?那是劳动器具(但劳动对象也在生产力发达的上面,尽了重大的任务,这是不能忽视的事情。参照本书第四章之二)。

"这个形态(著者注:工场手工业的分业形态)虽然变化,但它除开关于枝叶之点以外,也是劳动器具的革命的结果。"①

"已如上述,劳动器具的革命,形成大工业的出发点。"(见前)

所以,"劳动器具,不仅单是人类劳动力发达的分度器,并且是人类在那中间实行劳动的社会关系的指示器。"(见前)

所以,(一)劳动器具若起了变化,势必生产工具也发生变化;(二)接着便使生产力变化;(三)使生产形式也变化;(四)于此,便与生产关系,因而又与(五)社会组织,更与(六)社会的生活过程之间,发生矛盾。

详细点说,直到现在都是:"人类在他们的生活之社会的生产上,容受一定的必然离他们意志而独立的关系,这关系即是适应于他们物质的生产力之一定发达阶段的生产关系"(见前)。然而上面说过:如果劳动器具、生产工具、生产力、生产形式,一旦发生变化,则这些东西,必至与生产关系(因而又是社会组织)不相适应,即是发生矛盾。换言之,便是现存的生产关系,过去与劳动器具(因而是生产器具)、生产力、生产形式适应着,所以促进生产;然现在却阻碍着生产,毕竟变成了生产的桎梏。

从来社会的发达,无论何时,都是基于那种"基础"的变化——尤其生产力与生产关系的矛盾而发达起来的。马氏基于成为该时代的特色的主要生产关系,区分从来的社会形态,举出亚细亚的、古代的、封建的、近代市民的生产形式的各种社会形态。但这些阶段中的任何阶段,都是基于上述的过程而形

---

① K.Marx.*Brumaire*.S.7.

成的东西。

例如马氏、恩氏，对于封建的生产形式的社会形态之发达而成为近代市民的生产形式的社会形态的过程，曾如下述：

"在那基础上面，有产者团所培植的生产工具及交通工具，是在封建社会内产生出来的东西。在这些生产工具及交通工具发达的一定阶段上，封建社会在那中间生产并交换着的交换——即农业及工场手工业的封建组织，约言之，即封建的所有关系，已经不能与发达了的生产力相适应了。它（著者注：生产关系）不能促进生产而反抑制了生产。它——都变成了生产的桎梏……于是自由竞争制起来了。"

马氏又这么说过：

"一经达到成熟的某阶段，一定的历史形态乃蜕化而达于较高级的地位。那种时机一到来，分配关系间的矛盾与对立，因而一方适应于它的生产力的一定的历史态容和他方的生产能力及其作用间的矛盾与对立，一旦扩大而且深刻了，就要显出姿势。"（见前）

三、上层建筑的发达

上面说过，社会构成的"基础"上——换言之，劳动器具、生产力、生产形式、生产关系（社会的经济构造、社会关系）、社会组织（社会组织的生活过程）上发生变化，则建筑在这些东西上面的"上层建筑之一"——即法律制度及政治制度（政治的生活过程）受影响而变化，接着建筑在这上面的"上层建筑之二"——即社会的意识形态（精神的生活过程也受影响而变化）。这是马氏说的。

即，据马氏的观察——

"随着经济基础的变化，那一切巨大的上层建筑，就或缓或急的变动起来了。"（见前）

"人类获得新的生产力，同时就变更那生产形式，生产形式即获得生活资料的方法变化，同时就变更他们一切的社会关系。"（见前）

"但因其物质的生产形式而形成社会关系的同一的人类，又因其社会关系而形成原则、观念、范畴。"

所以，"这些观念，这些范畴，和刻印这些东西的关系一样，不是永久的东西，这些东西，是历史的、一时的、无常的产物。"（见前）

"我们只是在生产力的增大、社会关系的推移、观念的形成等不断的运动之中生活着。"（见前）

那样，则随着"基础"的变化，而上层建筑之一——即法律制度、政治制度、政治的生活过程，及上层建筑之二——即法制上的意识形态、政治上的意识形态、宗教上的意识形态、艺术上的意识形态、哲学上的意识形态、精神的生活过程等等，顺次完成其发达而行再生产。

并且据马氏的观察，从社会组织到上层建筑的一切，当生产力在旧生产关系内而没有发达到再不能发达的程度，绝不发生变化，因而新的生产关系、社会组织、上层建筑等等，也绝不到来。即——

"一个社会组织，到一切的生产力发达之时为止，在那生产力尚有充分的余地之时，绝不没落，而新的比较高级的生产关系，在那物质的生存条件，没有完全孵化于旧社会自身的胎内之时为止，绝不到来。"（见前）

"所以，人类往往只提出可以解决的问题，因为更正确的观察起来，就会发现问题自身，必有可以解决问题的物质的条件已经存在，至少亦必在生成过程中可以把握的时候，才能够发生。"（见前）

即，对于人类，假如提出"较高级的生产关系"的问题，那时候必是有可供解决问题的物质条件已经存在，至少也是在生成过程的时候。这便是人类往往只提出可以解决的问题的话。

四、各种要素间的交互作用

以上，把社会发达的过程，仅就主体的经济的要素——而且为避免理解的混乱，从一方面把握了一下，其实，发达过程是很复杂的。何故？因为还有各要素间的交互作用，详言之，还有劳动器具及劳动对象、生产力、生产形式、生产关系、社会组织、法律制度及政治制度、意识、法制上的意识形态、政治上的意识形态、宗教上的意识形态、艺术上的意识形态、哲学上的意识形态等等各要素之间所表现的交互作用（并且基于第三表，不但在上下的关系上，在左右的关系上也是一样）。

"把原因和结果,看作固定的相对立的两极,那是对于原因和结果的通俗的非辩证法的见解。"(见前)

"原因和结果,只在适应于孤立的个别的情形时,才是具有妥当性的观念。当我们把个别情形和世界全体一般地关联起来而考察之时,就可以知道这个别情形和世界全体归于同一,结局两者必归着于全体的交互作用。"(见前)

"两者(著者注:生产与消费)各自成为别一个的手段而显现,由别一个所媒介的东西。但这件事是把它作为两者交互的依存性而表现的。"

"我所得到的结果,并非生产、分配、交换、消费是同一的,乃是它们形成一个全体的成员,即是形成一个统一体的内部之差异。生产也和它在生产之对立的规定中的自身一样,支配其他各种要素(著者注:分配、交换、消费)。由此不断的创始新的过程……所以生产的一定形态,规定消费、分配、交换的一定形态,和这些要素间的一定关系。但是生产在其一面的形态上,又为他种要素(著者注:消费、分配、交换)所规定(中略)。各种要素间,于是发生交互作用。这关于一切有机的全体,都是一样。"(见前)

"在这一切要素间,有着交互作用。它的中间,通过无数的偶然性(即,那内在的关联相互隔离着,或不能认识其存在,或难于证明它可以忽视的东西及事变),结局,经济的运动乃成为必然成就的东西。"(见前)

"政治上、宗教上、哲学上、文学上、艺术上等的发达,依附于经济上的发达,但这些在相互之间,在经济的基础上,也起反作用。"(见前)

"所以那是无数互相交错的力,是力的平方四边形无限的群,结果——历史的事变——是从这产生出来的。"(见前)

第二节 从人类行为的立场观察

一、总论(人类的意图与目的)

前节,仅就主体的经济要素观察了社会发达的过程,换言之,主要的,是从经济的立场观察了社会的发达。引用了"一个社会组织,到一切的生产力发达之时为止,在那于生产力尚有充分的余地之时,绝不没落,而新的比较高级的生产关系,在那物质的生存条件,没有完全孵化于旧社会自身的胎内之时为止,决不到来。所以,人类往往只提出可以解决的问题,因为更正确的观察起来,就会发现问题自身,必有可以解决问题的物质的条件已经存在,至少亦必在生成过程中可以把握的时候,才能够发生"的一段话。

因此,单从那些材料推测,则社会发达的过程,也许有认为是由经济的各种要素之自变而表现的;至少也许有认为人类行为在社会发达的过程上所尽的任务,极其微渺的,于是有人把社会发达的过程,当作宿命的观察也不可知。

然而那是错误。

何故? 因为"这一定的社会关系,也同麻布、亚麻等一样,是人类的生产物"①。

"人类的本身,便是那物质的生产的基础⋯⋯一切人类的关系与机能,不问它是如何表视,或是何时表现的,它总要影响于物质的生产,并且多少总是规定的在物质的生产之上发生作用"②。

因之——

"社会的发达史,在某一点,本质上表示和自然的发达史不同,在自然一方面——若把人类对于自然的反作用,置之度外——交互发生作用的东西,是纯无意识的盲目的能因,在其交互作用之中有一般的法则显现着。在发生的一切东西之中——无论是表面上无数外表的偶然的事情,也无论是证明那偶然事情内部所存的法则性之终极的结果——总没有一个是成为意欲了的意识的目的而发生出来的。反之,在社会的历史上,行动者总赋有意识,用反省和热情而行动、向着一定的目的而行动的人类,无意识的企图,无意欲的目标,总不至于发生出来。"

"各人为追求自己有意识的意欲了的目的而活动,即令常常不能顺利进行,总是创造自身的历史。在种种方面活动的多数意志和这些意志对于外界种种作用的结果,就是人类的历史。"(见前)

"说及环境的及教育变化的唯物论的教理,环境固由于人类⋯⋯却忘掉

---

① K.Marx.*Elend*.S.91.
② K.Marx.*Mehrwert*.I.S.388.389.

教育者自身必须受教育的事情。"（见前）

然人类却不是随意造成历史的,也不是能够自由的使社会发达的。

"人类作用于在他自身外部的自然,一面变更它,同时又变更他自己的性质。"（见前）

"人类创造他自身的历史,然他也不是任意创造历史的,也不是在他自己选择了的事情之下去造的,乃是在直接被发见、被限制并被交付的事情之下去创造的。在生者的头上的一切死亡者的传统,正和亚尔卑斯山一样,是在重重叠叠着。"①

不单是传统,周围的一切事情,都是决定人类行为的条件。即——

"使人类活动的一切东西,必须通过人类的头脑之中。但它在这头脑中采取什么形态,却依据于周围的事情而定。"（见前）

所以,我们观察社会发达过程的时候,不仅单从经济的立场观察而止,更有从人类的立场——尤其人类行为的立场观察之必要。

二、社会的发达与阶级

那么,人类行为在社会发达的过程上,尽的任务是什么?

据马氏的观察,人类行为在社会发达的过程上所尽的任务,主要的是通过阶级而表现的。我在第四章第二节之六说过,阶级这东西,不问他是自发的,抑是外来的,都是发生于分业,并与生产组织,家族组织等等,同被编入于社会组织之中的。然而依历史的观察,阶级是用什么形式存在的?

马氏基于成为该时代的特色的主要生产关系,区分社会形态的发达阶段,举出亚细亚的、古代的、封建的、近代市民的生产方式社会各形态,已如上述。兹试就这些社会各形态与阶级观察:

（一）亚细亚社会的形态,推定它为阶级不存在的形态。恩氏关于此点,说明如次:

"哈克斯陶逊发见了俄国的土地……制,摩列尔证明它是德意志一切部族的历史的出发点的社会基础,尔后就渐次认定……的土地所有的村落共同

---

① K.Marx.*Brumaire*.S.7.

团体,是由印度到爱尔兰之社会的原始形态了。最后因摩尔根发见关于氏族的真相及在部族内氏族的地位,就对于那种原始的……社会的内部组织,明白了它的典型的形态了。"①

然而"随着这个原始的共同团体的消灭,而社会的特殊情形,就开始了相互对立的阶级之分化"②。即——

(二)在古代社会的形态上,希腊则有自由民与奴隶两个阶级;罗马则有贵族、骑士、平民、奴隶各种阶级。③

(三)在封建的社会形态上,则有封建诸侯、家臣、基尔特的店东、工匠、仆役等各阶级的存在④。

(四)在近代市民的社会形态上,它的特色,就是把阶级对立单纯化,全社会渐次成为有产者团与无产者团两大……阶级……⑤。

那么,这些阶级,是用什么过程,参与社会发达的过程呢?

(一)带有经济的过程:

"最初各个劳动者,接着同一工场的劳动者,接着同一地方的同一劳动部门的劳动者……对于各个有产者……"⑥。

接着——

"各个劳动者与各个有产者的接触,渐次带有两阶级间接触的性质。同时,劳动者对于有产者,为实现他们的工钱主张,遂成立组合而集于其下"⑦。

"于是此等群众,对于资本,已成为一个阶级,然对其本身则尚非阶级"(见前)。

(二)带有政治性质的过程:

其一,"无产者之向着阶级及政党的组织"。其二,"此等群众互相结合,对其自身……一个阶级"(见前)。

---

① K.Marx.u.F.Engels.*Manifest.*S.13.14.
② K.Marx.u.F.Engels.*Manifest.*S.13.14.
③ K.Marx.u.F.Engels.*Manifest.*S.13.14.
④ K.Marx.u.F.Engels.*Manifest.*S.13.14.
⑤ K.Marx.u.F.Engels.*Manifest.*S.13.14.
⑥ K.Marx u.F.Engels *Manifest.*S.19.20.—K.Marx.*Elend.*S.162.
⑦ K.Marx u.F.Engels *Manifest.*S.19.20.—K.Marx.*Elend.*S.162.

以上所引用的马氏的说话,并不是如实的可以阐明从来的社会发达的历史的。

然在希腊有自由民与奴隶;在罗马,有贵族、骑士、平民、奴隶;在封建社会,有封建诸侯、家臣、基尔特的店东、工匠、仆役等阶级(有的法制化而成身份),这类阶级都可看作是通过类似的过程而参与了社会的发达及再生产的。

所以马恩两氏说:"一切过去社会的历史(恩氏注:正确的说,即由文书流传的历史),都是阶级……历史。"①

---

① 　K.Marx u.F.Engels *Manifest*.S.19.20.—K.Marx.*Elend*.S.162.

社会之基础知识[*]

（1929.4）

　　* 《社会之基础知识》于1929年4月由上海新生命书局作为《社会科学常识丛书》之第四种出版,并于1932年10月再版,署名李鹤鸣。该书的部分内容曾被收入人民出版社1980年7月出版的《李达文集》第一卷。——编者注

小　引

　　去年年底新生命书局计划出版《社会科学常识丛书》，我所担任编辑的，是《社会的基础知识》。但是，"社会的基础知识"，这是何等广泛的题目！若真个依着题目做起来，也绝不是这本小册子所能写得尽的，所以我接受了这个题目以后，曾经过很久的踌躇。

　　依据《社会科学常识丛书》所标出的各种书名看起来，关于社会科学的各个部门，似乎已经有一定的分划，这"社会的基础知识"一部门似乎是指着社会学一科说的。因此，我基于这个见地，计划出我的编辑方针来。我以为要获社会的基础知识，第一应当了解社会进化的原理，其次要应用那原理来解剖现代的社会。现代的社会剖开以后，再来检查现代社会内部的病态，即是研究社会问题和民族问题。社会问题和民族问题研究清楚了，末了再来推论他们的解决的方法以及世界社会的将来究竟是怎样的。照这样去研究社会，总可以获得社会的基础知识了。这是我编这本书的旨趣。

李达识

民国十八年三月三十一日

第 一 篇

社会进化之原理

第一章　社会是什么

一、社会的系统观

社会是包括人类间一切经常相互关系的系统。一个人活在社会上，他的一举一动，都要和社会发生许多相互关系。吃饭、穿衣、住房子，固不消说，他要取得吃饭穿衣住房子的物质资料，就要和社会上的人发生无穷无尽的相互关系。走路，求学和娱乐，也是一样，路是社会上许多人修筑起来的，求学和娱乐，也要一定的场所和一定的物质资料，他要达到这些目的，就直接间接和社会上发生许多相互关系。他若是一个农夫或工人，他做一天工作就可产出一些物质资料供给社会消费，他和社会的相互关系更多。他若是一个商人，他在市场上和社会发生的相互关系，更是不可数计。他若是一个党员，他去参加开会和演说，或者执行政务，他的一举一动，小则影响于一国的政局，大则影响于世界的政局。他若是一个革命的领袖，他的言动要影响于一国或数国。总而言之，一个人从出生到死亡，无论是在农界工界商界，或在学界军界政界，他对于社会的影响是很多的，虽或因为地位不同，而所生的影响有大有小，却总不能没有影响。他总是要和社会发生无数的相互关系。人类间这些相互关系是经常不间断的，所以社会的存在也是经常不间断的。社会实是包括人类间一切经常相互关系的系统。

二、社会关系的性质

人类间一切经常相互关系，要以那些经常相互关系做基础呢？这里我们须得比较分析一番。人类间一切经常相互关系之中，可分为三部分：一是个人与个人的;二是个人与社会,个人与共同体(如国家政党之类)的;三是共同体与共同体,共同体与社会,社会与社会的。而各部分的经常相互关系之中,又可以分为经济的,政治的,法律的,道德的等数种。这数种经常相互关系之中,又要以那一种经常相互关系为基础呢!我们可以不踌躇地答复:是以经济的相互关系做基础的。何以见得?因为社会是受"自然"所围绕的,社会能否存在,就看社会能否适应自然环境。社会要维持生存,首先要从自然界取得生活资料。要向自然界取得生活资料,那人类在经济范畴内的经常相互关系便成立起来,其他政治的、法律的、道德的种种经常相互关系,总能有所依据。我们可比方地说,现在的世界,可说是文明很进步而极其光辉灿烂了,但若假定经济的经常相互关系都忽然停止,那时的景象怎样,我们不难想到,那时必定一切工作停顿,一切生活资料的来源也都断绝,所谓光辉灿烂,立刻变为黑暗沉寂,纵有很好的政治法律道德等,也会失掉作用。所以离开衣食住行等的享受,便没有文化,质言之,便是没有社会,这是很明白的。由此我们可以知道,经济实是社会的基础。总括起来说,我们可以下一个社会的定义:社会是包括人类间一切经常相互关系的系统,在这个系统中,一切经常相互关系,都以经济的经常相互关系做基础。

第二章　社会之发达

一、社会的环境

人类的生活,都以物质资料为前提。这类物质资料,都要向自然界采取。自然界是社会的营养环境,人类绝不能脱离自然界而生存。自然界把无数的生存资料供给人类,人类便利用这些生存资料,加以工作,使适合于自己的目的。自然界把一切自然力来压迫人类,人类便利用这些自然力来制造生活资料,使适合于自己的目的。所以人类不断地和自然界奋斗,并且利用自然的法则。

在一定的时间和空间,自然的状态,大有影响于人类社会。譬如差别的气候(湿度、风、温等)、地表的状态(山谷、水的分布、河川的性质、金属矿物等各种天然的富源)、海岸的性质(曲折,长短等)、水陆的分布、特产的产生等等,都是影响于人类社会的主要动力。人类的劳动,都随着自然状态的差别,而有不同的配置。

二、社会与自然的关系

社会的系统变化的原因,当求之于社会和自然环境的相互关系中。社会发达的过程,完全系于社会和自然的相互关系。社会的变化,完全系于社会和自然两者关系的变化。至于社会和自然间相互关系之变化的原因,就在于社会的劳动的领域。

人类社会要能存在,必须向自然界吸取物质的势力。吸取的物质势力越多,社会越能适应自然;吸取的物质势力的量越是增大,社会便能发达。

社会与自然接触的形式,即是劳动过程。社会与自然间直接的接触(即从自然界吸取物质势力),是一个物质的过程,即是人类生理的势力与自然物质的势力相交换的过程。所以劳动过程,构成社会与自然间相互关系中的根本关系。

社会要继续存在,生产过程的车轮便要不断地转运。生产过程的循环反复,即是再生产过程。要开始再生产的过程,便要把一切物质的条件再生产出来。例如生产织物,必须生产织机;要生产织机,必须生产钢铁;要生产钢铁,必须生产铁矿与煤;要生产铁矿与煤,必须生产交通机关;要生产交通机关,必须有仓库,有工场设备等。简单地说,这些就是种种复杂的物质的生产物一个系列。这些物质的生产物,有许多在生产过程中要被消耗的东西,又必须加以补充才行。

就生产物的立场来观察全部生产过程,劳动手段(如器具)和劳动对象(如原料)两者,成为生产手段表现出来,劳动自身,成为生产的劳动表现出来。

人类支出生理势力,交换自然界的物质势力,为社会所同化(消费),以为支出下一次生理势力的准备,如此便回转了再生产的车轮。

社会的生产过程,是人类社会对于外的自然的适应。同时这个适应,却是能动的适应,即是使外界适应自己。这是人类社会和动物社会不同的所在。

三、社会发达的原动力

社会的发达,由社会的劳动之支出,或其生产能力所决定。所谓劳动的生产能力,是指已获得的生产物之量和已经使用的劳动之量两者的关系说的。换言之,劳动的生产能力,即是劳动时间每一单位的生产物之量。例如说一时、一日、一月、一年间的生产物之量。对于一劳动时间的生产物之量,若是增加了两倍,那生产力就增加了两倍;生产物之量若是减为1/2,那生产力便减半。不过计算生产力的时候,那耗费在劳动器具上的生产力是不计算的。

所以,自然和社会的关系,要由社会劳动的生产能力表现出来,即是由那已生产的有用的势力之量和社会的劳动之消费两者的关系表现出来。

社会的劳动之消费,分为二部:一是生产手段中所包含的劳动,二是活的劳动力的消费。我们若由物质的构成部分的见地来观察劳动生产能力之量,可以分为三项:第一是生产物中所包含的劳动量;第二是生产手段(劳动手段与劳动对象)中所包含的劳动量;第三是活的劳动者的人数。这三项有相互依存的关系,实际上我们只要知道第二第三两项,便可以看出那社会的生产物。所以生产物要受生产手段和劳动者状态所规定。但我们若再深刻地加以考察,又可以知道劳动手段能决定劳动力。譬如若有一部单式印刷机械,必有相当的熟练的印刷工人。于是在这劳动过程中协作的各种要素,必成为互相关联互相影响的系统。劳动手段是能动的部分,有某种劳动手段,必有某种劳动对象和某种劳动者。所以社会的劳动手段的系统(社会的技术),是决定社会和自然间相互关系的精确的物质标准。

四、社会发达的过程

人类向自然界取得的物质资料越多,社会越能适应自然。人类取得的物质资料除供给社会消费而有余之时,社会方得发达。因为必须物质资料有余,人类才能有余裕去发展其他的文化。

假使一个社会,因为要满足那必要的欲望,必须耗费全体的工作时间。那么,这个社会所能造出的生活资料,恰好供给消费,必无盈余。这个社会,既没有制造别的新生产物和扩充新欲望的闲暇,就会停顿在同一的贫弱的水平线上,当然没有发展别的文化的可能,因为全体工作时间都用去生产同一的生产物了。所以这个社会是不能发达的。

假使这个社会因为有别的原因,只需耗费从前一半的工作时间,就可以造出必要的生存资料。那么,这个社会,就有从前一半的工作时间的余暇,便可利用这余暇去采取新原料,造出新工具,或者做精神的事业。于是,新的欲望可以扩充,新的精神文化可以发展。而且这样下去,那造出必要生存资料的工作时间,更可以减少,因而采取新原料发明新工具以及做精神事业的时间就愈多。因此新的欲望更扩充,新的精神文化更发达,社会就大大的发达起来了。

再反过来说,假使这个社会因为别的原因,必须耗费从前两倍的工作时间,方能造出那社会所必要的生存资料。那么,这个社会,若不能找得别的出路,势必退化。即使有无数复杂的生产事业,即使有高尚的精神文化,却因为不能支配现成的生产技术机关,或者复用旧时的工作方法,把全部的时间都耗费在必要的生存资料制造的方面,那高尚的精神文化,也不得不凋谢下来,那复杂的生产事业,也就不能不停顿一部分。换句话说,这个社会,便要退化了。

所以社会的发达,以经济为基础。经济发达,社会总能发达;经济不发达,社会也不能发达。

第三章　社会之构造

一、社会现象之类通性

我们要测定社会发达的程度,究竟应采用怎样的标准呢? 据多数学者的意见,有采用"肥皂的消费量"做标准的,有采用"国民的教育"做标准的,有采用"报纸的销数"做标准的,有采用"技术"做标准的,有采用"科学的发达"做标准的,甚至有采用"便所的形式"做标准的。实在点说,这几种标准,都可以拿来测定社会发达的程度。因为任何时代的各种社会现象之间,都有类通性,可以连类而及。各种社会现象,都是互相调和地存在着。至于它们怎样联结,怎样调和,那是另一问题,容后研究。人的年龄,可以用体格、骨节、颜色、毛色、经验、言语、思考法等等来测定;同样,社会的发达,也可以用前述种种标准来测定。由此我们可以知道,各种社会现象间的联结,明明是互为条件的。

封建时代没有社会主义,二百年以前没有蒸汽机关,百年以前中国没有社会主义,冰带的野蛮人不能发明无线电机,热带的野蛮人不能制造皮衣。诸如此类,都是表示各种社会现象是互相调和地存在着。所以各种社会现象是互相关联互相适应的,质言之,各种社会现象之间是互相均势的。

二、社会的三个要素

社会是人与自然的合体。社会是人类的系统,但就广义说,物也是社会之中的一部分。就现社会举例,各大都市,大土木工事,铁路,港湾,机械,房屋,都是社会之物质的——技术的机关。任何物质(如机械)离开人类社会只是一块自然物。譬如,一个新式的完备的大轮船,假使沉没在大洋当中,便是离开了社会,便是失掉了社会的意义,便是不和人类直接接触的自然物了。同样,现实的技术,是社会的技术,假使技术离开了社会,便失掉它社会的存在,便不是社会的技术。所以就社会说来,社会在其社会的存在之中,实包含物的系统,尤其包含社会的技术的系统。

物的系统中,当然以生产手段为主体,但不属于生产手段的物质,对于生产也有关系。我们试就社会中之物的部分,分别列举,如书籍、地图、图表、博物馆、绘画陈列所、天文台、研究所、测量器具、望远镜、显微镜、试验管蒸馏器等等,这些虽然不属于社会的技术,但这些物质的任务,人人都能明白,即是这些并不是单一的外的自然,而是有"社会的存在"的东西。

社会是人类的系统,上面已说过了,但社会不仅是人类的物理的肉体的系统。人又是有思想有感情的,所以人与人的关系,不仅是物质的关系,又是心的"精神的"关系。社会不仅生产物质的财货,还生产"精神的价值"(如科学艺术等)。质言之,社会不仅生产"物",还生产"观念"。这些观念一生产出来,便互相适应而成为观念的系统。

所以社会之中有三个要素,即物、人与观念。社会的系统中,含有物的系统、人的系统和观念的系统。这三个系统,互相关联,互相影响,构成社会的系统。

这三个系统,又是互相调和互相均势地存在着。换言之,这三个系统若不是互相适应地存在着,社会便不能存在。

三、社会之经济的构造

我们观察社会现象的时候,当从物质的生产力,社会的技术出发。

社会的技术,是表示社会进化阶段的指针,又是决定人类间生产关系的根本要素,所以我们说明社会之经济的构造时,应先说明社会的技术的意义。

社会的技术是劳动手段的系统。所谓劳动手段的系统并不是劳动工具的堆积,乃是说,散布在一个社会内部的一切大的、小的、单纯的、复杂的作工器具,都依着一定的秩序排列着而互相影响互相结合的意思。本来一个社会内部的作工器具,有些是很紧密的排列着,有些是很松懈的排列着,但是在某一刹那间,当人类间用劳动作媒介而互相联合时,这一切作工器具,无论大的、小的、单纯的、复杂的、用手操作的、用机器转运的,也都循着一定比例一定关系,互相结合起来,而构成一个系统。所以一个社会的技术,实是该社会内部一切劳动手段的系统。

全社会的技术系统,其构成的各成分又各自成为一个小系统。各小系统之间,固然是要循着一定比例一定关系,互相结合互相影响,即如各个小系统的各成分之间,也要按着一定比例一定关系,互相结合互相影响。譬如现代市民的社会的技术系统,分成各种产业部门的技术小系统;各个产业部门的技术小系统,又分成各种更小的技术系统。小系统与小系统、小系统与大系统之间,都是循着一定比例一定关系,互相结合互相影响的。

社会的技术系统,决定人类相互间生产关系的系统。某一时代的技术,决定某一时代的生产关系。技术和经济之间,是有一定的均势的,所以社会的劳动手段的系统和社会的劳动组织之间,也是有一定的均势的。

总括起来说,社会的技术,是决定人类间生产关系,决定社会的经济的根本要素,所以我们说明社会之经济的构造时,必须从社会的技术出发。人类相互间生产关系的系统,基于社会的技术的系统而成立的,有怎样的社会的技术,便有怎样的生产关系,即是有怎样的经济的构造。

我们依据上述的旨趣,再具体地说明一下。我们知道,支持社会生存所最必要的东西莫如食衣住行的享受。而食衣住行的享受,必须以物质资料为前提。人类取得这些物质资料时,便发生许多经常的经济关系。比方我们吃饭,首先要有米。这米是怎样得来的吗? 我们知道,米是农夫耕种出来的。农夫在土地上从事耕种,要经过犁锄、施肥、播种、培植、灌溉、收获等等的程序。在这程序当中,农夫必须直接间接和社会上发生无数的关系,方能造出谷米来。谷米造出之后运到都会时,又要经过舟轮车马肩挑背负的程序,而在这程序当中,人与人之间,又要发生无数的相互关系。可知我们要取得米来做饭时,人与人之间的经常相互关系是很多很多了。我们默想这整个的相互关系,已可知道有无数的人在一根线上联络起来了。而这个联络线,是由社会的技术织成的。推而至于蔬菜、果实、肉类的生产上的相互关系上面,也是照样把无数的人联络起来。所以我们单就吃的一件事情说,已有无数经常的经济关系错综复合,把人类都联络在那上面。同样,在食、衣、住、行各方面,也各有同样的错综复合,把人类分别联络在那些上面。于是食衣住行四项的范围内,各有无数的经常经济关系的错综复合,依据经济界的法则,重重叠叠,把一切人都联合起来,一切人因此便发生了有机的联络关系,如是便形成了社会之经济的构造。

经济的构造,随社会的技术而变迁,而社会形式,又随经济的构造而变迁。所谓原始社会、古代社会、封建社会、近代市民社会等形式,就是这样划分的。至于阶级的社会,是渊源于阶级的经济构造,而阶级的经济构造,又是由于阶级的生产关系而成的。

四、社会的政治制度与观念体系

社会的基础,是社会之经济的构造;政治、法律、道德、宗教、艺术、哲学等是社会的上层建筑。兹将上层建筑分别说明其大略如下。

(一)政治

社会之政治的构造最明了的表现,是国家权力。国家权力,是社会有了阶级以后才产生出来的。在原始社会中,生产技术幼稚,生产力很不发达,没有剩余生产物,也没有独占剩余生产物的事实,所以生产关系中没有阶级关系,即是在经济上人人平等的。这个时候,人类用的是气力不是权力,即使处理公共事务,维持生产秩序,保障生产机关,也没有使用强制的权力的必要,也没有一部分人支配他一部分人的事实,即是在政治上也人人平等的。

但是生产技术进步,社会上有了剩余的生产物,于是便有一种特别的个人,得以独占这剩余生产物,因独占剩余生产物,便要独占生产手段,于是社会上便有独占生产手段的和没有生产手段的阶级区别了。社会既然发生了阶级的区别,必然就有阶级的利害冲突,于是特殊阶级便利用种种特殊势力,创设公共权力来维持社会秩序,拥护生产手段。于是国家便成立了。

国家是社会过程中必然的产物,国家的成立,以经济关系为基础,经济关系中的阶级关系不断地改编,同时政治上的支配被支配的关系,也随着不断地改编。所谓古代国家、封建国家、近代代议国家，就是这样形成的。

将来，经济上人人平等的关系果能实现，那政治上的人人平等的关系也随着实现。政治上果能真正人人平等，国家也失其所以为国家的意义。总之，经济的发展达到最高限度，阶级不但没有存在的必要，同时国家也没有必要了。

（二）法律

法律是规定财产关系的章程，是保障财产关系的利器。法律的普通观念，即在于说明所有权的范围。从形式上说，法律的任务在于社会的防卫，即在于保护社会生存的根本条件；从实质上说，法律的目的，在谋阶级的防卫，即在于保护阶级的剥削的特权。至于刑法，原在防卫非人道的犯罪，但犯罪的原因，都起于社会，社会组织合理，刑法上的犯罪，自然就减少了。

法律的变迁，由于所有关系的变迁，而助长法律变迁的人工的发动力，则由于阶级的对立。人人平等的经济关系实现，人人平等的政治关系也实现，这时候，国家既然要失掉那所以成为国家的意义，那成为国家的附庸的法律，也将失掉它原来的意义了。

（三）道德

一切动物，对于自然环境，都要实行生存竞争。要想防卫自身，维持种属，只有具备最有效力的特殊器官而又最能适应自然环境的，才能继续存在。一切动物，为了行生存竞争，都营共同生活，于是蕃卫自身繁殖种属的本能，就日益发达。人是动物的一部分，若不营社会的共同生活，便不能存在于自然界，所以人类的社会的本能，就非常发达。所谓社会的本能，即是为社会献身的牺牲心、拥护社会的勇敢心、遵从全体意志的服从心以及感知毁誉褒贬的名誉心，等等。此等社会的本能，都是道德的要素，适合于社会的要求，所以当社会关系继续着的时候，这些社会的要求反复发生作用，有命令个人遵守的力量，而化为道德的规范，日积月累，就变为人类生活的习惯。所以道德规范和社会的要求有着密切的关系。社会变化，道德也随着变化。不同的社会状态，要求与它相适合的道德规范，于是发生了道德的变化。

（四）宗教

宗教是现实世界的反映,起源于原始人类不能理解自然的迷信,所以宗教和经济有关系,又是随着经济变迁的。原始人类的生活资料,完全仰给于自然界,所以非常崇拜自然力,如太阳、天、山川、树木及其他动物之类,都是他们崇拜的对象。后来生产技术进步,进到宗法社会,长老的智识经验,极为社会所尊敬,死后也为社会所崇拜,于是便有祖先教。到了国家发生以后,人类除遵守祖先教以外,兼受君长所支配,自然神乃一变而为拟人神了。

封建社会,多阶级递相隶属,于是宗教便变为等级教,神道之中,也有等级分别出来。

近代生产技术更进步,科学日益发达,市民阶级,已不相信宇宙间有比他们还要大的力量,所以他们就对神灵独立,他们已经站在自由的地位,所以提倡信教自由。欧洲的宗教革命,便是这样发生的。

资本主义发达过度,社会的阶级冲突日益激烈,欲察知此种冲突现象,势不能不凭借抽象的神灵来解释,于是拟人神或等级神,已经没有存在的余地,就用仁、慈、爱等抽象观念来代替,宗教也就愈趋过于灵化空化了。

总括起来说,宗教的起源,是由于"不可理解力"支配人类而起,这个不可理解力,在古代是自然力,在后来是社会力,到了现在,自然力固不能引起人类崇拜,就是社会力也不能引起人类崇拜。所谓"不可理解力",既不存在,宗教也将化归乌有了。

（五）艺术

艺术是"感情之社会化的方法"。人是有思考的动物,也是有情感的动物。人不但会想,也还会感。以想为基础而成立的东西是科学,以感为基础而成立的东西是艺术。

我们无论在什么时刻,总不会停止所谓感的。总是应着事,接着物,抱着或是苦、或是乐、或是懊悔或是悲哀以及其他抽象的语言所表的感情。我们日常的生活,几乎可说是这类感情无穷的连续,无穷的错综。但我们在应事接物上有着喜怒哀乐等感,那也仅能说是感情在动,我们有了那样的生活,还是没有艺术存在。要有艺术存在,必须把那些活动的无数错综的感情,加以一定的组织,并且用一定的技术的形态,把它客观地表现出来。譬如用言语的技术,把它表现为诗歌、小说、戏剧;用音律表现为音乐;用色彩表现为绘画;用运动表现为跳舞;用物材表现为雕刻建筑之类。虽然那用技术的形态所表现它的方式,在各种艺术之间大不相同,但在组织感情,并用技术的形态给它以一定的客观的表现这一点,各种艺术之间却没有不同的。这所谓组织感情,给它以客观的表现的这种作用,就是所谓"感情社会化的方法",就是艺术。

艺术的起源,是跳舞和音乐,这在人类生活还没有脱离动物境界的时代,也已经有了萌芽可以认识出来。其次是绘画、雕刻和诗的发生。跳舞和音乐的原始的目的,是要对于行动(劳动及其他各种集团的行为)给以统一的气分,招致调和的景象,并给以准备的情调,如劳动歌和"会议跳舞"、"战争跳舞",即是实例。原始的绘画,是从用作说明的描写的行为发生的;原始的雕刻,是直接从生产技术发生的;原始的诗,是从口传的故事和叙述等发生出来的,而它的渊源,又和集团的劳动活动不能分离。这些就是最古的艺术。

到了封建时代,在经济的政治的组织上,专制君主是神样的万能;封建诸侯,也是高不可攀的强大;普通的民众,在他们的目前,只不过是卑劣的存在,成为封建阶级的权威的垫脚物。所以封建时代的艺术的特性,一是极端的权威的东西;二是非个人的民众的创造物;三是有量的伟大的东西。封建社会所由成立的政治的经济的基础,在这种艺术中很明显地表现出来。

近代的市民社会,是个人主义的商品主义的社会,所以这时代的艺术形态,正反映出这样的社会的事实。这时代的艺术的特色有三:一是艺术的专门化商品化;二是艺术的游离化;三是艺术内容的个人主义化。基于这三种特色,那艺术的生产者的艺术专门家,也显出了贵族化的现象,因为艺术被少数的几双技术的手所把握了;同时艺术的享受者,却显出了民众化的现象,因为艺术变成了商品了。

然而反映那市民社会的内部的冲突而在反对方面发生出来的艺术,就有民众艺术的抬头,这是艺术的社会化的征象。

（六）哲学

哲学是把知识的总体，建立秩序，使其成为体系的学问，即是科学的科学。譬如把社会现象的各种知识，建立秩序，使其成为体系的学问，便叫作社会科学；把自然现象的各种知识，建立秩序，使其成为体系的学问，便叫作自然科学。至于哲学，是把知识的总体，建立秩序，使其在一个观点一个见解之下成为一个体系的学问——即是科学的科学。

在各种专门科学没有分化没有发达的时代，哲学也曾处理过各种纯粹的科学问题，凡是关于人生和自然的断片的知识，也是包括在哲学之中的。但是后来人类的各种知识渐渐整理起来，各种科学也分化出来，成为专门的东西了。此后只有各种科学的共通的普遍的事情，成为哲学的范围。

这共通普遍的事情，即是我们自身认识的问题，我们自身的认识与世界的关系的问题，和精神与物质的问题，即是思维与存在的问题。这些问题，对于一切科学虽都有重大的关系，却不是某一种自然科学或社会科学所特别研究的。特别研究这些问题的，即是哲学。所以哲学以各种科学的知识为基础，解决这些普遍的根本的问题，因此而把一切知识建立秩序使其成为体系。

换句话说，哲学是统合各种科学的知识的有组织的世界观。

哲学是立于人类精神活动最高顶点的东西，它对于生产力状态的依存关系，自然是很复杂的。

哲学依存于生产力状态的复杂形式如下：

哲学的基础、各种科学的状态、社会的心理、阶级的配置和阶级存在的一般条件、社会经济上的阶级状况、生产力状态。

上面的关系，虽然复杂，而其结局仍可以追索到生产力的状态，这是我们研究哲学时所不能忽略的。

原始社会，没有严格意义的哲学或世界观，因为那时还没有有体系的知识或观念存在。换言之，当时人类的观念或知识，相互间没有联络，而是分离存在的。这分离存在的观念或知识，只是和那有直接联络的劳动过程或生活事实相结合而已。

但是，原始人的思考，也有一个体系化的基本的特征。第一，他们的思考中,只觉得自然是一个活动着的世界;第二,他们只觉得自身和他们的种族,是不能分离的。

原始人哲学的见解,不过如此,所谓体系的哲学,是没有的。

哲学的体系化,始于希腊时代。

古希腊的哲学,以自然哲学为内容,其任务,在发见宇宙森罗万象的自然的根本。例如达列斯(Thales),以宇宙之本原的实体是水,万物皆生于水而复归于水,即其一例。后来希腊社会的生活,日趋复杂,于是哲学便由自然哲学的范围进到人生哲学的范围,直到现在。

人要建立一个有组织的世界观时,第一步当然发生了下列的问题,即是:

"我"与"非我"的关系如何的问题;

"认识"与"存在"的关系如何的问题;

"精神"与"实在"的关系如何的问题。

这个问题,在古希腊哲学的发展期,已成为哲学上的根本问题,直到现在,还是一样。

人类在其哲学的努力上,造成了种种哲学的体系,对于这个根本问题,给了无数不同的根本解答。

通观各种哲学对于这个问题的各种解答,可以分为两个范畴。

(1)以客观、自然、实在为出发点的解答;即是说自然或实在为根本,离开人类而独立存在;精神或思维,是自然或物质世界的产物。

(2)以主观、精神、思维为出发点的解答:即是说,精神、思维为根本,离开自然而独立存在;自然,客观,是思维或精神世界的产物。

(1)是唯物论;(2)是唯心论(观念论)。把唯物论和唯心论调和起来的见解,是折衷论。

哲学的历史,简直可说是唯物论和唯心论的对立或斗争的历史。

哲学的唯心论的创始者,是柏拉图。柏拉图说真的存在的东西,只是观念。一切能知的物体和现象,不过是观念的影象。这是主观的观点论。中世纪时代,哲学家便把柏拉图所说的观念拿来当作上帝创造有形物的原型。近世英人巴克列说存在的东西只是精神,其他一切只是表象,越发使主观的观念论发展起来。到了黑智儿,就想到本原的客观的理性的存在,说是辩证法的自己的发展,万物都是辩证法的发展的暴露,展开了唯心的辩证法。唯心论的形貌虽然复杂,但到黑智儿要算是达到了最高点。

唯物论的见解起源于古希腊哲学家的 Ionia 学派。到费巴哈要算达到了顶点。于是辩证法的唯物论,便成为革命的阶级的哲学。

辩证法的唯物论,是把哲学上的唯物论和辩证法结合起来,克服了唯心论的革命的阶级的哲学。

先说哲学上的唯物论。哲学上的唯物论,可由下列九个命题作公式的说明。

(1)只有自然是实在的;

(2)自然离主观(精神)而独立;

(3)精神是自然的一小部分;

(4)先有自然而后有生命,先有物质而后有精神;

(5)精神是在依一定方法组成的物质出现时才发生的;

(6)精神无物质不能存在;物质无精神可以存在;

(7)认识是由经验发生的;

(8)意识由外界所规定;

(9)现实是唯一的认识对象,所以我们的知识,只有和现实(存在)一致时,才真是客观的。

总括言之:"观念世界是在人类的头脑中改造了的翻译了物质世界",即是:精神只是物质在某种条件之下的作用。

其次再说辩证法是什么?

辩证法一语,是由古希腊哲学家创出的,即是指演说法,讨论法说的。譬如各人争论之时,甲说某事,乙说否定某事之事,于是从这个论争之间,便产生包含甲的议论和乙的议论之一部分的综合的真理。这即是辩证法。这个虽是讨论的方法,同时却是吾人思维事物的思维方法。黑智儿采用这辩证法和唯心论结合起来,创出唯心论的辩证法,说客观的理性,是依着辩证法的(正,反,合)法则而成就自己发展的东西。即是"于事物的运动中,于变化中,于生命中,于相互的关系中观察事物"的东西。

依辩证法的唯物论,辩证法是矛盾的发达的法则,是物质的运动变化的法则,是自然和社会的运动变化的法则,这个表现,即是思维过程。因此,辩证法的思考法,是可以把握自然中内在的辩证法的唯一方法,所以它是唯一的科学的而且正当的方法。

唯心论的哲学,于思维中求真理的规律;反之,辩证法的唯物论,则坚持实践。唯心论专以离开生活的抽象为事,唯物论则以生活实现为第一。所以唯心论和唯物论,是两个阶级的意识的表现形态。即唯心论的一方面是离开了直接的生产过程,生产的实践的阶级的世界观;反之唯物论是生产阶级,生产实践的阶级的世界观。

第四章　社会之变化

一、社会的变化与生产力

由前章所说的看起来,社会的构成的内部各要素之间,是有一定的均势的。即是有怎样的经济的构造,就有和那构造相适应的政治制度、法律制度和一定的意识形态。但是社会是不断地进化着,所以社会的构成,也是不断地变化着。社会的各种变化的过程,是和生产力状态的变化有关联的。生产力的变动以及和它有关联的各要素的变动与改编,实是社会的均势之不断地扰乱和恢复的过程。譬如生产力有进步的变动时,那社会的技术和社会的经济之间,就必须发生矛盾,经济的构造中必至失却均势。生产力发展了,生产的人员,必然要开始改编,然后经济的构造中才能成立新均势,因而那矛盾也就解决了。但经济的构造中的人员的改编,以社会之政治的构造中的人员的改编为前提。因而那法律的道德的及其他一切规范,也必然随着变化。因为只有这样,那矛盾才能解决,人们的组织和这些规范体系的均势,才能恢复。

社会的均势的恢复,有徐徐进行的,有急剧进行的,前者称为进化,后者称为革命,这是社会的变化的两个形式。这是历史的事实。

因此我们可以知道,社会的变化的过程,是和生产力的发达有关联的。社会之经济的构造内部若是发生了变化,这社会必由一种形式变化为另一种的形式。

二、生产力与社会的—经济的构造

社会由一种形式变化到他种形式的原因,应当从生产力的状态和经济的构造间所存在的矛盾去说明。我们就现代市民社会的生产力的发达说,那随着生产力而发达的经济过程中的人员,已经显著地改编过了。旧的中产阶级被融化下去,手工业凋落下去,劳动者增加起来,巨大的企业簇生出来了。社会的经济网,正在不断地变化着。这类变化,实是表明生产力和经济关系的不断的冲突。生产力一发达起来,就和手工业状态发生冲突,均势便被破坏,手工业经济早已不能适应那正在发达的技术了。但是那破坏了的均势,也早已在新的基础上恢复过来,因为那适应于变化着的技术而形成的新经济,也是和它平行地成长的。

生产力状态和经济关系间的矛盾的解决,依上所述,是采取进化的和革命的两种形式的。若是采取革命的形式解决这个矛盾时,其结果,第一必然显出和从前不同的政治的权力,其次必然变更以前生产过程中的阶级的地位,变更生产手段的分配,而这生产手段的分配,和阶级的地位又是有直接的关系的。

所谓经济关系(生产关系),用法律上的术语表示起来,即是财产关系。因为经济关系即是财产关系,所以一小部分以现存经济关系于自身有利益的阶级,就努力利用经济的优越势力,运用支配的政治的组织,来巩固这种经济关系。一方面生产力的发达,到了感受现存经济关系的障碍而和它发生冲突的时候,那在这种经济关系处于不利益地位的他一大部分的人们,越发陷于不利益的地位。于是这种在经济上被压迫的人们,便渐渐的意识着这种冲突,发生了阶级的意识。基于这阶级的意识,便发生了阶级的冲突。于是被压迫的阶级,要想解决这个冲突以谋生产力的发达,以谋解决自身的生活问题,就不得不努力去改造那现存的经济关系。而其主要的方法,就是同一阶级同一意识的被压迫的阶级,努力团结起来形成现实的势力,和那支持现存经济关系的阶级争斗。争斗的结果,若是被压迫阶级胜利了,他们就必然取得政权,把现存的经济关系从新改造,于是立于新的经济关系上面的政治制度和法律制度,便建树起来了。

三、社会的变化与意识形态

当生产力和经济关系相冲突之时,成为物质的生活的反映而出的东西,便是意识形态上的新旧的冲突。因为社会的阶级若为解决那物质的冲突而演出了激烈的斗争,就要发生必然的结果。在经济方面,获得社会必要货物的新生产方法,成为急务;在政治方面,运用进步的生产机关的阶级,取得优势。于是,社会事物的新状态,便发生出来。若是那生产方法大异于旧生产方法,那和旧社会不同的新社会自必显现。因而政治上产出新的制度,宗教上产出新的信仰,道德上产出新的意见,艺术上产出新的趣味,哲学上产出新的学说。质言之,政治制度和法律制度以及意识形态,都是随着经济的构造的变化而变化的。

第 二 篇

现代社会之解剖

第五章　现代社会的本体

一、解剖的出发点

前章所述社会的构造和变革的过程,是对于社会之纵的研究;本章所述现代社会之解剖,是对于社会之横的研究。

现代"市民的社会,是生产最发达而且最复杂的历史的组织体"。我们要理解现代的政治、法律、宗教、哲学、科学、艺术等一切文化,唯有从现代市民社会的经济结构中去探求,我们要洞悉现代社会问题、民族问题、国际战争等发生的原因及其症结之所在,也唯有从现代市民社会的解剖入手。所以现代市民社会的解剖,实在是社会的基础知识之一。

我们着手解剖现代市民社会的时候,必须要把商品来作我们解剖的出发点。人类因为要继续生存,无论怎样,总须从事劳动,制造物质。倘若人类停止了劳动,不出一年,任何国民,都不能存在,人类又是具有种种的欲望的,所以社会全体的劳动,因为适应这些欲望而生产各种不同的生产物,又必须按着一定比例配分于各种生产部门。这是一个自然法则,在人类生存于这个地球上的限度以内,对于任何社会组织都是适用的。至于随着社会组织不同而变化的东西,只是这个自然法则所采取的现象形态的表现方式而已。

就现代的社会说,人类生活必需的物质生产,也是继续耗费劳动的。这些社会的总劳动,都按着一定比例配分于制铁、造船、纺织、农业、矿业等生产部门。但是成为社会生产的生产物,一切都作为商品生产而出,社会的生产,都依商品生产的方法举行。换句话说,上面所说那个自然法则,在现代的社会中,是采取商品生产的特殊现象形态表现出来的。所以说:"资本家的生产方法所支配着各种社会的财富,成为一个庞大的商品的集大成表现出来,而个个的商品,又成为这种财富的本原形态表现出来。"

这个事实是现代社会中人个个都可以看见的外的现象,就是小孩子也都知道。现在社会上所生产的财富,种类很多,数量无限,样样都是商品,只要支出代价,就可到手。所以资本家的生产方法所支配着的各种社会的财富,就成为一个庞大的商品的集大成表现出来了。所谓商品集大成的意思,就是说一切东西都是商品,只要有钱,就可到手,全部生产物都当作商品收集了。这也并不是从古以来就是这样的。在商品生产没有充分发达的时候,即使想买什么东西也没有卖那东西的人,所以人们不得已自己生产自己所消费的东西。但到资本主义的生产渐渐得势,许多生产物却渐渐采取商品的形态了。这种事实,在地理上只要从乡村走到都市一看就可以知道。在资本主义的生产没有充分侵入的乡村之中,有些东西比较的不出钱买也可以行,若到了资本主义的生产方法树立了支配的势力的都市,无论什么东西非用钱买不可了。只要有钱,什么也可以买得着。譬如我们走到百货商店去,就看见"商品的集大成"横在我们面前。

因此,资本家的社会的财富,成为"一个庞大的商品的集大成"表现而出,而个个的商品,又成为社会的财富的细胞表现而出。人们的身体,是由无数个个的细胞构成起来的,同样,资本家的社会的财富,是由无数个个的商品构成起来的。这也是任何人都能看清的事实。你若是走到店铺里去要买些物事,那些物事上都挂着价目的卡片,即使没有卡片,店员自会告诉你。无论是什么,凡是在那种陈列着的物事,样样都是商品,这是大家一见就知道的。所以说"个个的商品",成为资本家社会的财富的"本原形态显现出来"。所谓"显现出来",即是说成为外的现象,成为现象形态映入我们眼帘的意思。这种外的现象,即是我们解剖市民的社会的出发点。

二、商品与货币

(一)使用价值与交换价值

不供自己使用专为交换而生产的生产物,叫作商品。商品是由使用价值和交换价值两种对立物的统一而成的。阐明商品的这种矛盾,是本章全部研究的根本问题。

任何商品,凡作为消费品或生产手段都有用处的东西之中,都有使用价值。像水和空气,虽然不是商品,却是供人们使用的东西,也有使用价值。某种劳动生产物若成为商品,固然要有使用价值,但是它采取商品形式与否,于使用价值并无关系。所以资本制度,对于使用价值,并不注意。

交换价值,是可以和任何商品相交换的能力。商品所以有交换价值,不是由交换行为发生的,也不是因为它的有用的性质,乃是因为这些相互交换的商品之中,有一种共通的性质存在着。这所谓共通的性质,就是投入于这些商品生产的人类的劳动。

两个商品互相交换时,它们的比例,是由各个商品所有交换价值的大小而决定的;而商品交换价值的大小又是由那商品中所含的劳动分量决定的。至于劳动分量的计算,以劳动时间为标准。不过在这里要注意的,决定交换价值的劳动,不是个人的劳动,乃是社会的劳动,即是所谓社会的必要劳动。决定那劳动分量的劳动时间,不是个人的劳动时间,乃是社会的必要劳动时间,即是在一定社会之标准的生产条件之下,在劳动之社会的平均熟练程度及社会的平均强度之下,产出某种使用价值的必要劳动时间。所以懒惰工人或不熟练工人花费过多劳动时间所造成的商品,绝不至有过多的交换价值,因为他所花费的过多的时间不是社会的必要劳动时间。例如 100 支纸烟,若用手做成,要费 1 点钟,若用机械做成,只费 5 分钟。这手做的纸烟的交换价值,当然不会比机械做的要大 12 倍。因为 100 支纸烟所代表的交换价值,只和 5 分钟相当。这 5 分钟的劳动,即是决定 100 支纸烟的交换价值之社会的必要劳动分量。这个劳动分量,当然不是永久不变的。新的发明、工程的改良、劳动生产力的增加等等的结果,那商品生产所必要的工作分量就要减少,因而那商品的交换价值也就减少了。

所以劳动是交换价值的泉源,而商品的交换价值,是由那生产所耗费的社会的必要劳动所决定。

(二)价格与货币

商品的价格,是用货币表现了商品的交换价值的东西。换言之,价格是对于一种商品卖出后所得的货币分量。价格的多少,是由交换价值决定的,但也因需要供给的关系而略有变动,不必一致。

一切商品所有者认为评定他们所有一切商品的价值的东西,即是货币。货币是价值之一般的尺度,是交换之一般的手段,因为有它的媒介,任何商品都能交换。

古代人民曾经用过兽皮、家畜、贝壳等类的货币,后来因为这类货币不合交换的目的,就改用铁、铜、锡等物,最后又改用了金银。金银比较别的金属,更具有三大重要的性质,所以变成价值之一般的尺度,即是货币。所谓有三大重要性质,一是因为金银在任何形态都不失掉那同样的性质;二是因为金银容易分合并且不致减少价值;三是因为金银量少而价高。在发达了的商品社会中,除金属货币以外,还使用纸币。

货币除了做一切商品的价值的尺度以外,在资本主义社会中,还有三种任务:一是流通手段;二是支付手段;三是蓄积手段。所谓流通手段的意思,即是说,货币在商品的流通过程中,成为媒介物,借以演出流通手段的任务。因为商品不是单纯的和别的商品相交换的,乃是先和货币相交换,然后再以货币来交换别的商品。所谓支付手段的意思,即是说,货币不仅表现商品的价值,还表现一切种类的义务和劳动。因为货币可以和任何东西相交换,所以对于政府的纳税,对于劳动的报偿,都用货币来支付,货币就变成了支付的手段。所谓蓄积手段的意思,即是说,人们借着货币的资助,可以蓄积任何种类的价值。因为人们要贮藏蓄积自然的价值(如肉、乳、铁、煤等),是非常困难的,只有蓄积货币,才能达成蓄积的目的。

(三)劳动力的价值与价格

劳动力的商品化,是现代社会的特征。劳动力在劳动市场中,也和一切别的商品一样,是买卖的东西。资本家雇用工钱劳动者,即是购买这种"劳动力"的商品的意思;劳动者从事工钱劳动,即是出卖这种"劳动力"的商品的意思。

劳动力既是一个商品,当然也适用一般商品所适用的原则。劳动力也有价值和价格的。资本家付给劳动者的工钱,即是劳动力的价格。劳动力的价格也是依据于劳动力的价值决定的。劳动力的价值,是劳动力的生产所需要的一切衣食住及教育等生活资料的价值的总和。"商品的价值,是由那商品的生产所消费的社会的劳动来决定的",这个原则,在这里也完全适用。所以在劳动力的商品一方面,不同的劳动力有不同的价值(如铁工劳动力的价值和印刷工劳动力的价值是不同的)因而各种劳动者的工钱价格,也是不同的。

工钱,是劳动力的商品的价格。价格由价值决定,是一般商品的原则,劳动力的商品的价格,也是同样。劳动力的价值,是劳动力的生产所需要的生活资料的价值之总和,所以劳动力的价格,是由那生活资料的价值之总和决定的。质言之,工钱即是劳动者购买生存所必要的生活资料的代价。

就一般商品说,由于需给的关系,价值和价格不完全一致;同样,由于劳动力的需给关系,工钱(劳动力的价格)和生活资料(劳动力的价值),也不完全一致。但在大体上,也可以看作是一致的。

(四)劳动力的剥削

劳动力虽是商品,但是它的使用价值,和别种商品的使用价值有一点不同的地方。因为劳动力是存在劳动者的身上的,劳动者把劳动力卖给资本家以后,资本家由劳动者身上的活的劳动所得的使用价值,比较由别种商品所得的使用价值,分量很多。这种活的劳动的效用,不仅可以偿还劳动者的生活费用(即工钱),还可以造出多余的价值。这种剩余价值,归那买了劳动力这种商品的资本家所得。例如劳动者为资本家作 12 点钟的工作,他可以用 6 点钟的工作生产自己的交换价值(即工钱),其余 6 点钟工作,是创造剩余价值的。这种剩余价值,就变为利润,归资本家得去。资本家所以要购买劳动力这种商品的原因,就是如此。

三、资本之生产过程

资本是生产手段和工具或货币,是它们的所有主因为要雇用工钱劳动以收回不劳所得而使用它们时的名称。也可以说资本是生产剩余价值的价值。假使握有生产手段和工具的人,不用它们来雇用工钱劳动以收得剩余价值,而只是用来维持自己的生活，就不能叫作资本。

资本的形式最初是商业资本和贷借资本，后来发达而为工业资本和金融资本。商业资本，是对于希图取得利润，而买卖的商品的支付手段。贷借资本，是资本家用金银商品的贷借形式以取得利润的资本。工业资本，是投资于生产方面以希图取得剩余价值时，为买进劳动力而支出的资本。金融资本，是在市民社会中发达到最高形态的贷借资本。

资本的构成分有二，一是不变资本，二是可变资本。不变资本，是在生产过程中不变更分量的资本，指生产手段、原料、燃料、建筑物等说的。可变资本，是在生产过程中变更分量的资本，指工钱（即为买进劳动力而使用的资本）说的。可变资本，是生产剩余价值的东西。

剩余价值，是雇主把劳动时间延长到必要劳动时间以上所收得的一部分的价值。所谓必要劳动时间，即是收回工钱所必要的劳动时间。

剩余价值，是由于劳动力的使用而形成的。譬如资本家要开办一个工场，他除了用金钱建筑工场，购买机械、原料、燃料、辅助原料等物以外，还要雇用劳动者才能开始营业。但工场机械原料燃料和辅助原料等物，都是不变资本，在生产的过程中，分量上没有变化，这时候假使劳动者也只是做一部分仅足维持他们生活所必要的时间的工作，资本家就不能得到一点利益。所以资本家就不能不把劳动时间延长到必要劳动时间以上。于是劳动者除了必要劳动时间以外，就不能不替资本家再做多余劳动时间的工作。对于那必要劳动时间，劳动者虽得到了工钱，而对于那多余的劳动时间，却是一文也得不到。这多余劳动时间的结果，便形成了剩余价值，归资本家所得。所以剩余价值，是从劳动者的多余劳动时间得来的，是在生产过程中造成的。这样看来，劳动者替雇主服务了的劳动时间，有一部分是得到报酬的，有一部分是没有得到报酬的。这有报酬的劳动和无报酬的劳动的相对关系，质言之这工钱和剩余价值的关系，叫作剩余价值率。剩余价值率，表示劳动者的剥削的程度。

剩余价值，还有绝对的剩余价值和相对的剩余价值的区别。绝对的剩余价值，是资本家因延长劳动时间而取得的剩余价值。相对的剩余价值，是资本家因增进劳动的强度（即增大对于一定时间的劳动的强度）而取得的剩余价值。

四、资本主义的矛盾

以上各节,算是把现代市民社会的本体解剖完了。现在再把那已经解剖出来的各重要部分检察一下,看看现在社会的病状怎样,好下诊断。

资本主义的致命伤很多,这里先举出几个重要的,来说一说。

首先,在资本主义之下,商品的生产和分配,一切都是无组织的,即是盛行着"无政府的生产"。资本家间自由竞争的结果,生产与分配不相调和,便产出"生产过多"的现象。商品山积,无人购买,因为大多数变了穷人,社会上的购买力,自然要缺乏了。于是"经济恐慌"就按期袭来,工场就陆续锁闭,工人就陆续失业了。但所谓"生产过多",并不真的生产过多,实际上大多数人还没衣穿,没饭吃呢!

无政府的生产的影响,国内资本家间固然要发生争夺市场的冲突,即国际资本家间也要发生争夺市场的冲突。国际资本家间争夺市场的冲突之具体的表现,就是国际战争,上次欧洲大战就是这样演成的。

其次的矛盾,即是阶级冲突。市民的社会,既然裂成两大利害相反的阶级,阶级间的冲突必然要发生的。可以说,世界凡是发生资本主义的地方,莫不有阶级冲突的事实存在。这是现代市民社会的大致命伤。

以上只是异常简单地说出了资本主义的矛盾。至于资本主义,究竟还有若干年月的运命,若要作最后的诊断,还得要把资本主义进化的经历,检察一番才行。

第六章　资本主义的进化

一、大生产与小生产之斗争

现在我们可以看见许多大工场，备有多数巨大的机械，雇用成千成万的工人，这些大工场，都是在手工业和小生产衰灭之后陆续出现的。为什么有这样的大规模生产出现？这明明是私有财产和自由竞争的结果。

所谓竞争，即是资本家间对于市场的竞争，对于买手的竞争。在竞争中能够得胜的人，即是很懂得竞争的手段的人。所谓竞争的手段，就不外于用廉价把商品供给于市场。能够用廉价把商品供给市场的人，就是大生产者，因为大生产者所用的生产费，比较小生产者要少些。这一点，在大生产者是非常有利的。大生产者拥有大量的资本，能够购买最新式最精巧的机械和器具，能够从事大量的生产；小生产者资本很少，只能从事小量的生产，只能采用大生产者已不使用的旧式的机械和器具。所以后者所生产的商品，当然就不能和前者所生产的商品相竞争了。质言之，生产越是大规模的，技术越是能够精巧，劳动越是经济，生产费越是减少，这样生产出来的商品，自然价廉物美，可以取得胜利，小生产者自然要失败了。

德国和美国的大工场，大都自设科学实验所，专事工业上的发明和发见，使科学和工业紧密地结合起来。这类的发明和发见，除对于企业家有关的范围以外，大都严守秘密，也只有大工场才能专利，小生产者当然没有这种能力。

此外，大生产的优点是分业的利益。因为大规模生产，有着无数复杂的新式的精巧机械和器具，所以能有复杂精细的分业，所以分业的段数越多，生产的成绩越大，商品越能价廉物美，这也是小生产者所不能做到的事情。

总之,大生产的优点是:一切都是"经济的",一切都是"有利的"。小生产之被大生产所压倒,实是必然的结果。

在资本主义之下,大生产与小生产的斗争,不仅限于工业方面,即在农业方面也是一样的。这里为篇幅所限,不加说明了。

二、失业与劳动预备军

(一)失业

在资本主义之下,降为工钱劳动者的群众,逐渐增加。没落了的手工业者、家内劳动者、农民、商人、小资本家等,都被资本所驱逐而降入无产阶级之列,财富越是集中,他们越是化成工钱奴隶。中间阶级之不断的崩坏,劳动者之数便超过资本的需要,因此劳动者就不能不忍受一切痛苦,努力为雇主工作,以维持卑劣的存在,否则就有别人来代替他的工作。

劳动者所以成为工钱奴隶的原因,除了中间阶级崩坏劳动者人数增加一事以外又还有别的原因。即是雇主们把剩余劳动者排拆出来,造成劳动预备军,增加资本的支配的权威。因为工场主要努力减少生产费起见,即不能不设备新式机械。机械是代替劳动力的,新式机械的采用,即是开除若干劳动者的意思。工场主永远的继续采用新式机械,即是永远的继续把若干劳动者变为剩余劳动者编入劳动预备军。所以在资本主义之下,"失业"成为恒久的状态。

(二)浮浪的无产者群

劳动预备军,产出卑鄙、贫穷、饿死、犯罪等事。长久失业的人,往往借酒浇愁,因此就不免投入流浪的群,终于变成乞丐。所以现今各大都市中,都有一种"浮浪的无产者群"存在。他们都是赤贫者,是资本主义的产物。

(三)妇女劳动与幼年劳动

机械的采用,又产出妇女劳动与幼年劳动的雇佣来。他们的工钱低廉,于雇主们是很有利益的。机械抹杀天才,不需多大的技术和熟练,只要拼命运动手脚就行了。有些机械,连小孩子都能转运。所以机械发明以后,女工和童工便多起来。女工和童工的工钱低廉,而且比较柔顺,没有反抗雇主们的勇气,所以雇主们都欢喜用他们,有时还用他们来代替男工。这即是无产者家庭生活所以破坏的原因。但是他们女工和童工的待遇,总不免有些不合人道,而且也不免要被打落在劳动预备军之列,卖淫者人数之增加,就是这个原因。

三、恐慌与竞争

(一)竞争

前面也曾说过,一切工场主间对于买手的"竞争"是很激烈的,这原是现代社会的构造中必然发生的现象。大资本并吞小资本,也和大鱼吃小鱼一样,以前成千成万的企业家互相竞争着,到后来竞争者的人数就渐渐减少了。但是竞争者的人数虽然减少,而竞争的程度却是增大,却是更形狂暴。世界受着很少数的资本家所支配,所谓资本家团和资本家团的竞争,就形成国与国的竞争,它们不仅在价格上竞争,而且在武力上斗争,因而演成世界大战,所以竞争的趋势,就由平和的而转成破坏的。

(二)恐慌

竞争的结果,必然演出恐慌。因为互相竞争,生产和分配不相调和,就要发生某种商品生产过剩的现象。于是物价下落,资本家堆栈中充满了商品,无人购买,劳动者当然没有购买力。于是某种产业部门的中小企业就首先倒坏,接着大企业也受影响。此外和这些企业有关系的其他企业,也不能受影响。结果,工场关门,工人解雇,劳动群众的生活,更形悲惨,社会上顿呈了暴风雨的现象。经过了这番暴风雨之后,多量的生产物被破坏了,小规模生产被扫灭了,而受苦最甚的,还是劳动群众。一次恐慌终熄,产业界经过了三五年或十年的整理,才能恢复原状,但到恢复了原状而向前再进的时候,又过到了以前同样的障碍,恐慌又来了,所以恐慌的袭来,周而复始,在私有财产和自由竞争两原则存在的期间,恐慌是绝不能幸免的。

四、劳动者解放运动

（一）阶级冲突

如前所述,现代市民社会中,有两个根本的矛盾,第一是无政府的生产,第二是两大阶级的对立。这两个矛盾,实是资本主义所以要破灭的原因。贫富悬绝的结果,无产者和资本家两大阶级的隔离愈远,由于这社会的不平等,便引起了阶级的冲突。

阶级,是由那在生产上所占共通的地位结合起来,对于他阶级具有共通利害和连带关系的社会的一部分。社会上有了阶级发生出来,就必有阶级冲突,这是历史上的事实。不过冲突的程度最剧烈的,要算是现代市民社会中的阶级冲突了。

（二）劳动者解放运动

劳动者解放运动,最初是要求增加工钱减少时的争斗。这种争斗,是经过了若干年月的。后来资本愈集中,财富愈集中于少数人而贫困愈集中于多数人,于是劳动阶级的人数更增加,因而阶级的意识也扩大。劳动阶级就知道组织劳动组合,作为争斗的机关,更进一步,便是组织政党,以为争得政权的手段。于是劳动者解放的运动,便由经济的变为政治的。政治的斗争的结果,势必要变更现社会经济组织,而用新的代替它。

五、资本的积聚与集中

资本积聚,是资本因继续的蓄积而增大的意思。资本越是增大,资本家所收得的剩余价值额也越是增大。资本家为扩张生产计,再行投资,于是剩余价值额再行增大,资本因而继续增大。

资本集中,是逐渐增大的资本越发集中于少数资本家之手的意思,是指资本家人数和这些资本家所有资本额的增加说的。所以资本集中的意思,和资本集积的意思不同。

　　资本家的人数减少和资本集中于少数资本家之手,乃是自由竞争的结果,是大资本并吞小资本的结果,同时又是资本在公司、新的加、托拉斯等形态上结合于少数人手中的结果。这样的资本积聚和资本集中,在金融资本的阶段上,随着资本家的新的加和托拉斯的普及扩大,就达到了最高程度。

　　资本积聚和资本集中的结果,劳动阶级的人数便增加起来,同时劳动群众也随着聚于大资本家的企业和大工业中心地。这种事实,越发促进劳动群众的团结,促进劳动运动的发展,加强劳动斗争的力量,因而短缩了现代市民社会的运命。

第七章　金融资本与帝国主义

一、金融资本

（一）股份公司

前章已经把资本主义进化的第一阶段检查完了。本章再检查资本主义的最后阶段的最重要的金融资本之支配。

前章说过，企业家之间，是不断地实行对于买手的争斗的，这种争斗的结果，胜利必归于大企业家。于是多数小资本家破灭，资本和生产，都积聚于大资本家之手。19 世纪最后 20 年以前，已经显出过非常的资本集中。所谓股份企业的股份公司，就代替各个企业所有者而起了。因为用小额的资本开始企业，在竞争场中是不能取胜的，所以新的事业的基础，就非使它巩固不行。要巩固这种基础，只有集合具有多额资本的人们，才能做到。股份公司，就是由于这种必要才产生的。股份公司的要点，即是少数大资本家利用小资本家的资本和中间阶级（事务员、自耕农及官吏等）的积蓄。股份公司的构成，即是由一般有钱的人出钱认股，领受股票，由公司分受若干红利。像这样把许多零星股份募集起来，便造成了"股份资本"。

公司企业，较之个人企业，有很多优点。第一，股东是公司企业的东家，不是企业家，对于企业行为，不拿自己的财产负责任；第二，公司的股东不比个人企业家那样去冒险，向公司取得的收入较少，所以能够用廉价卖出商品；第三，公司企业比较个人企业，能够运用较大的资本，能够向银行借用较多的资金，并有发出新股扩大资本的能力。这些优点，都是公司企业胜过个人企业原因。

（二）资本家的联合

比股份公司更为有力的,是资本家的联合。这大概是两三个不同的产业部门的结合,其一方为他方生产原料和燃料,例如织维工业方面之纱厂、布厂和染厂的结合之类。

这种联合的优点有三:第一,省却几个企业间的买卖,可减少生产费;第二,在竞争和恐慌发生时,比较没有结合的企业,基础要巩固些,而可以安稳地获得利润;第三,因数企业统一于一个复杂企业的便利,越发便于分业,可以实行技术上的改良。这些是有结合的企业比较无结合的企业更有利益的地方。

（三）加迭尔、新的加与托拉斯

加迭尔、新的加和托拉斯,是程度不同而多少带有永久性质的资本家的企业之种种联合。在这种联合之中,有包含许多企业或许多种类的企业的。

加迭尔和新的加的不同之点,只是联合是否较为巩固的程度上的不同。至于托拉斯,比较它们的联合更要紧密些。

在加迭尔和新的加一方面,各个掌握企业最高权的人,互相协约,结成定期有效的特别契约,由各企业共同遵守。依据契约加入加迭尔或新的加的企业,虽然失掉从前那样完全的独立,但形式上还保留某种范围的行动自由。契约期间终了,再成为独立企业,联合即归于消灭。

在托拉斯一方面结合起来的企业,就永久失掉独立和行动自由,而完全融合于一个资本的企业。

加迭尔和新的加组成的目的在抬高商品的价格,限制市场的竞争,以增加各企业的利润,托拉斯组成的目的,在提高生产力以增加利润。

以上是关于加迭尔、新的加和托拉斯的大概。

（四）银行资本

银行是吸收游离资本的金融机关,资本的集中的速度越快,大宗资本的需要越大,同时游离资本越多,于是银行便更形重要。不愿意把金钱游离的资本家,就拿来存入银行,银行就把这金钱借给需要金钱的资本家。这借钱的资本家,便利用这项金钱来剥削剩余价值,提出收入的一部分作为利息付给银行。银行就把利息金的一部分发给存款人,其余就作为银行利润,所以银行的机关便不断地运动起来。银行所吸收的资本越大,就越发把大宗资本投到产业方面,于是银行资本便在产业界继续活动,变成了银行资本。于是产业便受银行资本的支配,银行资本和产业资本就合为一体,这便是资本的另一形式的金融资本。所以金融资本,即是结合于产业资本的银行资本,下面再略加说明。

(五)金融资本

金融资本,依着银行的媒介,比较企业的直接结合,更促进紧密的一切产业部门的联合。银行能够把一切企业的联合,打成一片,放在自己的管理之下,便开始握到了产业部门各个系统的完全统御权。银行能够任命可以信托的人,支配托拉斯或新的加的各个企业,于是全国的产业就合并于新的加、托拉斯的复合企业,一切都由银行结合起来了。一国全部经济生活的头脑,都归大银行家的小团体所支配,所谓政府当局,不过是执行这些银行主和托拉斯主人的意志而已。

二、帝国主义

(一)新的加托拉斯之无政府的生产

掌握市场的支配权的新的加托拉斯(资本家的独占)出现,在资本主义的历史上划分了一个新时期。资本家的独占,在资本家的经济各部门之间,在资本主义各国之间,虽然是把竞争减少了,但资本家的独占发达的结果,对于资本主义中所固有的竞争和无政府的生产,不特没有完全除去,而且反把竞争的程度更加激烈化,不过斗争的舞台由国内转到国际罢了。在世界经济成立的今日,国际间经济的依赖日趋紧密,因而各国资本的独占各自形成一个国家资本主义的组织,于是各国国家资本主义的托拉斯之间的斗争越发猛烈起来。小鱼被并吞了之后,剩下来只是一些大鱼,竞争者的数目虽然减少,而彼此间的斗争,却都变为大规模的。国家资本主义托拉斯间的竞争,在平和时代,是采取军备竞争的形式,结局终要引起掠夺的战争来,所以金融资本,虽能停止各国国内的竞争,但是发达起来以后,就要演出国际间的猛烈的斗争。

(二)关税政策的真意义

在国际的斗争上,各国政府为保护本国资本起见,采用关税政策,作为斗争的手段,这本来早已实行了的。不过关税政策的真意义怎样,我们还得要研究一番。现在举一个例来说明它。譬如某国的织物工业,被新的加或托拉斯独占了。这时候若抽收进口税,这些资本家就可以一举两得,既可以加害于外国的竞争者,又可以把商品的价格增加和关税同额的数目。这种办法,若在产业没有新的加化的时候,因为国内资本家互相竞争的缘故,必然要把价格减低下来;但在新的加支配着一国的产业时,那外国竞争者,就被关税的障壁驱逐于市场以外,内国的竞争也因为产业的新的加化而终止了,所以价格就容易提高起来。到了这时候,进口贸易越是增加,国家的收入越是加多,同时新的加的资本家,因为价格的提高,可以获得附加的剩余价值。新的加的资本家,利用这些剩余价值,把商品运到外国去,并且因为要排除那一国的竞争者起见,所以把价格减到原价以下。比方我们在日本国内买某种商品,价钱是一圆,回到中国境内买那同样的日本商品,价钱却只要六角,这就是一个实例。但照这种办法做去,新的加的剩余价值的多寡,要看关税地域的广狭而定,而关税地域的广狭,又要看领土的广狭而定。换言之,领土越广,该国新的加的剩余价值越多,领土越狭,剩余价值越少,所以现今各国的新的加或托拉斯主人为谋增加剩余价值起见,就不得不努力扩张政治的领域,如殖民地之类。而扩张领土的手段,只有准备战争。所以新的加或托拉斯的支配,必然要和侵略战争合为一体了。新的加或托拉斯主人的关税的政策,和他们世界市场的政策,相须并进,就诱导了猛烈的冲突。

(三)资本之输出

生产的进步,不断地促进剩余价值的蓄积。在资本主义已经发达的国家,过剩资本的量,继续增加。这些资本,在发达较迟的国家中,利润率较高,所以有些国家,因为过剩资本的蓄积越大,对于资本输出的努力也越强。这输出资本的目的,因为关税政策的作用,更加容易达到。原来进口税的增加,消极上虽能妨碍外货的进口,而积极上却能促进外资的输入。因甲国资本家的货物既不容易输入于乙国,即不能不去另想方法,把资本拿到乙国境内去做投资的事业,譬如德国资本家对俄国的投资,即其一例。甲国资本家这样的投资,是乙国关税政策所不能阻碍的,而对于乙国资本家在本国境内所能掠取的剩余价值,却可以利益均沾。至于输出资本的形式,当然有种种不同,这要看被投资国的实力怎样而定。被投资国若是强国,投资的条件当然不会苛刻;若是弱小国家,那条件就非常厉害,或者指定某处富源作担保品,甚至要监督财政。今世各资本主义国家的对外投资,都是很多,大致是采取这一类的形式的。

资本的输出,更发生重大的结果,即是列强对于被投资的地方或弱小国家的竞争。因为把大宗资本输出于外国,危险性比较商品的输出更大,所以投资国的资本家们,势不能不设法攫得被投资的弱小国家的政治的支配权,而其方法就是利用海陆军的势力做后盾。于是发生了列强对于弱国的竞争,结果还是列强互斗。所以资本的输出,能够引起国际战争。

(四)原料和市场的争夺

由生产的独占,必然引起原料产地的独占和市场的独占,因而诱致原料和市场的争夺,这是前世纪末叶新的加、托拉斯发达以后的现象。原料和市场的争夺战,随着金融资本的发达而更趋于激烈,终至于酿成猛烈的争斗。

在 19 世纪最后 25 年之间,列强略取了无数弱小民族的土地。从 1876 年到 1914 年之间,所谓列强,已经合并了 1000 万平方哩的地域,全世界都被它们所分割,许多弱小国家,都变成了它们的属国,变成殖民地,变成奴隶。这都是国际资本家争夺原料和市场的结果。

(五)帝国主义

列强对于弱小各国的侵略,也和机械工业对于手工业的斗争一样,后者是必遭破灭的。因此大国家托拉斯,灭掉了无数弱小国家,并夺取他们的一切。

列强把全世界合并终了时,它们自己的队伍中,又起了猛烈的斗争。掠夺者们为了战利品的争夺,为了世界的再分割,又开始猛烈地斗争起来。金融资本为争夺商品市场原料产地和投资处所而实行的侵略政策,叫作帝国主义。

帝国主义是从金融资本发生的,正和猛虎无肉吃不能生存一样,金融资本没有侵略政策、掠夺、暴力和战争,不能存在。各金融资本主义国家的托拉斯的志望,就是世界的支配,质言之,就是要实现世界的帝国,支配各国的资本,榨取一切的劳动力。他们所谓实现"大英国"、"大德国"、"大俄罗斯"、"大日本"等的迷梦,就是这样形成的。而实现这个"大"字的目的,无非是不要廉耻地去剥削别的国民。所以金融资本,必然要驱使一切人类,卷入血腥战争的漩涡。上次世界战争的真相,就是这样。

(六)军国主义

银行王和托拉斯主人的支配,还产生了"军国主义"一个重要现象。大规模的海陆空军备和空前未有的军事费,就是基于军国主义而后生产的。列强今日所以必须励行军国主义,其目的不单在镇压殖民地和国内无产阶级,还在于抵抗其他强国。所以列强中若有一国发明新的兵器,计划新的战斗方法,或采用新的军队编制而增加其战斗力时,他国必想出同等的方法从事军备竞争。于是狂热的军备竞争开始,而有所谓兵器生产的托拉斯大企业发生。这些兵器托拉斯,勾通本国的参谋部,制造兵器,借以取得莫大的利润。这些兵器托拉斯,原是要在打仗时发财的,所以利用自己的机关报来鼓吹战争,以便做这宗好买卖。这是上次世界大战开始以前的资本主义列强的狂态,现在还是一样。

三、世界战争的说明

1914 年到 1918 年的世界战争,原是欧洲资本主义列强间(英法与德国)的经济的斗争的结果。他们因为不能用和平方法解决殖民地和半殖民地的剥削范围的纷争,不能解决中欧煤和铁的分配的纷争,不得已才诉诸武力来解决。实际上,列强既已实行着上述的帝国主义政策,迟早必然要引起世界战争。只有这类帝国主义政策,才是战争的真实原因,说什么"谁有罪,谁无罪,谁是戎首,谁是祸魁,谁是侵略者,谁是防御者"的话,都是虚伪。

帝国主义战争,一旦发生,必然立即要变成世界战争。因为整个的世界,已被列强所分割,列强已经直接结合于全世界的经济组织之中,牵一发而动全身,所以少数几个国家的战争,必至把全世界一切的国家,都要卷入战争的漩涡。这原是不足惊异的事情。

上次世界大战的结果,死伤的人数,非常可惊。据调查说来,到1917年3月底为止,死伤者以及生死不明者,合计达2500万人;到1918年1月1日为止,死者共有800万人。假定平均每人的体重为150磅,那么,国际资本阶级,从1914年8月1日起到1918年8月1日止,简直是在市场上卖掉了12亿磅的人肉。此外因战争而变成的废人和病人,还有数百万。至于在战事中经济的损失,据调查说起来,战前各国民的财富总计达14000亿元,在战争中破坏了一半以上,即7200亿元。死伤的人口,大都是无产阶级,破坏的财产,全是世界无产阶级和弱小民族的劳动的结果。一旦战事告终,"死者已矣"!而资本阶级在战争中财产的损失,还是要向世界无产阶级和弱小民族取偿,所以近年来前者对于后者的剥削,更是有加无已。

第八章　大战以后的资本主义世界

一、大战后世界资本主义的趋势

大战以后，世界资本主义的趋势，大概可以分三个时期。

第一期是世界资本主义的危险期。在这个时期中，如 1917 年俄国的二月革命和十月革命起，其次是 1918 年 3 月的芬兰革命，8 月的日本的米骚动，11 月德国和奥国的革命；1919 年 3 月的匈牙利革命和朝鲜暴动，4 月的巴维利亚的苏维埃政府成立；1920 年土耳其的民族革命，9 月的意国工人的工场占领；1921 年德国的三月事件。这些都是世界资本主义致命伤。直到 1923 年秋季布加里亚和德国无产阶级的败北，才终结了这个时期。

第二期是世界资本主义的半安定期。在这个时期中，各国革命的阶级已由攻势转为守势。如英国的总罢工和煤坑罢工，即其实例。可以说这是各资本主义国家的生产力的恢复期。

第三期是世界资本主义的安定期。在这个时期中，各国资本主义因为技术的改良和经济组织的改革，增大了它的生产力，同时那内在的矛盾也随着增大了。这就是现在的时期。

二、世界资本主义的近状

最近二三年来，世界资本主义的状况，可以要约为下列数点。

第一，资本主义的安定，以金本位的回复和货币的安定为先决条件。因此欧洲各国均竭全力以谋金本位的回复和货币的安定，这一步完成了，相应而生的即是资本主义安定的完成。

第二,产业合理化的成功。产业合理化的目的,第一在求生产力的增大,第二在求商品生产的增加,第三在谋生产费用的减少。要达成这些目的,首先要谋技术的改革,以增大劳动力和增加生产物;其次要改善企业的组织,一面增高生产力,一面节约生产费。因为有了这样的改良和改革,所以资本主义的集中形态,就由水平的集中加迭尔进到垂直的集中孔瑾恩(Konzern),产业的合理化,总算是已经成功了。但是产业合理化的成功,一方面虽然促进了企业界国际的集中,一方面却又形成生产过剩和市场的再分割的危险,以及恒久的失业状态。

第三,最近的世界贸易,已经恢复到大战以前的水准,其次如钢铁和煤的生产额,也和大战以前的差不多。但是现在世界资本主义之经济的中心,已由欧洲移到了美洲,由大西洋移到了太平洋,而其霸权者亦已由英国移归美国了。这种情势,除了表示着英美的对立以外,还包含着很大的矛盾。因为大战以后,民生凋敝,国内市场日趋狭隘,使资本主义的发展,永久受到了限制。结果各帝国主义者之间,便造出了空前未有的激烈的市场竞争,将成为下次大战的导火线。

第四,恒久的失业状态。失业问题,是资本主义国家最难解决的问题,自从前次大战以后,这个问题不但不能解决,而且更趋严重,因为产业合理化节减劳动力的结果,使得失业问题,更带有恒久的倾向,这是否定帝国主义存在的前提。

三、资本主义的崩溃

世界资本主义的现势,是生产的增大与过剩,是资本集中的尖锐化,是失业状态的恒久化。目前虽说已经进到资本主义的再建期,而由这些情势所发生的资本主义内在的矛盾和危险,却是更加尖锐化,因而发生了资本主义的新的对立。

这种新的对立,从两个要素发生。第一,因为生产增大,而狭隘的市场,对于这种生产早已达到了饱和点,势必引起获得商品市场、原料产地、投资处所的大斗争。此种大斗争中新的对立,必至引起第二次世界大战。第二,因为国际的托拉斯的增大,各国资本家团对于世界的剥削的斗争,也趋于尖锐化,也势必掀起第二次世界大战,以谋全世界市场的再分割。

目前帝国主义列强间的新的对立正在发达,军备竞争的激烈、战争技术的更新,无日不在准备第二次世界大战的新形态。新的世界战争的危险,已是日见增大了,所谓"世界和平"和"国际弭兵"的呼号,只不过是准备第二次世界大战的手段而已。帝国主义列强间如果准备完成了,那时候在世界被压迫阶级的面前必然要提出下列的问题来:

世界战争呢?被压迫阶级与弱小民族的革命呢?

第 三 篇

社会问题

第九章　社会问题之性质

一、社会问题之发生

社会问题,是现代市民社会组织内部的矛盾所酿成的大多数人民的生活问题。因为产业革命的结果,人们的生产,使用动力,应用机械,资本主义于是产生;工钱制度于是成立;工场制度的大企业组织,日见发达;股份公司和银行保险以及交通等事业,日趋繁盛;都会人口的集中、新经济都市的发生、外国贸易的伸张、经济上的自由竞争和私产制度以及契约营业继承财产一切自由的原则,都经确定。于是市民社会分裂为有产阶级和无产阶级,前者剥削后者的剩余劳动以增值自己的资本,后者佣力谋生,受尽生活的苦痛,社会问题就发生出来了。

劳动者最感受苦痛的,是境遇的不安定。他们靠力营生,用手糊口,专赖劳动所得做唯一的财源,来支持自己和家属的生活。他们卖力,也和卖货一样,职业的得失,工钱的多少,完全由劳动的需给关系所决定。劳动力市场的需给关系,是随着经济界的景况决定的,而经济界的景况,又由紊乱无常的生产交换状态发生,所以劳动力市况的不定,乃是当然的道理。照这样,劳动者能否卖出他们的劳动力,能否得到几多的工钱,自己都不能知道,他们对于生存既然没有安定的希望,就自然对于生活怀起疑虑来。劳动者处在这种不安的状态中,既不能得到相当的生活资料,又不能享乐家庭的生活,疾病老衰,都没有一点准备,几乎连自身都保不住,境遇的不安定,也就可知了。

此外威胁劳动者的生活的,是劳动人口的过剩。因为机械使用的结果,一方面虽能促进生产的增加,而他方面生产技术上劳动的需要减少,这简直是把劳动者驱逐于生产界以外,造成了劳动预备军。劳动预备军越是增加,工钱就越是减少,那机械就变成资本家压迫劳动者的武器。机械能夺取劳动者生活的资源,生产物也变为奴使劳动者的工具。劳动过剩,工人失业。财富愈集中于少数人,穷困愈集中于多数人。富者越少越富,穷者越多越穷。于是多数人民的生活问题越发不能解决。这是社会问题的由来。

二、社会问题的内容

社会问题的内容,可就劳动者的问题,把它分为三大项说明出来。

第一,劳动条件的苛酷。劳动对于机械工业,与其说是使用机械的人,还不如说是机械的奴隶,他们的劳动非常简单,容易发生疲倦,他们的工作,随着机械的转动而继续运用他们的体力,机械越是转动不止,他们越是劳力过度。而且机械工业和工场工业,与从前的手工业和家内工业不同,需要大宗固定的资本,企业家尽自己力量的所能做到的事情,利用自己的资本以增值利益,旧机械的效用减少了,就弃掉旧的去改用新的,机械昼夜转动,劳动时间越延长,劳动者的疲劳也愈甚。

劳动力既然成为商品,没有资产的劳动者,任从资本家所宰割,加以机械工业减少劳力的需要,分业的应用,促进工作的单纯,于是妇女青年,也能胜任。所以企业家争用不熟练的工人,以谋节省生产费,一般成年劳动者,就不能不甘屈服于低廉的工钱之下,以图苟活。于是劳动预备军成立,工钱就降到最低的水平线。加以工场设备不完全,妨害卫生,以至酿成国民卫生上恶劣的结果,又因妇女青年午夜工作的缘故,把劳动者的家庭生活都破坏了。这便是劳动条件苛酷的一斑。

第二,地位的降低。产业革命以前,也有过不少的佣工自食的工人,但没有像现在这样的多数。而且以前所谓劳动者的徒弟和职工,往往可以升到店东的地位,然在市民的社会里,企业集中,中小企业次第减少,资本的所有和经营的自由,都集于少数者的手中,大多数失掉了以前独立的地位,不得不降到工钱劳动者之列。于是这些占多数的劳动者,依着产业的分布,被逼迫着过团体的生活,就发生了一种自觉,利害相同,感情一致,独自构成一个阶级,去和资本阶级对立。这两者的对立,形成了市民社会最显著的社会现象,两者的地位,随经济的发展而愈发增大。

第三,生活的恶劣。劳动不仅感受物质上的痛苦,而且还不免于精神上的堕落。自由主义既成了经济组织的原则,旧日一切拘束就完全打破,有产者取得产业的自由,劳动者只取得饥饿的自由。在所谓自由契约上协定的工钱和别的劳动条件完全给劳动者以不利,他们劳动所得的收入,不能维持动物的生活。他们的劳动力横受剥削,毫无限制,一朝力竭身毁,就视同草莽,旧日雇佣间的家族温情关系,已被自由的美名,完全破坏,劳动者终于伤病老废以死,散失了生存的保障,他们救死还不能做到,那还能顾到精神上的堕落呢?

三、社会问题的种类

社会问题的种类,向来有广义和狭义两种解释。所谓广义的社会问题,就是和社会制度全体有关系的问题;所谓狭义的社会问题,就是产业制度中的劳动问题。世人往往拿社会问题和劳动问题相提并论,但就狭义来解释社会问题,即是劳动问题。于劳动问题以外,再加入妇女问题,即是广义的社会问题。兹采广义的解释,就各种问题分别略加说明如下。

社会问题的特征,因经济发展的程序而有不同。市民社会中最显着的劳动问题,实为产业劳动者问题,其次为农商业劳动者问题。产业劳动者问题,在前面已经说过,现在略说农商劳动者问题。

农业劳动者问题,在农业未经资本主义化以前,还没有产业劳动者问题那样显着。因为在农业方面,地主中有大地主、中地主、小地主和佃农、雇农的分别,而以劳动者兼为地主的自耕农,也是不少,所以地主和劳动者的区别,不易明了。而且地主和劳动者之间,因为土著的关系,还保存多少情谊,所以农业劳动者的生活,还不像产业劳动者那样恶劣。自从农业资本家挟着资本的力量,应用农业机械,雇用多数劳动者开办大规模的农场,于是资本家和劳动者的关系大不相同,所谓农业劳动者问题就发生了。

至于商业方面,在以前也没有显着的社会问题。因为商业的规模,不容易发生阶级的自觉,所以没有组织团体对抗雇主的事实。而且他们工作的种类,多是属于智力劳动,和从事力役的普通劳动者不同;他们的地位,也缺乏固定的性质，可以因缘时会，有成为独立商人的希望，不比产业劳动者要终身固定于劳动阶级。还有，在小规模商业时代，雇主和店伙之间保存一种家属的情谊，店伙的生活可得最低的保障，所以没有显著的社会问题。到了市民的社会，商业的规模，随着经济的进步扩大起来，中小企业者的独立，渐感困难，商业店伙的地位，也像产业劳动者有固定的倾向，随着自由竞争的盛行，失掉生活的保障，就形成了商业劳动者问题。它的程度，虽不如产业劳动者问题那样厉害，而其同为一种社会问题，却无可疑。

末了再说妇女问题。妇女问题可分两种；一是普通妇女问题，一是妇女劳动问题。普通妇女问题，是妇女要求社会承认她们和男子享受同等权利的问题；妇女劳动问题，是从事劳动的妇女拥护她们做劳动者的利益的问题。前者以要求除去社会生活上男女差别的待遇为主旨，属于人格问题，后者以要求劳动的解放为主旨，虽同属于人格问题，而其重心却在于经济问题。所以两者的问题大不相同，应当分别加以说明。

普通妇女问题的发端，也在于要求自由。因为启蒙运动的结果，能诱致一般文化的进步，促进个人的觉悟，因而人格的自由和权利的尊重，就为社会各方所倡导。但当时的妇女在家庭和社会上的地位，比较男子非常低劣，妇人在家庭中做妻子、做母亲，不但不受社会所尊重，而且大受自由的束缚。结婚的选择，完全受父母所干涉，在家庭是父母的所有物，出嫁后，是夫婿的所有物。当着这个时代潮流之下，妇女们不愿意受苛虐的待遇实是必然之势。所以有一种先觉的妇女，就起来从事女权运动，要求社会上、法律上、政治上、经济上的男女平等，更进而要求解放家庭的束缚。并且处在产业革命的时期，工场工业代替了家庭工业，家庭以内的生产业务，逐渐减少，妇女的家庭劳动只限于消费方面，而以前从事生产事业的妇人，她们的劳动力也大有余裕。妇人对于这种有余裕的时间，怎样消遣，是有很重要的意义的，所以当时觉悟的妇人，不愿局促在家庭以内，徒费光阴，而出去从事社会的运动。这是普通妇女问题的由来。

妇女劳动问题，是由于产业革命的影响发生的。普通妇女问题，差不多是一种广义的文化运动，所以多是由中流以上的妇女来指导。至于妇女劳动问题，却属于经济问题，所以由劳动妇女去主持。产业革命以后，家庭生产事务趋于闲散,中流妇人出去参加女权运动,消遣光阴;下层妇女出去从事工钱劳动,弥补家用。机械工业,可以减少熟练劳动的价值,资本家方面,反以低廉的妇女劳动更有利。因此妇女劳动者之数增加,劳动的供给丰富,结果劳动时间越延长,工钱越低落,保护救济等施设越不完全,妇女劳动者更难忍受,于是妇女劳动问题发生。所以妇女劳动问题,虽是对于男子的特别问题,同时又是和劳动者共通的问题。妇女劳动者,一面要求同等劳动的同等工钱,要求保护产妇,要求男女劳动组合的平权;同时又和男劳动者共谋劳动条件的改善,更以阶级的意识,协谋经济组织的改造。所以妇女劳动问题,在根本上是和男子劳动问题相同的。

四、社会问题与社会运动

如上所述,社会问题,是现代市民社会组织内部的矛盾所酿成的大多数人民的生活问题。这种社会问题若不从速解决,社会不但不能进化,且将陷于土崩瓦解的境地。但是社会问题必须怎么解决? 必须由什么人来解决? 这确是一个很大的关键。由现代各国所实行的解决社会问题的方法说来,大约不出两种,一是由感受社会问题的切身利害的阶级自己起来解决问题的方法,一是由国家或资本家企谋解决社会问题的方法。前者是社会运动,后者是社会政策。这里先说社会问题和社会运动。

社会运动,以谋社会问题的解决和无产阶级的解放为目的。要达成这种目的,必先谋得物质的解放;要谋得物质的解放,必先脱离资本的支配;要脱离资本的支配,必须改造个人主义的经济组织。但是要改造个人主义的经济组织,必须有一群的主动者担任这个事业,从事一定的运动,而成为这个运动的中心势力,又必是在这社会组织下处于不利益地位的阶级。不过现社会组织下处于不利益地位的阶级要从事社会改造时,同时那处于优胜地位的阶级,也必反对社会改造。一方主张,一方反对,于是乎社会问题的解决,就不能不借阶级对抗的形式表现出来。那由无产阶级起来自谋解决社会问题和改造社会组织的运动,即是社会运动。

社会运动的派别很多,政策也各有不同,但就各派的共通手段说,大都从组织劳动者的团体开始,进行劳动组合运动,把无产者组成一个阶级;其次便更进一步,组织无产者的政党,进行政治运动,企图取得政权,以为解放无产者的准备。所以社会运动,最初是经济的,其次为政治的,即是所谓方向的转换。因为就无产阶级说,要谋自身的解放、要解决社会问题,自身若不取得政权,不是能达到目的的,这就是各国社会革命的由来。

五、社会问题与社会政策

在市民的社会中,无产阶级为谋解决社会问题而从事社会运动时,阶级间的利害冲突越发显著,国家或资本家阶级,为谋缓和阶级间的冲突起见,不能不想法去解决社会问题。国家或资本家阶级解决社会问题的方法,即是实行社会政策。

就社会政策的理论说,私产制度和自由竞争两大原则,是市民社会经济发达的前提,那由贫富悬绝所发生的弊害,是由于这两大原则毫无限制的结果,不是这两大原则本身的罪恶。所以社会政策论者,以为社会问题不是改造社会组织所能解决的,只要在特别的范围中限制那两大原则所发生的弊害就够了。他们以为如果绝对承认自由竞争,那微弱无力的劳动者,绝不是资本家的敌手,在双方缔结劳动契约时,势必要受资本家所操纵而屈服于不利的地位。所以他们主张由政府依据权力去做双方的仲裁,一面抑制资本家的权能,一面伸张劳动者的势力,使双方得以对等的地位缔结劳动契约,那劳动者就可以免除因劳动契约发生的弊害。譬如工场法,就是这样制定的。

其次社会政策论者对于私产制度的见解,以为无限制的私产,固然可以引起社会问题,却不应完全否认私产制度的根本原理。所以他们主张对于独占事业的私有加以相当限制,或进一步把独占事业移归国家或公共团体经营,以期防止弊害的发生。譬如铁路国有、电车市有等施设,就是这样成立的。

以上是社会政策的大概,质言之,就是在承认自由竞争和私产制度两大原则之下,由国家或资本家阶级设法解决社会问题的。这种解决社会问题的方法,毕竟是温情主义的方法而已。

第十章　中国的社会问题

一、中国的社会问题

资本主义产出了劳资两阶级的对立,产出了贫富悬隔的现象,因而产出了社会问题。所以有资本主义存在的时间和空间,那社会问题,就必随着发生和扩大。中国的社会,已经踏入了初期资本主义的阶段,社会问题,也自必随着发生和成长,这已经成了社会发展的法则了。但是我们要注意的,中国社会是个半殖民地的社会,半殖民地的资本主义的发展,和先进国的资本主义的发展,具有不同的特征;同样,半殖民地的社会问题的内容,和先进国的社会问题,也具有不同的特性。假使忽略了这个特性,就不能了解中国的社会问题,还会贻误中国改造的前途,这是应当注意的。

中国社会问题,大概可以分为下列五种。

1. 产业劳动者问题;

2. 农民问题;

3. 手工工人问题;

4. 商业店伙问题;

5. 失业者问题。

上列五项之中,除了前两项以外,或许有人要说其余各项,不能算作社会问题的吧。本来严格地说起来,后面的三项问题,原不能算是现代的社会问题,因为手工工人的问题和产业劳动者问题不同,商业店伙问题和欧美各国的商业劳动者问题不同,失业者问题也和欧美各国的失业者问题不同。但是我们要知道,中国在数十年以前原是封建社会,上述这些问题素来是不成大问题的,自从被国际帝国主义者所征服而变成半殖民地以后,渐渐踏入了产业革命的过程,走上初期资本主义的阶段,农业的崩坏、手工业的没落、商业资本的发展、工业资本的形成,这些问题就成为社会问题了。这原是半殖民地的中国的资本主义化的征象。我们虽不能说中国完全变成了资本主义国家,但是可以说整个的中国经济,都被国际资本主义所笼罩,一切的一切,都烙上资本主义的火印了。这是我所以要把这些都列作社会问题的原因。兹特就各项分别说明如下。

二、产业劳动者问题

中国的产业劳动者,自从清朝末年以来,就已经随着国内资产阶级的兴起而发生了。及到欧战发生,国内的新式产业逐渐发达,而此等产业劳动者的人数也跟着增加起来。据英文中国年鉴和前北京农商部的统计,中国的产业劳动者的人数,共有 275 万人,和全国的人口比较,固然是一个小数目,但若连他们的家属一起计算(每人的家属平均定为 5 人),应当包含 1375 万人。这包含 1375 万人的问题,就不能不承认它是一个大社会问题了。在中国的广大的产业预备军之中,他们居然能够取得了产业劳动者的地位,以维持其卑劣的存在,把他们和那些无业者比较起来,自然要算较胜一筹,但是我们却不能因此忽视产业劳动者问题的重大。

中国的产业劳动者,有一部分是在中国境内的外国资本家之下工作的,有一部分是在本国资本家之下工作的。那班外国资本家,利用中国的劳动过剩和工钱的低廉,利用在中国境内所取得的工业经营权,纷纷到中国来经营工业,雇用工人替他们创造剩余价值。他们帝国主义者对于这班工人的待遇,完全使用宰制殖民地的法律和行动,来压迫在他们工厂中做工的中国人,中国的工人终日在他们鞭扑枪弹之下工作,生杀予夺之权都操在他们的手里,无时不感受生命的危险和失业的胁威。其地位和境遇,实是非常残酷的,这是显明的事实。其次,中国的工业资本家对于工人的待遇,也是非常残酷,因为他们刚刚出世,就碰到了外来的强敌国际资本家,他们的资本加企业能力,他们的生产条件等,都远不及外国资本家。本国的政府又不能援助他们对于外国资本家的竞争,所以他们只有凭借封建势力加紧对于工人的剥削,以图取得一点利益,政府又没有工场法范围他们。因此在国内资本家之下工作的工人们,他们的劳动条件,也是非常不利,生命的危险(如有反抗雇主行为即被军阀压迫)和失业的威胁,也是同样感受的。加以近年来生活程度增高,低微的工资多不能养家活口,政府又没有劳动法保障他们。这样一来,中国的劳动问题,也就显出了半殖民地的半封建的特殊性,中国的劳动运动,也只有根据这种特殊性去理解它。

中国的劳动运动,从民国七八年以来,日见发展,这是和国内资本主义的发展相并行的。这十多年之间,各处的产业劳动者的同盟罢工层出不穷,直到最近,还是一样。中国劳动运动的性质,一面是经济的,同时又是政治的,他们迫于生活困难,不得不要求经济的地位的改善,迫于民族生存的威胁,不得不从事反对帝国主义和封建势力(最显著的如二七运动,是反抗封建势力的,五卅运动和省港罢工运动是反抗帝国主义的,他们在过去的历史上,已经表示他们确是中国革命的急先锋,是反抗资本主义最激烈的战士)。这种趋势,和先进国家的劳动运动,必须经历数十年的经济运动然后转换到政治运动的趋势,截然不同。这可说是帝国主义时代的半殖民地的半封建的社会中的劳动运动的特殊性。

三、农民问题

农民问题的发生,是农村经济破产的结果。全国农民 3.36 亿人之中,已有 2 亿人以上因受资本主义和封建势力两重压迫和剥削的结果,失地的失地,失业的失业,生活的困难,已是达于极点。就近年来全国农民运动的形势说,有组织的农民曾发展到数千万之多,尤其是粤、湘、鄂、赣等省的农民,已经表现着反抗帝国主义和封建势力的大力量,表现着为革命而奋斗的大功绩,而其运动的大目的,是在于为自己求出路。

农民问题的中心,是土地问题,土地问题不解决,农村经济没有复兴的可能,新式产业也没有发展的可能,占人口过半数的农民生活问题,便不能解决,孙中山先生在过去三十年以前即已列举平均地权的政纲以为革命的鹄的,真是洞悉了中国社会的症结所在。

四、手工工人问题

在手工业没落的过程中，手工工人问题的重大，乃是社会的事实。手工工人的数目，约有 1100 万人。手工工人本是由封建社会到近代社会的过渡阶级，近年来手工业的兼并，已有多数手工工人陷于失业的境遇，加以帝国主义和封建势力两重压迫的影响，生活程度日见增高，手工工人所得工资不能糊口，更加感受着生活上的威胁，于是便形成了手工工人的问题。这手工工人问题含有资本主义的侵略的成分，所以手工工人为维持自身生存而实行的运动，也采取了同盟罢工形式，如近年来各地方的罢工统计中，手工工人的罢工，也占有不少的件数，而且参加过反帝国主义和军阀的运动的。这本是半殖民地的半封建的社会中所必不可免的现象。

就代近产业的发展的趋势说，手工业终于要被淘汰的，手工工人的问题，只有更趋于重大，要解决这个问题，只有由国家的力量发展国家资本，把手工工人改编到国家产业的部门内去工作。

五、失业者问题

农业崩溃，手工业没落，新式产业停顿的结果，无数的人员被改编于失业者群之中，形成了广大的产业预备军。他们进不能卖力于工厂，退不能自寻生活途径，终于徘徊于城乡市井，流离失所，这就是匪盗游民充满于全国的原因，也就是失业者问题成为严重的社会问题的原因。

第 四 篇

民族问题

第十一章　民族是什么

一、民族之特性

在说明民族问题以前,应当先说明民族是什么?

民族的特性,可以分为下列五项。

第一,常聚的共同体。这不是人种的共同体,也不是单纯的人民共同体。譬如近代意大利民族,是由罗马族、日尔曼族、埃托尔族、波里西亚族、希腊族、陈剌比业族等构成的。又如法兰西民族,是由哥尔族、罗马族、布里特族、日尔曼族等构成的。此外如英、美、德等民族,也都是由许多相异的人种构成的。所以民族不是人种共同体,也不是单纯的人民共同体,而是在历史上形成了的常聚的共同体。

第二,言语共同体。常聚的共同体不一定都是民族。国家也是常聚的共同体,例如德国和日本,虽是常住的共同体,却不是民族。国家共同体,没有共通的言语也能存在,如日本之于朝鲜民族,即其一例,至于民族共同体,就非有共通的言语不可。但这里所说的言语,是指民众日常所用的言语说的,不是指行政官厅所使用的官话说的。所以民族的第二个特性,是言语共同体。

第三,地域共同体。相异的民族使用相异的言语,同一的民族使用同一的言语,但也有使用同一言语的二三个以上的民族,也可以在相异的地域中存在。譬如英国人和北美人虽使用同一言语,而居住的地域不同,即其一例。然而他们并不是形成同一的民族,而是形成相异的民族的。因为民族的形成,是长期组织的共同体和共同生活的结果,而长期的共同生活,非有共同的地域不行。所以英国人和北美人在英伦同住时,虽形成了单一的民族,可是到新大陆的发现和资本主义的发达以后,英人的一部分和匹尔克里姆法萨斯,便移住北美去,形成了北美洲的新民族。

第四,经济的结合。许多相异的种族各自独立,其间缺乏内部的联系时,或者联系非常松懈虽有若无时,这些种族,还未能形成单一的民族。许多种族若是互相联系、互相融合而解除了种族的集团的性质,那时候才能形成为民族。而诱致这种民族的形成的纽带,实是经济的结合。例如英国和北美,缺乏这种经济的结合,所以不能形成为同一的民族。即如北美,也是在商品生产、分业和交通手段发达起来而各地方发展为经济的单一共同体时,才开始形成为民族的。

第五,心理的能力之共通性。在经济的结合的基础上成立的地域,言语的常聚的共同体,必然可以形成共通的心理的能力。这种心理的能力,发现于民族文化之中,随经济关系的发展而继续变化。

把上述五项特性总括起来,可作一民族的界说如下。

民族,是在历史上形成了的常聚的人类共同体,是由共通言语、共通居住地域、共通经济生活和共通文化上所表现的共通心理的能力等结合起来的人类共同体。

二、民族统一的运动与民族国家的形成

如上所述,民族的形成,原是自然演进的,至于民族界限的严明以及民族意识的浓厚,还是近代的事情。

近代资本主义的商品经济成立以后,新兴的资本阶级,为树立资本家的生产关系起见,为实现一民族,一政府,一民族的阶级利益,一个关税政策的计划起见,曾经经过了长期的奋斗。这便是民族统一运动所由发生的经济的、社会的基础。至于新兴资本阶级所以从事民族统一运动的动机,就在于谋资本蓄积的发展。而最能满足这种要求的工具,便是近代民族国家的形成。

在实际上,近代资本主义国家,多少都形成了独立经济的领域,因而关税率、租税政策、施行法律等等的差异,常常引起各独立国家间的贸易上的困难,所以新兴资本主义,不但要努力实现单一民族国家,并要努力实现民族的大国家。至于新兴资本阶级用来号召同胞的手段,就是把民族界限弄得严明起来,

把民族意识弄得浓厚起来,他们便利用这严明的民族界限和浓厚的民族意识,欺瞒民众以从事民族统一运动,形成民族的国家。等到民族国家成立,资本阶级掌握政权以后,更因为资本的蓄积,又转向国外市场,从事于殖民地的夺取,借以增值他们的资本。这是民族问题的由来。

三、民族问题所经历的阶段

上面说过,资本主义抬头以来,新兴资本阶级基于资本蓄积的要求,把民族的界限弄严明起来,把民族的意识弄浓厚起来,进行了民族统一的运动:树立了民族的国家。但是民族的本身,随着资本主义的发展,由生产力的发达的形态一变而为它的桎梏了。

资本主义发展的最近阶段,是帝国主义。帝国主义自己造成了世界经济,又孕育了未来大同社会的物质条件。它既把全社会分成无产阶级和有产阶级,又把全世界分为被压迫民族和压迫民族,这两大对立,结果终要推翻帝国主义,同时所谓民族的界限势必逐渐化除,民族的意识势必逐渐解消,代它而起的,必是单一的世界人类社会。

民族发达的过程如此,所以民族问题的发展,要经历下列三种阶段。

第一,新兴资本主义时代的民族统一与民族国家形成;

第二,帝国主义时代的世界经济和民族的区别的矛盾之发展,引起被压迫民族和被压迫阶级对于压迫民族和压迫阶级的世界革命运动;

第三,民族平等实现,民族的区别和抑压归于消灭,形成世界大同的社会。

第十二章　帝国主义前期的民族问题

一、帝国主义前期的民族问题所经历的两时期

所谓帝国主义前期，是指资本主义尚未到达帝国主义阶段以前的资本主义发展的时期。这个时期的民族问题，也可以分为两个阶段来说明。

在第一个阶段，新兴资本阶级处在封建阶级之下，对于封建贵族实行阶级斗争。资本阶级为蓄积资本起见，要求广大的商品市场、原料市场和劳动力市场。因此迫不得已要排除狭隘的种族的界限、诸侯割据状态、政治的分权、关税的境界等等，以期建立统一的民族国家。而障碍这种国家出现的东西，便是封建的支配。所以革命的资本阶级，为打倒封建的支配起见，便利用农民、小有产者和幼稚的无产者，向着封建贵族奋斗。这时候资本阶级的民族政策，是树立单一民族，打倒封建制度，创造民族的文化；同时对于其他新兴民族，就要努力防卫自身活动的市场范围，实行独占。

在第二个阶段，资本阶级早已推翻封建阶级，掌握了国家的权力，更因为资本蓄积过程的发展，那随着他们发生成长的无产阶级，变成了他们的敌人。同时民族也分裂而为支配的、剥削的民族和被支配、被剥削的民族了。资本蓄积的过程，不但是国内生产关系的资本主义化的过程，又是国外市场的征服过程。资本主义早已超越国界，向着后进国侵略了。

资本阶级掌握国家权力以后，他们从前所用"民族的自由"、"民族的问题"等原则，早经放弃，不但对于民族内部的无产者要横施压迫，并且对于别的民族的自由也践踏起来，更进而实行并吞的计划。这时候资本阶级早已丧失了以前对于封建阶级的革命的态度，更为掠夺殖民地和国外市场，为压抑无产者的反抗计，利用民族问题做斗争武器，提出什么"爱祖国"的口号欺骗群

众,以实现其侵略主义和压迫他民族的阴谋。所谓"殖民政策",于是实现了。殖民政策是资本阶级剥削别的民族的唯一手段。

以上的两个阶段,也不能严格地区别,这要看资本主义发展的速度怎样、国内阶级冲突的状态怎样以及国际的关系怎样,或者缩短,或者错杂,或者并行,也不能一概而论。

二、资本阶级对于民族问题的利用方法

这个时期,资本阶级对于民族问题的利用方法,可以分为对外政策和对内政策两方面来说明。先说对外政策一方面。

"政治是经济之集中的表现",因而资本阶级国家的对外政策,也不外是资本家的扩张再生产之集中的表现。为实行资本家的扩张再生产,愈益需要便于贩卖商品获得原料和购买劳动力的市场,所以资本阶级国家的对外政策,以巩固已得的旧市场和掠夺新市场为目标。资本阶级为达成这个目标起见,就约集同一民族或相似而又相异的各民族,以谋抵抗敌对的他国资本阶级(这里所说的同一民族,实则居住于相异的经济的结合的地域),以谋扩张自身的利益。所谓泛斯拉夫主义、泛日尔曼主义、泛伊斯兰主义、泛亚细亚主义、门罗主义等,就是各该国资本阶级为了这个目的而使用的。

在对内政策一方面,其利用民族问题的方法,也和对外政策相似。资本阶级在由复杂民族构成的国家境界以内,对于自己的民族,给以政治的、经济的特权,使自己民族的劳动群众分负压迫他民族的责任,并分裂自己民族的和被支配民族的革命的阶级之结合。譬如帝制时代的俄国资本阶级,做官吏的几乎完全是大俄罗斯人,波兰和别的民族,被排除于俄罗斯国家机关以外。又如奥匈国在 1907 年所颁布的新宪法上规定普通选举,由选举区选出的多数议员,是在特权民族中选出的。又如日本,现在曾实行普通选举,但不施行于朝鲜和台湾,而且对于朝鲜和台湾还施行着严酷的保安法,以期防止朝鲜人和台湾人的革命运动。

又如经济政策,也含有利用民族问题的性质,即对于自己的民族则与以经济的特权,或者减低剥削的程度,以离间自己的民族和别的被支配民族。如许

可自己民族的地主没收其他弱小民族的农民的土地,如排斥外来的劳动者或给以最劣恶的劳动条件之类。

最后,资本阶级还利用民族问题去破坏被压迫民族解放运动的共同战线,即抬高某一被压迫民族的民族性,给以某种特权,使对抗别的被压迫民族。

三、殖民地政策的意义

殖民地政策,是征服国的资本阶级对于被征服的领域的民族实行支配和剥削的政策。这类政策,因殖民地的性质而异,兹分别略加说明如下。

第一,商品贩卖市场的殖民地。资本主义生产是商品生产,资本家必须贩卖他所生产的商品,才能实现他由劳动者剥削得来的剩余价值。因此,资本家要求最便于贩卖商品的领域,这种领域,就是他最便于和他国资本家竞争,而其自身又是产业落后的殖民地。资本阶级,对于殖民地的境界,把关税障壁围绕起来,击退他国资本阶级的商品,而在那障壁以内居住着的人口,还固执着落后的生产,没有可以和他们的商品相竞争的武器。所以资本阶级极力阻止殖民地的资本主义化,以获得大宗的超越利润。资本阶级这样得来的超越利润,把大部分实行投资,以谋和他国的资本阶级竞争,把小部分支给本国境内自己民族的劳动群众,稍为增高工资的比率,以造成劳动贵族。这是劳动贵族所以不革命的原因。

第二,原料生产地的殖民地。本国资本阶级为谋从殖民地采集商品生产所需要的原料起见,设法把殖民地化成原料生产地。例如英国把印度和埃及化为纺织工业原料的棉花生产地,日本把台湾化为制糖原料的甘蔗生产地之类。

第三,勾结殖民地的土著商人或封建阶级协同掠夺殖民地的民众,例如列强勾通中国的买办阶级和军阀以剥削中国民众之类。

第四,对于殖民地实行政治的压迫。如列强对于中国之种种侵略,无不实行政治的压迫,即其例证。

第五,降低殖民地民族文化标准。这种政策,在麻醉殖民地民族的心灵,使他们不能发生反抗的精神,以便永远继续剥削,如列强对于中国之传教与输入鸦片吗啡,使中国人民腐化,即其例证。

四、民族解放运动的发展

资本主义的发展,世界经济的成立,一切民族分成了压迫的和被压迫的两大营垒,而被压迫民族对压迫民族的解放斗争,也随着无产和有产的阶级冲突发生起来、成长起来了。譬如波兰的独立运动、爱尔兰的反英运动等,即是这类民族解放运动的实例。这类民族解放运动,大都是采取战争和革命的形式显现的。

到了帝国主义的时代,被压迫民族对于帝国主义国家的资本阶级的解放斗争,随着民族的压迫程度增高,越发扩大起来。于是民族问题,不但是量的变化,而且转变为质的变化,帝国主义不崩溃,民族问题是不能解决的。

第十三章　帝国主义时代的民族问题

一、帝国主义时代的民族问题的意义

到了帝国主义时代，资本主义的各种矛盾，发展到了极限，而否定这些矛盾的动力，也随着发展起来了。

帝国主义前期的民族斗争，到帝国主义时代，更是趋于激烈。支配的资本主义国家，在它的发达过程上，由单一民族国家而变成包容许多被征服民族的多民族国家，剩下来的独立的弱小国家和弱小民族，变成了帝国主义列强侵略的对象。所以民族斗争越发激昂起来，普遍于帝国主义国家的内部和外部。这类被压迫民族的解放斗争，终至要破坏帝国主义的世界经济的体制，摇动帝国主义列强间的均势，助长帝国主义本国的阶级冲突，酿成帝国主义支配的危机。

这个时代的民族问题，要经过下列的三个阶段。

第一，世界分成压迫民族和被压迫民族两大营垒，而被压迫民族的解放斗争，对于世界帝国主义体制和民族的压迫，起反对的作用。

第二，民族的差别和憎恶，因世界经济的发展而破坏，发生了民族的混合。

第三，国际被压迫阶级在世界革命的过程中，变成了民族解放斗争的同盟军，而民族解放运动，就变成了由支配阶级的民主主义转变为被支配阶级的民主主义的动力。

二、资本阶级与被压迫民族

资本输出，是帝国主义的一个最重要的特征。资本输出对于帝国主义时代的民族问题的意义,正和商品输出对于帝国主义前期的民族问题的意义一样,而且比较还要大些。帝国主义,由于资本的输出,使后进国家和殖民地民族,和帝国主义列强发生了密切关系,因而后进国家和殖民地的民众,就变成了帝国主义资本的剥削的对象。

资本输出,大都采取下列的两个形式。一是借款,一是对于直接生产的投资。

帝国主义者利用借款的方法,使后进国家的政府变成它们的金融资本的代理人,以取得多种特别权利为借款的条件。后进的民族,由于租税、关税及其他各种利权,变成了强烈的剥削的对象。至于采用直接投资形式的资本输出,则在于剥削后进国的低廉的劳动力,以期取得比借款的利率更高的利润。

由于这类资本的输出,在上次世界大战以前,土耳其变成了德意志的势力范围,波斯变成了英国的势力范围,中国变成了国际帝国主义者的势力范围,南美各邦变成了美国的势力范围。同时这些半殖民地的劳动民众,也急速地化为无产者,和那无产农民共同变成了民族运动的阶级的推进力。

三、隶属国和殖民地的阶级与民族解放运动

在这个时代资本输出并着商品输出,就促进了隶属国和殖民地的资本主义化。因而那具有封建的、家长制农民的性质的许多殖民地,就变化了阶级的编制。商品输出的结果,商品就流通于一切被压迫民族,资本输出的结果,商品生产和货币流通就普及于被压迫民族的民间。于是被压迫民族的封建的,家长制农民的生产关系和经济制度,就被破坏,促进了民众的贫穷化。形成了被压迫民族的大部分的农民们,便陷在封建的土地所有制、资本家的剥削和民族的不平等三重压迫之下。

封建的土地关系的重压,在后进国和殖民地的农民之间,是反帝国主义运动的发酵的种子。这种农民运动,决定了民族运动之阶级的性质,成为民族运动的最大的推进力。这个时代的民族问题,已不是一个地方的或国内的问题,乃是世界的问题,是一切被压迫民族和一切帝国主义者斗争的问题。帝国主

义者对于一切被压迫民族的民众实行剥削和压迫的结果,激起那被剥削被压迫的民众,来从事反帝国主义运动,并且要做先进国被压迫阶级的同盟军。

被压迫民族中的一部分人口,因为资本主义化的结果,变成了无产者。在工业资本主义时代,资本阶级只把殖民地当作商品市场和原料市场,很反对殖民地的资本主义化,以免发生和他们相竞争的人。但到了金融资本和帝国主义的时代,帝国主义者因为资本主义发展之内在的必然性,迫不得已地要对后进国或殖民地输出资本,促进了它们的工业化。于是被压迫民族的无产阶级随着土著资本阶级的发展而发展,人数也激剧地增加起来,因为他们的劳动条件也趋于恶劣。被压迫民族中这一部分人口,对于民族解放运动所负的任务,也就具有了革命的意义,同时那农民群众,在民族解放运动的过程中,也渐渐萌有革命的意识,因为被压迫民族中除了土著资本阶级以外,还有以封建的土地关系为基础的地主存在。农民群众,一方面因为商品的剥削,生活上渐渐感觉困难,一方面因为土豪劣绅的剥削,渐渐地引起农村破产,以至有土地的丧失土地,无土地的失掉谋生的机会,于是他们在这种经济的压迫中,终至于萌有革命的意识,来参加民族解放运动。被压迫民族的无产阶级和农民群众共同从事民族解放运动时,就形成了反帝国主义和反封建势力的民族革命。这种民族革命,是非根本推倒帝国主义不止的。

第十四章　民族问题之归趋

由上面所说的看起来,在资本阶级为了自身利害而和封建制度斗争的时代,民族运动的形成,是进步的革命的现象,民族国家的成立,扩大了国民经济的生产力发展的活动领域。但是在资本主义经济胎内继续成长不已的生产力,就至于和资本主义生产关系发生冲突。资本的蓄积,为实现剩余价值起见,把国内非资本主义的被支配的生产关系,转化而为资本主义的生产关系,更进而占有国外市场。于是所谓国民经济,便随资本主义的发展而扬弃。现实地发展着的东西,就是把国民经济做有机的连环之一的世界经济。

铁路网和航路,使得一切国家和一切民族都发生了关系。英吉利的曼彻斯特纺织工场,使用着印度的棉花,亚美利加的福特公司的汽车,驶到了非洲和亚洲的内地。这种倾向,到了帝国主义的时代,就越激昂起来。金融资本,促起巨大的资本输出,随着商品输出而用莫大的力量,把世界经济国际化了。印度和非洲的几千万劳动者,和英国的金利生活者结合了生产关系,鲁尔煤田的德国劳动者,被美国资本家操着生杀权。

但是世界经济虽然那样发展,而国家的界限和民族的界限依然存在,除了列强用帝国主义的武力并合之外,绝不至排除民族的、国家的界限。社会的生产力之发展现在已被这些界限所阻住了。

资本主义的生产关系,一方面在其所属的领域内,分裂出压迫阶级和被压迫阶级,压迫民族和被压迫民族;同时在别的领域(后进国或殖民地)内,也分裂出压迫阶级和被压迫阶级,压迫民族和被压迫民族。一切帝国主义者若不继续进行其对于一切被压迫阶级和一切被压迫民族的剥削和支配,不能继续存在;同时一切被压迫阶级和一切被压迫民族的解放运动,若不努力克服一切帝国主义者,也是不能成就的。所以被压迫阶级打倒压迫阶级的革命,和被压迫民族推翻压迫民族的革命,两者同时构成了世界革命。这样的革命实现,于是建筑在世界经济基础上的东西,就是单一的人类大社会。民族问题也就完全解决了。

第 五 篇

世界之将来

第十五章　帝国主义命运之诊断

基于上述数章的解剖和检查,可以在这里作一个帝国主义命运的诊断书如下。

1. 帝国主义列强的金融资本之经济的支配,以及依据它而成立的金融寡头政治的万能,已经完全暴露了独占的资本主义的寄生虫的性质,使得社会问题更趋严重,使得无产阶级反抗资本主义的力量更趋强烈,因而夺取政权的问题变成了他们的现实问题。

2. 帝国主义列强对殖民地和隶属国输出巨大的资本,因领土和势力范围扩大的结果,世界分割已经完结,于是世界资本主义向着金融资本之世界的支配组织而发展,加紧地向着占世界人口最大多数的殖民地人民横施压迫。这些事实,使得各国的国民经济和民族的领土,在世界经济上面构成了一个铁锁上的连环;同时又使得地球上的住民分成压迫民族和被压迫民族两大营垒。

3. 势力范围和殖民地之独占的领有,帝国主义列强间之不均等的发达,以及他们想要一再分割世界的帝国主义战争等,使得列强相互间的战线日趋紧张,使得无产阶级战线和弱小民族战线得以在反帝国主义的战线上结合起来。

基于第一项,无产阶级因不能忍受资本主义发展所给予的苦痛和压迫,就组织起来以谋夺取政权,形成了社会革命运动。基于第二项,弱小民族因不能忍受帝国主义者所给予的压迫和剥削,就组织起来反抗帝国主义以求得自由平等,形成了民族革命运动。基于第三项,帝国主义列强因前次大战以后逐渐即于安定的资本主义的发展,不能不设法抢夺输出资本、采集原料、贩卖商品的处所,就努力扩张军备以从事第二次的世界再分割,传播了第二次世界大战的预报。第二次世界大战一旦爆发,世界无产阶级的社会革命和弱小民族的民族革命,就要结合起来,猛烈地反抗帝国主义。于是帝国主义的命运告终。

第十六章　帝国主义战线之观察

一、列强的现状

大战以后，德国、奥国、俄国都脱离了帝国主义列强的地位，全世界只剩下了英、美、法、日四个独立的帝国主义了。这里先把这四个帝国主义的现状略说一番。

1. 美国。美国是世界中最强有力的资本主义国家。它的煤油产额占全世界的71%，生钢产额占51%，铁产额占49%，煤产额占45%。资本的输出额，在1922年时还和英国的相同，到1925年，每月平均输出9100万美金，比英国的加增一倍。它的重要投资地域，是加拿大、墨西哥、中美和南美。至于它放出的外债，达到异常可惊的数目，全体资本主义世界，都是它的债务者，世界外债总额为1900亿马克，其中却有610亿马克的债权是属于它的。它已变成了欧洲的主要的债权者，所以它对于欧洲所感的利害是很大的。因此它对德实行道威斯计划，显然和英法及其他欧洲列强处于对立的地位。以外它还掌握着世界最大的原料的独占权，简直是成了全世界的绝对的支配者。

2. 英国。它领有的属地和殖民地，占地球表面28%的面积，包含世界人口25%，由这一点说，他实是站在世界的第一位。它占有世界贸易中的最大部分，商船的吨数也很大，同时它还是全世界的银行家。它在前次大战以前，无疑地是世界列强中的第一个。但自前次大战以后，它的地位却被美国抢去了。它的属地加拿大、澳洲、南非洲、新锡兰、纽芬兰，已取得成为国家的自治权，并且经过了广大的资本主义的发展，虽说是属地，却已变成了和它相对立的东西，属地和本国联络的切断，只不过是时间的问题。此外如印度、埃及、斯丹、东非洲等，也是它的殖民地，各受不同的统治，而其中印度和埃及，也已经显然地成就了资本主义的发展。它为着支持它的帝国主义的命运计,努力地利用海军根据地以谋支配属地和殖民地。因此它在地中海方面和法意相冲突,在亚洲和日美相冲突,在加拿大、南美洲及澳洲又和美国相冲突。此外它在印度、阿富汗和中国的利益,又因受俄国的影响而受威胁。所以它的势力虽大,却不能不陷于没落的状态。它的没落的原因,一方面因为那成为它的经济基础的煤的输出减少,他方面又因为受它的压迫的各民族发生了独立的运动,而国内的阶级的冲突又日趋剧烈。所以它的帝国主义的命运,已有岌岌不可终日之势。

3. 法国。法国已经由高利贷的国家进到广大的工业国家了。铁和钢,支配着法国的政策。但这个发展的倾向,受着煤的缺乏的影响。所以它努力的结果,终于1923年夺取了鲁尔地方的产煤区域,成就了它的工业化。

前次大战的结果,法国在中欧造出了许多势力范围。如捷克斯洛伐克、罗马尼亚,由哥斯拉夫和波兰等"独立"民族国家即是(但英国为谋进攻苏俄计,最近在波兰取得了巩固的地位)。此外如比利时,也算是它的属国,因为比国是它发展经济所必须要使其成为属国的。它在非洲,有关系的殖民地的领域,达1200万平方基罗米突,为和这些殖民地取得联络起见,不能不贯串地中海,因此它就和英国起了利害的冲突。所以法英两国对于地中海附近各国的操纵,极其钩心斗角的能事。

4. 日本。日本是前次大战以后的暴发户,是新兴的帝国主义者,到最近它的金融资本的集中,金融资本家和政府结合的巩固,已显示日本帝国主义,到了最高的顶点。它有重要的丝类输出于美国,仰赖美国资本的流入,它的原料的采集和商品的贩卖,依靠于中国和它的殖民地。然而从它的经济的基础说起来,却是建筑在中国全体民众的血汗上面。所以它为延长孳乳它的帝国主义生命起见,就不得不努力牵制中国,其次更于太平洋沿岸及其他地带保持它的商品的销路。它为达成这个目的起见,第一就要锐意扩充军备以对付太平洋的其他霸权者美国,其次是联络苏俄以谋减少它并吞满蒙的障碍。就这点说,它是侵略中国最迫切、最厉害的帝国主义国家。中国要谋出路,非先把日本帝国主义打倒,绝无希望。然而日本帝国主义者也已经走到了绝路,经济的恐慌,劳动运动的激烈化,都是它的致命伤,中国的革命势力若是发展起来,它的命运就必然告终。

英、美、法日的四个独立的帝国主义者的现状，略如上述。此外我们还要注意的，是德意志帝国主义的将要复活。洛加诺、更夫、多安利的所谓协调政策，已使得德法两国接近起来了。但在这种情形，德国却把英法的对立做基础，巩固了自己的地位。最近的将来，德国或许可以变成独立的帝国主义的势力吧！

二、各国的对立

基于上节所述的情形，各国相互间便发生了许多的对立，这些都是下次世界战争的火药线。兹分别略加说明如下。

第一，英美的对立。它们的对立的根据，可分为下列七事：1. 英建立新嘉坡军港，美则建立芬色卡海湾对太平洋的防御的中心；2. 非洲，里比利亚的橡皮战；3. 美国势力扩张于加拿大，澳洲，和新锡兰；4. 煤油战海运战的激化；5. 和平公约中所表现的破绽；6. 海军问题的紧张；7. 美国势力侵入中国，影响于英国对中国的侵略。

第二，日美的对立。它们的对立的事实，可分为下列五点：1. 日本以满蒙的特殊地位为口号侵略中国，美国以门户开放为口号侵略中国；2. 美国企图为太平洋之独占的支配者；3. 日本力谋中美结合的破裂，美国力谋驱逐日本在中国的势力；4. 美国力谋日英同盟的解体，日本却力谋日英续盟，以协谋中国；5. 华府会议中之美国于关岛建筑军港问题。

第三，英法的对立。它们的对立的根据，可分为下列四事：1. 争夺欧洲的霸权；2. 争夺地中海的霸权；3. 法国陆军扩大，激起英国海军的扩张；4. 法有斯拉夫之小协约，英则与希腊意大利联合。

第四，法德的对立。它们的对立的根据，可分为下列四事：1. 因德国经济的发展，德法的对立随而尖锐化；2. 德国人口激增，二倍于法国；3. 莱因的撤兵问题和赔偿问题；4. 德国的复仇战争，和法国安全的二重保障。

第四，法意的对立。它们的对立的根据，可分为下列三事：1. 英国怕法国陆军雄厚，特与意国携手以牵制法国；2. 地中海贸易的冲突；3. 意国垂涎法国所属的殖民地。

此外还有英俄的对立。英为反俄之中心,造成了反俄的战线;俄则英国属地脱离英国。

以上那许多的对立,没有别的方法可以解决,所谓和平公约,也不过是一张废纸,没有解决这些对立的效力,将来唯一的解决方法,便是诉诸武力,即是第二次世界大战。

第十七章　反帝国主义战线的检阅

一、被压迫民族与被压迫阶级的崛起

　　地球上的人口,总数是 19. 05 亿,其中有 11. 34 亿,是被压迫的殖民地和半殖民地的人口。再除去属于苏俄联邦的 1. 43 亿和中间各国的 2. 64 亿以外,统计帝国主义国家的人口,不过 3. 63 亿。质言之,即是占全球人口不过19%的帝国主义国家,统治着占60%的殖民地和半殖民地。而且实际上 3. 63亿的帝国主义国家的人口中,至少有90%是劳动者和农民,也是被压迫的阶级,所以真正的帝国主义的资本阶级,其人数在全世界人口中不过数百分之一而已。以这样少数的帝国主义的资产阶级,竟对占最大多数的弱小民族和劳动阶级,肆行野蛮无耻的压迫和剥削,这岂是人们所能忍受的,所以被压迫民族和被压迫阶级,终于要起来反抗帝国主义了。

　　目前世界帝国主义,已经走到绝路,其内在的矛盾日趋于尖锐化和深刻化。帝国主义者对于劳动阶级的压迫和剥削,是空前地强烈,对于弱小民族的压迫和剥削也是空前地横暴,同时它们为要延长帝国主义的残喘,还是正在竭力地挣扎,预备第二次的世界大战。处在这样的现状中,同是被压迫的弱小民族和劳动阶级,必然能够起来制止这无意义的野蛮的战祸,推倒帝国主义而求得自身的解放,这是毫无疑义的。

二、被压迫民族和被压迫阶级的联合战线

　　被压迫民族的革命的目的,在打倒帝国主义和封建遗物,求得自由平等,以反帝国主义的精神从事经济的、政治的建设。被压迫阶级的革命的目的,在

打倒帝国主义的资产阶级，求得劳动的解放，以社会主义的精神从事经济的、政治的建设。所以两者共通的革命的对象是资本帝国主义；两者的经济的、政治的建设，虽然所依据的经济的基础有先进和后进的区别，而其精神总是反帝国主义的。由这点说来，被压迫民族和被压迫阶级实有结成联合战线的可能，而且也必须结成联合战线，帝国主义才能推倒。

在世界资本主义发展到帝国主义的阶段以后，各帝国主义国家的劳动阶级的革命运动日趋高潮，而且有些国家已经占到胜利，这是眼前的事实，无须赘说。帝国主义存在的时期中，被压迫阶级的革命运动，总是要进行不已的。至于世界被压迫阶级的联合战线早已结成，如第二国际、第三国际以及所谓黄色劳动国际、赤色劳动国际，都已形成了国际运动的不可悔的现实势力了。

其次弱小民族的解放运动，自前次大战以来，几乎风起云涌，各帝国主义者莫不相顾失色，现在亦在进行不已。至于弱小民族革命运动的国际联合战线，也有具体的表现，远如七年前的东方民族会议，近如前年在比京不律塞所开的第一次反帝国主义大会，都是国际联合的组织。将来这种国际联合战线，亦必形成现实的大势力无疑。

这两大国际的联合战线，若果能够联合起来，组成整个世界的反帝国主义的联合战线，世界帝国主义的丧钟必然大撞起来了。

第十八章　中国的出路

中国是世界社会的一个局部，必然要跟着社会进化的潮流前进。我们知道，中国是国际帝国主义的半殖民地，在世界帝国主义将要没落的今日，已成为向来所拥抱着的一切世界经济的矛盾之清算者和新局面的打开者了。但中国一面是半殖民地的民族，同时又是半封建的社会。所以为求中国的生存而实行的中国革命，一面要打倒帝国主义，一面要铲除封建遗物，前者是民族革命的性质，后者是民主革命的性质，其必然的归趋，必到达于社会革命，而与世界社会进化的潮流相汇合。

这里我们无暇去讨论中国革命的问题，只能根据社会进化的原理和解剖现代社会的结果，考察目前中国的出路，只有民众起来打倒帝国主义，铲除封建遗物，树立民众政权，建设国家资本，解决土地问题，以求实现真正自由平等的新社会。

现代世界观[*]

（1929.9）

---

　　[*] 《现代世界观》系德国塔尔海玛所著,李达据其日文本并参照德文本译成中文,1929 年 9 月由昆仑书店出版,1929 年 12 月第 3 版将书中正文的旁注列入目录并对个别地方的译文作了修订,至 1942 年 2 月共印行 9 版。现收入其 1929 年 9 月初版,并对 1929 年 12 月版中的修订作了简要说明。——编者注

译　者　序

这书是 A.Thalheimer：Einführung in den Dialektischen Materialismus（Die moderne Weltanschauung）的中译本。这书的题目，原名《现代世界观》，而内容却是辩证唯物论，所以德文本标题为《辩证唯物论入门》，并于括弧内附注《现代世界观》字样。但我觉得还是用原名为好，所以采用了《现代世界观》的名称。

这书本是 1927 年 5 月出版的，直到去年冬天我才见到这书的两种日译本（一是高桥一夫的，一是广岛定吉的），读了以后，觉得原著者站在客观的见地，就辩证唯物论作科学的说明和纯理的研究，虽然译成中文不过十万字，而对于辩证唯物论的精义，却已经是扼要地简单地明了地叙述了出来，这确是研究辩证唯物论的一本很好的入门书。在国内读书界开始研究着辩证唯物论的时候，这个名著实有译成中文出版的必要，因此我决定要把它译出交由昆仑书店出版，并且昆仑书店也早已把出版的预告登了出来。但后来我因为个人的私事牵制，直到本年 4 月间才着手翻译，不料我刚刚译完一半时，又害了一场眼病，延至 6 月以后才能继续地完成这件工作。在这个期间，空劳订购的读者们的悬望，这是我应当道歉的。

这译本最初是根据两种日译本着手的，后来经友人替我寄来这书的德文本，使我有对照改译的机会，所以我自信这译本或许不会和原本有多大的出入，除了有三五处经我故意删去不关重要的几句以外。还有一点我也应该声明的，杨东莼君在我恰好译完这书一半的时候，他已把这书译好，并且把全部译稿都寄来了。同一著作出两种译本，原是很平常的事，在我既然决心要译成出版，杨君的译本也不妨另行付排，但因种种关系，这事也没有实现，嗣后与杨君商洽，杨君竟同意让我的译本出版。杨君的译文是很忠实的，我这译本的后半,参照了他的译本的处所不少。我在这里特别说明。

这书的内容怎样？读者读完了以后一定会明了,不过在译者看来,觉得有略加介绍的必要,不妨附带说说。这书的内容,据著者在这书的第一章里面说:"……以下我把辩证唯物论的前史、它的完成以及反对意见,简单地列举出来。至于辩证唯物论的自身,当然是本书的中心点。本书首先要研究的,是宗教问题。宗教问题是最根本的世界观,①其他一切世界观,都是由宗教出发。其次是研究各种最重要的世界观,在古代希腊印度和中国是怎样发展的……再次研究法国的唯物论……是因为它对于历史唯物论的发展有过贡献。再次介绍德国布尔乔泛亚古典哲学发展中最重要的阶段,提出黑智儿和费尔巴哈。本书所以介绍这两位哲学家,是因为他们……对于现代辩证法的世界观,大有贡献。最后我们通论辩证唯物论历史的大体,再转而研究欧美和中国现代最重要的精神思潮。"(见本书第十页至第十一页②)由著者这段话看来,这书的内容,大致可以明白了。

这书出版以后,各国的学者们曾经加了许多批评,就那些批评综合起来,除了有些人指摘它的几个缺点以外,大都把它看作是关于研究辩证唯物论的名著。至于所指摘的缺点,我以为是无关重要的。譬如说 1. 本书论印度哲学和中国哲学几章的分量太多,似乎没有绝对的必要;2. 著者对于前文所预定要讲的法国唯物论,后文并未提起,似乎是一种疏忽;3. 最后一章,只把实用主义当作现代布尔乔泛亚哲学的主要思潮看待,似乎忽略了所谓理想主义的哲学,而且从辩证唯物论的体系说来,这一章似乎可以割爱。像这样指摘出来的缺点,也不能说是不对,尤其是后两项。但(一)项所指摘的,我以为在我们东方人看来,却未必就是缺点。就东方的哲学——印度哲学、中国哲学,开始作辩证唯物论的研究的,恐怕要算是这书了。这一点我们很是感觉兴趣,并不见得就算蛇足。

总括起来说,这书虽然有些小小缺点,但是瑕不掩瑜,我们转觉得这书的优点很多,那些小小缺点,我们可以容受的。尤其是本书的第七章到第十三

---

① 1929 年 12 月版将"本书首先要研究的,是宗教问题。宗教问题是最根本的世界观"改译为"本书首先要研究的,是宗教。宗教,是最古而且最根本的世界观"。——编者注

② 见本卷第 379—380 页。——编者注

章,是这书的主要部分,是辩证唯物论的发展和说明,也就是这书的精粹处,这是值得我们精读的。我觉得这书的价值,并不见得要在蒲列哈诺夫的《马克思主义根本问题》和布哈林的《史的唯物论》之下。

译者识

第一章　宗教（一）

现代世界
观的分歧　　本书题目，是"现代世界观"。说起这题目，就会发生一个疑问：究竟是否和物理学或化学一样，有一个为一切人们所承认的统一的现代世界观呢？物理学或化学，无疑的是统一的学说，通全世界都可用同一方法去叙述。固然，这些科学，也有种种问题会引起争论，但这些问题，仅止于某种科学的内部，是基于被承认了的科学的已成知识而起的。这些问题，可由那些参加争论的人们所公认的方法——即实验——去解决。试举一例，在物理学上，关于相对性原理所引起的争论，就是这样。这个引起激烈争论的而且很紧要的问题，就是自然科学
的统一性运动光的物质"以太"（Ether）到底存在与否的问题。但是在物理学上，这个问题，可以由实验来解决。实际上，关于这问题，有名的物理学者，经过了种种的实验，尤其是美国的物理学者迈克尔孙（Michelson）对于这问题，也有种种实验。并且关联这个问题而引起的其他许多问题，如游星中水星运行之外观的不规则性问题，以及密接于太阳而通过的光线的进行问题等，都同样地引起了许多争论。对于这一切问题，在物理学上，都有一个叫作实验的统一方法，有一个统一的解决方法。关于化学上的问题，也是这样。例如最近发生的铅或水银到底可以变成金子与否的问题，许多研究者，都主张是可能的，但是经过正确的实验，结果判明暂时是不可能。此外化学上的问题，如关于终极的化学成分的原子组成问题，在这里得到进步的解释和统一的解决的，也是实验。分解原子为更小的成分，是已经成功了。因而若是我们观察万象，便可以说：世界上存有许多统一的科学，这些科学，人们可以统一地去研究，由统一的方法去决定。

辩证唯物
论的统一
性　　可是在世界观中的问题，便完全不同了。像统一的物理学、统一的化学或植物学一样，为一般所承认的统一的现代世界观，是没有的。我们知道，有完

全对立的世界观，彼此斗争异常激烈，而且相互间都不承认对手的方法。在这一世界观认以为真，在他一世界观却认以为伪；在这一世界观认以为伪，在他一世界观却认以为真。例如一个科学的社会主义者，就代表所谓科学的社会主义者的完全一定的世界观，即是代表历史的或辩证法的唯物论的世界观。但是这种世界观，同时又与其他世界观对立；而其他世界观，也叫作现代世界观，并且很激烈地攻击辩证唯物论的世界观；反之，辩证唯物论的世界观，也很激烈地攻击其他世界观。再则，以下的事情，也应当考察。即是，我们在一方面会知道历史的唯物论这种理论，是统一的。不拘何处，这种理论所论列的，都是用同一方法去论列。一个辩证唯物论者处理一定问题时，他和别个辩证唯物论者一样，是用同一方法去处理的。固然，在处理问题的时候，或不免有些差别，甲则比较精到，乙则欠缺精到，甲的专门知识较多，乙的较少，而他们的方法总是同一的。

　　但是我们从另一方面看来，和辩证唯物论相对立的世界观中，却又含有关于自然和历史的许多不同见解。其中首先便含有所谓"宗教"的许多世界观。宗教是一种一定的世界观。宗教不只一种，而有许多种。各种宗教都各自主张：只有自己的是正当的，别派的都不正当；只有自己的可以指示人们以生活的正轨和死后到幸福生活的道路，并且可以解脱人们一切的罪恶和烦恼。和这种种宗教相并立的，还存有许多不同的哲学的世界观。哲学的世界观之多，正如哲学教授之多一样。在欧美及其他各国，都有许多哲学的派别。只要是我们足迹所到的地方，人们便把这样或那样的哲学的世界观，认为正当的来向我们讲说。哲学也和宗教一样，各派都主张自己的是正当的，其他一切都是谬误。这类哲学的世界观的繁多，不仅欧美如此，即在中国也有许多哲学的体系，互相攻击，互相争取思想上的支配。因此便发生下面一个问题：在这样烦难的状态中，我们究应怎样找寻正确的方向呢？再清楚点说，我们究应怎样才能说明现代世界观这个问题呢？

　　若是我们说明这一定的现代世界观，即说明辩证唯物论，或者会感觉到这种说明是一面的，也未可知。或有人许要说，我们折衷种种见解，从这里面发见所有世界观的共通点，用以说明所谓现代世界观，也未可知。但是所有种种世界观，都互相冲突，各由不同的前提出发，并且各采用不同的方法；所以要把

反面

问题：辩证唯物论之史的发展

这些世界观混合在一块,而取去各个当中所含有的冲突时,那么,结果一点东西也不会保留了。读本书的人,并不是像白纸一样,毫无成见的,或因宗教的见解,先入为主,或受环境的影响,或因会话、讲演、书籍等等的影响,各人多少都明白地存有某种世界观,因此要说明现代世界观这个问题,就感觉到有些困难。所以我就不能以读者毫无偏见地去读本书所说明的世界观的一切为前提。因为这个理由,本书的说明方法,就要依下述的程序进行。

本书并不是把最进步的世界观辩证唯物论,当作已经完成的东西,介绍出来,而是要从它的历史及其生成来说明它。我打算第一要说明的,是历史唯物论的世界观怎样发生,及其所由发生的要素。第二,我打算由历史唯物论的立场,本着批评态度,来说明和历史唯物论并立而攻击它或者自信能够补充它、修正它的欧美及中国最重要、最有名而且最有势力的世界观。本书选择这种说明方法的理由,是想使读者自己能够开辟独立研究的道路,并且在现在及将来会遇到的种种精神的潮流中,能够找出正确的方向。我觉得有名的德国哲学家康德(Kant)所用的方法,是最好的方法。康德对他的听讲生说:"我没有想到我是教你们的哲学,就是没有想到教你们某种确定的学说。反之,我是教你们怎样去思索哲学,怎样去研究自然和历史"。哲学譬如一种手工业,如同制靴业一样。若是我对于某人虽讲说制靴业,但如果不从实际上去指示他,这讲说对他是不会有多大用处。同样,若是我关于辩证唯物论,只讲些冗长而广泛的话,而不把这世界观适用于社会学、历史、自然科学、认识论等根本问题上面,统一地来研究这些问题,并指示解决的方法,我的说明也不会有一点用处。因此,我说明历史唯物论或辩证唯物论的时候,就要应用唯物论本身的方法。在这里,读者会懂得辩证唯物论的两个特征。我是把辩证唯物论当作发生了的东西,当作历史的东西来说明的。辩证唯物论,对于自然界和人类界的一切事物,是不当作完全的东西,不当作一动即完结的东西去说明,而是当作已经发生的东西,当作继续变化进而趋于消灭的东西来说明的。这是历史唯物论的特质之一。第三,我若是把历史唯物论怎样从那和它对立的一种或数种世界观发生出来的事实指示出来,那么,大家也必会看出辩证唯物论的一个特质。这即是说发展起于矛盾,事物常从反对的东西发展起来的见解。这个命题,还要有详细的规律和根据,后面再说。凡是适用于一切事物而都妥当的事情,都可以适用于历史唯物论的自身,我以下要叙述的,就是这件事。

我们若是把现在互相对立的种种世界观详加考察,便知道这种种世界观,并不是无规则地混乱着,而是可以分别为完全一定的集团,完全一定的种类的。根据这见解去考验这种种世界观,就发见两个根本倾向。这两个根本倾向,和那成为现代资本主义社会的特征的根本的阶级分类,完全一致。正如普罗列达里亚和布尔乔泛亚对立一样,现代世界观,也根据这两个根本倾向,团集起来。其中根本倾向之一,是普罗列达里亚的根本倾向,有历史的或辩证法的唯物论或马克思主义等。第二是布尔乔泛亚的根本倾向,是由所谓观念论的世界观的种种形式表现的。这两个根本倾向在其世界观上是决定的东西,正如这两个阶级的对立在社会生活和经济上是决定的东西一样。此外和这两个倾向并立的,还有第三个倾向。这第三倾向,外观上好像是站在上述两阶级的两倾向之间,并且如它自己亦以超越那两个倾向自豪,但实际上不过是布尔乔泛亚的世界观的一个特别形态。这个世界观,正和站在两大阶级中间的那个小资产阶级一致。小资产阶级,在社会上好像是站在普罗和布尔两大阶级之间;因此,他们的种种世界观,好像也是介在普罗的唯物论倾向和布尔的观念论倾向之间。但是实际上,小资产阶级并不能在普罗和布尔两大阶级之间,采取中立的态度,他们不得不倾向于两阶级的某一阶级而与它缔结同盟;同样,小资产阶级的世界观,不能超越唯物论和观念论,也不能介在唯物论和观念论之间,事实上这种世界观,却是观念论的或布尔乔泛亚的倾向之变态。下面我打算从历史的发展上,说明这些根本倾向。这里我们认为必要的事情,并不在列举许多学者、名称和参考书目等类,而是尽量去阐明根本观念。从中国的立场看来,只有欧洲的思想精神史的大纲是重要的。以下我把辩证唯物论的前史、它的完成以及反对意见,简单地列举出来。至于辩证唯物论的自身,当然是本书的中心点。本书首先要研究的,是宗教问题。宗教问题,是最根本的世界观①,其他一切世界观,都是由宗教出发。其次是研究各种最重要的世界观,在古代希腊,印度和中国是怎样发展的,这当然不是一一加以研究,而只

注释文字（页边）：
现代世界观的两个根本倾向

中间倾向即小资产阶级的倾向

布尔乔泛亚的倾向之变态

本书的程序

———————

① 1929年12月版将"是最根本的世界观"改译为"是最古而且最根本的世界观"。——编者注

是研究那根本的和普遍的东西而已。再次,研究法国的唯物论,即是研究那准备了 18 世纪末期最伟大、最有意义的布尔乔泛亚革命的世界观。本书所以特别研究法国唯物论,是因为它对于历史唯物论的发展有过贡献。再次,介绍德国布尔乔泛亚古典哲学发展中最重要的阶段,提出黑智儿(Hegel)和费尔巴哈(Feuerbach)。本书所以介绍这两位哲学家,是因为他们两人和法国唯物论者一样,对于现代辩证法的世界观的形成,大有贡献。最后我们通论辩证唯物论历史的大体,再转而研究欧美和中国现代最重要的精神思潮。

宗教是最古的世界观

本章是宗教的考察。本书所以首先研究宗教,是因为宗教在各种世界观中是最古的东西,但在这里,我不研究各个国家或时代的复杂形态的宗教,因为这不是本书的目的。本书所研究的,只是宗教上普遍的东西,即原则。换言之,本书所研究的问题是:宗教和现代世界观在原则上怎样不同? 宗教怎样发生? 宗教之物质的原因何在? 宗教何以为科学所替代? 最后何以为科学所消解? 社会主义对于宗教占居什么地位?

宗教的根本性质

第一个问题是:宗教和现代科学的辩证唯物论的世界观有什么分别? 构成宗教的特质和根本性质的是什么? 宗教的根本性质可以这样说,宗教是空想或想象力的产物,和那科学的产物现代世界观相反。两者相比,可以说,宗教立脚于信仰,科学立脚于知识。虽然这样,若说宗教和科学完全相反,只是自由空想的产物,没有已存的经验要素,那也是不对的。宗教的空想和其他一切空想一样。一切空想、一切虚构,都自有其变成空想的一定的经验基础。科学虽同样有经验基础,但科学和宗教不同,不是由空想造出经验基础,而是由论理、由实验、由思维整理出来的结果。

自然现象之宗教的与自然科学的说明

为要尽量简单地说明这种区别,我可以举一个实例,关于同一的对象,我们看宗教和科学究竟是怎样说明的。现以雨的现象为例。雨在人类物质生活上是特别重要的现象。在以经营农业为主的民族,那民族的命运,显然为降雨的度数、雨量以及地理的分布所左右。但雨不是人力所能左右的现象。人们不能随便要雨落下或停止。然而宗教是怎样解释的呢? 原始的人民是怎样观察的呢? 他们的想象,都以为这自然现象的雨是某种空想的人格即雨神的产物。这样的雨神,在原始人民之间,采取种种姿态显现出来。于是很重要的事情,就是对于雨的本神或主神这些神,人们可用种种手段去感动它们。这种手段,左右着一些大人先生,我们从经验上可以知道。所谓手段,便是供物(牺牲)、祈愿(祈祷)、威吓或代表实际行动的象征行为(仪式)。办理这些事项的人,在各种民族中,都有专家,即所谓求雨师。求雨师相信可以用仪式或咒文呼唤天雨。这是宗教对雨的解释。反之,科学对于雨却完全采取另一态度。科学认为雨并不是雨神精灵或鬼神的产物,而是自然的原因和一定的自然力的产物。科学对于雨的原因,不求之于隐蔽在现象背后的空想人格,而求之于这种现象对自然界的一般因果关系。所以就发生了一种特别的科学,即是气象学。气象学研究雨,观测雨的现象,第一,先观测原因何在,结果如何,然没再加以整理。如在什么条件之下,雨便停止,又在什么地方,雨便落下等等,都是气象学所研究的。但科学在现时还不能正确预言何时下雨,不能随时使雨落下。而澳洲的求雨师,好像比现代气象学者还要进步。因为现代气象学者,虽多少能够预言下雨,却还不能使雨落下。由以上的说明,我们便可以看到科学的方法和宗教的方法之间,实有根本的对立。再举一个普通例子,譬如雷的一个显著现象。迷信深的人,便以为这是雷神在云端驾车打鼓,自信只要有种种魔术的器具,就可起雷。我们知道,科学对于雷的解释,完全采取不同的方法。科学以为雷是和电结合的音响,即与电光过程相结合的音响。我们在事实上虽然还不能大规模地造出电光和雷,但在实验室中,却已经可以造出类似雷雨的事象。

　　由以上的实例综合起来,宗教的特质,不问在自然界或历史中,都是一定范围的经验经过空想的加工;而那加工的形式,总是把种种神祇、精灵、恶魔等作为自然现象的创造者、本神或主神来说明的。在最发达的宗教形式里,已没有多数的神祇、精灵或恶魔等存在,而存在的东西,只是自然的最高指挥者唯一神,是住在世界外部、世界彼岸的一个空想的实体。人们自身,以为可以看出这种本体的基础,它的能力为空想的存在所增高,而这空想的存在,即没有和他相当的肉体,也是具有那种能力的。在这里或许不应说是一个神,而应说是一个有支配权的家族,即共同支配世界的神父、神子及圣灵。从澳洲土人间所通行的原始形态,以至基督教所采用的形态,其发达虽有长的连锁,但在宗教的原则上,并没有什么变化。就是在现代资本主义之下,也有精炼了的各种形态。这种宗教的观念,固然和澳洲土人关于雨神的原始观念不同。但仔细

宗教的经验是空想的加工和补充

看来,就可知道这样很精炼了的观念,仍可把种种事变,追溯到任意引导出来的原始人所空想的人格。

科学的方法,便完全不同。科学做些什么呢?科学观察事实、搜集事实,把事实分类整理,详加分析,来探究有前者为什么接着有后者、同时存在的事物怎样互相作用以及事实怎样发生等法则。科学又探究(并且这是最重要的)各种社会形态怎样发生,怎样变化,更进而在自然科学上造成技术,在社会科学上建立政治,因此依照已知的法则,役使自然力以适合人类的目的,造出使用价值或社会的文物。在这一点,宗教这东西,无论采用何种名称,都和现代科学、现代世界观根本不同。

宗教的主要来源

一、人类对自然的关系

二、社会的关系

其次要说的,是"宗教见解的主要来源是什么"一个问题。宗教的主要来源有二。第一个来源,是人类对于自然的关系。就是人类为自然所左右的事实,和人类对于实际不能支配的自然力实行祭祀、祈祷、礼拜,而要在空想中去支配的意欲。第二个来源是个人对社会的关系,因而是社会关系的总体。这个来源的重要,并不减于前者。形成社会关系的基础的东西,是生产方法。这就是人类为维持生活,用一定工具以生产有用东西时相结合的关系,也就是人类制造物质生活资料的社会方法。这里先就原始社会的形态,考察上述宗教的两个来源。首先要考察的,是人类为自然所左右的事情。人类在技术上、经济上,发达的程度愈低,他们就愈易于强烈地为自然所左右。因此,用宗教空想的眼光来观察自然界一切现象的倾向,也就愈加明显。现在我们若是想想原始人类把那用石骨或木片造成的东西做工具,实行狩猎或渔捞,才能勉强维持生活,就可知道他们不能不从对自然的依赖关系,显出种种宗教的观念来。或者再拿原始时代的农民来看。他们是很容易受太阳、风、雨以及当地河流等自然力所左右的。人类只要是不能认清或预料这一切关系并且不能用点技术去支配这些关系时,他们一定要用宗教的观念来寻求支配这些事物的手段。同时,我要促大家注意的,就是中国古代宗教的基本特征。这古代宗教,当然是农民宗教之一。就这种宗教说,那为农民所重视的雨、天气、星辰等自然力这些事物,在宗教的观念之中,有着决定的作用。我们如果观察种种社会形态及其宗教时,就可看出这两者是常和当时社会对自然的关系有极密切的联系。关于这点,只能说个大概,不作详细解释了。

宗教观念的第二个来源，是人类间的社会关系。人类间的社会关系，是表示社会中各个人都依赖于全体，而全体对个人是成为较高权力显现出来的。成为全体的社会，在原始时代，对于各个人有最强的影响。就是说，各个人对于血族或氏族的依赖是很有力的。道德、法律、习惯、风俗以及一般社会的规则，对于各个人，有着强制命令的作用。然而各个人对于这些东西的意义和目的，大概是不能认识或理解的。这些东西，只是本能地自动地发生作用。原始社会的本身，仍是一种自然体。所以社会的命令、规律、习惯等等，对于各个人都有很大的作用，和莫明其妙的自然力一样。实际上，原始社会种种的组织，在全体上，对于它自身的秩序，对于确实的自然力，采取同样的态度。由社会关系这种性质出发，那成为它的基础而加以承认的宗教的观念，就自然发生出来了。例如南洋各地，都有所谓"答布"（Tabu）的规定。这"答布"的规定，是某集团的人们，在某期间不可狩猎某种动物，不可采集某种植物作食料的意思。这样的规定，实有明白的意义。这种规定，相当于生产的统制，有统制一定的分业和消费的作用。但后来这些规定变成了很难理解的而有自动作用的东西，于是从这些规定出发，就发达而为一定的宗教观念，而这种宗教观念，似乎是某种精灵恶魔等在发布命令强制人们遵奉的东西。再举一个很切近的实例来说。那崇拜死者灵魂和祖先灵魂的事实，恐怕是最古宗教的观念了。就最原始的宗教观念说，这样灵魂的崇拜，实演过极大的作用。祖先灵魂，纵使不把它当作一个自然现象的化身来说明，我们还是可以从社会关系上来说明它。为子孙所崇拜的祖先灵魂，当然是在空想上维持一血族及其后裔之间的关系，并保证传统的社会秩序之继续地承认的。家族或血族的祖先灵魂，就体现这样的秩序。同时我们又要知道，宗教观念特别有力的根源，也是起于社会内部发生阶级对立的时候。为什么呢？因为宗教的观念，是支配阶级制服隶属的被剥削被压迫阶级的手段之一。不但如此，自从社会分工，阶级对立形成以后，那专管宗教事情的特殊的世袭阶级（即所谓僧侣），也从此发生了，这个特殊阶级从直接生产的劳动中，多少要解放出来，而仰给他人劳动的剩余生产物以生存的。所以宗教的观念，对于这种僧侣世袭阶级，就成为建立并维持他们自己在社会上所占优越地位的手段之一了。但是我们不要以为这是他们真正的欺骗。并且这种世袭阶级和他们的观念，是由社会和自然各种关系发生出来的。因此,这些东西,无论僧侣自己或民众,都以为是真正的东西。这便是相当于原始的各种关系和思维方法的世界观。(页边注①:当时僧侣阶级的进步作用)我们虽是辩证唯物论者,却也承认僧侣阶级在某种时期内,也曾演了进步的作用。人类在要生产必要生活资料而必须异常努力去奋斗的时代,僧侣阶级虽不直接从事劳动,却可以从事社会所必要的种种职务,所以他们必须要从直接生产的劳动解放出来。这样看来,僧侣总算是发达科学要素最初的人们了。天文学的端绪,可追溯于埃及或巴比伦的僧侣;几何学最初的要素,也是由僧侣测量土地、建筑寺院的设计、预测尼罗河水增减所发现出来的。所以僧侣世袭阶级,在哲学和自然科学上,实孕育了那终结一切僧侣阶级和一切宗教的萌芽。

---

① 此处应为页边注,但由于排版原因,调整至此位置。全书凡有此类情况不再一一说明。——编者注

第二章 宗教(二)

前章说明了宗教一般的性质和起源，以及原始社会宗教发生的来源。我们的结论就是：在原始社会，对宗教见解有两个主要来源，第一是社会依赖于自然，第二是社会生活自身的生存。现在要更进一步来指出宗教的发达以及生产方法和社会形态的发达之间的关系。这当然也是不能怎样详细说明的。这种历史，实在很有兴味，而且范围很广，我只能叙述大概的纲领。我首先要叙述的，是古代种种神的观念的发达，和社会形态的发达以及社会组织，是有最密切关系的。试举个例子来看，各种地方神或种族神相合并的这种现象，是很普通的。在太古时代，各个血族结合起来成为种族，各个种族结合起来成为种族同盟或民族联合；同样，原始的村落神或氏族神也结合而成为种族神。这时候，许多神之中，又选出一神，奉为该种族的最高神。其次，许多种族并合为一个国民或民族时，我们就可看到有一个民族神。最后，到了更大的统一成立而由种种民族成立一个帝国时，于是就超越民族神的阶段而造成一个帝国神了。问于这点，在古代中国，可以特别看得明白。古代中国的诸神、恶魔、精灵等的构成，和社会的构成，全然一致。在第一阶段，家族或血族之灵就是祖先；地域稍广，就有为村落或地方之灵的神，更有都市的神和地方各国的神；最后，中国由种种封建小国家发达到中央集权的王朝，神的观念，也起了一个集中作用。最高的神"天"，就成立起来了，皇帝就是这天朝的最高僧。同样，我们又可看到在西欧罗马世界帝国中由原始的种族宗教或民族宗教以至成立为世界宗教的基督教。那成为世界宗教的基督教，它的发端，乃是巴勒士丁(Palaestina)的小民族犹太人的民族宗教。犹太人的民族神，以后扩大为世界神。但我们要问：这犹太人的民族神何以特别适合于做古代国际的世界神的发端呢？就是因为它是被压迫民族之神。罗马帝国时代的被压迫阶级和被压迫民族，

宗教的发展及其与生产形态的关系

地方神、种族神、民族神

世界宗教的基督教

自然就成为这新的世界宗教最初的信徒。（页边注：原始基督教、奴隶及被压迫阶级的宗教）关于基督教及其普及，还有一句话要补充的，就是基督教和社会构造的关系，不仅在其为世界神的神之性质中表现出来，即在其他非常重要诸点之中也表现了出来。基督教最初是成为奴隶的宗教出现于世的。奴隶在人民中是最被剥削、最被压服的阶级，对于救世，抱有最大的愿望。这些奴隶，是从一切领土到罗马来的。共同的压迫与共同的一般生活，抹去了他们中间民族的差别。他们很容易接受救世的国际的宗教，一个世界宗教。但这里也许有这样的疑问。为什么奴隶间还有宗教的要求？为什么奴隶不成为唯物论者或无神论者？为要理解此点，不可不懂得：一个阶级到了具备可以建设一个新世界、一个较高经济及社会秩序的力量与能力的时候，到了自己可以解放自己的时候，就只有这个阶级才能完全弃掉宗教。若就古代的奴隶说，却不是这样。从奴隶制度出发，而直接走向较高经济及社会秩序的道路，是没有的。奴隶制度引起旧世界陷于没落，就是引起希腊和罗马文化世界陷于没落。到了日耳曼种族侵入罗马帝国，破坏了旧的社会秩序和文化，而在那上面建设了封建制度之时，才渐渐开始新的发展。奴隶制度自身，是没有什么历史的出路的一种制度。因此，反抗自己运命的奴隶的意识形态，必容易感到信仰，必容易接受基督教。这种解放，必是带着空想的形态，而为世界救世主所支配的消费共产主义的一个王国。这王国起初虽是放在这个世界，以后还是移到了那个世界，即"天国"。更附带说明一下，在现代的奴隶之间，譬如在北美合众国南部诸洲栽培棉花的地方，他们对于基督教的信仰心，也特别热烈，这也是同样自然而且必然地发生出来的，这是他们受了非常压迫，自己不能找出路的一个反作用的表现。

封建时代的基督教　　其次，我们在封建的中世纪，也可以就社会制度和宗教观念之间，看出同一的关系。封建的中世纪的宗教，也好像是和太古的宗教全然相同。但是中世纪的社会关系，发生了变动，同样基督教也发生了变动。在中世纪，代罗马帝国而起的，是封建国家的制度。近代欧洲民族国家的萌芽，就从这时候次第发生的。于是地方的经济关系，就趋于狭隘了。因此，最易引起我们注目的，就是：基督教本来只承认由三个人格成立的唯一神，此外是不承认的，可是到了中世纪，那圣像就有种种不同，那种种的神，便和封建社会有同样的编制。有了种种支配阶级的编制，于是就有相同的种种神的编制。封建的秩序大概有下述的编制。起初仅有封建地主，这些地主，是某伯爵某公爵等诸侯的家臣。这些诸侯更集合起来，便有一个领主立在他们上面。领主、诸侯、国王及其他种种等级的人们，又拥戴一个皇帝为最高权位。中世纪的神，完全和这种等级制度相适应，这是我们可以看到的。最先在村落有村落神，其次在各地方各有特殊神。德意志、法兰西、英吉利各民族，就各有各的民族神。这样制度，渐渐扩大起来，就到了天国。在天国中，有许多天使，各占居相当的地位，那三位一体的神，便占居最高位，做天使之长。这种封建制度，在冥府之国（即地狱）也是相同的。关于基督教这样封建的观念，曾经欧洲中世纪的一大诗人描写了出来。这个诗人，即是13世纪意大利诗人但丁（Dante）。他用古典的笔调，描写了天国和地狱的阶级制度。我们在封建的中世纪，又可看到最原始的宗教观念还没有消失，妖魔古怪等邪教时代的观念还是存在。这些种种色色的恶魔和精灵等，都补充着基督教的世界。这些东西在中世纪社会生活诸关系之中，也有了根源。

现在来叙述现代资本主义社会中宗教的起源及其作用。首先我们应当知道的，资本主义社会对自然的关系，和从来一切的社会完全不同，所以宗教在今日资本主义社会中早已没有什么地位了。原始人类很易为自然所支配，在中世纪，大部分也为自然所支配，但是在现代资本主义社会，却完全两样了。现在，人们能用技术和自然科学去支配自然，并且能扩大这支配到无限的范围。现代自然科学家，不会再诉之于什么魔术的法式。想制造某种机械的技术家，也不像澳洲的魔术师或西伯利亚的巫术师那样，他们现在是应用关于各种材料所已知的性质和作用来制造机械。所以在这样状态之下的现代资本主义社会还存有宗教观念的事情，看来好像是很奇怪的。但我们要知道现代资本主义社会宗教观念的起源，不是在它和自然的关系，而是在社会的本身。在这种情形之下，支配阶级虽知道支配自然的方法，却不知道有计划地统制社会的方法，这是根本不可否认的事实。如我们在经济学上所学的一样，资本主义社会秩序的特征，是社会不能在全体上作有计划地进行，并且是为盲目无秩序的状态所支配。资本主义社会，不能统制它自己的经济和社会生活，而各个人和全体社会反为经济生活所支配。因为这个缘故，资本主义社会本身对于经济的关系，正和澳洲野蛮人对于电光雷雨的关系一样，并无差异。资本社会的

资本主义社会的宗教及其阶级基础

资本主义社会无秩序的状态

这种性质,在经济恐慌、战争和革命发生的时候,表现得最为明显。经济上一起恐慌,无数经济的存在,马上就被破坏,而各个人却无法防御,并且也不能回避这种运命。资本主义经济,虽由停滞发展到兴旺,又由兴旺发展到恐慌,但是它却不能左右这种发展,不能预测恐慌时期,也不能回避恐慌。资本主义社会的破坏,在战争时期,作用更加扩大,几百万人民都死伤,几百万财富都化为乌有。资本主义社会对于这些事变,是没有一点办法制止的。我们知道,谁也不愿意使几百万人民死伤,使几百万财富化为乌有的,只是资本主义社会无力防止罢了。社会要防止此事,又有什么力量呢?不但这样,并且引起这种恐慌,引起那用战争和革命来解决这种恐慌的东西,还是资本主义竞争呢。这些事实,就是说明:宗教观念何以在现代资本主义社会还不死灭;何以还有社会的根源;何以宗教观念只要有这种社会地位存在,仍得继续存在,并且今后也会留存于资本主义社会之中。当战争和革命危机发生时,各种宗教潮流,在支配阶级之间,是有很强的表现,这是显著的事实。欧战时,欧洲布尔乔泛亚之间,曾经发生了一个新的宗教运动,无论大家知道不知道,这总是一个事实。宗教上的新潮流,即在世界战争以后所发生的革命之时,也曾经表现出来。降神术、交灵术等对于灵魂幽灵的信仰,都复活起来,并且风行一时。这种信仰,和南非洲 Bush 蛮族的信仰,并无不同。这些粗野的宗教形态之外,还有不易看出的很精致的形态,但是这种宗教,和原始人类最原始的观念,即是说死者灵魂和肉体无关系而能影响人类生活的观念,多少是有共同性的。欧洲布尔乔泛亚虽站在发达最高峰的顶点,但处在今日普罗列达里亚革命时代,宗教却是他们自身安慰和休养的一种手段,是他们的基础动摇时所赖以支持的一个柱子。

布尔乔泛亚,也曾有过和宗教斗争的时代。这个时代,教会是他们的敌对阶级要具之一,所以他们对这种敌对阶级不能不组织革命去对付它,而且教会又是和封建制度君主专制相结合的。这个时代,虽然短促,他们却是反宗教的,并且号召国民从事于反宗教反教会的战争。但是布尔乔泛亚得到国民援助,获得权力,占了支配地位以后,他们马上就变更他们的立场。这是因为他们占了支配地位时,就发见宗教这东西,对于他们本身,是政治的经济的支配之最良支柱。关于布尔乔泛亚准备战争从事反教会反宗教斗争的时代,留在后面再说。这个时代大概是极短的。布尔乔泛亚一旦觉得压迫国民大众是于自己有利时，宗教之于他们，便又转变为支配的工具，即变为束缚国民大众的精神的工具之一了。

现在再叙述宗教对于另一个大阶级农民所演的作用。在现代的社会，农民，特别是小农，完全处在特殊的社会经济状态之下，对于自然界也有特殊的关系。小农不像大资本主义的企业家，并没有近代的技术。农民的经营不能大规模地充分利用近代的科学和技术，只是用比较原始的和简单的工具去从事劳动。所以结果，农民比较资本主义的企业家，很容易受自然所支配。这样的农民，常受雨、日光、地质及其他无数自然原因所左右。这些自然原因，农民既不能支配，也不能给以少许影响，在他们看来，这些都是超越一切的力量。因此，小农中宗教的根源，便存在于对自然的关系中，这是容易知道的。这种根源就是在他们社会的关系中，在阶级的地位中，也是有的。只要农民不是经营简单的自然经济，他们就是一个商品生产者。他们生产谷物家畜，作为商品，搬到市场去。这种谷物和家畜，如何买卖，他们所得的报酬如何，是完全由市场决定的。市场对于每个农民，决定他们的劳动是否无用，决定他们是否能取得劳动价值的全部分或一部分。所以决定价格的，不是农民自身，并且他的运命是由所谓市场关系的经济力所左右。我们就中国做米的农民来说，他想卖米的时候，米的价格不是简单地由他做米所用的劳动量来决定的，而是由伦敦或纽约交易所所定的市场价格来决定的。所以农民因为这种他所不知道的，纵令知道也无可如何的市场法则而陷于破灭的事实，是常常有的。再举一例。譬如印度，做印度靛的农民，曾经有过几十万或几百万的数目。但化学的人造靛发明以后，印度靛的全生产和无数农民的经济，都完全破坏了。农民在这种状态之下，一方面受自然界很强的支配，他方面在市场上受资本主义社会诸法则所左右，因此，在他们之间，那宗教观念的完全自然的起源，又不得不出现了。

现代社会各阶级之中，从他们的地位看来，有最多前提能放弃宗教观念的阶级，只有近代的普罗列达里亚。这理由是很明显的。就是普罗列达里亚，从它的地位看来，是现代社会中最革命的阶级。普罗列达里亚因为它是个革命的阶级，所以看穿了宗教的观念，只是替布尔乔泛亚用那现世受苦死入天国的

宗教与农民阶级

宗教与近代普罗列达里亚

话来安慰他们的一种手段罢了。并且普罗列达里亚又认清了布尔乔泛亚自身并不以天国的财宝为满足，还是在尽可能地努力集中现世的财宝。所以普罗列达里亚完全明白这样来世的预约，是靠不着的。过去奴隶的宗教基督教，是以反抗为精神的，现在也是宣讲服从的教义了。这种事实，在支配阶级看来，是基督教有益的方面，而一切劳动人士，却不能不排斥这样的立场。欧洲的布尔乔泛亚，所以极端热心要把那对于他人寡欲的宗教输送到印度、中国、非洲等殖民地国家去的理由，也是从上面所说的那种事实产生的。牧师们向中国人说：信赖天国呵！寡欲呵！顺从呵！这样的说教，为英帝国主义起见，那是再好没有的事情。绅士们在礼拜日也许到教堂去，但是在工作日却努力地取得中国现世的财宝。这样看来，欧洲资本家们所到的地方，无论在哪里，总是把白兰地、圣经和牧师一块送去的这种事实，我们也可以明白了。

此外，使近代普罗列达里亚放弃宗教，而代以现代世界观的，另有一种动机。他们，对于自然的关系，和农民不同。他们能运动机械，知道技术。他们是不想把自然现象归诸超世俗的实体负责的。因为他们在劳动过程中所处的地位，自然现象就看作自然现象，没有什么空想的成分。至于说到他们对于社会力的立场，那就只有他们才能认清资本主义经济的本质，依着自己历史的将来，而以推翻一切都委诸盲目偶然的资本主义社会，代以社会主义社会为使命的阶级。在社会主义社会之中，人类不仅开始支配自然，还能支配经济生活，并作有计划地进行。他们的这种立场，就是他们能够最容易而且最根本地放弃宗教的空想观念的结果。所以在现今近代资本主义各国，我们可以看到只有他们在事实上把宗教观念根本抛弃了。固然，在现代社会中，也有信仰宗教很深的劳动者，这是不容否定的。但这种事实，还是他们受了教会和布尔乔泛亚教育恶化的结果。他们要想从这种恶影响之下解放出来，只有自己来学习和反省。在资本主义各种关系之下，能够从这种影响，完全把精神解放的人，在普罗列达里亚中，还不过是少数。只有资本主义支配颠覆之时，普罗列达里亚全体，才能开始做断绝宗教观念及其根源的工作。

第三章　希腊唯物论

前章说明了宗教在资本主义社会所以仍然存在的理由,并说到各种阶级经济的及社会的作用怎样决定它在宗教上的地位。现在要简单叙述的,是考察宗教时所采用的各种不同的立场。在这里有根本相反的两个立场。第一是合理主义的立场。这个立场的特点,是单把宗教看作不合理性的东西,只要尽量做启蒙运动,便可以从人类头脑中把宗教除去。合理主义的名词,出自 18世纪法国哲学家作反宗教和教会斗争时所采用的理智的立场。这理智的立场,只把宗教看作是一个不合理性的迷妄,并以为这种迷妄是可以用启蒙运动除去的。这个立场的特点是非历史的。这就是没有看到:宗教是由于历史的理由而发生,同样也必由于别的历史理由而消灭。我所以特别指出这个立场,是因为它在今日还常常看得见,尤其是在布尔乔泛亚革命家或先觉者之间。这种立场,看来好像是很急进的,但在反对宗教方面,却没有多大效果。对于宗教的第二个立场,是辩证唯物论的立场。这个立场所以和合理主义不同的地方,就是把宗教看作一个历史的现象;而这种现象,在社会的物质状态之中、在社会的生产方法之中、在社会和自然的关系之中,以及在社会自身的构造之中,都有它的根源。因此,宗教这个东西,虽说是一时的,却也曾演过进步的作用。这种见解,在反对宗教方面,固然认定宗教是障碍将来社会发达的东西,而在资本主义社会中却还有它的物质的根据。于是从这种见地所得的实际结论是:宗教不专是可以由启蒙运动排除的,而必须握住宗教的物质根源之生产方法,来完全铲除它。说到这里,那以无阶级的社会主义社会来代替今日资本主义的阶级秩序的问题便发生出来。这个问题如能解决,那宗教的强固的根源,就消失了。因为这个根源,是由于资本主义社会不能支配自己运命而反为运命所支配,现在若走向社会主义生产方法的过程,那么,社会和自然的关系,以及各个人的关系，都要变化了。无阶级的社会主义社会，关于技术，以资本主义所遗留的结果为基础，使它发展到最高度。所以上述两个宗教的妄想的原因，单靠启蒙事业是不能除掉的，要除掉它，只有实行社会的完全变革。但这话也并不是说反宗教的启蒙事业没有必要，因为这种启蒙事业本身原是准备革命的一个动力。这种事情，正是告诉我们正当估计反宗教的启蒙事业的作用，应当把这种事业列入准备革命行动的全体之中。（页边注：宗教的启蒙事业是准备革命的附属工作）即是把它作为革命准备行动的一部分，附属于全体的斗争——特别是政治的及经济的斗争。这样，才可以使反宗教的启蒙事业，发生相当的效用。

共产党对于宗教的态度　　其次，关于共产党对于宗教在原则上实践的态度，也来说一说。共产党虽说是一个政党，但它是由原则上站在同一立场的人们所成立的自发的结合体，这是大家所知道的。共产主义原则的立场，就是辩证唯物论的立场。共产党对于各个党员，要求他已经从宗教观念解放出来，或正在解放出来，而能确守辩证唯物论的立场的。因此，那现在仍为宗教思想所拘束，而时时固执宗教思想的人们，当然是不能成为党员。所以今日俄国想加入共产党的人们，谁也都要在一定预备学校毕业，接受关于上述立场的教育。因而党的自身，便从事于反宗教的宣传，党借助于学校，努力于破除青年宗教的迷信，或者使青年不中宗教之毒。

苏维埃国家与宗教　　至于说到宗教在苏维埃国家的地位，那就和共产党自身的情形多少不同。共产党是同一思想的人们自发的结合体；苏维埃国家是由种种思想的人们所成立的一个联合体。在苏维埃国家，各有各的信仰宗教和实施宗教的权利。苏维埃国家对于宗教的态度，和大多数（不说全体）布尔乔泛亚国家不同的地方，即是有某种宗教思想的人们，想对于某种宗教有所施设，那所需要的费用，必得由自己支付。苏维埃国家对于一切宗教的团体，采取一贯的中立态度。苏维埃国家中寺院或僧侣的抚养，都是由各人准备的，这是第一个条件。还有第二个条件，也必得履行。就是宗教团体对于苏维埃国家，不能有反革命的煽动。僧侣受革命法庭所讯问而被处罚的事情，是常有的。但这种事情，并不是因为他们抱有宗教思想或从事传教，而是因为他们从事于反革命的活动。宗教团体既然自己负担维持的责任，而对于苏维埃国家又不做反革命的宣传，在这两个条件之下，苏俄境内各种宗教团体，是可以自由活动的。苏维埃国家，破除宗教迷信的主要手段，是从事于反宗教的宣传和教育，并努力建设社会主义。人们必须取得了物质上的完全自由，才能得到精神上的自由，才能从宗教思想中解放，绝不只是取得像布尔乔泛亚国家也存在的那样法律上的自由，便可做到的。像这样物质上的自由实现时，民众才能有必要的余闲，从事于科学的和艺术的深造。

人们或许要发生疑问：在宗教的迷信破除以后，用什么东西来代替宗教呢？对于这个疑问，最好用德国大诗人歌德（Goethe）的话来答复。他说："人有艺术和科学，就有宗教；人无艺术和科学，就要宗教"，就是说那样的人必得有宗教；像歌德那样人物，只对少数学问造诣深沉的人要求而要对大众保留起来的事情，到宗教消灭以后，就要变为世间一般通用的事情了。在布尔乔泛亚社会中，只有少数人得到精神上的解放，但在社会主义社会充分发达以后，一切人们都可以得到精神的解放了。我们对于一种事实的观察，不能不采取辩证唯物论者的立场。只有少数特权者，才能自由完成自己的物质生活的这个事实，在现在看来，虽似已成为社会发达的障碍，然在以前生产力尚未发达之时，却是达到现在的状态（在这种状态之下，造成了在物质上在精神上解放民众的前提）所必经的过程，这是可以从上面的说明中看到的。那些属于一定阶级和身份的少数人，从直接生产的劳动解放出来，这是发展自然科学和技术的前提条件。这种技术一旦造出社会所必要的种种条件以后，大家就能造出那自由发展文化所必要的物质。我所以引用这实例，就是想借此指示历史的辩证法的意义。读者对于历史的辩证法这个名词，想必听熟了。历史的辩证法应用到事实上，我们就可看到一个现象，在特定状态之下，是必然的而且是进步的，历史的状态一旦变化，它就变为正相反对的东西，而成为向前发展的障碍。我们在历史上各时期的宗教的作用中，找到了历史发达的普遍法则，即是在对立或矛盾中发展的普遍法则。并且这在矛盾中发展的法则，不仅适用于历史的运动，又是一切运动的法则。

发生了现代世界观的斗争，到现在已经有两千多年了，并不是一朝一夕的事情。哲学和近代自然科学的发达，都横在这种斗争的途上。辩证唯物论是达到这种发达最后最高的一环，是可以追溯到最古历史时代中的斗争的顶点。

现代世界观的出发点，是在古代的希腊。希腊是哲学和自然科学的摇篮

宗教的代用物

现代世界观的发展

地。现代世界观的基础，是由希腊建筑起来的。所以我的说明，也从希腊开始。其次简单地说说印度，即说明印度的反宗教斗争，最后再说到中国。

现在我来叙述古代的希腊、印度和中国对于哲学与自然科学的发达，以及宗教的解体之一般物质的前提条件。（页边注：出发点的希腊）当叙述希腊印度的时候，我想加以特别的考察，根据上述各国的特殊性来说明古代宗教开始解体的前提条件。最重要的条件，第一就是生产力的发达、经济收获量的增加和克服自然等等的进步。由原始共产制度发生的进步，与私有财产和商品经济的发达，有极密切的关系。尤其是农业的发达，就决定这个过程。其次，资本最初的形态，所谓商人资本——商业资本——及货币资本的发达，也有主要的作用。第二个条件，是因为商品经济发达的结果，僧侣阶级、地主贵族和商人资本、货币资本，也同时出现，于是那有自由时间发展自己而专事研究艺术和科学的一团新人物也发生了。大概说来，古代这种发达，可以说是和地方的

及都市的奴隶经济的发达，有密切的关系。而都市的奴隶工厂，是大规模地制造工业品的。奴隶经济，对于航海业，也有极大的作用。古代航行于黑海或地中海的大商船，主要是由奴隶驾驶的。因此，古代的宗教所以开始解体，现代世界观所以开始建筑基础，都是由于奴隶经济的成立及其发展。僧侣以外，成立了一个自由人的阶级，这些人所以有从事于生产劳动以外的事情所必要的时间，也是由于奴隶经济的成立。亚里士多德（Aristoteles）①曾经说过：哲学的前提是必要的闲暇。在奴隶经济尚未充分发达的阶段，有自由农民和自由手工业者所成立的一个中间阶段。以这个阶段为基础，那希腊各都市的所谓专制王的支配，就建筑起来了。这就是一个对于都市市民的权力的支配。希腊专制王若译成中国话，就是军事指挥者的意思。经济上及阶级上这样大的变革的结果，对于传统的道德观、政治观，也予以很大的动摇和变动。数百年数千年以来都生活于同一关系之下的民族，若是在经济上和社会上起了根本变化，他们的思想，实在说，即宗教的观念，也受到激烈的变动，这是很明显的事实。希腊的哲学和自然科学的发达，与小亚细亚沿岸的希腊商业都市的发达，特别有密切的关系。小亚细亚的商业都市，在公元前六七世纪之时，就已

---

① 本书中亦译为"亚理士多德"。——编者注

经发生了反抗宗教的唯物论的见解。印度反抗宗教的运动，与当时起来反抗婆罗门教的武士贵族和商人阶级的发生和勃兴，是有关联的。中国在旧时封建制度崩坏、自由农民阶级形成而以农民为基础的中央集权的君主官僚国家成立的时代，老子和孔子也应运而生。

　　现在再说到希腊，先把希腊自然哲学发生的一般条件作简单的说明。希腊许多哲学家，普通称为"伊奥尼亚"（Ionier）的自然哲学家，是因为他们所属的种族是伊奥尼亚人。初期哲学发生的一般基础，是由于小亚细亚沿岸商业都市发达的结果。这些商业都市，无论在文化上、经济上，比较当时希腊都站在发达的顶点，其中以米勒（Milet）与依弗苏斯（Ephesus）两个都市为最重要。这些都市，比较希腊本国——希腊半岛各都市，尤为进步。在这些都市，僧侣以外的人们，蓄积多额的财产，有专心研究的可能。并且因为航海业的发达，在小亚细亚沿岸的希腊人，他们精神的眼界，亦因此扩大，这也是促进哲学发达的原因。这些最初的希腊商人用自己的商船，回航于地中海、黑海等处。他们接近许多异种民族、宗教、道德、习惯等等的结果，自然对于自己的宗教和道德等，有所批评，对于一切的事物，也用自由的眼光去观察，因此，航海和商业的发达，就成为较高技术的发达的条件。船舶运来的商品——原料，在这些都市里面，也可以加工制造。商船航海的结果，比较进步的许多职业，也因而发达起来。在这些职业之中，最有成绩的，要算是用羊毛精制外套。此外，奢侈品的制造业，也发达起来了。如古代沿海地方希腊花瓶的制造，就是一例。此外用贵金属或宝石所制造的装饰品，嵌镶金银宝石的高价的武器，也有很好的成绩。这些商品，都卖给东方大帝国的国王、贵族和高官。他方面，因为航海业的发达，谷物及其他食料品，也同时输入了。结果，使得旧来土著大地主因此零落，而为这些大地主劳动的农民，因此得到自由，到都市中去做手工业者了。于是小亚细亚沿岸的希腊商业都市中，便有自由手工业阶级产生，而受专制王所支配。这种专制王是怎样的人物呢？这就是通常经营商业和放高利贷的富裕的大地主。他一面拥有资产，一面又有因失业来找职业的多数农民存在，于是招募兵士，用暴力夺取都市的政权。以上是希腊自然哲学的背景和出发点。因技术、手工业、航海业的发达，因地理眼界的扩大，那反对僧侣梦幻的曲解，而依自然的事实来解释世界的前提，就成立起来了。于是周游地中海

希腊自然科学与小亚细亚的希腊商业都市的发展

的人们,知道航海所必需的天文学和地理学的初步,又见闻了许多异种的民族和风俗,就能够企图建设科学的世界观了。他们是有求得智识所必要的自由时间、必要的手段和动机的,而且他们又处在从事于这种工作的独立境地。因此,在这种状况之下,哲学是如何萌芽的,对于旧来的民族宗教是如何批评的,它的理由,也就可以理解了。

关于专制王和当时的事情,再附带说一说。关于这些专制王,最值得重视的,是他们得到那反抗都市贵族的人民所援助。专制王得到人民的帮助,就压制那些商人的都市贵族,而支配当时最富裕的贵族商人或商人贵族。但是他们得到人民的帮助,造出武力以后,又反转来压迫人民。对于压迫民众的专制王的斗争,通古代史的全体,所以都被看作一件功劳伟大的事情,就是这个缘故。专制王首先建筑公共的大建筑物,给手工业者以工作,使人民甘为己用。小亚细亚的希腊商业都市中的壮丽建筑物,都是这些专制王建筑的。还有一个重要的事实,就是在小亚细亚沿岸的一切希腊都市,都因为防止波斯大帝国的侵入起见,不能不常作民族独立的防卫。这些都市,都经过民族的解放战争。这解放战争,就发达了精神力,即发达了那成为自由精神发达的基础的都市的自己意识(Selbstbewusstsein)。

关于奴隶买卖的发达,再来说一说。奴隶的买卖,在上述的各都市,有过很大的作用。(页边注:奴隶买卖与奴隶经济)奴隶无论在古代或中世,都是主要的贸易品。然而奴隶经济,在上述的诸都市,却才开始。这些都市的手工业者,在公元前六七世纪之时,大部分还是独立手工业者或工钱劳动者等自由民。

现在来叙述"伊奥尼亚"自然哲学家中的主要人物及其学说。在伊奥尼亚自然哲学家之中,从时代看来,最初是米勒的退利斯(Thales),一般称为哲学之父。当时,米勒是小亚细亚的商业都市中最繁华的一个都市。米勒组织了一大贸易舰队,支配着广大的地域。关于退利斯的学说,虽流传很少,但他的学说的特征,对于宇宙的发生,却主张自然说。"宇宙是怎样发生"这问题,是宗教上最初要解答的问题。退利斯对于这个问题,曾给了一个自然的解释。

他说,宇宙是由水发生的;又说,水是万物的发端,是真正的本体。其他一切的元素——当时的元素是分为水、火、气、土四要素,他以为都是由水发生的。这个见解的根柢,以为一切物质是单一的东西,一切物质可以互相转变。这个最初的哲学家,当然不能像现今化学实验那样,造出他自己所主张的理论的根据。他的学说之中,还包含着生命也是由水发生的思想。大家知道:依近代自然科学所主张,一切陆栖动物,都是由海栖动物进化来的,一切生命,是先在海中发生的。这样看来,他的思想之中,如我们所见,对于后来的发见,已成为天才的预言。他所以把水作为宇宙万物的起源,是因为他处在面海的商业都市中的缘故。海水的现象是不断变化的,里面藏有人们所需要的无尽的富源,在人类看来,这是经济生活的基础。退利斯对于天文学和几何学,也促起了很大的进步。他曾旅行到埃及,从那里的僧侣,得到很多的知识。这个事实,是暗示着埃及僧侣的智识,成了哲学上的一个出发点。埃及的僧侣们,是具有发展自然科学的特别动机的。因为埃及人的生活,完全是依赖于尼罗河人工的灌溉。如果没有人工的灌溉,土地就会荒废,埃及的僧侣为要自由自在地来灌溉,所以就有了预先推定尼罗河水量增减时期的必要。因此,他们就专心去观测星辰。此外,灌溉和寺院的建筑,也有测量土地的必要。这便是埃及僧侣们所以成就了土地测量、天文学和数学的初步的原因。这种初步,经过初期希腊自然哲学家的继承和整理,并且发展起来了。

第四章 希腊观念论

前章我把伊奥尼亚最初的自然哲学家退利斯的学说说过了。

亚诺芝曼德　　现在再说希腊哲学发达史中最有名的哲学家亚诺芝曼德（Anaximander）和赫拉颉利图斯（Herakleitos）两人的思想，并说到原子论者中的德谟颉利图（Demokrit）和恩柏多克利（Empedokles）。亚诺芝曼德也和退利斯一样，是有名的大商业都市米勒人。他比退利斯出世稍迟，他的学说的要点，主张宇宙是

为宇宙发
达的出发
点之物质　发生于无形的物货——具有形态的同质的物质。这个物质——无形的物质——的发展，是由于相对立的元素的分离而起。太阳以及其他星辰等天体，也是这样发生的。人类发生于鱼类，以后才栖息于陆地。亚诺芝曼德由宇宙、游星和生物的发生论出发，说到将来宇宙的没落。宇宙的发生如果是起于相对立的分子的分裂，起于物质的分离，那么，宇宙及各生物也当由于分解为分子而没落。依亚诺芝曼德的见解，物质是无穷的、永久的、不灭的东西，这种见解是颇为广大地完成了的宇宙发达的学说；这个学说，完全是唯物论的，是由自然的原因出发的学说。在自然科学和天文学尚未发达的时代，他能够说到这样正确，这是我们不能不惊叹的。

赫拉颉利
图斯　　其次，叙述那出生于依弗苏斯（Ephesus）的伟大学者而被称为"不可解者"赫拉颉利图斯。因为他所著的书深奥难解，所以加以"不可解者"的绰号。他生于小亚细亚的希腊大商业都市依弗苏斯。依弗苏斯，是和米勒都市竞争最烈的都市。他是在公元前500年时出生的。他的学说最伟大的意义，是发见后日所谓辩证法的大纲而且加以解释。他的主要思想，是在对于从来宇宙发生的学说以及从来的宇宙论，使它普遍化，借以连成他关于宇宙发生及其本质的主张。从来的哲学家，无论是谁，都主张宇宙是从某一种物质发生的。譬如退利斯主张宇宙是从水发生的，还有主张宇宙是由空气发生的，更有主张宇

宙是从一般物质发生的。赫拉颉利图斯把这些学说做基础,到达了他所谓
"万物普遍的变化"的主张。他用"万物流动不居"(Alles fliesst)一个适当命
题,来表示他的思想。即是说一切都发生变化,不停留在现在的形态。他又用
"人不能再渡同一河流"(Man kann nicht zweimal in denselben Fluss Steigen)这
个比喻,来表示这种事实。河流是没有须臾的停留,每一瞬间都变成别的形
状。所谓河流,当然不过是一个比喻。用来说明自然界及人事界一切的变化。
这种万物不断变化的思想,是辩证法的根本思想。据他的见解,全体的宇宙,
在时间上是无限的、永远的,在空间上也是无限的、无穷的。这个宇宙不断地
变化着,绝不是同一的东西。但是所谓宇宙不断地变化这种思想,和近代的思
想,是大相径庭的。因为依据他的意见,宇宙的变化,不是无限前进的,而是一
种循环作用,如物理学者和化学者所主张一样。事物虽是不断变化的,却仍要
回复到一定的出发点。试举一例来说,赫拉颉利图斯也和从前一切学者一样,
仍然是主张火、土、气、水四个元素。这四个元素,虽不断地互相变化,然其变
化,无论何时,都是在这四个元素的范围内进行。他又主张:事物的这种变化,
不是随便发生,而是依照一定的量的关系发生的,即是一种合法的变化。这也
是一个伟大的新思想。他又称宇宙为永久的火。这也是一个比喻,他的意思,
不是说宇宙是由火的元素成立的,不过说火是不断的变化过程之比喻的表现。
不是说火是不变的实体,而是说火有不断的化学作用。他的变化说,和近代的
进化概念,是不能混同的,我已在上面说过,现在不再详细说了。质言之,他所
说的变化,即是循环反复而归着于同一出发点的变化。其次,他的主要思想,
就是说万物的这种变化,是依照对立物常起于对立的法则进行的,即是说一切
变化都在矛盾中进行的。关于这点,他发见了一个适当的比喻的表现,说"斗
争是万物之父"(Der Kampf ist der Vater aller Dinge)。对立物的斗争,是引起
一切变化、一切发展的动因,这也是辩证法的根本思想。总之,他是用一般的
方法来表示这种思想的。他又把这思想应用到有和无的关系。他说有和无的
两极端的对立,综合于生成的概念之中。这个思想是很简单的。即生成的物,
是某物,同时也是非某物。有和无这两个思想,包含于生成之中。换言之,一
切事物的过程和本质,是在于两极端对立的综合。或者又可以这样说:一切事
物都是两极的,都是由对立和矛盾合成的。其次,他反对个人灵魂不灭说,也

是他的学说一部,此外,在当时宗教社会内所倡导的排斥肉体的快乐,他也加以反对。其理由,下面再说。

现在再说赫拉颉利图斯的学说和当时生产方法以及当时各种阶级关系究有什么关系。(页边注:赫拉颉利图斯和当时的阶级关系)我们如果观察现在中国或全世界的状况,就可以知道各种世界观和各种阶级的地位是相适合的。我们对于现代这种观察,可以适用于一切时代。任何世界观,在阶级关系之中,一定有它的根源,所不同的地方,只是我们能正确地看到现代的各种阶级关系,而于二三千年以前的各种阶级关系,却只能知道一小部分。因为古代的史料,残余无几,我们往往不能不加以揣测。关于赫拉颉利图斯的阶级的立场,可以说明如次。

他属于都
市的贵族

赫拉颉利图斯,是依弗苏斯的都市贵族。在这些都市贵族的作用,上面已经讲过,从来本有都市贵族的政府,后来由一个专制王或一个军事统帅的政府替代了。

这种专制王得到小手工业者及多数农民的拥护,反对贵族夺得政权以后,又由雅典市民输入到依弗苏斯的有多少限制的德谟克拉西所代替。赫拉颉利图斯虽是贵族出身,然当时的贵族,受了专制王猛烈的反对,并且民众也为专制王所煽动而起来反抗贵族,他自然要站在革命的立场。他不满足于现状,想努力推翻它。因此,他就发生以下的思想。他所展开的法则,即是"一切事物都不停留在原来的状态,而且会变化到反对物"的普遍法则。他为当时都市成立的事情所推动,就达到斗争是一切变化的动因这个思想。他由此点出发,这种思想不仅适用于都市的政治或社会的状态,并且得到了成为世界准则的正当的结论。当时的事情,照这样推测下去,辩证法思想的发生,自然明白了。

人民求救
于救世主
的宗教

依弗苏斯的民众,受了专制王严重的压迫和剥削,他们为专制王而劳动,缴纳苛刻的赋税,并且要服从强制的劳役。民众在这样的境遇,遂探求慰安自己的思想。因此,他们就逃到了慰安自己的宗教。他们组织宗教团体,以救世主救济人民的教义、灵魂不灭说以及排斥肉体快乐的教义,来救济自己。要之,这种思想,在被压迫的民众,当然是很容易了解的。人们离开肉体的快乐,这便是富人的奢侈生活之政治的转变和拒绝。无论是谁,他的生活,应该尽可能地简单而朴素,不可过豪华的生活。在不能享受富裕生活的时代,在劳动生产力尚未充分发达的时代,被压迫被剥削的民众,抱有这种思想,乃是当然的事情。

并且这种事情,和今日资本主义社会的状态完全不同,在当时确是一种必然的结果。从当时民众地位看来,从专制王地位看来,从赫拉颉利图斯生于贵族这点看来,赫拉颉利图斯应该站在什么立场,是极易知道的。专制王依赖民众来反对贵族,所以赫拉颉利图斯就不得不反对民众这种观念,无论宗教观念也好,救世主的思想也好,灵魂不灭说也好,排斥肉体快乐的教义也好,在他的立场上是不能不反对的。于此,就可知道赫拉颉利图斯这一切根本思想所以为当时基本的阶级关系所决定所约束的理由了。

其次,关于原子论,简单地说明一下。原子论或原子说是由以上这些自然哲学家开展起来的。原子论的主要学说,是主张这个宇宙由同质的极细分子与真空成立的。对于其他种种现象,也是由这个极细分子的运动来说明。这种学说,没有详细说明的必要。因为原子论在今日,已成为近代自然科学(即化学物理学)的主要部分了。古代的原子论,是唯物论最彻底的完成体。这个原子论,亘数千年之久,彻底地影响着唯物论。

以上考察了依奥尼亚的自然哲学和古代唯物哲学的时代,现在再来说明由唯物哲学演进到观念哲学重要的分歧点。这个分歧点的中心人物,是古代两大哲学家柏拉图(Platon)和亚里士多德。柏拉图生于公元前 429 年,亚里士多德生于公元前 384 年。这两人是比较依奥尼亚的自然哲学家稍后的人物。这两个观念哲学家,对于此后一切的时代,无论对于中世纪的哲学或近代的世界观,都给了很大的影响。一切的观念论世界观,可以说其根本思想都是从柏拉图和亚里士多德发生出来的东西。由唯物论世界观走到观念论世界观的过程有什么根据呢?我们现在要来检查一下。这个根本原因是由于希腊社会基础的奴隶经济的成熟及其衰落的开始。那以奴隶劳动为基础的希腊社会,在当时已经无路可走了。公元前 7 世纪之时,奴隶的买卖虽已盛行,而奴隶劳动在小亚细亚沿岸的希腊殖民地,却是刚才开始。当时从事于工业劳动的人们,不是手工业者,就是自由的工钱劳动者。但是到了五六世纪之时,雅典的奴隶劳动已成为国家及经济的基础了。柏拉图和亚里士多德两个哲学家,就住在雅典,宣传自己的学说,当时雅典基本的阶级关系,是奴隶经济,并不像粗浅的假定那样,说这只是当时支配阶级自由市民内部的对立的那种贵族政治和德谟克拉西的对立。自由市民无贫富之分,都是倚靠奴隶劳动而生

原子论是古代唯物论最彻底的完成体

观念论的分歧点

柏拉图与亚里士多德

以奴隶经济为基础的社会衰落开始与走向观念论的回转

活。当时所谓奴隶,没有何等权利,不被别人把他当作人看待,而只是当作一个能够说话的工具看待。雅典的自由市民,无论贫富,专牺牲奴隶过生活。雅典的人民所以能专心于政治、艺术、哲学、体育以及其他的美术,是因为奴隶劳动者不断的输入。以上这些事实,并不是我杜撰的,而是从布尔乔泛亚历史家所叙述古代雅典的状态中取来的。

其次,再叙述那以奴隶经济为基础的社会衰落的矛盾。第一个矛盾,第一个困难,无论在什么奴隶经济,专倚靠奴隶的自然生殖,想长久维持下去,是不可能的。这不仅是古代的经验。现在北美合众国南部诸州的奴隶农场,也有这种经验。要想维持奴隶经济,就必须继续输入奴隶。要继续输入奴隶,就只有依靠战争或侵略,才有可能。以奴隶经济为基础的国家,不得已迫而战争的结果,削弱了国家的力量。古代的战争,出征的市民须要携带高贵的武器,以壮观瞻,如果乘马出征,更要多的武器,并且要有马和马夫。他们在家中既不能不赡养家室,在战场又不能不维持自己。这样的结果,从事于战争的农民和手工业者,就渐渐陷于贫穷的苦境。国力次第疲弊下去,结果,农民和手工业者又要受那还没有十分疲弊的国家所征服的威吓。在当时,所谓放逐乡土和灭亡的意思,就是男女小孩都被拉去做奴隶的意思。

以奴隶经济为基础的社会衰落第二个矛盾,就是自由民对于职业劳动轻视的观念,在这种社会是必然会发生的现象。自由民把劳动认为是下贱的东西,认为是奴隶的工作。对于劳动的这种见解,在古代确实支配着最有自由思想的人们。并且这种事情,还引起了以下的结果。就是不能剥削奴隶的自由民,都要依赖国家的费用来维持生活,他们就成为虚耗国帑的食客。古代的无业游民和近代的无产者,在原则上是不同的。近代的无产者,用自己的劳动维持全社会、资本家和属于资本家的一切人们,而古代的无业游民,却是仰赖于国家的奴隶劳动来维持生活。于是国家自身就要收集许多资料,以供养很多国家奴隶,以维持无业游民的生活。即如雅典这样繁荣的都市,也不能不征服其他许多的都市,从这些都市,剥削供养无业游民所必要的贡物。因此,这些被征服都市的生存,陷于极端的不安,这是当然的结果。以这样不确实的奴隶劳动做基础的社会,当然更要陷入苦境了。

在这种都市(当时的都市,同时就是国家,都市和国家一致)的内部所起的第三个矛盾,是自由民中阶级对立的日趋发展。少数人占有很多的私产,而手工业者却因不断的战争,反陷于贫穷。债权者和债务者的对立,因此尖锐化;同时,都市住民互相结合的道德上拘束力,也次第废弛了。结果,成为不断的内乱,都市的存在,更暴露于危险的地位。

第四个矛盾,是发生于经济的领域中最重要的矛盾。就是奴隶劳动塞住了技术的进步。这种原因是很简单的。奴隶因强制而劳动,所以对于他们,不能给以非常精巧复杂的工具,只能以极粗糙而坚强的工具去经营事业。因此,奴隶劳动,就成为社会基础的现象,这就是技术发达停顿的意思,是生产力停滞的意思。所以古代的奴隶经济达到最高点的时期,技术就因之停滞,小亚细亚的殖民地对于流行的自然科学——在本章讲过的——的兴趣也停滞下去了。

这种关系,引起了以下的结果。第一个结果,不是像希腊社会发达到最高峰的时期一样,关于自然发达的问题、关于世界怎样发生的问题,早已没有人加以注意,而社会的问题,就变成了中心问题。换言之,人们应怎样生存? 国家应怎样组织? 经济应怎样经营? 何谓善? 何谓恶? 何者是许可的? 何者是禁止的? 这些问题,都变成了中心问题。关于道德上这一切问题,已经陷于动摇的状态。

第二个主要的结果,旧社会走向降下的分歧时,唯物论的世界观也向观念论的世界观推动了。由唯物论走向观念论的分歧点,是以上面所说的那些事实做条件、做基础。就是说古代的奴隶所有的社会,已经超过最高点,到了下降的阶段了。为要知道观念论是什么东西,这里特就柏拉图观念论的要点,作很简单的说明。依柏拉图的见解,以为事物的真正的本体,并不像自然哲学家从来所说是在于物质,世界的原理却是精神的,不是物质的。他的见解就是:感觉界即感觉经验的世界,不是实在的真正的世界,只是假象的世界,伪的世界而已。这个感觉现象的世界,是与物质现象无关的不灭的理念(不灭的精神的原像)的结果和模写。这样,事物的真实关系是颠倒的。最高的理念是善的理念。这个理念不仅构成世界的真正的本体、本来的核心,并且对于一切的现象,都赋予终极的动因、终极的规律。至于亚里士多德更加展开了这个思想,把理性这个东西,作为一切世界现象的本体,作为终极的动因、终极的发动者。然则从唯物论到观念论这种推移,原因何在呢? 结局就是因为从当时支配阶级的立场出发,找不到关于社会的矛盾之物质的历史的进步的解决方法,这一点在前面已经说过了。由奴隶经济走向较高的社会形态或经济形态的可能性,没有发现出来。奴隶经济是无路可走的穷极的经济。我以前曾说过在被压迫阶级之间,基督教是怎样构成的,同样,在支配阶级之间,当雅典国家的回转期,观念哲学,因此也成立了。这个观念哲学,后来就成了基督教的主要部分,形成了它的要点。这种观念论有什么社会的目的呢? 它的目的就在于已存的社会状态理想化,即是美化已存的社会状态,除去它内部所有的矛盾,使那种状态维持到永久。所谓理念的支配、理性的支配,不过是把智者和贤人支配的思想普遍化而已。所谓智者和贤人的支配,在支配阶级看来,不外是指支配阶级自身。照这种见解,民众是不能辨别真理的,而具有理性的,只是几个少数者的支配阶级。把这种思想由国家扩大到全世界来看,那理性支配万物的观念哲学,就出现了。这个观念哲学,以后经过几百年几千年,对于支配阶级一般的主张,成为最有力的根据。但是柏拉图和亚里士多德的学说,大家却不可以为它在当时支配阶级的内部,是反动的。绝不是这样。在旧社会,已是无路可走,并且在这社会又没有发现与旧社会对立的革命阶级存在。希腊都市的德谟克拉西,关于奴隶制度的问题,与从来一样,没有采取相反的立场,并且也不能采取相反的立场。这是什么缘故呢? 因为当时这些都市的生存,全靠奴隶劳动供给国家的财产。古代希腊的德谟克拉西,不可和近代任何德谟克拉西混同。古代希腊的德谟克拉西与现代布尔乔泛亚德谟克拉西之间的对立,比较布尔乔泛亚德谟克拉西和普罗列达里亚德谟克拉西之间的对立,更加扩大。希腊古代社会的根本问题,不是德谟克拉西或贵族政治等问题。这些问题,不过是表面上的问题。根本问题是奴隶劳动的问题,是奴隶和自由民的关系的问题。古代观念哲学反动的方面,只表现于对奴隶制度的关系中,从这一方面讲,这种哲学是立脚于奴隶社会的哲学。这种哲学,是主张废止奴隶劳动,而代以比较进步的形态,以后因历史的发展,才看到它的反动性。但是这种哲学不仅有反动的方面,同时,还有一个进步的方面。关于这点,以下再说。

真理的支配与智者的支配

古代德谟克拉西和近代德谟克拉西

古代观念论哲学的反动的方面和进步的方面

第五章　古代论理学与辩证法

关于柏拉图和亚里士多德的略史

　　前章我已把关于柏拉图和亚里士多德的事情说了。本章把这两人的传记,简单地说说。柏拉图是公元前 429 年生于雅典,教养于上流贵族家庭的人。柏拉图的主要著作,是问答体或谈话体。他是苏格拉底(Sokrates)的学生。亚里士多德是柏拉图的学生。亚里士多德生于公元前 384 年,他虽不是纯粹的雅典人,而他的生活大部分是在雅典,他创造了特殊的哲学学派。亚氏是马其顿王斐利甫之子亚历山大大王的教师。他遗留了许多浩瀚的著作。他不仅是古代希腊的最大哲学家,同时又是伟大的自然的研究者,许多科学的创造者。亚氏是第一等的科学天才,是古代的最大学者。他给予后代的影响是非常之大,到近代开始,其间二千余年,可以说都是受了亚氏思想的支配。

雅典社会与论理学的兴味

　　上面关于柏拉图与亚里士多德二人哲学的退步方面,已经讲过了,现在来叙述他们关于哲学伟大的进步方面。这哲学的伟大的进步方面,是认定当时雅典支配阶级剥削奴隶劳动和树立阶级支配的目的,在人类能力的自由完成之中,尤其是在理性的完成之中。这就是说:当时奴隶生产,和资本家的生产不同;奴隶生产不是以生产剩余价值的商品生产为主,它的主要目的,是为自家使用而生产,即是使用价值的生产。因此,支配阶级不是趋于营业或营利,而是想在艺术和科学发达之中,认识他们的理想。所以对于人们理性的探求与思维法则的发见,就发生了从来无比的兴味。因此希腊人在全历史的发展中,划分了一个时代。希腊人——不如说是亚里士多德——于是就完成了思维的形式及其法则,这就是所谓形式论理学。同时希腊人又建筑了辩证法的基础。辩证法和形式论理学的不同,以下就要说的。关于思维法则的科学(即形式论理学),因亚里士多德而达到了最高点,其发达的程度极广泛而且

407

完全，所以能超出亚氏的伟大的进步，只有到 19 世纪之初，德国的哲学家黑智儿，才能完成。

何谓形式论理学？它与辩证法有什么区别？现在很简单地来说明一下。形式论理学，可以说是不论内容的思维法则的学说。（页边注：形式论理学的对象）思维学（即论理学）是指出概念是怎样构成的，指出各种概念在形式上是依什么来互相区别。论理学以判断的各种种类为对象，最后还研究推论或推论的各种种类与形式。总之，论理学是指示怎样才能正当地思维。

人生来就能思维，原不要特别的思维技术。因为普通的生活，只需如此就够了。但是各种关系或事物，一旦繁难起来，我们就要从许多前提引出结论，并要考虑那离开直觉的连续思维过程。这时候，谬误的可能性就多，而思维是否正确一层，就有确定和审慎的必要。所以论理学在科学之中，有着广大的意义。论理学的法则，归着于两个主要命题。这两个命题，形成论理学的基础。

第一个命题，是同一律。这个命题很简单，即"甲是甲"。就是各个概念和它自身是同一的。人是人，鸡是鸡，马铃薯是马铃薯。这个命题，成为论理学上基础之一。第二个主要命题是矛盾律，又称为排中律。这个命题，即"甲是甲或是非甲"。甲不能同时是两者。例如黑的东西是黑，这个黑不能同时又是白。从一般讲来，一个事物是不能同时是它本身，又是和它相反的东西。这个命题，应用在实际上，就是这样：即当我们从所定的出发点做出一个结论时，如果发生了矛盾，那究竟是思维的谬误呢，或者是我的出发点错了呢？如果我从一个正确的前提出发，得到四等于五这样的结论，那么我就可依矛盾律，来推定我的推论是错了。

单就以上所述看来，两命题的一切都似乎明白而确实了。人是人，鸡是鸡，一个事物常是同一的事物，这样明了的命题，是再也没有了。同样，一个事物，或是大或是小，或是黑或是白；一个事物同时不能是两者；矛盾不能存在于同一物之中——这也是绝对确实的事情。

现在再从较高的思维学的立场，即从辩证法的立场，来考察这个问题。这里我就上面当作论理学基础说过的"甲是甲，一个事物常是同一的事物"第一命题，举例来看。这个命题，暂不研究，我只引用已经说过的赫拉颉利图斯的命题——即如说"万物流动不居"或"人不能再渡同一河流"的命题来讨论。

我们能够说河流常是同一的吗？这是绝对不能说的。赫拉颉利图斯的命题，是说的反对的事情。河流在任何瞬间，都不是同一的，而是不断变化的。这样，人就不能两次渡同一的河流，更正确点说，就是一次也不能够。要之，"甲是甲"这个命题，是要在事物不变化这个前提之下，才能适用。一旦在变化过程中来考察事物，甲时常是甲，同时又是别的东西，因此，甲同时又成为非甲了。这种情形，结果，是可以适用于一切事物与现象的。在外观上，或者是好像不变的，而依照科学，却证明是可变的。例如岩石或大山脉好像是不变的现象，但据地质学历史的证明，这些东西是由历史发生的，同时又会消灭的。只是这种变化，比较一个人的寿命要迟缓得多，所以人类不能即时认识这种变化。岩石为风雨所暴露，受寒暑的影响，逐渐崩溃下去，这就证明岩石是在运动之中。因为变化极其缓慢，肉眼虽不能认识，而变化却是不断地进行。所以这种变化，非经过长久期间，不易看到。现在再取植物为例。植物是变化的，是生长的，但肉眼不能看得到。不过在今日我们能够用活动照相机，把植物生长的经过映出来。我们知道无论何种植物，都是变化的。我们看到古时的米麦和今日的不同，就知道这些植物是由简单的东西进化而来的了。这种说法，可以适合于一切种类的动物与人类。或者只有太阳系是固定不变的。但关于太阳系，天文学也已证明它是发生的，毕竟还是要消灭的。因此就是太阳系，也有变化，这个变化是无间断无限制的变化。人们在长期间（到最近止）都相信分解万物所得的元素（化学要素）是不变的而且是唯一不变的东西。但在今日，又知道并不是这样，实在还有变化的要素如 Radium 等。我们假定：一切物质是由更简单的元素即电子发生的，而这电子又形成于温度和压力特别关系之下，也可以分解可以变化。我们若是知道这种事实，那论理学所说"一个事物常是同一的"这个有名的根本命题，又怎样解释呢？就这种情形说，这个命题，至少不是无条件正确的。这个命题，只有限定了的意义。所以这个命题，只适用于有一定限制的时间，只适用于抽象。换言之，只有置事物的变化于度外，假定这事物在一定时间停留在同一状态之时，适用这个命题，才没有多大的错误。否则如果把这个命题使它普遍化，不设定何等限制，那就陷于非常的错误了。因为在这种情形，仅仅是形式论理学上这个法则，那是不够的。因此，我们就不能不用较高系统的辩证法。我主张同一性一切都与差别性相

同一律假定事物的不变性甲非甲这个命题所表现的是普遍的变化

实例

同一性与差别性同时并存

结合。同一性和差别性,无论是如何的现象,也绝对不能区别。现象是同一的,同时又是变化的,这两者都同时显现。现代布尔乔泛亚哲学家法人柏格森(Bergson)考察一般变化时,犯了忽略同一性存在的谬误,所以他所得到的结论是:悟性常只能表现固定不变的概念,事物的真正本质,悟性不能认识它。柏格森所说的情形,和那关于事物的同一性的命题可以排他地无限制地应用的假定,都犯了相反的错误。一个事物在两个状态间的变化,如果扩大到这两者间完全没有何等同一性存在的程度时,我们就不能确定什么变化,并且也不能说一个事物有两个状态了。因为确定变化,一定要有一个共通的标准。两个事物或者一个事物的两个状态,要在时间上区别出来,一定要在某一点,把这两者看作是同一的,才有可能。没有差别性的同一性若不存在,没有同一性的差别性也不存在。

矛盾律之辩证法的检讨

现在来讨论思维第二个原则的矛盾律。依这个矛盾律,一个事物同时不能又是相反的东西。一个圆形,不是圆便是方;一根线,不是直便是曲。但是依上面关于同一律考察的结果,我们可以看到矛盾不仅是可能,并且一切变化的事物,在每一瞬间,都有一个矛盾。变化的事物,他自己是同一的,同时又不

普遍的变化,表现矛盾的普遍性

是同一的,上面已经讲过了。即是在同一物之中,有矛盾存在。这个命题,可适用于一切变化的事物。一切变化的事物,是同一的,同时又不是同一的,是自己,同时又不是自己。例如"一根线是直线或是曲线"的命题,数学家究竟怎样解答呢? 数学家把一个圆的最小部分看作是直线,而直线和曲线,在一定

就数学上说

的界限内是同一的。这件事情,比较绝对区别直线和曲线还要更精密更正确地计算。一个圆形,不是圆,便是方,但数学家却把一个圆形当作一个有无限多角的圆形看。因此,数学家在这种关系上,圆与方是看作同一的。数学上的全部门,实是建立在这个充满矛盾的原则上面。

空间运动的矛盾

我们不要叙述那平凡论理学所提出的矛盾律,而可以提出和它相反的命题来讨论。这个命题,即是说"一切事物,在其本身中都藏着矛盾,都由对立组成"的命题。这种事情,已经就那适用于一切事物的变化的概念证实了。现在再就古代希腊所建立的关于"空间运动"(Ortsbewegung)的概念,来证实一下。埃里亚学派(Elealischen)的哲学家,主张一切空间运动,都是表现一个矛盾,所以这运动是不可能的。他们从这点出发,得到一个结论:所谓实在的

运动是不存在,运动不过是假象而已。(页边注:埃里亚学派对于运动解说的背理)他们还举出两个有名的实例来证明。一个是箭的命题,一个是亚基列士(Achilles)与龟的命题。所谓箭的命题,就是主张现在从一点发出一箭,这箭绝不能达到离开这一点的他一点。因为从 A 点发出一箭,那箭在达到 B 点以前,一定要通过中间之点。因此,这一箭,从 A 点出发,不能不达到中间之一点 C。在这以前,不能不达到 AC 距离的中间,所以这箭必定由 A 点达到 D 点。在 AD 之间,这箭要达到 D 点时,必定又要通过中间之点 E。照这样分割,可以引到无限。箭是不能不次第通过某点以前的一点的,照这种推测,在理论上,没有止境。所以箭绝不能离开 A 点,因为这样通过的距离可以引到无限大。箭在一定的时间内,不能从 A 点达到 B 点,结果,运动就成为不可能了。

静止的箭之背理

　亚基列士(Achilles)和龟的实例,更加简单。亚基列士是荷马诗中的英雄,他在希腊人之中是走得最快的人,龟是走得最缓的动物。但是龟出发在前,亚基列士绝不能赶上。现在假定龟先走百步,亚基列士每一秒走十步,龟每一秒走一步。这时候到底得到怎样的结果呢? 在亚基列士走到与龟距离百步的时间,龟就再进十步了。在亚基列士走到与龟距离十步的时间,龟又再进一步了。亚基列士走一步,龟可走一步十分之一。照这样引长下去,两者之间,毕竟还是有一定距离。亚基列士走过这距离的时间,龟总是前进十分之一的距离。照这样,亚基列士无论如何是赶不上龟。

亚基列士与龟竞走之背理

　这两个事实绝不是笑话,其中还有深奥的意义。什么意义呢? 这就是证明无论在什么情形,一定的有限距离,可以无限地分割。照这样推论下去,就可得到一个结论:一定的有限距离,不能由无限的许多部分组织起来。换言之,一定的有限距离,不是由无限的部分成立的。但是有限大的一定的距离,可以由无限小的距离组成的,这在运动方面,已经证明出来了。以上两个事实所指示的理由,就是我上面所说的辩证法的命题。这个命题,就是证明一个距离的有限和无限可以同时存在。这样,离开 A 点的箭可以达到 B 点,亚基列士可以赶到龟,这两件事,都容易计算了。

有限或无限继续或中断的辩证法

　如就龟的情形说,当亚基列士走完了与龟相隔距离百步时,龟更进十步,以下类推。这样,就成为 $100+10+1+\dfrac{1}{10}+\dfrac{1}{100}\cdots=111.1\cdots$ 或者 $111\dfrac{1}{9}$ 步。到了这点,亚基列士就会赶上龟。亚基列士走百步要十秒,走十步要一秒,走一

亚基列士与龟竞走的背理之数学的解决

步要十分之一秒,如此类推,总计就要 $10+1+\dfrac{1}{10}\cdots=11.1\cdots$ 或者 $11\dfrac{1}{9}$ 秒了。这样,问题就解决了。但是同时又可以证明运动是充满矛盾的命题。

为更加显明起见,再拿第一个实例来说明。(页边注:静止的箭的背理之数学的解决)在第一实例中,从 A 点到 B 点的距离,假定是相等于一,这距离是由中间的距离二分之一,再二除的四分之一,再二除的八分之一等等距离成立的。因此,就得到 $\dfrac{1}{2}+\dfrac{1}{4}+\dfrac{1}{8}+\dfrac{1}{16}+\dfrac{1}{32}\cdots$ 这个级数,现在把这些数字加算起来,可以知道合计渐渐近于一了。无限的许多分类 $\dfrac{1}{2}+\dfrac{1}{4}+\dfrac{1}{8}$ 等等的合计,是等于有限大的一,这是没有错误的。

上面说过,矛盾发生于事物之中,但不能由此推论那发生矛盾的东西常是正确的。问题并不是这样简单,在概念之中所表现的这种矛盾,只有在再现那事物的真正变化时,它才是妥当而且正确的。

因此,矛盾可以分为有意义的与无意义的,辩证法不是无意义的矛盾之技术而是有意义的矛盾之技术。但是形式论理学与辩证法的差异究竟在什么地方呢?我们如果仔细研究,就可以看到下述的差异点,就是:形式论理学把一切事物,看作是不变动的,是互相分离孤立的。辩证法则不然,辩证法不在事物的静止状态中观察事物,而在它的运动和因果关系中考察它,所以辩证法是比较高级的思维形式。形式论理学和辩证法的相互关系是怎样呢?形式论理学的应用,是有界限的、有限制的。它是关于限定的事物一种下级思维法。它的应用的范围,只能限于不变的、互相区别的、彼此独立存在的事物。反之,辩证法是关于事物比较普遍、比较正确和比较深刻的高级思维法。要是把事物当作运动的东西、变化的东西并在其相互关系上去考察,用形式论理学是不够的,我们不能不用辩证法。我还想附带说明的,就是在柏拉图、在亚里士多德,其辩证法都含有观念论的性质,因为他们都假定头脑中的矛盾是根源,而实在物中的矛盾,却是由此发生的。反之,我们站在唯物辩证法的立场,是主张概念上的矛盾,不过是事物运动的模写。

再简单点说,观念辩证法论者确信运动的概念之中,有一个矛盾存在,所以才有物体的运动。反之,唯物辩证法论者主张事物现实的运动是原型,概念中的矛盾,实由现实的运动发生。现在来研究古代辩证法的起源。在最早的古代,何以就发见辩证法思维形式的基础呢?这是由于什么原因呢?

第一,古代自然哲学家赫拉颉利图斯亚诺芝曼德等,曾经探究世界发生及其消灭的原因,这些学者,在进行研究的时候,自然会想到万有一般的变化和一般运动的概念。关于这点,以赫拉颉利图斯为最。第二,(尤其是苏格拉底、柏拉图等是这样)在这里,他们所以把一切事物,看作变动的,看作事物本身中藏着矛盾的动机,是由于当时社会关系、国家组织、宗教等概念的思维所促成。直接的原因,是由于在公共生活上有种种反对意见,互相排斥。古代雅典的公共生活,是很有活气的。在稠人广众之中,那何谓善,何谓恶,国家应该怎样组织等等,常成为公开讨论的题目。一人主张是 A,他人主张非 A,这在公共生活或私生活一切问题,都是如此。于是就有所谓会话术发生,这个会话术,就是辩证法的起源。辩证法是由会话术发生的,最初称为会话术。

古代辩证法的起源

　　当时柏拉图和亚里士多德所创造的古代辩证法,还不是含有辩证唯物论特征的近代辩证法。它还是未发达的辩证法。古代辩证法所以不发达的原因,和发生这样思维形式的当时社会事情,有密切的关系。这些古代思想家柏拉图亚里士多德的目的,是想在社会和国家事物的变化中,探求固定的、不动的、静止的东西,以建设一个理想国家、理想社会。他们的目的,不是探求绝对的变化,而是着眼在不变动的状态。他们不以革命为目标,而是在扬弃(Aufhebung)当时社会状态之中所起的革命。因为这样,柏拉图想建设一个国家理想乡,描写理想的国家。结果,古代辩证法,就成为限定了的未发达的形态。古代辩证法,有两个发达阶段。第一个是变化的即纵的辩证法(Dialektik des Nacheinanders),这是赫拉颉利图斯所发展的辩证法。第二个是柏拉图和亚里士多德所发展的辩证法,不是纵的辩证法,而是横的辩证法(Dialektik des Nebeneinanders),是同时性的辩证法。这个辩证法是存在于一个静止的全体各部分关系中的辩证法。这第二个形态的辩证法,是古代发达了的最高级的辩证法,但还是限定了的辩证法。至于比较这些还要高级的辩证法,是同时性的辩证法和纵的辩证法两者都顾虑到的辩证法。这个辩证法,称之为历史的辩证法。这个历史的辩证法,包含着一个全体的变动法则,和由许多部分成立的全体同时存在法则。这个例子,只要想想马克思论资本的方法,想想我们在经济学上所学的方法,就可以了。马克思《资本论》所说明的一个全体资本主义是怎样能够存在,在资本主义的内部所起的各个现象,是怎样互生关系等,

古代辩证法的不发达及其社会的根源

纵的辩证法

横的辩证法

历史的辩证法

都是经济学上的法则。最后,我们曾经学过:资本主义制度是怎样从别个制度发生,怎样从简单的商品生产制度发生的经过;又学过资本制度生产方法的法则,是怎样因时间的经过,变成别个法则——由资本主义过渡到与此相反的别个制度的社会主义经济的法则。由此,我们可以知道现在最发达形态的辩证法,是由古代限定了的形态发展到比较高级的形态。这高级形态,即是马克思的辩证法或历史的辩证法。

奴隶劳动
与古代辩
证法之限
制性

到唯物的
辩证法的
扩大及其
社会关系

现在来做个结论。古代的辩证法所以是限定了的辩证法,因为它是支配者的辩证法,是依赖奴隶劳动的支配者的辩证法。柏拉图和亚里士多德,在当时社会,虽是最卓越的思想家,但消灭奴隶劳动,扬弃自由民和奴隶间对立的社会关系这种变化,他们却是没有想象到的。

结果,他们两人关于事物变化的概念,是有一定的社会限制,即奴隶支配不能不是固定的、永久的限制。他们的概念,既有这种限制,所以不能发展辩证法到充分的普遍性。这种普遍性,是以不承认对于变化有什么制限为前提的,柏拉图和亚里士多德,站在奴隶支配这方面,不能以废止奴隶制度为前提。这是他们所以不能发展辩证法到充分的普遍性,而不能不局限于一定范围的最后理由;是他们所以不能发展辩证法到唯物论,而只能发展到观念论的最后理由。

第六章　印度唯物论

本章来说古代印度的唯物论。希腊人建设科学和哲学,并把它们从宗教分离出来,确有过显著的成绩,但能成就这种初步的工作的,也不仅是希腊人。东方各民族所成就的思想上的成绩,虽比不上希腊人能够发生那样重大的结果,而其伟大的思想上的成绩,却有叙述的必要。在东方发达的唯物论要素,是到辩证唯物论的结合点。所以本书第一章,就曾说到古代印度的唯物论。现在在这里再详细说说。

东方唯物论的要素是走到辩证唯物论的结合点

古代印度的唯物论,发生于公元前 6 世纪之时,还在刚刚离开原始社会的时代。这个时代又称为《吠陀经》(Veden)时代,因为古代印度最古的宗教颂歌《吠陀经》,最能反映这个时代。这时代同时又是唯物论发生的时代,因为那伟大的民族史诗《摩诃婆罗多》(Mahabharata)和《罗摩耶那》(Ramayana)恰在这时产生,所以又称为印度的叙事诗时代。这是宗教和哲学大酝酿的时代,同时也就是新世界宗教的佛教以及和它同系的改革宗教"耆那教"(Jainismus)兴起的时代,因此,这个时代是古代宗教见解深刻的危机——古代婆罗门教(Brahmanismus)的危机——的时代。因为婆罗门僧侣是古代印度世袭的僧侣,而这个时代却发生了反抗婆罗门僧侣的支配,反抗那成为他们支配根据的宗教见解的广大民众运动。这便是当时宗教上的危机。这个危机的原因究竟是怎样呢? 结局引起这个危机的,还是当时阶级关系上所发生的深刻的变革。婆罗门原来就是我们在所有未开化民族中都能见到的魔术师或生赘的祭司。所谓梵(Brahma),本是指婆罗门僧侣所具的魔术力的。所以婆罗门(即僧侣阶级)便发达到第一个支配阶级。婆罗门僧侣要求支配其他三个主要世袭阶级,他们首先凭借这司供奉仪式的能力,取得了这个支配权。这些供奉仪式,经过婆罗门僧侣之手,造成了一个复杂的方式。于是他们便牺牲其他世袭

叙事诗时代之宗教的危机

婆罗门僧

婆罗门僧侣为支配的世袭阶级

阶级,从这些世袭阶级取得供物,以维持生活。

在吠陀时代,婆罗门取得支配权,并不要重大的竞争。那时,共产村落的形态,完全是原始的形态。(页边注:吠陀时代的社会关系)这种共产村落的共同体,建筑在农业和牧畜上面,村落中各个人之间,经济上没有大的差别和分化,所以在经济上和社会上,都是有民主的组织的。但到后来,亚利安印度人(所谓亚利安人,在人种上叫作亚利安的白色人种,就他们的语言说,是和欧洲各民族如希腊人、土耳其人、波斯人等最接近的),从北方移住印度,本地的民族(他们的皮肤是黑色的,可以和亚利安人区别)就被征服了。被征服的土著居民,变成了征服者的奴隶,所以除了构成民主共产村落的自由平等的土著之外,又有征服者的一个阶级。这两者在法律上、社会上都是不平等的,一方面是被征服者、农奴及奴隶。支配的征服者与被征服的土著间的对立,即在征服者内部,也引起了阶级的对立。因此,这原始共产村落共同体之中,就次第发生阶级的对立了。本来的亚利安农民等,常由土著居民出来的奴隶所代替。在这种奴隶经营的基础之上,就构成了大土地的所有。大地主,主要的是武士贵族和大商人。商人和古代希腊的情形相同,大半是经营奴隶的买卖。农业奴隶经过相当的时期,就进到高级的阶段,进到中世纪的农奴地位。这些农奴和奴隶,构成古代印度最下层的阶级,就是所说的"首陀罗"(Sudras)。阶级的对立,在佛教和宗教改革运动勃兴的东北地方,比较婆罗门教存在最久的东部地方更加尖锐地发展起来了。

我现在很简单地说明公元前6世纪古代印度唯物论和佛教兴起时代的状况。当时共产村落共同体虽还存在,而实际上却已踏入崩溃的过程。土地已经可以买卖借贷,这是纯粹原始共产制度的状态所没有的。在原始共产社会,土地是一般人共有的财产,有时虽分配于各个人,却是不许买卖或借贷的。可是到了这时,却有许多商人出来购买土地了。在这时代,已经有了自由的工钱劳动者,虽然是极少数的。他们都在大私有地上工作,借以取得食宿抚养或货币的报酬。本来的奴隶,如中国长期所有的一样,是家庭奴隶。在这个时期,手工业也逐渐发达,手工业者,就组织了基尔特。这个时代,早已有了富裕的商人。这些商人,向中国、亚历山大王国、埃及等地,经营海陆的大贸易——队商贸易。这时的贸易,主要是绢织物、上等棉布、象牙、宝石等,这些大概是当时王公贵族所用的奢侈品。物物交换,大部分已由货币交换代替了。这个时代已有放债业者发生,村落中放高利贷的人,颇有势力。要之,在当时,可以说原始纯粹的共产村落制度,已经要解体了。这个共产村落的解体,和商品生产的侵入,是同时并起的。商品生产,又和农业生产力的发达,以及私有财产的形成,有密切的关系。而奴隶劳动和农奴劳动的侵入,又与大私有地的发达、商业及货币资本的形成,有密切的关系。我们考察古代印度唯物论发生时代的社会阶级关系,就可以得到以下主要的特点。在一方面,贵族地主和富裕商人反对支配阶级的僧侣世袭阶级,他们要想得到社会的支配权,一定要和僧侣世袭阶级争斗。另一方面,无业游民或仅有一点财产的自由民、奴隶或农奴世袭阶级,同时也发达起来了。在原始时代社会中这样深刻的变革,是产生精神上、宗教上的危机的地盘。于是佛教崛起,成为改革的民族宗教,来反抗那向为广大民众所信赖的婆罗门僧侣;同时,超出宗教范围以外的唯物论、唯物哲学家也发生出来了。当时唯物论的代表,是最富裕的商人,这和小亚细亚希腊殖民地的情形相仿佛,也是值得我们注意的。

宗教与农民阶级

社会的变革和宗教的危机

但是印度阶级的分化,完全采取特殊的形态,即采取世袭阶级形成的形态。世袭阶级是一定社会内的分业成为世袭时,才发生的。譬如武士子孙,常为武士,陶工子孙,常为陶工,这时候世袭阶级就发生了。依这样世袭阶级的关系,各阶级的人员,只许在本阶级以内结婚;各种世袭阶级各自有其特殊的宗教习惯,各自有其日常生活和衣食等的特殊风尚。一个世袭阶级的规律和习惯,完全规定那世袭阶级所属人员的生活的一切细目。世袭阶级的形成,不仅限于印度,即在古代埃及人民之间,也有特别巩固的组织。古代印度世袭阶级的形成的出发点,在世袭阶级这个名词上,也已经暗示了它的性质。古代印度语把世袭阶级一个名词叫作 Varna,本来是颜色的意义。这个出发点,就是区别那白色的亚利安征服民,和那已经变成奴隶或顺民的黑色土著民。黑色土著民和白色征服民间这样的分离,就更进而形成世袭阶级的分裂。世袭阶级中,分为四个主要的世袭阶级。按照它们的等级顺次说起来,第一,最高的支配的世袭阶级,是婆罗门世袭阶级;第二,武士的世袭阶级;第三,自由民、商人及农民的世袭阶级;第四,最下层的世袭阶级,是奴隶和农奴的世袭阶级,即为首陀罗。如果忽略了这形态中的阶级对立,要想了解吠陀的原始时代古代

世袭阶级

亚利安人与非亚利安人间支配关系的出发点

四个主要阶级

印度思想的发达,那是不可能的。因此,要想了解古代印度思想的中心问题,就不可不明白世袭阶级的发端及其意义与作用。

印度思想根本问题的中心,是世袭阶级制度,即是和印度阶级关系的特殊形态有关联的问题。印度思想的根本观念,是从这点出发,而且也只有从这点出发,才能理解印度思想的根本观念。(页边注:世袭阶级的形成与印度思想的根本问题)

在世袭阶级制度之下,个人的运命,完全由他所属的阶级决定。因此,在这种制度之下,关于社会问题的思想,就不能不采取下述的形式:即运命的决定,要看各个人所出生的阶级为依归。所以各个人都希望能够决定自己的运命。但是各个人想决定或变更自己的运命,只有一条唯一可能的道路。并且这条道路,也只有在两个前提之下,才有可能。第一个前提是:一定阶级中我现世的存在、别个阶级中我前世的存在以及另一形态中我来世的存在,这三者

之间,都有因果关系。从这个因果关系出发,自然会发生再生的思想,就是印度语所谓轮回(Samsara)的思想。在古代埃及,关于永久的再生,也有同样的思想,并且这个思想也是由相同的关系发生的(在古代埃及,同样有世袭阶级制度的成立,已经讲过了)。第二个前提是:轮回或再生的观念,成为果报(Karma)这个概念的基础。所谓果报,就是我生是由我前世的行为决定的意思。我在今生,如果行善,来世可以生长在比较高级的阶级;如果行恶,来世就要生长在比较低级的阶级,或变为动物和植物。我如果非常行善,或许变为英雄神圣。这是印度思想的根本观念。变更阶级,变更自己社会的命运,只有在这种形式之下,才有可能。这自然不过是一种空想的形式。各阶级的对立,更加进展,更加采取阶级的形态以后,印度的思想,就完全活跃于这两个根本观念之中了。

佛教虽是反抗阶级制度,尤其是反抗僧侣阶级的婆罗门僧侣的支配,才发生的,但这种反抗,仍然是采取宗教的形式。关于这点,我仅能略为暗示一点为止。佛教的始祖佛陀(Buddha),是贵族出身,这是值得我们特别注意的。佛陀是属于第二等世袭阶级,他自己常说,他不是大帝王的子孙,他是属于与婆罗门僧侣争社会支配权的第二等世袭阶级。佛教反对以赎罪的方式,献供物于僧侣。但婆罗门僧侣领受供物的独占权,是他们支配社会的基础,并且是他们经济地位的基础,因为婆罗门僧要领受供物才能维持生活。佛教的主张

是:由轮回的解放,不是可以用供物做到的,而是要领会宗教真理和抑制烦恼
才能做到——这种教理就是佛教的基础。在原则上,克服阶级制度,是佛教的
根底。但是这种克服,不是现实的,而是唯心的、空想的、宗教的。所以贫困的
戒律和托钵制度的施行,便与这种克服有关联。这可以看作对当时所起的阶
级分化的一个反动,而这种反动,最为当时被剥削的民众所欢迎。

　　佛教也和基督教相同,并不是永久保存它最初的形态的。佛教因为时间原始佛教
的变迁
的经过和传播于种种国度的结果,已经起了很大的变化。佛教所以适宜于做
世界宗教的理由有二:第一,佛教和基督教相同,超越于地方的民族仪式法则;
第二,佛教对于人间的苦痛,能给以完全普遍的解脱方式,而这种方式,不论是
剥削者、被剥削者、奴隶、自由的游牧民或商人,都适合于种种的社会形态或
阶级。

　　我现在要讲的古代印度唯物论,即是对于婆罗门教的最根本的批评形式,对婆罗门
教作最急
进批评的
印度唯物
论
是超越了宗教界限的批评。这古代印度唯物论,发生于公元以前 500 年的时
候,是与佛教同时而起的,或许可以说比佛教的发生还早。可惜这种古代印度
的唯物论,我们只能从它的敌人婆罗门教派学者的解释中得到一点不完全的
知识,而关于它的记载,大部分只是诽谤和曲解。这种古代唯物论,称之为顺
世派(顺世派即 Lokayata,是俗界的意思,由古代印度语 Loka 产生的)。因此,
古代唯物论是与僧侣之说相反的俗人之说。这种教理,又称之为 Tscharwaka。
这名词由 Tscharv(饕餮)一语而来,是反对这种教理的人命名的。反对者以为
这种教理是以饮食为主的人所主张的,所以加上了这个名称。信奉唯物论的
人们,对于婆罗门僧侣,攻击不遗余力。这些人的目的,是想打破婆罗门僧侣
的独占,得到宗教上的完全自由。这些商人的唯物论者,对于宗教上的茹苦,
是很开心的。

　　现在很简单地来介绍这古代印度唯物论的主要学说。依照这印度唯物论印度唯物
论的主要
学说
的主张,一切认识的起源,都只是感觉的经验。它不承认宗教启示的权威,同
时不承认推理——由一定的经验所得到的结论——是认识的起源。只有直接
感觉的经验,才是一切认识的起源。依这种见解,精神上的一切,是由于物质
发生的,是由于那和希腊人所主张的相同的四个要素发生的。印度唯物论把
思维看作物质的一种活动,只有物质才是能够认识的实在的东西。所谓彼岸,

所谓不灭的灵魂,是不存在的。印度唯物论这样说:僧侣是欺骗者,他们只因为欺骗人民,拿供物维持生活,才实行祭祀和仪式。这些唯物论者,对于佛教徒,也是反对的。佛教徒的根本教理,以为世间一切烦恼或快乐,都不过是假的姿式,必须加以排斥。唯物论者的回答是:唯其有痛苦和不快,然后才有快乐,所以排斥快乐,是毫无意义的。他们的主张是:不能因为米是包在粗谷之中,便连米也抛弃。

关于古代印度唯物论的教理,有几首诗文很能直接表现它的意思,现在写在下面。

不信天堂和解脱,

不信他界有灵魂;

也不信僧侣的仪文,

会生出什么报应。

圣火供祀、三吠陀,

三杖忏悔把灰涂,

用这些仪式——创造神司掌万事!

从无智无勇的人们,

来榨取生活的粮食。

若说供献祭时所宰的牲畜,

可登天国的堂府,

为何祭主不杀亲父,

把他送到净土?

若说供奉祖先的祭祀,

能饱死人的肚饥,

为何不给路行人饮食?

如果下界供奉的施与,

能在天国生出恩惠,

为何不惠及凡人的仓库?

借债去求得美食,

愉快地度过这短短光阴！

在我们有生之日，

尽量避去死路，

生是不会再临。

一个人如离开肉体，

还能上登天国的家庭，

为何他不从天国降临，

常会自己的家人？

供奉死人的祭祀，

都是捏造三吠陀的婆罗门僧侣，

当作生活手段定出。

这班夜贼、流氓、恶鬼们，

用那学者们所夸称的咒文，

用那王女伴马同睡的惯习，

并不忘掉其他的虚语。

恶鬼们还教人肉食。

关于印度唯物论，就此告一段落，我的结论，是想叙述古代印度的思维学 印度的论
理学即论理学发达的过程。论理学即正理学，称为 Nyaya，是关于概念及其他的学问。这个论理学，在古代印度，也和古代希腊的相同，是由讨论种种哲学系统发出来的，就是在讨论时为要巧于准备精于思维，用作补助手段而发生出来的。这种论理学，是古代印度伟大的成绩。

第七章　黑智儿与费尔巴哈

　　我们现在由古代印度说到马克思（Marx）和恩格斯（Engels），由公元前第6世纪说到19世纪，试作一个超过25世纪的大飞跃。关于18世纪布尔乔泛亚革命古典世界观的代表，法国唯物论者，以及德国布尔乔泛亚的古典哲学的主要现象，我很想有个详细的说明。只因时间有限，只好简单叙述马克思和恩格斯的直接前驱者黑智儿（Hegel）和费尔巴哈（Feuerbach）两人的特征，借以指示马克思和恩格斯超出古来哲学最高阶段的划期的进步究竟在什么处所。

　　但是从希腊、印度等古代哲学到黑智儿、费尔巴哈、马克思为止，在这很长的期间中，还有概括地说明的必要。在欧洲近代的布尔乔泛亚哲学和古代哲学之间，横着封建制度的时代。这时代观念的表现，通中世的全体一千年之间（从公元后500年起到1500年止），都是支配阶级的封建的世界观。这个时代，都在教会的支配影响之下。教会是支配中世期的封建诸阶级的顶点，同时又是封建的生产方法和支配秩序最强有力的观念的支柱。在教会支配最盛的时代，哲学和自然科学，并没有发生过独立的作用。哲学不过专为教会的根本教理树立根据并加以解释而已。所谓哲学，正如当时所说，只是教会的奴婢，所以人们称它为烦琐哲学（Scholastik）。烦琐哲学的语源是拉丁语，原是学校的意思。所以烦琐哲学，是中世的教会大学的哲学，教会的高僧们就在这种大学受教育。这种烦琐哲学，既没有独立的作用，也没有有价值的学问上的进步，我们不必在这里多说。就是在封建的中世期发生的自然科学的发展，也是可怜之至。但在封建社会的胎子里，在封建制度的支配中，却已有市民阶级发达起来了。15世纪的末叶，可说是市民阶级较占优势较有进步的转换期。构成这个转换期的特征的主要事实，是美洲

的发见、印刷术的发明、火柴的发明、罗盘针的应用于航海以及其他种种的
发明。由中世期到新时代这个转换期的特征，便是世界贸易的扩大。这贸
易不仅扩大到新发见的美洲大陆，即如近东、中东、远东的海上贸易，到了这
个时代，也开始进到广大的范围。资产阶级的生产方法，这样发达起来，同
时对于那站在封建社会秩序顶点的教会的普遍斗争，也随着开始了。这种
斗争，到了16世纪末叶，也采取了尖锐的形式，而发生所谓宗教改革的运动，宗教改革
这是大家都知道的。路德（Luther）、加尔文（Calvin）、萨文黎（Zwingli）这些人
物，都是这个运动的主角。宗教改革，对于教会虽是反叛，但还是留在宗教和
教会的范围内面。

　　但是，一般对于封建社会，特别是对于教会的观念斗争最普遍最急进的形
态，是布尔乔泛亚的哲学。布尔乔泛亚哲学最初发生的国家，就是布尔乔泛亚
的发展最进步的国家，首先是英吉利和荷兰，其次是18世纪的法兰西，最后是
德国，这是很值得注目的现象。德国之所以处在最后，是因为德国布尔乔泛亚
的发达，比较法兰西和英吉利为最迟。所谓近代布尔乔泛亚哲学的先进人物是
英国培根（Bacon）法国笛卡尔（Descartes），他们两人都是17世纪前半期的人物。
布尔乔泛亚哲学的发展，是在宗教斗争之后。这种宗教斗争，是开辟哲学发展
途径的前提，又是它的基础。因此，哲学是对于封建的世界观的布尔乔泛亚阶
级斗争的最高点，同时，又是布尔乔泛亚阶级意识发达的最普遍的形态。

　　布尔乔泛亚哲学的主要目的及其主要内容，我们可以说明如下。布尔乔泛
亚哲学的
主要目的

　　第一，特殊的是基督教的根本概念的解体，一般的是宗教的根本概念的解及其主要
内容
体；理性的支配，已扩大到宗教信仰所支配的领域。（页边注：基督教和一般
宗教的批判）

　　第二，为自然科学发展造出余地，也是新哲学的主要目的。自然科学的发
达，是布尔乔泛亚社会的经济的发达一个前提条件。自然科学，是反对教会信为自然科
学的发展
仰的锐利的武器；其中在十七八世纪最发达的自然科学——即一方面是机械造出余地
学与天文学，他方面是天体机械论——尤其是如此。自然科学，对于哲学的发
达，给了强有力的影响。对于教会和一般封建的世界观的斗争，自然科学与哲18世纪法
学的提携，在18世纪法兰西唯物论之中，表现得最为明白。就这种世界观作兰西唯物
论的最高
古典的阐明的人物有两个：一个是狄德罗（Diderot），他在法国唯物论者中是点

最有天才的学者;其次是黑尔物梯斯(Helvetius),他是把 18 世纪唯物论的世界观归纳到一个完全系统的人。(页边注:狄德罗与黑尔物梯斯)此外福禄特尔(Voltaire)和卢梭(Rousseau)也是 18 世纪布尔乔泛亚著述家,也同样反对教会和封建制度。(页边注:福禄特尔与卢梭)但他们两人,在哲学方面不如黑尔物梯斯和狄德罗那样急进。他们不是唯物论者,而是主张理性宗教的,他们想从基督教剥去封建的性质,他们所要求的,是一个布尔乔泛亚的基督教。(页边注:理性宗教是布尔乔泛亚的宗教)

布尔乔泛亚的世界观,在德国达到了最高阶段。如前所述,德国无论在经济上、政治上,其发达都比法兰西和英吉利为迟,所以德国的布尔乔泛亚革命,比较英法两国,是在一般的进步的条件之下,用较高程度的观念形态表现的。这里我只就德国哲学发展史中,列举两个终结点即黑智儿和费尔巴哈的哲学来说明。这是因为他们二人都有直接的关系,都是辩证唯物论直接的先觉者,是马克思和恩格斯的直接前驱者。虽然如此,而黑智儿和费尔巴哈两人的成就,却是各不相同。黑智儿是布尔乔泛亚哲学和一般哲学的积极完成者;费尔巴哈却是这种消极的完成者。宗教和哲学都因费尔巴哈的批评而解体了。

黑智儿最主要的活动期,是在柏林大学担任哲学教授的时期。黑智儿最初所完成的著作是在 1806 年,正是拿破仑在耶拿(Jena)战败封建的德意志、征服普鲁士、南北二分德意志之年。黑智儿死于 1830 年,正是法兰西的七月革命和英吉利选举法改正之年。布尔乔泛亚哲学的全体,都为黑智儿所综合。但是还不止此。他还结合了古代哲学和近代哲学,综合了 1500 年间精神的发达,把这个发达引导到最后的终结。他在以前学者之中,是最深刻、最渊博的哲学家,他是 1848 年德国暴发的布尔乔泛亚革命的前驱者,但他自己却不是政治方面的革命家。

黑智儿哲学的主要内容,现在撮要地说说。黑智儿的哲学中最重要而且最革命的一点,即是辩证的方法。黑智儿可说是重新发现了辩证法。他最开始完成辩证法的系统,比较从前的辩证法,他到达了更高的阶段。这是最好的革命的行动。辩证法是最高革命的方法。辩证法证明:一切事物在实在上或在思维上,并不是时常固定在原来的形态,而是无间断地变化,即一切个别事物、个别制度,各有各的发端,因而必然各有各的终结,各有各的发展之向下的阶段。辩证法又证明：一切事物、一切制度、一切思维，都要死灭而转化为它的反对物。辩证法无论在何物之前，是不会停止的。在辩证法看来，没有什么神圣的不可侵犯的东西。辩证法这样的破坏力，依黑智儿说来，是历史的进展最强的动力，或如与黑智儿同时的大诗人歌德所说："存在的一切东西，都值得破灭"。辩证的方法，把这诗在艺术上所表现的事情，来表现于思维上面。辩证法实是革命的普遍的形式。 辩证法是革命的普遍的形式

　　黑智儿哲学第二个特征，就是这个哲学是观念论的，而且是绝对的观念论。依黑智儿的见解，思维的运动，是自立的，是独立的。他所解释的思维，是普遍的思维，普遍的概念的意思，他把它叫作理念(Idee)。在黑智儿看来，思维(即理念)，是物质的实在性，即是自然和历史的动力和创造者。简单点说，思维的运动是宇宙运动的创造者，即思维是实在的创造者。现在从黑智儿观察历史的方法，举个例来说。据我们的见解，中世期的基督教，是由封建的生产关系和社会的阶级关系发生的一个观念。中世期的生产关系是基础，由此发生的中世期各种观念最普遍的体现，是基督教。但是据黑智儿的见解，这关系是完全相反的，他以为中世期的基督教是基础，封建的生产方法、封建的阶级秩序、政治形态等等，却是由此发生的。这样，世界及其发达，是把思维做土台而倒立了。黑智儿用这样方法，说明社会的全体和社会之精神的物质的构造一切部分的普遍关系。他更进一步，指示种种社会形态，是形成历史的阶段的东西，这即是发展系列，而且是在对立中完成的发展系列。在这一点，他比以前一切哲学家，更进一步了。他又指出内在于各种社会形态的内的矛盾，是由一个历史的时期引导到别个时期的动力。但是黑智儿说明这种现象时，并没有在物质力之中发见那种矛盾，因为他自己是观念论者，所以要在当时最普遍的精神的表现体中去探求它。当他用这类方法发见社会生活的内的关联时，他实成就了历史领域中最伟大而且最广泛的发见。所以黑智儿的哲学，在形式上虽是倒立的，然其内容，实有莫大的科学上的进步。 黑智儿的绝对的或客观的观念论
思维运动是宇宙运动的创造者

观念论的形式中社会现实的关联

观念的矛盾是历史进展的动力

　　黑智儿哲学还有一个特征(实在就是他的缺点)，即是：他知道在历史中有时间上的发展，却不知道在自然中也有这种发展的。据他的见解，自然是永久活动于同一轨道。在这一点，他比较那要用机械的学说去理解太阳系的发生的哲学家康德(Kant)，却逊一筹。最后说到黑智儿哲学和宗教的关系。在 自然中没有发展

425

黑智儿看来,宗教与哲学之间,还没有发生什么尖锐的矛盾。黑智儿哲学是使宗教从内部崩溃的。(页边注:黑智儿哲学使宗教内溃)宗教的一切根本概念,他都给以纯哲学的意义,即是使这些宗教的根本概念适合于论理学或辩证法的根本概念,其结果宗教的根本概念,在事实上就没有剩下什么了。但是他对于宗教的外形,并没有加以攻击。这种方法,和当时德国阶级斗争的发达阶段一致。当时德国的布尔乔泛亚革命,在组织上、在宣传上,都才开始准备,对于教会与绝对主义,尚未达到公然斗争的时期。黑智儿所以这样,也有一个原因。因为哲学的指导者的他,是专制国家普鲁士最重要的大学教授,而专制国家普鲁士,实是当时布尔乔泛亚革命的目标。此外还有一个理由,他的哲学是非常难懂并且是非常抽象的,只有很少数对于哲学的思维有素养的人才能理解。当时普鲁士的专制政府,并没有注意到黑智儿在柏林大学教授的这个难解的抽象哲学是很革命的东西。就在今日,也是一样,凡是对于哲学史、论理学以及一般抽象的思维没有根本预备知识的人,谁也不能研究他的哲学。

黑智儿哲学的革命性质,在他的门徒的一部分,比较他自己更要尖锐,更要鲜明。黑智儿的门徒,对于当时国教的基督教,曾直接加以攻击。这种对基督教的攻击,也和对当时国家作政治的攻击一样。黑智儿的这些门徒中最卓越的、最急进的人物,即是费尔巴哈。在黑智儿本人,还可做大学的正教授,而

在他的门徒费尔巴哈,却不能不受别种运命所支配。费尔巴哈曾经想执教鞭,做大学的私讲师,但前途毫无希望,不得不隐居于乡村,过私学者的生活,在那里完成他的主要著作。从来的哲学,经过费尔巴哈之手,就变成很革命的,专制国家普鲁士的教坛上都不许讲演这种哲学。黑智儿还没有和宗教断绝,费尔巴哈却公然和它断绝了。在这种见解上,他在 1841 年发表的《基督教的本质》(Ueber das Wesen Des Christentums)一书,即是划期的著作。费尔巴哈不

仅和宗教决裂,并且和所谓特殊科学的哲学决裂,因为据他说来,哲学是宗教最后的形态。费尔巴哈完成了由观念论到唯物论的过渡桥梁。他以为宗教的内容,在某种形式上,是对于所谓世界创造者和动力之超感觉的、空想的、精神的本体之信仰。所谓哲学,不外是用不同的形式,来说明相同的事物。黑智儿所谓成为世界动力的世界理性,不过是基督教的神的观念的另一形式。那隐藏在无穷的精神和意志背后而人类又以为是超感觉的彼岸的秘密,即是人类

的悟性和意志。只有人类,才是宗教和哲学上的真秘密。简单说来,基督教或犹太教,都主张神是按照自己姿式造成人;但费尔巴哈却说不是神按照自己姿式造人而是人按照自己形态造神。古代希腊曾有一个和这种思想相同的哲学家说:"若是牛造神,神就会是牛,而黑奴会造出低鼻广唇的神"。费尔巴哈却把这种思想普遍化,并且把它扩大到哲学上面。据他所见,哲学只是宗教(即神的信仰)最精炼的形式。

费尔巴哈以为现实的认识,只有物质的认识,感觉的认识,才有可能。像宗教或哲学所主张的超感觉的认识,并不是认识。没有感觉知觉的认识,感觉所能感觉的世界以外的认识,是不存在的。所谓超感觉的认识,不外是感觉的认识一种空想的变形,因此,在自己头脑中能够构成世界的任何特殊哲学、任何特殊哲学的方法,都不存在;世界的认识,只有用感觉的经验做基础,才有可能。我们不能像哲学所相信的那样,能够由单纯的头脑去组成世界。所以我们对于那相信可由思想构成世界的哲学的方法,不能不告一终结。思维是不能和物质分离的。 哲学之消极的解体

费尔巴哈学说中划分时代的东西,第一是消灭那所谓科学特殊形态的一般哲学。第二是消灭观念论,走向唯物论。不过费尔巴哈这种结论,一部分还只是消极的。在费尔巴哈一方面,比较黑智儿是缺乏辩证法,即是费尔巴哈缺乏历史唯物论的解释、缺乏唯物论的认识。他只能对自然作唯物论的观察,不能就历史作唯物论的说明。所以费尔巴哈的唯物论是自然科学的唯物论;而对于这种自然科学的唯物论,在历史的领域,便现为观念论。这可说是不完全、不充分的东西。这种不完全性,是以后马克思和恩格斯所以超出费尔巴哈而进到辩证唯物论的一个动力。费尔巴哈超越黑智儿的这些进步,实可称为德国最急进的市民阶级的代表。

第八章　由自然科学的唯物论到辩证唯物论

费尔巴哈
的进步和
缺点

前章已说到费尔巴哈,现在再就费尔巴哈超出黑智儿以上所成就的进步和他的缺点所在,简单地说说。先从他的主要进步讲起。

一,从观念论转到唯物论。

二,费尔巴哈从科学上终结宗教。他说明宗教是人们的制造品。人们按照自己的形态,制造神灵。自费尔巴哈出世以后,宗教在科学上就归于死灭而被克服了。不过我们要注意的,宗教在实际上并没有因此而消灭。

三,与自然科学对立而称为特殊科学的哲学,没有经验而纯由头脑造作事物的哲学,也因费尔巴哈的出世而被葬送了。

以上是费尔巴哈比较黑智儿进步的主要点。

但是费尔巴哈的唯物论,还有两个主要缺点。第一,他的唯物论,只是自然科学的唯物论,即是不完全的唯物论。他的唯物论所以不完全,是由于他对历史的进行,不能作唯物论的说明。这种地方,在他就有一个单纯的缺陷。他对于历史的进行,应怎样解释,是毫无把握。其他自然科学的唯物论者,都是一样,一到解释历史时,总是抱着以前观念论的头脑。他们一般的见解,总以为历史的进展,是为思想和观念的进展所限制,要不然,就以为是英雄豪杰偶然的思想造成的。这是第一个缺点。第二,他缺乏辩证的方法。这辩证的方法,是黑智儿超出从前一切哲学家所成就的一个伟大的革命的进步。这个进步到费尔巴哈却消失了。费尔巴哈,无论在自然科学上、在历史上,都没有懂得辩证法。

马克思和
恩格斯的
辩证唯物
论的来源

超出费尔巴哈自然科学唯物论以上的决定的进步,是马克思和恩格斯二人完成的。他们两人同时又是科学的社会主义的建设者。他们完成这个伟大进步的时候,是在 19 世纪 40 年代之半,在德国革命勃发以前二三年。费尔巴

哈于 1839 年作成《基督教的本质》，于 1843 年作成《关于将来哲学的思想》
（Gedanken über die Philosophie der Zukunft）。所以，马克思和恩格斯超过费尔
巴哈的成就时，不过两三年。费尔巴哈是布尔乔泛亚的革命家，而且是属于最
急进最进步的流派。马克思和恩格斯起初也是急进的布尔乔泛亚革命家，后
来站在普罗列达里亚方面，建立了科学的社会主义。因此，他们两人就成为社
会主义的、普罗列达里亚的革命家，而超越布尔乔泛亚的急进思想，更进一步
了。他们是那支配着当时（1820—1830 年）的哲学家黑智儿的门徒，同时又是
费尔巴哈的门徒。历史唯物论或辩证唯物论，不仅是他们从德国哲学出发而
发展起来的，此外，当时还有其他几多的现象，也给了不少的助力。其中最主
要的，有两个现象。第一，当时英国发生阶级斗争。当时英国，是近世劳动者
最初大运动的宪章运动的时代。在当时经济最发达的英国，谁也可以在劳资
的冲突之中，找出那政治斗争的真基础和真说明来。另一方面，凡是研究英国
劳资两阶级冲突的人们，都能明白劳资两阶级间这种冲突，是根源于两阶级的
经济地位；即前者没有生产工具而专靠卖劳力维持生活，后者却拥有生产工具
而蓄积财富，这种事实，即是英国劳资冲突的根据。所以就历史过程作唯物论
的解释，在英国是认为最明了的事情。大家知道，恩格斯在青年时代，曾经在
英国住过几年，那里的劳动运动，很引起他的兴趣，就成为他研究历史唯物论
最初的原动力。第二个原动力，是发生于法兰西革命的历史。法兰西革命当
时，马克思正在巴黎，从事研究法兰西革命的历史，所以法兰西革命，使他受到
很大的影响。研究法兰西革命的资产阶级的历史家，本来早已认定法国革命
须由各种阶级间的斗争去说明。所以那成为政治史原动力的阶级斗争，在马
克思看来，就因法国革命史的研究而更加显著。同时，在恩格斯看来，劳资两
阶级冲突的经济基础，也特别明了。他们两人共同切磋，努力研究，一面应用
黑智儿所教的辩证法的方法，一面又和费尔巴哈同由观念论转到唯物论，创造
了辩证唯物论，建立了社会主义的科学的基础。

　　或许有人要问：马克思和恩格斯两人超越费尔巴哈所成就的决定的进步
究竟在哪里呢？第一，费尔巴哈已经发见了应用唯物论解释自然界的锁匙；马
克思和恩格斯却更进一步，又发见了应用唯物论解释历史的锁匙。他们两人
在人类获得生活资料的方法之中，在人类生产那物质生活的方法之中，发见了

历史唯物论的解释。他们两人把这个叫作"生产方法"（Produktionsweise）。所谓生产方法的意思，不外就是人类获得生活资料的方法。或如恩格斯简捷的说法，所谓生产方法，不外就是人们在研究哲学以前，必先饮食的意思。其他一切，都是后来的事情，都是要看人类怎样取得饮食来决定的。这种单纯的知识，实是历史之唯物论的解释的基础。由于这点，那观念论和观念论世界观，才从它们最后的隐藏处被驱逐出来，并完全被克服了。费尔巴哈驱逐神灵于自然界之外，马克思和恩格斯再驱逐神灵于历史之外。照观念论的见解，历史上的神的支配，当然不是主张人格神决定一切历史事象的那样粗杂方法上的支配，而是一种更精制的东西。在历史方面讲来，是理性或观念这种小神支配着历史。照犹太人宗教的教义，神灵从头脑创造世界，因而从虚无创造世界。这正和从来所谓世界精神创造世界的观念一样。马克思和恩格斯两人对于这种观念，却是彻底抛弃了。他们两人对于历史，无论大小精粗，都不信有什么神存在，反而证明历史方面也和自然方面一样，物质的基础，是规定观念和思想的根本条件。因此才把那关于超感觉的彼岸的本体或力的观念，完全克服了。于是那彼岸的超感觉的力或权力的最后观念，也被破坏了。依这种进步，就是黑智儿所认为超感觉的创造者的精神作用，也从此告终；同时，那解释世界的特殊形式宗教和哲学，也完全被克服了。

马克思和恩格斯超越费尔巴哈的第二个决定进步，在于采用费尔巴哈所缺乏的辩证的方法，并且是不像黑智儿那样采用这方法。黑智儿的辩证法，只是观念论辩证法。观念论辩证法是什么，上面已经说明了。马克思的辩证法，是唯物辩证法。他把辩证法看作现实的物质界的普遍运动法则，看作适合于这法则的人们的思维法则之总体。换言之，现实的物质界是辩证法的，是依着辩证法的法则的。人们的头脑是构成物质世界的一个要素，所以这种辩证法，是存在于人们头脑之中。依着这种方法，马克思和恩格斯便保存了哲学史积极的总结。从辩证唯物论看来，贯串二千年以上的哲学史，只是谬误的集积。哲学对抗世界的自然科学和唯物论的解释，企图建立一种特殊的世界解释，这种努力毕竟是无益的，不过于谬误之上，再加上谬误而已。但是哲学也有现实的真实的效果，这效果就存在于人们思维能力的认识之中。人类在二三千年之间，研究哲学的结果，得到了一个真正的进步。这个效果，就是辩证

唯物辩证
法是哲学
史积极的
总结

法、认识论和论理学。辩证法因费尔巴哈而丧失，因马克思和恩格斯而保持，并且发展到唯物辩证法。这唯物辩证法，在后面再另章研究。

认识论、外界之独立的存在

因此，我们可以说，马克思和恩格斯扬弃了辩证法，同时又没有扬弃辩证法。我现在再从辩证唯物论的见地，来研究认识论上的主要问题。首先要解答的问题，便是观念世界观和唯物世界观之间的根本问题，即是对于那可由感觉而知的外界的思维的问题。质言之，这些问题，即是：外界的一切，如桌子、树木、洋灯等等，到底是离开我们的意识独立存在的吗？这些事物，是在客观上离开我们独立存在的吗？或者只是存在于我们的意识之中呢？这便是所谓外界的客观性的问题。这就是知识论的根本问题之一。在常识上说来，关于这些问题，早已给了解答了。不用说，洋灯是离开我们的意识独立存在着，并且当我们触到了洋灯时，就认识它。同样，当树木倒在我们头上时，我们才觉得树木是离开我们的意识独立存在的。但是，常识并不是科学问题上的最高判断者。观念论的哲学家，对于这种常识，便倡导极重要而有意义的异论。他们说：结果并不是树木成为物体印入我们的头脑中（如果这样，那所谓思维便停止了），而是树木成为观念印入我们头脑中，印入我们的意识中。所以当我们研究那对我们发生的一切事物时，照观念论的看法，我就可以发见我们所知道的一切事物，都只是存在于我们头脑中的意识和观念。因此，观念论所达到的结论是：离开人类意识而独立的世界是不存在的，一切事物都只存在于我们的意识之中。至于不存在于我们观念中的东西，我们是无从知道的。结果，意识便是一切，若相信在我们以外还存有事物，那便是常识的谬误。观念论的这种见解，不仅通用于对树木洋灯等，并且通用于其他的人类。因此观念论又得到一个结论：即只有我存在，只有我的意识存在，我以外的一切人类，只存在于我的观念之中。这便是观念论世界观最后的归结。

观念论的见解

由观念论的见解发生的结论

从世界只存在于我的观念中这个主张出发，还发生二三更有兴味的结论。第一个结论是：这个主张若是事实，世界在没有人类以前，是不能存在的。这是一个不可避的结论。第二个结论是：人在睡眠时（假定他睡去不做梦），同时会显出世界的没落。因为观念论者说意识如不存在，任何世界也早已不能存在。这也是一个必然的结论。但是我们要研究的问题，就是怎样去反驳那所谓一切存在的事物都只存在于人类观念中的这种见解或观念？读者诸君想要解答这个问题么？

读者诸君若不能解答这个问题，我们就不能不采用观念论的学说了。诸君只管试试看，或许会发生这样的见解：即当我触着树木时，我便觉得树木是离我独立存在的。观念论的见解正相反，即当我触着树木时，我也只有由我的意识，才觉得树木。我所感觉的苦痛是一个观念，是意识的一部分。［页边注：实在（有）和非实在（非有）的关系及自己意识］我们再举一例，譬如弹丸穿到我们的身上。依普通的见解，弹丸是离我独立存在的东西。观念论的见解却说当我觉得弹丸时，我也只有由观念去觉得。所以要用普通的见解去反驳观念论，是没有用处的。因此我们不能不再进一层去研究。现在我们若把这个问题，改为如下的形式：即依据观念论世界观说来，我所能知能触能感的一切事物，都存在于意识中，于思维中，于我的头脑中。照这样，问题的要点，便更加显明了。现在再换个问题来问，就是：存在于我的头脑中、意识中的事物，就是一切了么？但是所谓人类意识的继续研究的结果，却发生以下的结论，就是：这意识自身，在最根本的方面，它已不是包含一切，而只是包含所谓世界的一部分的知识。这样的意识才能使一切思维有可能。一切的思维，都是从这样的意识出发的。我们在自己意识的本身中，发见解答。这解答便是：我的意识，并不是一切，而是存在于那和我的意识不同并且和我对立的世界这种知识之中。换言之，思维是实在的一部分，并由实在而生，绝不是实在的反对物。因而这个问题，结果，便在常识的意义中被解决了；不过这不是用常识的手段去解决，而是用那几千年来研究人类思维的结果做基础，即是用那完成哲学的真实内容的研究的结果做基础去解决的。

现在再用树木一例来说明。照观念论者所说，树木存在我的意识之中，只有依着意识，我才知道树木。但我同时在我的意识之中，可以区别树木和我，我知道我是树木以外的东西。只有依着这种区别，思维才有可能。其次，还有一个小问题，也附带说几句。实际上不仅存有和现实事物一致的观念，并且纯粹主观的观念也是存在的。例如我于夜间眺望天空，在任意的处所，发见星的光辉。这星或许现实地存在着，或许只是在我的眼中发生这个光辉的印象。这时候，我究应怎样分别这是现实的星呢，或是我所见的东西在我的眼中发生的呢？

　　再举一例,说明这个问题。精神病者,是有一定的谬误的感觉观念的。本来没有什么声音时,精神病者却相信听到什么声音。这只是精神病者的想象而已。我们又从什么地方去区别现实的声音和想象的声音呢？

主观的观念和客观观念

　　我还说一件我自身曾经发现的事情。我就寝时,突然觉得墙壁摇动,并且觉得壁中的画像开始发音。关于这事,可以做两种说明:第一是看见这事情的当事者,没有醒来;第二是或许起了地震。我究竟用什么来区别这件事呢？

　　这里有个解决的方法,就是我决定我的感觉是主观的错误或是真实的,只有看一切人们是否也认识这事,才能决定。譬如我是一个天文学者,我若在太空中看见一个星子,我便把这个知觉报告于观察这星的其他一切天文台。这时候,若是在我以外的任何天文台都没有见到这星子,我的知觉就是一个错觉。这就是我们用以区别主观事实和客观事实的决定点。主观的经验,只限于经验这事实的本人才能知觉;客观的经验,一切人都能知觉。

　　又如就地震的情形说,要确定是我自己摇动或是地球摇动,只要望望窗外,便可明白。别的人们,要确定地球是否摇动,望望窗外就可以认定地震;但若只有我一个人站在窗边时,我也可以认定是我自己的脚在摇动着。

　　现在说到第二个问题。这个问题是:现在我证明那在客观上离开我的思维而独立存在的外界,究竟是物质的性质的东西么？主张外界是物质的性质的东西,这是唯物论的见解。或者说外界是精神的性质的东西么？主张外界是精神的性质的东西,这便是观念论的见解。例如黑智儿的观念论说:事物是存在于人类意识以外的东西。但是同时黑智儿又主张事物不是物质的性质的东西,而是精神的性质的东西。所以黑智儿的观念论是客观的观念论。唯物论主张外界是物质的性质的东西,这是在自然科学上已经充分证明了的。

外界的物质

　　现在来结束这问题。上面说过,自然科学确定外界是物质的性质的东西。外界是由有种种形态和运动的物质成立起来的。说到这里,又会发生一个问题:思维自身是什么？思维是物质的东西呢？还是和物质不同的东西呢？我们的答案就是:第一,思维自身是和物质的实体相结合的,即是和人的头脑相结合的,思维是如筋肉的机能一样的机能,或者说是分泌液体的腺的机能;第

思维与脑

二,思维只有和物质的素材(Stoff)结合,才得发生机能,即是和感觉的知觉结合,才得发生机能。因为有这二重意义,所以思维是物质的。一般的感觉(即最简单的性质的意识),是和生物的存在相结合的,那发展到最高阶段的悟性和理性,是和人类相结合,即是和特殊器官的脑相结合的。

第九章　唯物论的认识论

前章已经说明世界是物质的性质或是精神的性质的问题。我们的结论是：世界一切现象，都是运动的物质现象或物质的运动现象。最后更说到思维也是一种物质的性质的东西，是和特殊器官的脑相结合的。所谓物质，可以说是无限复杂，同时也是绝对统一的。关于物质的统一性，已有现代物理学者和化学者把物质分析为分子，更把分子分析为较小均等的元素，而渐次接近于物质的这种统一了。在另一方面，我们又看到这统一的物质，用无限复杂的方法，结合为种种的物质。这不仅自然界表示无数复杂的物质，就是人类对于自然界的物质，也还附加以新的物质。譬如在化学上也能造出那不存在于自然界的物质来，这是大家所知道的。凡是通用于物质的东西，也通用于和物质固结不解的运动的。运动的形式和种类很多，是无限复杂的，又是绝对统一的。从最简单的空间运动到思维，中间实存有物质运动的无限复杂的连锁。

其次，我们来研究思维对于现实的关系的根本问题。这个问题是：事物果和它的本体一样，可以认识么？物的本质，可以认识么？或者只是现象可以认识呢？换言之，真理可以认识么？又，这真理可以完全认识么？或者只是一部分可以认识呢？思维可以无限制地认识事物么？或者关于思维本身的性质，有认识的限制和界限呢？

和这个问题相关联的，又发生下面的问题：关于真理，存有准则么？这准则又是什么？

我们主张：人可以在事物的现实上认识事物，可以认识事物的本质。观念论的世界观，却和这相反。依观念论的世界观说来，要认识事物本体的本质，是不可能的；因为一切认识，只有由思维发生，只有由思维媒介。但事物并不由思维便能摄取它的本体，反是由思维变形。思维是工具，它和一切工具一

物质及其机能之无限的差别性与无限的统一性

思维对于现实的关系

观念论的见解

435

样,变化它所处理的物质的形态。例如陶工把黏土做成一定的形式时,他就变化了那粘土的形状;同样,思维要认识事物时,事物也因思维而变形。关于这一点,也有这样主张的:即当我们把思维所给予于事物的形式除掉时,我们便可以认识事物和它的本体一样了。但当我们除掉这种形式时,事物便剩留在思维的外部。因而便有下述的矛盾:若事物剩留在思维的外部,它便变成不能认识的东西,或者事物达到了思维,由思维而变形,那就无论如何,不能在事物的现实上认识事物了。观念论的见解,在这二者中必居其一。这就是观念论世界观的态度。

我们对于这一点的答复是:观念论者的主张是无意义的,是和事物的性质相矛盾的。当思维和事物结合时,也和普通两种事物的结合一样,如果两种事物互相结合,这两种事物,彼此便发生交互作用。甲物作用于乙物,乙物也作用于甲物。太阳吸引地球,地球也吸引太阳。太阳作用于地球,地球也作用于太阳。没有反作用的作用,是没有的。在作用和反作用中,才现出两个事物的性质,扬弃了一事物对他事物的作用,便是扬弃了事物自身。事物作用于思维,思维也作用于事物。思维的关系和两个事物相互间普遍的作用,是适应的。若照观念论者所主张,思维不作用于事物,而认识可以发生,那就恰和不发生反作用而能发生作用的主张一样地没有意义。观念论者因扬弃反作用,同时扬弃作用;因扬弃作用和反作用,同时扬弃事物自身,即扬弃事物的本质。这便是矛盾。但这不是辩证法的矛盾,而是形而上学的矛盾。观念论者的主张,正如胃中并没有含着什么物质,又没有给以作用,而却希望胃能消化什么物质一样。

观念论者又说:因为人类的感觉器官完全是特别的形式,而理解事物,也完全是特别的,所以人们不能认识事物的本质,如事物的自身一样。一个光波在人的眼中,感觉是青色;但同一光波,在蜜蜂和蚂蚁看来,却非青色,或许是灰色,或许是别的颜色。人的感觉器官,是用特别的方法知觉事物的,这种方法,和别种生物对于事物的知觉不同。例如嗅觉,某种植物发出一定臭气,借以引诱某种昆虫,这是大家所知道的。又有一种植物,常发出和腐肉污物相似的臭气。人类对于这种臭气,避忌唯恐不急,而某种动物,却因为这种臭气,而接近这种植物。那就这种臭气,对于某种动物的作用,和对于人类的作用是不同了。这种例子,在感觉能力一例,也常常显现。在人类感觉到寒冷的一定温度,而在冷血动物(鱼)的感觉,却完全不同。这是确实的。同样,在声音一方面也是这样,昆虫和鱼类的声音感觉,确实和人类不同。以上所引的各种事实,为的是要证明人类的感觉器官(如眼、耳等)是特别的东西,而理解事物的方法,也不同于其他生物。观念论从这些事实出发,便提出下述的反对论:即人类的认识,并不知觉事物的本质,而是在适合于人类思维的本质和人类感觉器官的本质的特别变形中,才得知觉事物。

第二点,人类的感觉器官,不仅种类特别,和其他生物不同;并且这感觉器官,在它的知觉中,是受有限制的。因而或许要提出下面的问题:人的感觉一般所不能达到的事物和现象,是不存在的么? 例如:人的眼所不得知觉的色,确是有的,但这种色的存在,可以用别的方法确定,这是我们所知道的。如色的分光景界限以外的色,即紫外线及赤外线。这种事实,不仅适合于色和色的区别,并且适合于明暗的区别。夜间的动物,如枭和猫,能在黑暗中观察人类眼睛不能观察的明暗的区别。同样的事实,也适合于感觉知觉的另一范围。一切的感觉器官,在它的领域中,都有知觉的上位界限和下位界限,都有量的界限和质的界限。这正同感觉器官在知觉的领域内有差别(同时又是一致)的量的界限和质的界限一样。

由以上所述,人类的感觉器官,实含有特殊性,同时又含有限制性;可是我们对于这两个性质,都能给以正当的答复。即是人类有特别的手段,能够克服这种感觉器官的特殊性和限制性。所谓特别的手段,便是思维。狗的鼻比人的敏锐,鹫的眼比人的敏锐,别的动物比人类或许善于知觉别的事物;但人类的认识能力,比别的一切生物,更要广泛。这不仅是因为人类得由思维以超越人类感觉器官的特殊性和限制性,并且还由思维所指导的手,由人为的器官的调制,由工具等,来扩大人类的认识能力。如望远镜、显微镜,即是人类用人工扩大感觉器官使更为正确、更为深入的工具。所以决定的一点,正是在于思维超越了人类感觉器官的特殊性。例如物理学家的见解,便认为色是一定物质的媒介的振动,和人类眼睛没有直接关系;音乐是属于空气的振动,和耳所听得到的直接知觉无关。所以科学和思维,便剥去了人类的感觉知觉的特殊性。因此又发生一个问题:照这样,人的感觉的限制性又是什么? 人的感觉所不知

人类感觉器官的限制性

由思维而扬弃了人类感觉器官的特殊性和限制性

437

觉的事物的某种性质,果能存在么? 上面说过,人不能用肉眼感觉的颜色,如紫外线和赤外线,确是存在的。但是,人何由知道这两种颜色呢? 人怎样知道这两种颜色呢? 这是由于特别的物理学的工具,才知道这两种颜色的。结局,人类知道事物的一切性质,不是直接的,便是间接的,不是用天赋的器官,便是用人工的器官。这种事实所以有可能,第一是因为事物的性质,都含着一种作用;第二是因为这些作用,都形成一个因果的连锁,我们可以由这连锁的一环进到另一环。再举一例来说,在一定温度以上的热,单用手和皮肤是不能知觉的,如果我是物理学者或技术家,就可以用特别制成的寒热表来测定它。我何由知道寒热表呢? 这就是用眼看度数知道的,所以我不是用皮肤来知道热,而是用眼来知道热。最后,事物的无限制的"可知觉性"(Wahrnehmbarkeit),只有在无限制的过程中才得实现,只有在继续扩大的一定界限中才得实现。这种界限的扩大,就全体说,是继续显现的,就个别的情形说,却是在较小或较大的飞跃中显现的。

真理的标准

真理不是以无矛盾为标准

　　现在再讨论认识标准的问题。这就是用什么准则确定我所立的命题是真理的问题。这个问题的普通答案便是:我们所以认它是真理,就是因为真理没有矛盾。矛盾是谬误的准则,像这样明了、确实而又单纯的所谓谬误的准则,真是有的么? 关于真理的这种准则,我们只要加以慎重考究,就知道它没有用处。我举几个例来说。谁都知道,空间是有广、长、高三个方向的。但物理学者的主张,却于空间的三次元,加上时间,变成世界四次元,其实我们就是想象世界有十次元,其中也没什么内部的矛盾。虽然这样,我却不承认这种命题是说明世界的物理的性质的。谁都知道,有所谓海蛇的传说。听说海蛇是游泳于海中的动物,样子和蛇相像,身长约百米突到千米突。在海蛇的观念中,是没有矛盾的。就是我假定海蛇的身长不是十米突而是百米突,于海蛇一个概念,并无矛盾。或者,再把那出自民族传说和宗教的所谓龙和幽灵等观念考察一下。这些观念的自身,也绝不矛盾。这些观念,我们都可在论理学上综合起来。这些观念的非真理的准则,并不存在于内部的矛盾,而是存在于别的事物。再就不同的方面举例来说。就是像数学一样的科学中,虽然也发出矛盾,但这种矛盾,不是成为真伪的准则的内部矛盾,其实不发生谬误的矛盾,也能存在的。

当我们在概念相互间去比较各概念时,我们找不出真理的现实标准。不过我们拿概念和现实比较,就可以找出那标准来。这种事实,首先是由观察显现的。譬如"幽灵"的观念,在他的自身,或许没有矛盾,但这个观念,对于所谓精神机能结合于物体的一般经验,就有矛盾了。又如"龙",我们或许也能想象有这样的动物;但是龙并不存在,并不显现于现实之中。这便是关于幻想的另一例证。游星运动的法则,是天文学家刻卜勒(Keppler)首先定出的。我们要试验这法则的正确及其精确的程度,就要观察游星的运行。其次,我们要确定能否在实际上认识事物,那最有力的方法,便是实验。譬如水,在一定质量关系之下,得由氢气和氧气化合而成。但我要知道能否正确认识这件事实,我又何由确定我的主张的正确呢? 这就只有依据实验,依据实验的二重方法来确定了。所谓实验的二重方法,第一是拿氢气和氧气放在一定温度和压力的条件之下,化合为水;第二是按照化学的过程,分解水为氢气和氧气。经过了这种实验,我便知道水由氢氧两气化合而成的一说,并不是虚构,而是和事物的现实本质相适合的。这种实验,用小规模来做,可以在化学实验室里实行,用大规模来做,可以在工业上实行。工业上的应用,就是确定我的知觉是现实的或是虚构的实验。这种实验,不仅可以在自然界实行,并且可以在社会中实行。结果,所谓政治,也不外就是社会范围中实验的一个系列。例如,有人定出以下的一个法则:即,若把大地主的土地分配给小农,小农就倾向于革命。要确证这个法则的真伪,只有依靠实验来断定。

观察和实验是真理的试金石

因此,便得到一个结论:即人的实践(即行动),是确定人能否实在认识事物和认识到何种程度的试金石。譬如我能用氢氧二气化合成水,就证明我实在认识了水的本质。于是又发生了事物之完全的或绝对的认识是否可能的问题。我们的答案是:我们对于任何事物,都不能一举而完全地终结地认识它。不论关于个别事物的认识或世界全体的认识,它的过程都是无涯的;换句话说,事物之完全的认识,只有在相对的不完全的认识系列中实现。但是这互相连续的系列,却表示绝对的或完全的认识。由此,我们同时便得到对于真伪概念关系的标准。在日常生活上,我们都认为真伪的对立,是绝对确定的。即是说一个主张,不是真便是误,不容有第三者。然而所谓认识,是一步一步接近于事物,在各瞬间都含有一片的真理,同时又含有一片的非真理,即含有谬误。

事物之完全的(或绝对的)认识是可能的吗

例如支配太阳周围各游星运动的普遍法则,最先是由英国大自然研究家牛顿(Newton)在第 17 世纪所认识的,即是重力法则。这个法则,到 20 世纪为止,即是到爱因斯坦(Einstein)把它更加充分公式化之时为止,它还是充分的正当的。(页边注:例:牛顿的引力法则和爱因斯坦的引力法则)我们如果简单地说牛顿的法则错而爱因斯坦的法则真,还是幼稚的说法。牛顿法则,含有显著的接近于真理的成分,同时又含有不正确的成分。爱因斯坦法则所含真理的成分比较多,所含不正确的成分比较少。双方同时都有真和误。不过爱因斯坦法则,比较牛顿法则,所含有接近于绝对真理的成分较多而已。

和这有密切关系的问题,是世界全体可以完全认识与否的问题。这个问题,和那世界各部分可以完全认识与否的问题是有区别的。世界全体是可以完全认识的。不过世界太大,当然是不能一口把世界全体吞下去。我们可以在世界的个别的部分,认识世界的全体。因为要认识世界,就不得不需要个别

的科学。科学进步了,世界也随着益形复杂。反起来说:世界全体普遍的观念,是一切个别科学的前提。假使没有一切事物形成一个统一世界的前提,我们必找不到关于个别科学的出发点。所以物理学、植物学等个别科学,是以全体中的世界的科学为前提;反之,全体中的世界的这种科学,又只有由个别科学来补足。但普遍的世界概念,是辩证法的问题。所以我们可以说:个别科学

以辩证法为前提,同时辩证法又以个别科学为前提。这两者实相互制约。最后还有"人类精神中先天的概念是否存有"的问题。这个问题的意思就是:人

果然是头脑中带着一些观念生下地来而不须经验去学得观念的么?我对于这问题的答案是:关于猫、狗、驴、马、树木、骆驼等先天的个别观念,是不存在的,而是由经验得知的。普遍的先天概念,也是没有的,但思维的先天的根本性质却是有的,如同盐、水、铁等含有它的性质一样,思维也含有自然的根本性质。

关于思维的根本性质(或称为根本机能),以下更当详论。不过思维的根本机能,只有和感觉的经验相关联,才能发生作用,这一点应当注意。在这种时候,思维正和别的器官一样,譬如胃。胃,只有在我们吸入可以消化的东西时,才能起消化作用。思维的根本机能,也只有对于这机能的物质存在时,才能发生作用。

第十章 辩证法（一）

本章讨论狭义的辩证法。上面说过，辩证法已有千年之久的历史，并且经过了种种发展阶段。除了印度哲学和中国哲学中辩证法的端绪不论外，我们可以区别下述辩证法的三个主要阶段。第一，古代希腊自然哲学家的辩证法，其登峰造极的人物，是赫拉颉利图斯。第二，其次的较高阶段的辩证法，是柏拉图和亚理士多德的辩证法。（页边注：二、横的辩证法、柏拉图和亚里士多德）第三，黑智儿的辩证法，和第四的唯物论的辩证法。辩证法自身，也成就了辩证法的发展。辩证法的发展是什么，以下再说。赫拉颉利图斯，发展了纵的辩证法，这是辩证法的第一阶段。柏拉图和亚理士多德发展了横的辩证法，这是辩证法的第二阶段。第二阶段的辩证法，和第一阶段的辩证法对立。即第二阶段的辩证法，是第一阶段辩证法的否定。黑智儿综合这两个发展阶段，进到较高的阶段，即发展了纵的辩证法和横的辩证法。但是它的形式是观念论的，可说是历史的观念论的辩证法。古代辩证法是有限制的。它所以有限制的原因，上面已经说过，这个原因，是在古代希腊的生产方法和阶级关系之中，特别是在奴隶经济所完成的社会关系之中。唯物辩证法，才完全打破了这个限制。唯物辩证法，不是发展为有限制的辩证法，而是发展为普遍化的辩证法。我现在来说明普遍化的辩证法和它的基础生产关系及阶级关系，究竟有什么关联。唯物辩证法，是由那站在普罗列达里亚立场的思想家发展起来的。这种立场，以扬弃阶级和阶级社会为前提。阶级和阶级社会扬弃了，那对于社会发展的最后限制和对于发展的思想的最后限制，也都没有了。阶级社会自身，不论在柏拉图方面、在亚理士多德方面，最后即在黑智儿方面，其发展都没有超越阶级社会自身以上。在柏拉图和亚理士多德看来，奴隶经济，是最后的绝对的限制；在黑智儿看来，布尔乔泛亚社会，是最后的绝对的限制。但在唯物论辩证法看来，或从普罗列达里亚立场出

辩证法的发展阶段

一、纵的辩证法、赫拉颉利图斯

三、纵的和横的辩证法——历史的观念论的辩证法

黑智儿

黑智儿综合古代两阶段的辩证法

发,阶级社会自身,并不是终极的最后的东西,也不是社会发展的绝对的限制。阶级社会自身,实受辩证法的发展所支配,而依存于社会发展的潮流。从这种立场的普遍化出发,当然会发生辩证法的普遍化的形式,同时即发生辩证唯物论的形式。布尔乔泛亚学者,最近又走上辩证法一方面。(页边注:布尔乔泛亚辩证法)黑智儿的辩证法,在德国采取种种形式而复活。(页边注:黑智儿辩证法的复活)在法国,柏格森,又发展了辩证法的特别形式。然而,这些复活的布尔乔泛亚形式的辩证法,完全是观念论的辩证法。即如柏格森的辩证法,也是观念论的辩证法,而且回复到辩证法的第一阶段,即回复到赫拉颉利图斯的立场。

柏格森的
辩证法

辩证法的
定义

辩证法可以说是自然上、历史上、思维上的普遍关系的科学。那只在个别上观察事物,只在事物的固定状态上观察事物的方法,是和辩证法相反对的方法。辩证法是在事物最普遍的关系上、在其相互的依存关系上、在其非固定的发展上,以观察事物的。因此,便发生以下的问题:即,我们何由知道辩证法这样不可思议的科学呢? 我们何由得到这样的知识呢? 我们所以获得辩证法,实在有三个源泉。第一个源泉,是自然,是自然现象之观察,赫拉颉利图斯即首先达到了辩证法的思想。第二个源泉,是人类历史的观察,即是观察历史上各时代的变化(包含生产方法中的变化、社会形式中的变化以及和社会形式生产方法相结合的社会思想中的变化)。第三个源泉,是人类思维自身的研究。于是又发生一个问题:即是,在我们头脑中出现的辩证法的思维法则是和现实的法则、和自然及历史中的变化的法则一致——这种事实,又从何而保证呢? 我们的答案是:这并不是特别不可思议的事实,因为人类实在也只是自然的一部分。人类的思维,结果只是自然的现象,人类是和自然中其他现象同种类的东西;所以人类的思维能和自然的及历史的法则一致,并不是不可思议的事情。那和这种主张相反的主张,倒是不可解、不可思议的东西。

辩证法三
源泉

辩证法的
三个主要
命题

本书因为限于篇幅,关于辩证法之个别的方面,当然不能详述,这里只就辩证法的根本法则展开出来。要明白这些根本法则,最好是列举例证,所以下面都用举例的方法来说明它。此外我还指出辩证法这些根本法则的内部的关联。不过读本书的人,若是遇到难解的地方,也必须努力再三考虑,以求充分了解。就另一方面说,这些地方,并不是难以理解的秘密,结局谁也能够理解的。因为一切的人们，在日常经验上可以试验辩证法，在自己的头脑中也可以试验辩证法。所以人们的思维，绝不因为头脑的不同而有差别。辩证法最普遍最广泛的根本法则（一切别的法则，都由这法则发生），便是对立融合的法则（Das Gesetz der Durchdringung der Gegensätze）。这个法则，含有两层意义。第一，一切事物、一切现象、一切观念，结局都结合为一个绝对的统一。换句话说，结局不能结合于统一的对立或区别，是不存在的。第二（这也是无条件通用的），一切事物是同一的，同样，又是绝对地各自区别着，绝对无条件地对立着。这个法则，又叫作事物之对极的统一的法则（Das Gesetz von der polaren Einheit der Dinge）。这个法则通用于一切个别事物，于一切个别现象，并且通用于世界全体。就是我们只看到思维和思维的方法，也可以同样理解人的精神能把事物结合于无限的统一，并且能把最大的矛盾和对立结合于统一；他方面，人的精神，又可以无限地区别并分解一切事物为对立物。人的精神所以能够确立事物这种无限的统一和无限的差别性，就是因为这无限的统一和无限的差别性都存在于现实之中。

下面举几个例来说明这个法则。例如昼和夜，昼有 12 小时；夜有 12 小时，即是有明的时间和暗的时间。昼和夜是对立物，两者互相排除。但昼和夜的对立，并不妨碍于昼和夜的同一，也不妨碍于昼和夜都是 1 日 24 小时的一部分。所以昼和夜的对立，便在 1 日 24 小时间的概念中扬弃了。又如男女的对立，在古代中国哲学中，发生过重大的作用，尤其是在《易经》中，成了一种根本法则。男女是对立的。但这个对立，并不妨碍男和女的同一，也不妨碍男和女都是"人"的普遍概念的变种（Abart）。又如自然中静止和运动的对立，一般人都绝对地把静止和运动分为两个不同的现象。即是说静止着的东西静止着，运动着的东西运动着。但物理学者却把静止看作是运动的特别种类；反之，也可以把一切运动看作是静止的特别种类。最后，再就一般人所认定的绝对的对立举例来说，譬如说"人工"和自然的对立。"人工"是人类所创造的东西，和那由自然创造的东西相对立。但因创造"人工"的人类，结果也只是自然的一部分，所以"人工"也是自然的一部分。

在通常的关系之下，在直接感觉的简单事物之中，在没有考虑到强有力的社会的利害的情形之中，所谓"无统一的对立是没有的"这种见解，通常不会

第一个主要命题：对立融合的法则或事物之对极的统一的法则

事物之无限的绝对的统一（或事物之无限的绝对的同一）

辩证法的形障

443

遇着困难。但是社会的利害若和这种见解相反，或者不处理那接近于直接知觉的观念或概念而处理那离开感觉的知觉的普遍概念时，对于这个见解便发生障碍了。例如，"奴隶所有者"和奴隶，虽是在社会上可以想到的最大的对立，但奴隶所有者是人，奴隶也是人，这是我们在今日所容易见到的。假若我们向希腊人说，或者向最有天分的希腊人说："奴隶所有者和奴隶，都是同等的人"；那么，希腊人决不会承认这样说法，必会答复我们说："两者是绝对对立的，在两者之间，不能有什么同等性。"又就现代的关系说，布尔乔泛亚和普罗列达里亚的对立，凡是布尔乔泛亚方面的人都是承认的。他们并且主张这个对立从古就存在，就是今后也是存在，绝不能超越它。但我们要看出这个对立是历史的东西，是过渡的东西，我们就不能不站在普罗列达里亚的立场。又如男和女，在自然科学上是同种的肢体，都同样是人，这是谁都会承认的。不过我们走到社会中一看，就立刻发生矛盾。当我们为要理解妇女也应该享受和男子相同的权利时，并且为要理解这一点、确立这一点时，就需要无数伟大的历史的革命。至于那些东洋各国男女间同等性在实际上还没有完全承认，那更无须多说了。那些还没有学过辩证的思维而且也不感觉兴趣的人们，对于这些问题，一定主张对立是绝对的。只有受过辩证法的训练的人，对于这些问题，才会洞察对立的融合。这一点，当然不仅由于辩证法的练习而定，并且是由于各个人所处的阶级的社会立场而定的。其次，附带说明这同一范围中的其他方面的问题。如北美合众国，在社会的关系中，有白种人和黑种人的区别，在欧洲，有所谓高级的欧洲人和黑种人、黄种人等有色人的区别。可是这种对立，也不是绝对的。无论白种人、黑种人、黄种人，都结合于人的普遍概念之中，都是人类中同一的分子；所以要在理论上和实践上来洞察这一点，那就不仅依据那受有辩证法的训练的思维而定，并且要依据一定的阶级立场而定了，不过研究普遍的概念时，于那没有训练的思维，也会发生困难。概念越是抽象的，越是非直感的，越是离开感觉的知觉或观念，那困难就越发加大。譬如昼和夜，是 1 日 24 小时的同一种类的两部分，这是容易了解的。若说到真伪的对立，就比较难于了解了。若更说到"有"和"非有"那种最普遍最广泛而且没有内容的概念，那就更难了解。普通人或许要说：像"有"和"非有"这样绝对的对立，人们又怎能统一呢？ 一个事物不是存在，便是不存在，二者必居其一,中间并没有渡桥,也没有什么共通点。我在前面研究赫拉頡利图斯的哲学时已经说过:发展着的东西是"某物"同时又不是"某物",所以在一切变化的事物中,事实上"有"和"非有"的概念业已融合,同时并且同样地包含着这种概念。例如发展为大人的儿童,同时又不是儿童。当他已经变成大人时,便不是儿童了。但因为儿童还没有发展为大人,所以儿童还不是大人。"生成"一个概念中,包含"有"和"非有"的概念。即是"有"和"非有"都融合在"生成"的概念之中。我在前面还曾举过别的例,即是所谓物体从一地方运动到另一地方的空间运动的例。就这个例说,物体运动时,物体是在某一地方,同时又不在某一地方。最后再就普通的思维最容易失败的第三的对立来说。这即是肉体和精神的对立,是实在和思维的对立,或实在和意识的对立。在常识上说来,这些对立之中没有共通性。肉体不是精神,精神不是肉体,这样的说法,在常识已是充分了。可是我们在上面业已证明,两者都结合于统一中,思维和精神都是一个物质的活动,即是和物质相结合的。

　　其次我们讨论对立融合一命题的另一方面。前面说过,一切对立都是合一的,其间都存有同一性。同时,在这里我们又主张两个同一的事物是不存在的,其间必有差别、必有对立。换句话说,事物的对立性和它的同一性,同是无限的。我为易于明白起见,在下面说一段哲学史上小小的逸话。德国哲学家来布尼兹(Leibniz),是生活在 17 世纪末叶和 18 世纪初叶的人,他曾经定出了"两个事物必有区别"(Es keine zwei Dinge gibt, die nicht verschieden sind)的命题。有一天,他和宫庭中的友人散步,偶然谈到这个命题,其中有一位便发问道:傍立的树,是否有两片相同的叶子呢? 这些宫中贵官淑女,就照他所说的去实验,果然没有发现两片相同的叶子。没有区别的两个事物,不论在事物的性质中,或在人智的性质中,都是没有的。又如雨的一点一滴,也不是绝对相同的东西。再就电子说,电子是物质的终极元素,是构成原子组织的一部分的东西,电子和电子,也绝不能绝对相同。即使我们在今日还没有知道电子的个性,我们也可以确实地这样说(在原子和分子之间,我们至少可以确定种类的区别)。这便是根据对立融合一命题而来的,这个命题包含着"事物的同一性和非同一性同是无限"的事实。精神的努力,可以无限地把事物看作同一,又可以区别事物使之对立,这正适合于自然物无限的同一性和差别性。这是根

事物对立性之无限的绝对的差别性

本原则。当我们比较有和非有、实在和思维等最普遍的概念时，我们也会发现和这相同的事件。上面已经证明：有和非有同时存在于生成之中，两者都构成生成的同等要素。这一点，对于有和非有同时是对立的事实，对于有和非有是各不相同的事实，并没有妨碍。

对立融合的这个法则，在读者看来，似乎是未曾想到的新法则。读者若仔细研究，就会看出凡是有内容的命题，没有一个不含有上述命题（对立融合的法则）在内。（页边注：对立融合的法则包含于一切非无内容的命题之中）除了"狮子是狮子"这样主语和客语相同而没有内容的命题以外，上述的命题（对立融合法则的命题）到处都可以发现。现在采用"狮子是猛兽"这样很普通的命题，来说明这个事实。就这个命题说，A 物（狮子）是和 B 物（猛兽）同一的，但同时又可以区别 A 和 B。只要狮子是猛兽，狮子就和猛兽视为同一。同时，在这同一命题中，狮子又和猛兽的种类有区别。所以我们不能说明那不能还原于"A 等于 B"一公式的命题。含有内容的一切命题，都含有一个为对立融合法则所限制的形式。一切有内容的命题中所包含着的这种矛盾——即在那个命题中，主语与客语是同一的，同时又是互有区别互相对立——，在中国哲学古典时代所说的"哲人"（Sophist）们争论白马是否为马时，业已注意到了的。

辩证法的
一个根本
法则的源
泉

这个根本法则——对立融合的根本法则——的源泉，又是什么呢？答案是：第一是经验的普遍化。日常生活和科学，不断地研究着事物的同一性和差别性。因而经验对于事物的同一性和差别性的发现，都指示宇宙间并不存有固定不动的界限。即会有这样的界限，也是动的、相对的、一时的界限，因为界限是不断地被扬弃而重新设定，又再被扬弃的。

第二，如我们所见，对立融合的法则，也由于思维自身的研究而生。对立融合的法则，是自然的法则，也是思维的法则。这个法则，在思维中，是建立于意识的基础之上。所谓意识的基础，就是我知道我是世界全体的一部分，是实在的一部分，同时又知道我是和外界或其他事物有区别的。思维的根本构造，既然是对极的统一、对立的统一，而这对立的统一，一面引出其他一切思维法则，一面，这种思维之对极的对立的统一，又和一切其他事物的性质相适合。

第十一章　辩证法(二)

前章所述,是辩证法最普遍最根本的法则,即是对立融合的法则,或对极的统一的法则。本章来叙述辩证法第二个主要命题,即是否定之否定的命题(Das Gesetz von Negation der Negation),或在对立中发展的法则。这是思维运动最普遍的法则。以下首先说明这法则本身,其次举例来说明它,再次说明它的基础所在,最后说明它和对立融合的第一法则的关联。这个法则的预感,在最古中国哲学的《易经》和老子师徒的学说中,在最古希腊哲学尤其是赫拉颉利图斯哲学中都早已存在。不过这法则的完全发展,却是由黑智儿成就的。

第二个主要命题:否定之法则

这个法则,通用于事物的一切运动和变化,也通用于现实事物和它在人类头脑中的模写(Abbildung)——概念。这个法则的第一个意义是:一切事物和概念,都各有其运动、变化和发展,即一切事物都是过程或进行。个别事物的一切不变性,只是相对的、有限制的,而事物的运动、变化或发展,却是绝对的、无限制的。在世界全体中,绝对的运动和绝对的静止相一致。一切事物是过程、是流转。关于这命题的证明,在前面叙述赫拉颉利图斯哲学时,业已说明了,这里不再赘述。

一切事物是过程,或是进行

否定之否定的法则,比较前面所说"一切事物都是过程,一切事物都有变化"的单纯命题,更有特别的内容。这也是对于这变化、运动或发展的最普遍形式有所说明的。在这里首先要说的,便是一切变化、运动或发展,都在对立或矛盾中实现,即因一事物的否定而实现。因此,我们说到否定方面。否定,即是打消。否定和概念的变化有关系。

变化在对立中或在矛盾中显现

事物的现实运动,在概念上,常称为否定出现于头脑之中。换句话说,否定是事物的运动或变化模写头脑中的最普遍的形式和方法。这便是事物的过程的第一阶段。但是形成运动出发点的一个事物的否定,它自身又依

否定表现事物的运动或事物的变化

从于"事物转化为其反对物"的法则,即否定再被否定。所以我们说否定之否定。

这种事实,若举例说明,当然容易了解,不过在这里我还要多说几句。否定之否定,就理论上说来,无论在思维上在现实上,都发生肯定。(页边注:二重的否定)否定和肯定,是两极的概念。因肯定的否定而设立否定,因否定的否定而设立肯定。我们若否定肯定,便得了否定,即得了第一的否定。我们若再否定否定,便得了肯定,即得了第二的否定。结果仍是肯定。(页边注:否定和肯定是对极的概念作用)

在普通的言语上,由两重否定生出一个肯定。但在辩证法上,由两重否定,并不再造出旧的事物和原来的事物,并不简单地复回到那出发点,而是发生新的事物。这便是辩证法的特征。在这一点,过程一经开始出发的事物(或状态),就在较高的阶段上再造起来。所以从两重否定的过程出发,便发生别种的性质,便发生一个新的形态。那原来的性质,便在这中间被扬弃,而且被包含了。

读者若听不惯"否定之否定的法则"的用语,我可以把它改为"从旧东西产出新东西的法则"。否定之否定的法则,在思维的法则上,特别地公式化了。这个公式如次。1. 出发点是肯定命题,或是"正"(These)。我们的一切思维,就从某一命题某一主张开始。2. 肯定命题或被否定,或转化为它的反对物,我们就把这否定了第一命题(肯定命题)的命题,叫作反对命题,或名"反"(Antithese)。3. "反"再被否定,就得到了"合"(Synthese),即是第三命题。这第三命题,是因二重否定实现的"正"和"反"的较高肯定命题中的否定。

要正确理解否定之否定的法则,先要留心这个法则的两种曲解。(页边注:否定之否定的法则的两种曲解)

命题"正"和反对命题"反",在辩证法上综合为最后的命题"合"。辩证法的综合,和两个对立物在除去那排他的特征时所剩下的性质的单纯总和,是不能混淆的。如果混淆起来,辩证法的发展,就不会发生,就只有阻碍发展的对立的混合或抹杀了。辩证法的发展的特征,就是那发展必在否定中实现。如果没有否定,便没有过程,没有发展,没有新事物发生。就社会方面说,这种否定,是在扬弃旧事物的斗争中实现的。错的辩证法和假的辩证法,只在妥协新旧的地方表现,即是不扬弃旧事物,而谋新旧事物间的结合。最后还要附带说一句,即一切的妥协,并不是斗争的否定。但妥协,也得成为一个斗争的手段。

关于发展的辩证法这种曲解,是在于忘却了综合的主要动机的否定(或打消)。但是和这种曲解相反的曲解,也是有的。这相反的曲解所以发生,就是忽略了"从发展过程生出的新事物不仅否定并扬弃旧事物,而且旧事物也包含在新事物之中"。若忽略了这一点,人们便会误解那发展的辩证法,如法国哲学家柏格森,便是这样。就柏格森一方面说,发展变成不可解的神秘的过程,在这过程上,旧事物和新事物间的关系,只是从对立上理解它,同时却并不从同一性上理解它。二、忽略了在新的事物中含有旧的事物

柏格森之神秘的过程之发展

柏格森对于辩证法的理解的根本错误,就是没有注意到:从旧事物出发,因发展而发生的新事物,不仅和旧事物对立,不仅是旧事物的否定,而且同时又和发生它的旧事物有一种共通的东西。我们只要追究柏格森的思想,便可以看到柏格森自己扬弃了自己。据他说来,只有一个种类的否定,凡属被否定的东西,就和那发展所由发生的东西没有关系。这是完全绝对的否定,也就是毁灭。完全否认一事物,便是毁灭那个事物,所谓发展,便因而完全被扬弃了。依柏格森的主张,若是发展自身超越了发展的限界,若是发展变为绝对的,那发展便转变而为发展的反对物,即是转变为固定或没有发展性。辩证法的过程中的否定不是绝对的、无限制或完全的东西,而是有限制的、相对的、局部的东西。辩证法和一定的具体的否定有关系。前面所述辩证法第一个曲解,便是忽略了否定,这一种我们可以叫作辩证法的机会主义的曲解。辩证法的第二个曲解是忽视了新事物和旧事物的关系,这种我们可以叫作无政府主义的曲解。辩证法的这两个对立的曲解,不论是机会主义的,或是无政府主义的,所得的结果,都是扬弃了发展。第一个曲解,在它扬弃了那成为发展动力的否定时,扬弃了发展;第二个曲解,在它扬弃了种种对立间的结合时,扬弃了发展。辩证法的第一个曲解:机会主义的曲解

辩证法的第二个曲解:无政府主义的曲解

为使读者容易明了上述普遍抽象的问题起见,特在下面举几个实例来说明。就谷粒举例。我可以把谷粒列出一种发展过程。我们或种水稻,或种陆稻,总是把谷粒种在水中或地中。在这里会发生一个怎么样的发展过程呢?在这里便首先完成了谷粒的第一否定。谷粒解体,稻便从谷粒发展起来。谷例证

粒自身解体而转变为稻——这便是第一否定，原来的谷粒，在这时候便灭亡了。第二段——便是它自己的进行。稻成长起来，最后再发展而为谷粒。稻发展到生出谷粒的地步，稻便枯死了。稻枯死了，谷粒再生出来。这时候的谷粒，已不是旧的米粒，而是新的谷粒，不是一颗谷粒，而是很多的谷粒，并且它的性质也不是旧的而是新的——这便是第二否定。关于繁殖的这种小小变异，通常是微细的，而且是不定的。但是大家知道，依照达尔文（Darwin）学说，由这种变异的累积和固定，就要从旧种产出新种来。所以这也是读者研究否定之否定的一个发展过程。两重的否定，虽回到原来的出发点，但这是在较高阶段和不同分量上回到原来的出发点的。柏格森的辩证法的曲解，和布尔乔泛亚现在的历史地位有密切的关系。合理的辩证法，却指证了布尔乔泛亚没落，不可避免。柏格森派神秘化的谬误的辩证法，扬弃了历史的法则性，而把那无事不可能的惊异、恣意和不可解来代替了。

现在用谷粒一例，说明上述辩证法的两个曲解。柏格森的辩证法的曲解，即无政府主义的曲解，大概如下。他以为：辩证法的法则，要求我否定谷粒。要否定谷粒，我当然可以从根本上去做。我可以不把谷粒种在土里，却拿来放在臼中捣碎它。这样一来，谷粒便连什么发展也没有地被否定了。这种说法，便是在事物不能发展的程度上否定事物的第一个曲解。由这种曲解出发所得的结论是：对于一切事物，都存有某种否定，由那种否定总能引导出适合于事物的特殊性的发展过程。其次，第二个曲解，即机会主义的曲解，是由于忽略否定。譬如我给某人谷粒，某人便可以说，谷粒是能自然发展的，也不捣碎它，也不把它种在土里，却把它放在桌子上。这样一来，谷粒便不会发展而为稻。最后便会和别的生物一样，归于消灭。由这个实例说来，我们便可看到关于辩证法的这两个对立的曲解，结果都归着到相同之点，即是并不存有发展，而对象也归于消灭。至于我现在所说的辩证法，却和这点相反。我们若作适当的否定而引出一个发展过程，事物消灭了，同时就发展而为新事物，为较高级的事物。现在再由社会形态和经济形态的历史举例说明。我们所知道的最原始的生产方法，是原始共产制，即是主要生产手段归人类的小集团所共有。这原始的共产制，形成了一切社会的发展的出发点。这便是"正"。原始共产被解体、被否定，于是代生产手段共有和共同生产而起的，便是私的生产、奴隶经济、封建经济、单纯的商品生产，最后是资本家的生产。这便是"反"。原始共产制的否定，是种种历史的形态中的私的生产。第三个阶段是：私的生产的再否定，是共同所有的复兴，也就是达到较高阶段的共产制的复兴。发展因两重的否定，而在较高阶段上复归到出发点。由资本家的生产发生的社会主义的或共产主义的生产，已经不是原始的共产主义，而是发达到较高阶段上的共产主义。所谓发达到较高阶段上的共产主义，即是因为资本主义技术的成果，保存在这个较高阶段之中。在原始共产主义，自然支配人类，在这里所说的共产主义，却是人类支配自然。现代共产主义社会的范围，比较原始共产主义社会的范围，也更加扩大；原始共产主义，至多不过包括几个共同体于经济单位之中，而现代的社会主义或共产主义，却能包括全体的世界经济。这里我虽说明了现代共产主义和原始共产主义的不同之点，但同时原始共产主义也包含在现代共产主义当中。生产手段共有再建起来，资本主义就在共产主义中被否定、被扬弃；不过这种否定，并不是绝对的或抽象的，而是相对的、具体的、有限的。资本制的技术，和资本制在工场中所发生的合作，都依然保存着。最后，再就这个实例指出辩证法的两个曲解的特征来。第一个曲解即机会主义的曲解，忽视了扬弃资本主义到达社会主义的必然性，这可说是改良主义或机会主义的见解。第二个曲解，忽视了破坏资本主义时从资本主义取得建设社会主义的要素，这可说是无政府主义的见解。因为这样，我所以称第一曲解为机会主义的曲解，称第二曲解为无政府主义的曲解。这两个曲解的相互转变，是历史的经验所指示的。

其次讨论否定之否定法则的来源，并讨论这法则和对立融合法则的关系。否定之否定法则，明明和对立融合法则有直接关系。否定之否定法则，即是在时间和连续中的过程（或进行）上的对立融合。为过程的对立融合，发生否定之否定法则，发生对立的发展的法则。第一主要命题（对立融合法则），从状态上、从静的方面上，表现事物最普遍的关联。第二主要命题（否定之否定法则），从过程上、从进行上、从动的方面上，表现事物的关联。这两个命题互相关联，两者都同时在同一范围内，通用于一切过程、于一切事物。两个命题互相融合，形成一个共同的全体。第一个命题给我们以世界的横断面，第二个命题给我们以世界的纵断面。

第二主要命题和第一主要命题的关系

为过程的对立融合或在继续中的对立融合

451

最后研究辩证法的第三个主要命题，这便是质变为量和量变为质的命题。（页边注：辩证法的第三个主要命题：质变为量和量变为质）这个命题，指示一事物或数事物的单纯的增加，发生质的变化；反之，质的变化又发生量的变化。

现在举例来说明这个命题。第一，从物理学举例。拿水来说。水有一定的温度，若把水的温度升高到某一点，水并不是尽管热上去，到了一定之点，就变为蒸气；反之，若把水的温度降低，水也不是尽管冷下去，到了一定之点，就变为冰。水结为冰，是因为分子运动量的减少。温度不过是分子运动的表现，若变化了分子运动的量或分子运动的速力，那么，达到了某一点，就发生质的变化——即变化为液体、气体或固体。反之，若把冰变为水，或把水变为气，那就只有变化分子运动的量才行。因分子的研究，量变为质的法则，随而扩大。化学元素上种种不同的质，是和其次的原子成分（即电子等）的单纯数量的比例有关系的。

更从动植物学上举例。一切动植物都是由细胞组成的。一切生物都由一个或数个细胞发生。生物的一切差别性，都归元于细胞的种种的量和数。细胞增加，就产生出具有不同性质和不同形态的另一种生物。

就相反的过程说，若从一个生物取去一定数目的细胞，或许于这生物没有大害。但若超越一定范围来取去这生物的细胞时，便于这生物有害了。人若拔去了头发，还不算是伤。但若切断腕和胫，就发生质的变化，人或许会死。从人身取去一定量的血，是可以的，但若超越一定量以上，人便会死，这就是质的变化。

最后再从经济学上举例。例如货币量至少要达到一定的最低额时，才发生资本的作用。1 块钱不能说是资本，10 块钱也不能说是资本。但是到一定的最低额时，譬如到了 1 万元，就可以发生资本的作用了。因为单纯的量的变化，某货币量便转变而为资本，便采取别种性质，发生别种作用。这即是质的变化。资本若因集积（Konzentration）和集中（Zentralisation）而增值起来，便发生新的质的转变，即转变为独占资本。独占资本是资本主义发展到帝国主义阶段的特色。

反之，独占资本主义成立起来而资本具有一定的质之时，这新的质也转变于量的关系和性质之中。独占资本比较非独占资本，能获得更高的利润率。

独占价格,普通比较在自由竞争之下的更高。

最后说到辩证法的第三主要命题和以上两个主要命题的关系。这是很简单的。量到质和质到量的转变的法则,只是对立融合的第一主要命题的特别应用。质和量是两极的对立。质是被扬弃了的量,量是被扬弃了的质。我们拿一个苹果、一个梨、一个梅子来看,这三个东西,都各有不同的质。我们只有否定这种种不同的质,或从抽象上观察这三个东西,我们才能把三个东西合计起来。我们当然不能总和一个苹果、一个梨和一个梅子,我们只有在三个果实的概念上,才能总和它们。这就是说被否定了的质是量,被否定了的量是质。这样的对立,在一切事物中包含着。一切事物都有一定的大小数量或程度,同时又有一定的性质。一切事物,同时含有质和量。一切事物都从对立而融合,而互相转变。

由以上所述看来,关于辩证法总算是说完了。当然我们不能单拿上面两三个主要命题,便以为完全领略了辩证法。从上面两三个主要命题出发,当然还有其他许多命题随着发生,不过这里不能一一研究了。这并不是要使初学者模仿这几个公式,而是要使初学者领会事物和思维的辩证法的性质。辩证法的思维,并不是魔术,但这也不是我们生来就有的。这是一种应加以学习和训练的技术。辩证法的思维最普遍的特征,是在事物的关联中、在事物的连续和并列的关联中、在从事物的变化中,去观察事物。

辩证法的第三主要命题是第一主要命题的特别应用

第十二章　辩证唯物论的历史理论（一）

历史理论和革命的实践

本章从辩证法进到辩证唯物论的历史理论。史的唯物论的历史理论，也和辩证法一样，都不是观察的手段，而是行动的工具。革命的理论，是革命的实践和革命的政策所必要的手段。历史的（或辩证法的）唯物论对革命的政治家的关系，也和罗盘针、钟表、六分仪对船长的关系，和物理法则对技术家的关系一样。辩证法是普遍的工具，历史理论是特殊的工具，是在社会关系中可以指示科学的方向的工具，即是确立社会关系的运动法则的工具。只有依着运动法则的认识，那对于将来科学的预见才有可能，那根据这预见的合目的地革命行动才有可能。唯物论的历史理论的划期处所就是：这个理论，能使我们在基本形态上预见历史的生成，并且合目的的影响它，在一定界限内去支配它。这个理论，不仅是过去历史的说明，而是怎样造出历史的理论基础。自然界法则性的洞察，是人类自由支配自然的基础。历史上物质的法则的洞察，开拓了到人类自由的大道。离开了革命的实践，唯物论的历史理论便没有生命。单单理解化学的人，算不得理解了化学。单单用唯物论去理解过去的人，也算不得理解了过去。

唯物论的历史理论和观念论根本不同

史的唯物论的基础，在上面已经用公式说明了，即是说人类获得生活资料的方法和形式，决定其他一切方面的社会生活。这方法和形式，最先决定社会观、思想，或观念，或社会的意识。换言之，物质的社会生活，决定观念的生活。即是所谓"社会的存在，决定社会的意识"。因为物质决定观念（社会的事项也和这一样），所以我们把这个理论叫作历史的唯物论。根据以上辩证法所说的看来，我们便可知道这个理论，是唯物辩证法在人类社会关系上的特殊应用。

这个理论，一见虽似很明白，但和所谓常识却明明相反，这是不可忽略的。

454

常识认识事物,以为人的行动,明明是从头脑发生的,从人类所定的目的发生的。即是说人类先立定一个目的、一个计划,然后照着这目的和计划去行动。像这样的常识,可说是不合于唯物论的历史理论。我们只要仔细加以考究,便知道这种见解是皮相的见解。因为我们更进一步,便发生以下的一个问题,即是:人类所据以行动的目的和人类头脑中的观念,究竟从何而起呢? 社会的思维的这种内容究竟从何而起呢? 更具体地举例来说,封建时代工人的见解,何以和现代工人的见解不同呢? 企业家对于罢工和劳动组合的见解,何以和劳动者不同呢? 我们提起这些问题时,就立即超越单纯观念的领域,要去探求人类何以和千年前的今日有不同观念的原因,探求农民们何以和企业家或劳动者有不同观念的原因了。这种种不同的观念,若只从观念上去说明,结果便是没有说明什么,并且抛弃了说明。我们要了解一定社会观念在历史上如何交替,要了解一个观念如何为别个观念所代替,要了解同一社会里一个阶级对于何为善、何为恶等问题何以各持对立的观念,那就必须归着于观念之历史的原因,必须从社会的意识归着于社会的存在。史的唯物论,并不是把思维或意识的现实性和事实除外的。史的唯物论并不主张人类头脑中没有思想,也不主张人类不依从一定观念而行动,而是从社会之物质的构造,去说明观念和目的。史的唯物论,正和史的观念论相反,它并不承认思想是根本的,是第一义的,而认为是派生的、从属的、第二义的,即认为思想的作用是和一定物质的关系有关联。

唯物论的
历史理论
与常识

观念论的
历史理论
没有说明
什么

于是所谓根本的东西,究竟何在? 人类获得生活资料的方法和形式,即所谓"生产方法"(Die Produktionsweise)究竟何在? 我们还要详细规定。在辩证唯物论说来,所谓生产方法,即是人类从事生产或劳动时互相结合的各种关系,简单点说,即是人类在劳动中的相互关系。结果成为问题的便是:人们怎样群集于生产手段的周围呢? 即是生产手段属于谁人并且怎样使用呢?

什么是生
产方法

若是我们举出几个生产形态(Produktionsformen)来确定什么是基础、是根本,所谓生产方法的本质就更加明白了。就资本家的生产方法说,它的第一特征,是生产手段(机械、工场、原料等)和生产的劳动者分离。一个阶级的人们,虽是生产手段的所有者,却不用那生产手段去劳动。另一阶级的人们(劳动者),他们没有生产手段,只有劳动力,只有在他们被生产手段的所有者(资本

资本主义
的生产方
法

家)使用时,才得从事劳动。第二个特征是:资本家和劳动者在法律上都是自由人。第三个特征是:生产手段(机械、工场、工具、原料)之社会的使用,即是多数劳动者,共同劳动于一个机械、一个工场。单纯商品生产便和这种生产方法相反。(页边注:单纯商品生产)单纯商品生产适用于小规模的手工业和中小农经济,这些小规模经营中人与人的关系,和资本主义生产中人与人的关系不同。就前者说,从事劳动的人,即是生产手段的所有者,如农民是土地、建筑物、家畜的所有者,手工业者是他的工作场、工具、原料的所有者。这是单纯商品生产的第一个特征。单纯商品生产的第二个特征是:一个事业的经营,并不像资本主义那样有多数人共同从事劳动,而是各个生产者用自己的工具去从事劳动。这些生产手段,是生产者个人的财产,由各个人自由处理。虽然在农业经营或手工业经营中,也有许多生产者用自己的工具从事于共同作业。然而(这也就是它的特征)在全体经济上,这并不是各个生产者直接地有计划地共同作业,而是彼此各不相同的劳动者,所以社会分裂为无数的生产者。至于资本主义的生产,多数人有意识地共同作业,却扩大到一个工场,扩大到包括于一个经济单位的多数工场。在单纯商品生产中,所谓有计划的劳动,至多也只限于雇用二三职工的手工业者,或和自己家属共同工作的农民,这是我们在经济学上已经知道了的。第三个特征的实例,是种种形态的原始共产制。在原始共产社会中,主要的生产手段,都属于共有,而生产手段的个人的所有,却还是从属的意义。原始共产社会中的劳动,是直接的、社会的,这种事实,在单纯商品生产或资本家的生产中,都是没有的。以上所述,是人类对于生产手段的关系的实例,这种生产手段表示了种种生产关系或生产方法的特征。这也只是实例,并不是完全的说明。

生产与分配

生产关系(Produktionsverhältnis)——即人类在生产中的直接关系,决定生产物的分配。关于生产物的分配,通例都用分配(Distribution)和流通(Zirkulation)两个用语来表示它。生产物的分配一事,在资本主义的关系中,显现得分外明白。生产手段所属的阶级,就是劳动生产物(即商品)的所有者。因此没有生产手段的劳动阶级,对于他们劳动的生产物,就没有请求权。他们只能取得生产物的一部分,只能用工钱的形式,从资本家阶级(生产手段所有者)取得生活资料。在原始共产的关系之中,因为生产手段不是私有财产,所以全部生产物,必然地属于社会,一部分作为共同消费,一部分依据一定规则分配于各个人。所以对于生产方法——或生产手段——的人类的关系，又决定一定社会中的分配方法。

生产方法或生产形式，绝不能和职业或产业部门的概念相混同。资本家的生产方法、封建的生产方法、原始共产制、奴隶经济等，这些都是生产方法或生产形式，这些都是以生产上的完全一定的社会关系做基础。反之，我们不能说狩猎、捕鱼或农业是生产方法。狩猎、捕鱼和农业，并不是种种不同的生产形式，而只是种种不同的职业部门或生活的途径，因为这些职业部门，在社会上都可用种种不同的形式去经营。就农业一方面说，有在原始共产关系之下的农业，有奴隶所有者经营的农业，有中世期封建性质的农业，有在单纯商品经济关系之下的农业，最后有在资本主义关系之下的农业，这些都各有各的不同的形式。再就捕鱼方面说，最古的捕鱼，确是一种共产主义的经营，即是有较多数的渔夫，共同经营的；其次在单纯商品生产关系下的捕鱼，是各渔夫各用自己的网去捕的；最后采取现代资本家的产业形式的捕鱼，是一个资本家所有着一切必要的捕鱼器具，雇用工钱劳动者去经营。

生产方法不是职业部门

生产方法或生产关系，又不可和技术的概念相混同。生产方法是人类相互的关系，是社会的关系。技术是指人类对自然的关系说的。因而所谓机械生产等术语，并不表示生产方法和生产关系，而是表示一定的生产技术。同样，如石器时代、铜器时代、青铜器时代、铁器时代等，也是指一定的生产技术说的。这便是指使用石器、铜器、青铜器、铁器等各种历史的时代说的。所以这不是由于生产方法的区别，是由于技术形式的区别。

生产方法不是技术

如上所述，生产方法决定一切其他社会关系的形式和发展，即前者是后者的基础。换句话说，生产方法是推进全体社会发展的发动机。于是又发生一个问题：决定生产方法的发展的，又是什么呢？社会从原始共产制转移到单纯商品生产，到封建制度，又从封建制度转移到资本主义，从资本主义转移到社会主义，这些转移，又从何而决定呢？支配生产方法的变化的普遍化法则，是劳动的生产力（Produktivität）的发展。劳动的生产力，可说就是劳动的多产性（Fruchtbarkeit）和丰饶性（Ergiebigkeit）。我们通观人类历史上生产形态的全系列，便可发见生产力的向上，是支配那从一种生产方法进步到另一生产方法的普遍法则。一切生产方法，都有一定高度的生产力和一定高度的技术，成为

从何决定生产方法的发展？

劳动生产力之发展

它的基础和前提。推动一种生产方法到他种生产方法而使它向前发展的动因，是一定生产方法所发展的对立，是生产方法和生产力之间的矛盾。关于生产力的意义，还得说明几句。生产力就是产出一定量的生产物而有效的一切力，一切从来的生产方法，都只能在一定界限内发展劳动的生产力（或丰饶性）。只要达到这个界限，那原来的生产方法，在以前虽是进步的，到这时便变为生产力的障碍了。这种障碍，因达到新的较高的生产方法的推移而被排除，只要社会分裂为支配和被支配的阶级时，这种推移便会因社会变革而实现。

这种事实，我们从农业的发展中举例来说明它。最初原始的农业，是一种共产主义的经营。在共产主义形态中的最初农业，通过了技术上、经济上一系列的发展阶段。这就是共产主义形态，使农业发展到变为最初农业的障碍的阶段。于是便发生了到别种生产形态（即农民经济或单纯商品生产）的推移。代土地共有而起的，便是土地和农业生产手段的私有。土地的私有，在农业上能促进集约的耕作，生产力因而向上。中国或许是农民经济的生产力向上发展到最高度的国家。这种农民经济，到了较高级的方法发展起来而用机械经营农业时，便再受限制，觉到不和时代相合了。在农民的关系之下，是不能应用蒸气力、电气等现代技术上的一切发见的。这就是形成推移到资本家的经营的前提。但农业之资本家的经营，又要发展到它的特别的界限或限制，这界限和限制，是由资本家的生产方法的特殊性所规定。关于农业发展的资本家的生产关系所形成的特殊经济限制，是我们在研究经济学上佃租论时所知道的。超越这个阶段而向前发展的进步，就是推移到社会主义的农业经营。在农业上规定从一种生产方法到另一生产方法的推移的一贯线索，即是劳动生产力的进步。

从一种生产方法到另一生产方法的进步，并不是由其自身自动地实现的，而是由人类实现的，并且是由社会上一部分人实现的。因为在这一部分人看起来，现存的生产方法，已成为自身发展的障碍，并且在他们生产的作用上已经准备了较高生产方法的前提。

现在说到阶级①。阶级有所谓被剥削阶级、被压迫阶级、封建阶级、资本

---

① 1929 年 12 月版在右边添加了旁注"阶级"。——编者注

家阶级等名称。阶级并不是从远古就已经存在,并且今后也不会永久存在,这是很明确的事情。社会分化为种种阶级,是在没有阶级的原始社会中发生分业的结果,经过了比较长期的发展才形成的。阶级的形成,在历史上由于原始共产制的崩坏而出现,和私产的形成,最有密切关系。阶级的区别,由人们对于生产手段的关系而定。我们把现代资本家的社会检讨一下,就可以知道它区别为怎样的主要阶级,及其所由区别的关键。

第一,有着生产手段的人,他们自己不劳动,却利用别人的劳动力来使用生产手段,这是资本阶级。

第二,没有生产手段的人,他们把自己的劳动力交给资本家,受资本家的处分,这是劳动阶级。

以上两阶级是现代社会中的基本阶级。这两阶级的区分,都由他们对于生产手段的关系而定。

第三,前资本主义的、现在还生存于资本主义关系下的一个阶级,即是自有生产手段而自己从事劳动的小农、手工业者或单纯商品生产者的阶级。

又如希腊和罗马的古代,可以区别为有生产手段和奴隶的奴隶主和没有生产手段的奴隶两阶级。那时的奴隶,并不是劳动力的自由贩卖者,而是一个商品。这两个主要阶级之外,在古代还有手工业者、自由农民,即单纯商品生产者一个阶级。所以古代希腊和罗马的阶级区别,也和现代社会的阶级区别一样,也是由他们对于生产手段的关系而定的。

第十三章　辩证唯物论的历史理论(二)

前面说过,阶级的形成,由社会的分业发生。但社会的分业,和一切阶级形成,并不一致。例如澳洲游牧民,虽有分业,却没有什么阶级。又如不使用他人的劳动力的农民家族中,确实也有分业,而农民家族中这样的分业,绝不是阶级的区别。阶级之因分业而发生,只有在剩余生产物超出必要程度以上而有规则地产出时,只有在一社会群或数社会群有规则地领有其他社会群的剩余生产物的全部或一部时,才有可能。社会的一部分对他一部分实行经济的剥削,是阶级形成的基础。从事共产的生产的社会,被别的社会所剥削的事实,也是单独发生的,是不规则地发生的。可是在事实上,这种状态却是同一社会中的剥削和阶级形成的最重要的出发点。关于阶级形成的主要事实即是:在同一社会中发生了剥削事件,而这种剥削已经不是单独的、杂乱的,而是有规则的、周期的、再生产的。世袭阶级(Kaste)和身份(Stande)的基础,同样都是阶级形成,不过这种世袭阶级和身份之中,还得加上世袭权和同群内结婚等规定的条件。这里所说的阶级形成,是普遍的基础,这对于世袭阶级和身份的形成多少与这基础隔离的事实,是不相干的。阶级的形成,是巩固剥削,保证剥削的。一切阶级形成,在本质上是以下列两极为中心而构成的,即一面是生产剩余生产物或剩余价值的阶级,他方是不劳而取得剩余价值的阶级。归纳起来说,形成阶级对立的中心的,便是剥削者群和被剥削者群的对立。

阶级对立　从以上讨论的结果出发,在这里说到阶级时,同时必然说到阶级对立,即必然说到利害相反的经济集团的存在。一定的阶级社会,绝不是限于剥削和被剥削两阶级,而是存有许多阶级。但决定各阶级间相互关系的东西,却是剥削者和被剥削者的作用。所以阶级对立,即是说一定阶级社会中存有经济利害相反的各阶级(这一点须得注意),结果,这些阶级在生产、交换及其他一般社会生活上,都有着互相对立的机能和作用。换句话说,阶级对立是客观的,是现实的,是离开人类的意识和认识而独立的。阶级对立也和阴阳两电气间的对立一样,是客观的东西。阳电气和阴电气的对立,和电子是否知道自己是阳或阴的事实无关;阶级的对立,也和人类是否观察那对立的事实无关。

阶级对立是客观的

阶级对立,必然发生阶级斗争。阶级斗争,是表现为行动的阶级对立。在过程上的阶级对立,即是阶级斗争。阶级斗争也是阶级社会的存在形式(或生存形式),没有阶级斗争的阶级社会,正如没有运动的物质,没有分子热的振动的物质,同是不能想象的事情。

阶级斗争,不是马克思所发现的,在这里实在有两层意义。第一,在马克思和恩格斯二人以前,就已经有人发现了阶级斗争是存在于历史之中,发现了阶级的存在。至于他们两人所确立的,却不是阶级和阶级斗争的存在,而是关于阶级社会历史演进的根本意义。他们两人把阶级斗争看作是解释阶级发生以后全部历史的关键。这就是这种理论上的新发现。第二,有阶级社会存在,便有阶级斗争存在。阶级斗争,在他们两人出生的二三千年以前,便已存在了。他们两人,对于劳动者阶级和其他被剥削阶级,就他们的利害,就被剥削者和剥削者的对立,给以明白的意识,借以把计划性、组织性和意识,浸润劳动者的阶级斗争之中。这就是他们在这种见解上的新成就。

阶级斗争不是马克思所发现的

阶级斗争,包括种种形态的全系列。这些形态,和物质的运动形态一样,有种种的不同。比方一片铁,在低温度时,它的分子运动就慢,在高温度时,它的分子运动就快。铁的集合状态,达到温度和压力的某程度时,就起变化,它会变成液体或气体。所以运动的形态,和这些方面相适应,而有种种的不同。机械的运动、热的运动、化学的运动,都是这样。我们在机械的运动之中,也可以区别出种种程度,如较快的运动、较慢的运动和静止等。这些运动,有种种的形态和种种的程度,同样,阶级斗争也有种种的形态。比方劳动者阶级,对于那逐渐发展的资本主义所施于他们的压迫,便发生了最原始的反抗形态,这种反抗形态,便是破坏机械、同盟怠工和焚毁工场主住宅等。这些都不过是运动的初期形态。其次是个别的罢工、一工场中的罢工、一产业部门的罢工、一地方全部产业的罢工以及罢工形态最发展的经济的总罢工等,便接着发生。

更进一步,还有政治领域中的阶级斗争,如煽动、宣传、选举竞争、示威运动,最后斗争转变为武装斗争,如武装暴动和革命战争等。这些斗争形态,又各有一定的段落、步骤和种类。所以阶级斗争,是阶级社会中连续的现象;阶级斗争中一时平和的缔结以及停战等,都是应有的事情。有时停战,有时缔约休战,纵令战争是常常不开战,而战争还是战争。这些地方,并不妨碍于统一的关联的行为。在战争中是这样,在阶级斗争中也是这样。阶级斗争不仅有种种的形态、类别和种种程度,它还因休战和讲和而中断。这种中断,通常不关于阶级斗争一般,只是关于阶级斗争的特殊形态。纵令是在原则上采取妥协的改良主义者,也不得扬弃阶级斗争一般。改良主义者,不过对于阶级斗争加以限制、加以抑制、使之分裂,最厉害也不过是努力阻止劳动阶级获得权力的武装斗争的尖锐化,然而还是不能扬弃阶级斗争一般。所以承认阶级斗争与否,在实践上,无关重要。阶级斗争所演成的形态,不是恣意的,这个形态,由斗争的阶级本身的性质而定,由敌方阶级的性质而定,由同盟作战的阶级的性质而定,即是由一切阶级全体相互关系和成熟程度而定的。譬如罢工所以成为劳动者阶级斗争的自然形态,就是因为罢工适合于他们生产上的作用。反之,若资产阶级用罢工反对封建阶级,以夺取权力,那罢工就不是资产阶级有用的武器。资产阶级当反对封建制度争取权力时,在斗争准备的阶段中,便采用和前面完全不同的斗争手段,首先是拒绝租税,或承认租税。资产阶级为得要从封建阶级或专制君主制获得某种权利,或买收某种权利,或骗取某种权利时,他们就利用他们的货币手段。在1905年的俄国资产阶级的一部,也采取过罢工的武器,但罢工一事,已经由劳动者阶级在斗争中发生了指导的作用,所以这不过是无产阶级的斗争形态转移到资产阶级的一部的征候而已。所以说种种阶级——资产阶级、无产阶级、封建阶级、农民阶级——的斗争形态,不是恣意的,而是由于各阶级经济的作用和社会的作用,由于参加斗争的某阶级对于别阶级的关系。

阶级斗争之内容　　阶级斗争的内容(对象)和它的形态一样,也有种种的不同。这些内容,有属于经济的,有属于政治的,有属于文化的。为增加工资而斗争,为改善劳动条件而斗争,这是属于经济的。为选举议员而斗争,为选举大总统而斗争,这是属于政治的。为学校的完成而斗争,这斗争是属于文化的。为军队组织而斗争,这斗争是属于政治的、军事的内容。哲学上的论争,是属于文化的观念内容。所以种种复杂的内容(对象),形成阶级斗争的基础,形成阶级斗争的目标。阶级斗争的这些内容,和阶级斗争的形态一样,也是由阶级的性质决定的。所以资产阶级在反对封建制度的斗争中所采取的内容,比较劳动阶级在反对资产阶级的斗争中和农民阶级在反对封建制度的斗争中所采取的内容,是不同的。

阶级对立,产生阶级斗争;阶级斗争到了一定的程度,便产生阶级意识(或阶级观念形态)。阶级意识(或阶级观念形态),在阶级斗争上发生反作用。什么是阶级意识? 阶级意识,第一,是关于一阶级中人的利益和地位的共通性的意识;第二,(这和第一结合),是关于一阶级和他阶级利害对立的意识。例如,一切劳动者所有的共通利害的意识,或一切小农所有的共通利害的意识,这被压迫、被剥削阶级的意识,并非从来便存在的,而是由斗争才发生的。被压迫被剥削的阶级斗争,最初是无计划的、本能的并无共通的意识实行的。在斗争中发生作用的阶级对立,才发生被压迫阶级和压迫阶级对立的意识,并且在这里才发生关于被压迫阶级利害的共同性的意识。这并不是奇事。因为被剥削被压迫的阶级,不仅受强力所支配,而且受精神力所支配,即是受支配阶级的观念所支配。阶级意识,首先在斗争中发展,因斗争的经过而益形明了了,益形尖锐化。并且在另一方面,这阶级意识又逐渐普遍于阶级中的较大的部分。开始之时,通常能够了解阶级的构成分子都有共通利害的事实的人,不过属于极少数。往后,这种阶级意识就逐渐尖锐化了。于是便需要一种特殊机关来体现这阶级最明了的意识。由这样的利害关系出发,便发生了所谓政党的机关。政党是阶级中富有关于阶级地位和使命的特别明了的意识,并能够有组织、有意识、有计划地实行斗争的一部分。

阶级意识能够多少正当地反映一个阶级的利害,也能够多少谬误地反映一个阶级的利害。我们要免去混乱,就要区别狭义的阶级意识和广义的阶级意识。广义的阶级意识,包括着关于阶级利益和阶级地位的正当意识,也包括着关于阶级利益和阶级地位的谬误意识。这种广义的阶级意识,可以用阶级观念形态表示它。这种观念形态,即是一个阶级对于自身利害所形成的观念总体,至于那阶级的观念是否正当,却是另一问题。

（右侧旁注）阶级意识或阶级观念形态

狭义的阶级意识，是正当的阶级意识，对于一阶级的利害和地位，有正当的理解。劳动阶级的阶级意识，即属于此种。所谓多少含有阶级意识的劳动者，即是说他们对于劳动阶级利害的关联和同等性及其对资产阶级利害的原则的对立，多少有明了的认识。谬误的阶级意识，可以叫作阶级幻想，即是一阶级对于自身的地位和利益所形成的空想。这种阶级幻想，和各个人对于自身所怀抱的幻想一样，常常发生出来。就辩证唯物论的见地说，对于一个阶级在现实上是什么，阶级自身所思维、所信仰的是什么，却不可不加以区别。这些事情，我们要严格分别出来才行。这种幻想最常见的事情，就是在剥削阶级被剥削阶级共同对第三阶级斗争时，首先想到这两阶级相互间并没有对立的利害。这不仅是阶级的自己欺骗，实在还有一阶级为要欺骗或眩惑他阶级而故意流布着意识的欺骗和观念存在，这是要注意的。自己欺骗，在这种处所，最容易变为他阶级的意识的欺骗。一切支配阶级，都使用一定的手段，以流布谬误的观念形态，以欺骗被压迫阶级的利益，但支配阶级自身，通常却并不为这些地方所欺骗。结果，支配阶级的新闻、文献、学校等，都是传布谬误的观念形态的手段，都是迷惑被压迫阶级的阶级意识的手段。所以只有建立在辩证唯物论基础上的阶级的本质，及其运动法则之科学的把握（理解），才是最高度的阶级意识。

阶级地位，一般决定阶级意识（或阶级观念形态）和阶级幻想。这个命题，通用于一切阶级的大众，也通用于"阶级平均"（Klassendurchschnitt，即某一阶级中的个别分子）。这一点可就物理学举例说明。譬如气体理论上，有关于气体量的总运动和气体分子的平均运动的一定法则的证明，这是我们所知道的。但是我们却不能去计算各个气体分子的运动。这种法则，叫作平均法则，或叫作统计的法则。这种法则，对于原子的最小构成分子的平均运动的理论，是通用的，但在这里，我们却不能知道一切最小原子的构成分子的运动。社会的领域中的法则，也有和这同样的性质。所谓由阶级地位以决定阶级意识的决定，既通用于属于一个阶级的一切平均人，也通用于其阶级全体。至于一个阶级中的人转移到别一阶级，或者取得另一阶级的意识，那是和上述的事实不相干的。例如辩证法物论的建立者马克思和恩格斯，都是由资产阶级出身的人，后来变成劳动阶级的代表。他们变更了阶级意识，完成了科学的社会主义,数十年来指导着劳动者的运动,从一个阶级转到了别的阶级。反之,劳动者转移到资产阶级,不发展自己的阶级意识,而发展资产阶级的阶级意识,并还为资产阶级的阶级意识做宣传者,像这样的实例,也是很多的。这些个别现象,并不扬弃普遍的法则。反之,这些个别现象,仍是属于普遍的法则,正和偶然事实或特例同属于普遍的法则一样。个人从一个阶级转到他一阶级,在革命的转换期中,实是常有的事情。

阶级并不是一定阶级社会中唯一的人类的集团;在阶级集团之外,还有许多集团存在。有由职业而构成的集团,有因宗教、教育程度、人种、民族的所属关系等而构成的集团。在这些集团之中,要算那由人种、民族的所属关系而构成的集团,特别重要。这种集团,也曾成了特殊的历史理论的出发点。也有些历史理论的出发点,把人类的种属关系,当作决定的东西。史的唯物论,并不否认在阶级集团之外,还有许多其他的集团。史的唯物论,只主张阶级集团,对于阶级社会的历史进行是决定的东西,而民族的宗教的集团,却只能发生次一等的作用。

阶级及其他社会的集团

最后,说到革命和进化的两个概念。这两个概念,在历史理论中,发生了重大的作用。我们只有从辩证法来理解这两个概念(即认定这两个概念,是对立的,同时又相互结合的),才能正确了解两者的关系。所谓革命的意思,即是"被支配阶级推翻支配阶级"的各阶级间权力关系的根本变动。从一种生产方法到另一生产方法的推移,在阶级社会中,是由政治革命和社会革命实现的。革命之表现的特征,虽是突发性和暴力性,但是不能说一切暴力的突发的行动,都是革命的事变。要之,革命是阶级间权力关系的根本变动。革命是对于现存根本的社会矛盾和现存根本的阶级对立,实现暴力的解决。革命是阶级关系下面的历史之辩证法的和前进的主因。其次说到进化。进化是指各阶级的一定权力关系内部的社会的发展而言。革命和进化在阶级社会中的关系是:革命是已成的进化的合计,进化是革命的准备;在另一方面,一切成就了的革命,一切阶级的一定根本权力关系的变更,都是在新的进化中成就的。革命是阶级社会的关系下面从一种社会形态推移到他种社会形态的形式。在阶级社会的关系之下,从一种社会形态推移到他种社会形态,固然也有由革命实现的;但就一切的情形说,也有不由革命实现的,即是没

革命与进化

有阶级社会的基础时,这种推移,是不由革命实现的,这一点读者应当特别注意。这有两层意思:一,在阶级社会发生以前,有许多不经社会革命而次第演进的社会形态;二,在现代阶级社会扬弃以后,社会的发展,不会采取革命的形式。

第十四章　古代中国哲学（一）

这里所说的古代中国哲学，就是古典时代的中国哲学。本章所讨论的问题是：古代中国哲学对于现代世界观和辩证唯物论究有什么关系？我们能够从古代中国哲学采取辩证唯物论的建筑材料么？我们能够变更古代中国哲学的形式，加以改革，拿来和辩证唯物论调和么？或者我们有和它根本分离的必要么？为了这些目的，所以设定了下面的三项问题，来加以群细的研究。第一，古代中国哲学和宗教有什么关系？第二，古代中国哲学，根源于怎样的经济的和社会的关系？它的历史的作用又是怎样？它在今日还发生怎样历史的作用？第三，古代中国哲学在一般历史上的地位怎样？它代表了怎样哲学上的根本倾向？它实现了怎样不变的结果？

现在先讨论第一个问题，即是古代中国哲学和宗教的关系的问题。在这一点，古代中国哲学和古代希腊哲学，和古代印度哲学的一部分，都有些根本上的差异。在古代希腊中，在古代印度一部分中，所谓哲学都含有开始批评民族宗教和试用自然的唯物论解释世界的意义，尤其古代希腊是这样。即在印度，我们也会看出它的唯物论哲学流派的发展状况。若在古代中国，虽然有杨子可称为理论的实践的唯物论者，但那也只是例外的现象，究竟没有形成学派。所以除了杨子以外，中国古典哲学，并没有触犯着民族宗教和国家宗教。至于孔子，只不过把民族宗教和国家宗教当作统制政治生活和社会生活的手段看待罢了。他在这一方面所确定的事情，是崇拜祖先和自然的仪式，是传统的宗教习惯和仪节。老子的哲学的思索，是从《易经》中所含有的预言的传说，以及从《易经》所发展的哲学（这可说是世界知识的萌芽）开始的。不过这里我们应当注意的，我们研究中国民族宗教和国家宗教的最古观念时，切不可以牵强附会，把一些实际上没有的事情随意加进去。最奇怪的事情，许多基督教的传教师和研究中国学问的人,却偏要在古代中国宗教中,探求那对于唯一神的信仰,并且说已经发见了。他们以为这样的唯一神,即是天主,即是上帝。

这种牵强附会的来源,就是因为想要在中国宗教观念中,探求基督教的宗教观念,想要在中国民族宗教中,探求那和基督教的宗教观念的结合点。实际上,中国宗教观念中的上帝,并不是排除其他一切神的唯一神,像希腊人的Zeus,罗马人的Jupiter那样。(页边注:上帝不是古代中国的唯一神)古代中国宗教观念中的上帝,至多不过是最高神,却不是唯一神。在中国最古的时代,这种最高神,是当作人格的东西看的,这种痕迹,在《易经》上便可以看得到。《易经》出现的时代,即是希腊英雄传说的时代,即是和Ilias与Odyssee的

时代相当的时代。中国人最古的宗教观念,据我们所知,最原始的东西,是崇拜祖先,即崇拜精灵。崇拜祖先,即是信仰已死的祖先的灵魂(这种信仰,在各民族中,都显现为最原始的形态),到了后来,便和崇拜天、地、山、川等精灵的宗教观念结合起来了。崇拜这些精灵和从这发生的观念,都是和原始农业国家的需要相适合的。但是这种对于自然力的崇拜,在当时处在支配地位的诸侯和官吏,却没有实行,这是值得注意的。这种表示自然精灵的观念及其崇拜,乃是较高的发展阶段的产物。祖先崇拜(中国民族宗教中最古而且最根本的宗教)的出发点,对于中国哲学的发展,有重要的意义;并且因为中国哲学没有像古代希腊自然哲学和印度唯物论那样,对民族宗教和国家宗教采取批评的态度而和它对立,所以那种出发点更有重要的意义。我们还要注意的:所谓"一神教信仰支配了古代中国"的观念,其为矛盾,已是完全确实的事实,姑不置论;就是那所谓"一神教是一民族的宗教发达的顶点",所谓祖先灵魂和自然精灵的信仰是后来从一神教出发而发达的这种主张,也是一切历史的经验所否定的。代表这种主张的,最近欧洲便有所谓人类学派,主要人物是教父斯密特(W.Schmidt),并且他们都和罗马法王厅及旧教传道事业相结合。但在实际上,这不过是在旧日的传教布道上面,加上科学的外套而已。

其次讨论古代中国哲学何以对民族宗教和国家宗教采取无批评态度,何以对于宗教没有斗争的原因。这些原因,第一是由于古代中国没有特别的僧侣阶级(即是没有僧侣的世袭阶级)。古代中国僧侣的职能,是和家长、族长、封建诸侯、封建君主相结合的。这些人,既执行政治的职能,又执行僧侣的职

务。古代中国僧侣的职能,是家族管理、血族管理以及国家权力的附属物。古代中国国家和国家权力,是由灌溉和开凿运河的指导管理等事构成的,这种事实,和上述情形,显然有关系。第二个原因是:在古代中国,在古典哲学时代的中国,像古代的希腊那样促进自然的世界解释的商品生产、商业和工业的发展,都是很微弱的。古典时代中国的经济,还是占优势的自然经济,并且农业是站在原始共产制的下层基础(其上层建筑是封建制度)上面。这个时代的祖先崇拜和自然崇拜,正适合于当时经济的社会的关系。这种祖先崇拜,确保了大家族和血族内部的社会关系,并且使它神圣化。自然精灵的崇拜,是一种精神的联络手段,用来统一那在血族组织上面树立的封建国家,用来结合封建国家和血族组织的。祖先崇拜和自然精灵的崇拜,完全适合于当时古代中国社会的经济的和阶级的构造,即是和当时的社会构造有着最密切的关系。

由上面所说看来,古代中国哲学对于民族宗教和国家宗教的本来的关系,已经充分明白了。这种关系不是斗争的关系,确是事实。其次,我们来讨论第二个问题,即是古代中国哲学及其各种倾向之社会的政治的作用的问题。这里我先说几点关于古代中国哲学极盛时代的一般特征。从时代说,大约相当于基督出生前 6 世纪、5 世纪和 4 世纪的时代,这也和古代印度古代希腊一样,是宗教上和政治上发生重大危机的时代。孔子的时代,相当于公元前 6 世纪,他生于公元前 551 年,死于公元前 478 年。老子出生时代,据今日所考究的,是公元前 604 年。在这个时代,最重要最值得注意的事情,便是这个时代恰恰相当于青铜器时代(即工具的制造材料以青铜为主的时代)和铁器时代(即工具的制造材料以铁为主的时代)的分界点。中国的青铜器时代,是从公元前 2000 年起到公元前 500 年止;铁器时代,是从公元前 500 年开始。最初铁是用以制造家具和妇女用具(如针等),后来渐渐使用来制造武器,这是因为后来才知道铁的坚牢可以作为砍伐的武器的。当时确是很动摇的时代,封建制度在这时发生危机,中央封建权力在这时崩坏,各封建国家为争取霸权常起激烈的斗争。这时比邻各国,一面互相作激烈的斗争,一面去掠夺近邻各野蛮种族的新领土。因为比邻各国对于邻近各民族的战争,这些国家的军事势力就发展起来了。所以经过了长期战争的秦国,后来能够建立中央集权的专制帝国,并不是偶然的事情。就封建阶级说,这种封建斗争时代,就是封建阶

古代中国哲学时代的阶级关系

级一切生活关系极不安定的时代。许多封建诸侯,都在战争中灭亡了,他们的命运,陷在不断的动摇之中。今天做领有权力的封建君主,明天便难免于放逐,甚或危及生命。这个时代,对于民众更是压制和剥削益形加重的时代。民众被课征高度的赋役,还负担军事的重荷。赋役之外,他们还负担现物租税和种种杂税。所以在公元前7世纪时,便发生了监税和铁税,这些现物租税,都是哲学家管子的创见,民众(尤其是农民)的苦痛,《诗经》上写得极动人。这个时代的封建诸侯,和荷马(Homer)时代的古代英雄一样,都是乘驾战车,从事争战的;这种战车,又每每有护卫的步兵一队;这些步兵,又都是农民。这种封建战争延长不绝的结果,自然没有人顾到中国政治中最重要的事件,如整理灌溉、运河、堤防、水道等事了。在古代中国,灌溉等事,就民众说来,是生活问题上最重要的事情。所以灌溉的忽略,便影响到民众的生活。其次再分析这个时代的阶级斗争,结果可以分为主要的两种:一,封建诸侯间的斗争,即争夺霸权的斗争;二,封建诸侯和农民的斗争,即以服役和贡物为目标的斗争。此外还有一个中间阶级,即古代中国的处士。处士在封建诸侯和农民大众两个主要阶级之间,发生过调解的作用。处士位于这两个主要阶级间的中间地位,便决定了他们的观念形态上的作用。

老子　　　　　　先说比较古的哲学家老子。老子哲学在社会上和政治上的中心,是"无为"。"无为",是任其自然不加干涉的意思,也就是国家尽可能地不干涉农民大众的关系和血族村落自治的意思。老子反对都市文化,反对在一定关系下非剥削民众不能成立的知识和学问;换句话说,便是赞成原始的生活。老子和孔子相反,他反对传统,所以老子的最大特征,即无抵抗主义。那主张万物任其自然的老子,恰恰出自楚国,这并不是偶然;因为楚国是当时南方的野蛮国

老子学说
托尔斯泰
学说的比
较

家,汉族和非汉族都混合为一。其次拿托尔斯泰(Tolstoi)学说来和老子的比较。托尔斯泰是近代人,他的学说却和老子有相通之处,所以从这种比较,或可使老子学说,更易明白。托尔斯泰也提倡无抵抗主义,反对国家和封建大地主。他是忏悔了的贵族。他自己是地主,却赞成农民阶级,反抗大地主。在他的思想中正如涅灵(Lenin)所说,是农民反抗封建制度和封建国家的反映。村落任其自治,国家不加干涉,这便是托尔斯泰的思想。但是托尔斯泰所说的反抗,乃是消极的反抗。他自己也否定暴力和斗争。这是因为当时的农民革命

还没有和都市的普罗列达里亚革命相结合,并且托尔斯泰自己也没有理解普罗列达里亚革命。但就今日的农民状态说,农民缺乏组织的结合,绝不能拿自己的力量去和中央集权的国权家力斗争。农民虽然拥有数百万的群众,他们中间却分裂为无数的小单位。农民家族和村落,都散布在各地,并没有什么结合。所以农民要革命,只有两条路:一,和其他有组织的,站在领导地位的阶级(如法国革命的资产阶级,如俄国革命的劳动阶级)相结合;二,凭借中央集权的君主制或独裁制(如法国拿破仑三世,如中国秦始皇),以实行其革命或反革命的目的。这两条路,农民阶级,必取其一。由这种比较,老子的历史的作用便明白了。老子使农民村落对封建国家封建地主的消极反抗,变为具体化。即是说国家不得干涉村落,任其自治,任其经营。老子这种思想,并不适合于革命的态度,而是适合于消极的反抗、无为、退婴以及和国家分离的态度。老子的见解,可说是无政府主义的。但用无政府主义比拟,还不充分。无政府主义,有它的种种源泉:一,如俄国的托尔斯泰和中国老子当时的情形,是农民到了一定发展阶段的状态;二,如以前的法德和现在的情形,是劳动者阶级的特别状态。所以只用无政府主义相比拟,还不能理解老子的学说。我们必须考察当时阶级关系的总体,尤其考察当时农民阶级的状态,然后才能理解老子的特别作用。

在未说到孔子以前,还得说明老子和孔子所共同的一个普遍理念;这个理念的来源,要回溯到较古的观念,这便是社会秩序和自然秩序相关联的理念。这种理念,包含在《书经洪范》一篇之中。譬如说:

社会秩序
与自然秩
序的关联:
"宇宙主义"

"曰休征;曰肃,时雨若;曰乂,时旸若;曰晰,时燠若;曰谋,时寒若;曰圣,时风若。曰咎征,曰狂,恒雨若;曰僭,恒旸若;曰豫,恒燠若;曰急,恒寒若;曰蒙,恒风若。"

欧洲研究中国学问的人,把这种理念叫作"宇宙主义",叫作自然秩序和社会秩序的普遍关联的理论。这种理念,或许是很奇异的,其实,只要观察这种理念所由发生的社会事情,便立刻明白。在以灌溉为全体经济中心的国家,在以灌溉为国家统治上最重要活动的国家,在民众的生活和收益都倚赖于灌溉的国家,这种理念的发生,完全是自然的事情。灌溉和人民生活的关系,是很密切的,是根本的。在耕作全赖灌溉的国家,因政府权力的崩坏和灌溉的荒落,其结果,从来人口稠密的地域便完全荒弃,变成荒地。例如西班牙,以前是支配者亚拉伯人开凿运河,后来的支配者基督教徒,却任其荒芜。最显明的实例,如介在幼发拉底和笛格里斯两河流间的米索不达米亚,在古代是最肥沃的产谷地之一,到今日却因灌溉破坏之故变为荒地了。像中国那样有大规模灌溉组织的国家,国家统制职能和农业发展间的关系,即社会秩序和自然秩序间的关系,在一切农民看来,都是自然明白的事情。在这样的国家,国家统治对于农民经济,是第一位的自然力,它决定农民所视为重要的其他自然力的作用,并决定农民经济的存在。

现在说到孔子。孔子和老子相反。他生于鲁国,出身于贵族。他在历史上的作用,和老子完全不同。他的目的,在实行广讯深远的改革,借以重新确立古代传来的封建秩序。他从这个基础出发,立下了一个封建制度的理想图案。他要把这个理想图案回到古代去。他和他的门徒所立下的回到古代皇帝的图案,结果只是历史的虚构,而不是现实的历史;他们在这种图案中,去描写模范的封建制度的见解。他们的政治的、社会的目的,就在于免除封建制度的邪道。据这种见解看来,官吏是封建诸侯和人民之间的调解者;但这种调解者,既受封建诸侯的委托,便应为封建诸侯的利益做事。人民(这是形成孔子学说的根本之点)不得自治,要受贤明的官吏来治,人民乃是天性没有成熟的人。所以他们努力要使人民和改革的封建秩序调和起来。孔子为确立这样封建秩序的基础,造出了礼仪的完全体系。他确定家长权的维持,确定夫对妻的支配权的维持,确定长对幼的支配权的维持,以为封建秩序的根本支柱。这便是孝道。于家长权之上,建立国家的支配权,在他这种主张,乃是当然的。在当时社会关系之下,父权的统制和确立,便是确立封建秩序的全部构造的意思。家长制的家族,是封建制度的细胞,是封建制度的下层建筑,这是孔子在长期间有深远的影响的主张。周朝之末,封建制度的上层建筑已被推倒,孔子的学说,一时也失掉了势力。但封建制度崩坏以后,家长制的家族,仍成为中国民众生活的坚固的基础,并且一切上层建筑,都建立在这个基础上面;所以孔子学说,因而复兴,直到今日,还确保着支配中国人的世界观的地位。

第十五章　古代中国哲学(二)

本章说到墨子。他较孔子、老子为晚出。他的一生,大约相当于公元前 _{墨子} 500 年至 420 年。他的哲学的原动力,也是时代的弊害、封建制度的崩坏以及民众所受压迫的重大。墨子于老子、孔子之外,代表中国哲学的第三主要倾向。上面说过,老子的主张是"无为",孔子的主张是"改革",墨子恰恰相反,他是革命家。他可说是空想的农业的社会主义者,或共产主义者。他主张复归于原始农业共产主义,"兼爱"便是完成这个目的的手段。他所以成为空想的社会主义者或共产主义者,是因为他不期望由下层革命去救济时弊,却期望由支配阶级的见解,由贤明的立法者,去救济时弊。墨子的这种理论,很博得当时民众的支持。所以同时的孟子曾经说:"杨朱墨翟之言盈天下。天下之言,不归杨则归墨。"根据这点说来,墨子实是革命家。这里所说的革命家,当然不是现代所说的革命家。墨子对于封建阶级,曾作猛烈的攻击。他反对奢侈,反对封建诸侯的豪奢,反对宫廷中娱乐的音乐。他主张节葬短丧。至于他的弟子的生活,更是禁欲生活,形成了宗教的团体。

中国哲学的第四个主要倾向,便是名家,也就是辩证家,或者是哲人。他 _{名家} 们力倡认识的主观性。他们受了墨子的刺激,从事思维过程的最初的探索。他们的历史的作用,是很明白的。从历史上说,可以说他们是助成封建制度的崩坏而为秦始皇开辟君主专制坦道的人们。尤其荀子是这样。这种关联很密切、很明白。因为概念若形成为主观的、因袭的东西,那么,确立正当的概念,便是专制君主的分内事。由秦始皇而起的封建制度的崩坏(公元前 246—前 210 年),在观念形态上,是由名家所准备所确认的。和这一点有关联而又和墨子同时的人,便是杨子。杨墨所以受民众欢迎的理由,上面已经说过了。杨 _{杨子} 子著作,没有留传到后世,现在可考的,只有在《孟子》中的一些话。孔子正统派,正努力驳斥杨子的学说。可是从《孟子》中,我们可以知道杨子是唯物论者,又是享乐主义者。他力倡个人主义和利己主义。由杨子的学说推测起来,我们可以看到在封建制度内部所起的商品生产、商业资本和货币资本的表现。

　　以下从第三个见地,来研究中国哲学。前面说过,第一个见地,是中国哲学和宗教的关系;第二个见地,是中国哲学和当时社会关系的关联;现在所要讨论的第三个见地,是中国哲学对于哲学上根本倾向的关系。(页边注:中国哲学和哲学上的根本倾向)首先说到孔子。孔子的特征是"正名",名就是概念。社会的关系和道德的态度,都应以固定不变的概念(即名)为准则。所以,孔子说:"名不正,则言不顺;言不顺,则事不成。"这即是说实在(尤其是社会的实在),要由概念决定,物质的生活要由观念决定。所以,我们可以说,孔子代表了哲学上观念论的主要倾向。这一点,更可由孔子对民族宗教和国家宗教不加批评、不加攻击的事实证明出来。

　　老子也属于哲学上的观念论的根本倾向。也可以说他是绝对的、客观的观念论者。他所主张的最高原理,便是"道"。在他看来,"道"是非感觉的精神的原理。"道"便是从本来的道路方向或指示方向的道路而来的。近来的物理学,用"方向量"一术语表示方向所指示的距离。"道"本来便是星座的道,星座的运行的意思,后来才转借到地上的事物来。"道"的意义,便是非感觉的精神的世界法则,即是世界秩序。中国人也和其他民族一样,是先从星座的运行得到法则性的概念。老子的思想,比较孔子的深邃,但是老子常用表示感觉事物的文字,去表明抽象的概念。由这种言语上的困难,使老子遇着障碍。所以老子哲学的艰深难解,不仅由于他的思想的深邃,并且由于他的表现方法的不充分。老子为得要用感觉的言语,表明道的非感觉性和精神性,每每苦心孤诣地用例证来说明。如《道德经》第十四章说:"视之不见,名曰夷;听之不闻,名曰希;搏之不得,名曰微……迎之不见其首,随之不见其后"。这都是很原始的表现法。这样的描写,当然只表现了"道"是从感觉所不得知的一个简单思想。他又每每以水比拟道,像水通透万物一样,道也透通世界,这便是世界原理。在他想来,水不如陆之为有形的、固定的东西,所以水便接近于抽象的、非感觉的东西。《道德经》第四十七章说:"不出户,见天下;不窥牖,见天道"。这便是无感觉的经验的认识有可能的意思,也就是康德所说先验的科学的意思。这是模范的观念论的立场。他又说:"道之为物,唯恍唯惚;惚兮恍兮,其中有象;恍兮惚兮,其中有物"。这即是说道中有象,并且就是物的根源。这种学说,和希腊哲学家柏拉图所说"理念即物质的事物之精神的原象"的理论,极相类似。

其次说明老子对于辩证法的预知(或发端)。辩证法的预知,在老子哲学中可以找到两个一般的观念。第一是事物永久不断地转变或变化的观念,即万物流转的观念;第二是由种种感觉上的转换所表现的对立的融合(即前述辩证法第一主要命题)。然而这种思想,并非始于老子,《易经》上却早已说过了。易便是变易,即变化。《易经》比孔子和老子还早出,约相当于公元前1143年。《易经》最初的作者为文王,本来是卜筮之书。即如何的星座,才于人类所企图的事业是吉兆,如何又不吉兆,要决定这一点,便在《易经》上去求准则。达到这目的的方法,便用"—""——"两个符号,代表阳和阴。这两个符号,便是对立的融合,概念的对极性的基础。这种对极的概念,即是阳阴、天地、男女、明暗、强弱等相互的对立。这些虽只是《易经》上的三数例,但从这种对立的作用,便可以说明天地间的变化。我们仔细考究了《易经》上的符号及其意义,便可以想到农民准备耕作时关于星座的吉兆等所怀抱的思想和臆测的出发点。《易经》上的主要概念,即是天、地、山、水等。在古代希腊人和古代罗马人之间,也有和这相类似的事情。例如希腊诗人希西阿(Hesiod)的诗,便和《易经》中卜定凶日吉日的方法相类似。希西阿的诗,称《操作与日》(Werke und Tage),其目的在为农民决定对于一定耕作日的有利或不利。古代罗马人,也有类似的方法。说到《易经》,或许是以前对于国君和政治家的神托书。哲学家管子(公元前7世纪),介在《易经》和老子的中间,他同时是一位大实践家,如他采用盐铁专卖政策,便是实例。这在上面已经说明了。

以上说明了在老子以前的对立融合的思想的来源。其次,从老子引用关于对立融合的数例。《道德经》说:"天下皆知美之为美,斯恶已;皆知善之为善,斯不善已。故有无相生,难易相成,长短相形,高下相倾,音声相和,前后相随"。老子这种观念,虽采取抽象的表现,而其实他所探讨的,便是"有"和"非有"的对立关系,是"有"和"非有"的相互转换。他所说的"天地万物生于有,有生于无",又说"万物复归于无",在这一点,便会使我们想到黑智儿的辩证法和黑智儿的"正"、"反"、"合"相类似的东西,即是老子所说"道生一,一生二,二生三,三生万物"。一的象征是"一"(阳),二的象征是(--)(阴),三的象征是"---"(两仪)。老子哲学中的万物的推进力是"无",在黑智儿便是"否定"。老子所说的"三十辐,共一毂,当其无,有车之用;埏埴以为器,当其无,有器之用;凿户牖以为室,当其无,有室之用",这便是用种种譬喻的表现,以说明这种思想的。

墨子之原
始的唯物
论

我们如果可以说孔子和老子是观念论者,那么,代表中国哲学第三主要倾向的墨子,就可以说是原始的未发展的唯物论者。墨子开拓了中国论理学的独立发展,更是他的一个大功绩。以下我引用他关于真理的准则所说的话,来说明他的唯物论的种类和本质。他在《明鬼》第三十一说:"天下之所以察知有与无之道者,必以众之耳目之实,知有与亡为仪者也。"这一点,他便和孔子不同。他并不以概念作真理的准则,而以感觉的经验(即见闻所得),作真理的准则。所谓感觉的经验,并不是各个人的经验,而是普遍的一般的感觉的经验,即是他所说的"众之耳目之实"。他又认为旧日知识上的证明和事物的实际上的作用,都是对于真理的准则。他的唯物论观念所以是原始的东西,可以从他几个结论中证明出来。他说他所以承认祖先的灵魂和自然的精神,是因为民众也承认它,但是他却不承认命运。反之,他又反对孔子的正名。这便是他的唯物论的见解的特征。他也承认决定人类行为的东西,不是观念,而是存在这观念背后的东西,这可说是站在史的唯物论上去反对正名了。他以为物质的原因,才是决定意志的原动力。然而我们,却不能称他是辩证唯物论者,他只是有过辩证唯物论的预知而已。和这种倾向相同的,还有告子。《孟子·公孙丑》章中所引用他的话,便是"不得于言,勿求于心;不得于心,勿求于气"。这便是说,气所没有指示的东西,不能成为认识的对象;不存在于认识范围内的东西,便不是言语所表现的对象。最后墨子还说过:"同异交得,知有无。"这便是说,只有"一致"和"不同"同时并用之时,才可以经验到何者为有,何者为无。这便是唯物论的见解。

名家

其次,说到中国哲学上的第四主要倾向,即是哲人,即是所说的名家。这一派可说是主观的观念论者。名家用巧妙的方法,指摘概念中的矛盾,这和希腊的哲人相类似。在他们指摘概念中的矛盾时,便触到概念辩证法的一切有兴味的现象。而取出那和希腊人尤其是和埃里亚学派（Eleaten）相类似的事物。前面说过，在希腊有所谓"静止的箭"的命题，即是说运动的箭，不论在哪一瞬间，都可以看作是静止的东西。中国也有和这相类似的命题，如《庄子·天下篇》说："一尺之棰，日取其半，万世不竭"。这即是有限和无限的矛盾。名家的最大功绩，在于暴露一切命题中所含有的矛盾，如说"白马非马"之类。"白马非马"，即是说白马是特殊的马。客语的马乃是普遍的马。在这个命题中，把特殊和普遍看作是同一的。这一派中的大多数，虽属于主观的观念论者，但其中也有三数唯物论者。《庄子·天下篇》所谓"火不热，山出口，轮不辗地，目不见"，便是主观的观念论的特征，即认定温度和视觉都不是客观的性质，而是主观的性质。

最后达到结论。辩证唯物论的现代世界观，可以和中国古代哲学结合么？和孔子、老子的学说相结合，在今日明明是开倒车。这无异乎拥护在国家内的家长权。我们又可以和老子的学说结合么？这也是不可的，因为在今日采取无政府主义的形式而出现的理论，于我们是无用的。纵令革新老子的理论，最多也不过成为国家和社会内的反动权力的消极服从，或成为个人的"隐遁"。今日中国正在进行中的革命，对于民众的要求，不是个人的行动，而是集团的行动；不是消极的态度或幻想，而是最高度的活动。并且在中国，也如以往在俄国一样，所谓无政府主义在实践上，到达某一点，便会转变为反革命。因此不拘老子和孔子，都不可与之结合，正因他们都是观念论者而与唯物论对立。同样，也不可和名家的主观的观念论结合。

墨子最接近辩证唯物论。墨子的理论，是原始的唯物论。纵令墨子采取革命的立场以反对当时的支配阶级，然而在今日，要使墨子的理论复活却是不可。今日要复归于原始共产主义的村落共同体，在社会上已是不可能，只有走到以资本主义技术成果为基础的社会主义，才是可能的。在单纯商品生产虽已开始而资本主义却毫无痕迹的这个时代，墨子的这种见解的不可能，也是自然明白的。辩证唯物论比墨子的原始唯物论，更进到高等的阶段，它是继承了两千年来自然科学和社会科学所发展的结果，并使它更加发展的。我们的眼睛只有向着前方，没有向着后方之理。

第十六章　实用主义

实用主义
之进步
的、民主
的、无偏
见的外观　　最后一章,叙述现在欧美布尔乔泛亚哲学主要思潮中最有力量的实用主义(Pragmatismus)。实用主义,在美国具有支配的势力,在英国也有很大的影响,即在欧洲其他各国,也有某种程度的影响。本书所以就现在布尔乔泛亚哲学各思潮中,特别选择实用主义来讨论的,是因为它在今日估有很大的势力,并且它的外观也是进步的、民主的、无偏见的。因此,没有训练的人,便难于认清实用主义在实际上是反动的观念论。

费尔巴哈
以后欧洲
布尔乔泛
亚哲学之
特征　　欧洲布尔乔泛亚哲学,自从古典哲学终结以后,即自从德国的费尔巴哈以后,哲学还有广泛的外表的存在。德国及其他各国哲学著作,可说是不可胜数。各大学都有一个或几个哲学教授。但是布尔乔泛亚哲学和历史的意义上所说的哲学一般,却已是随费尔巴哈终结了。以后虽有种种哲学,却都只是多少含有历史兴趣的概念的创作,由概念的帮助而产出的,而在科学的意义上,便久已没有进步了。所以费尔巴哈以后的种种布尔乔泛亚哲学的倾向或集团,都集中于以下所述的问题而活动。这问题就是:怎样才是最有效地从观念论上去拥护布尔乔泛亚社会和资本主义秩序,以反对社会革命? 即是怎样才能普遍地根本地确认或支持布尔乔泛亚社会和资本主义秩序? 即是怎样才能有效地防卫那对于现存秩序的观念上的最大敌人辩证唯物论? 就布尔乔泛亚说,除了防卫辩证唯物论以外,他们自身还必须加强那对于他们的秩序的信念。在事实上,这些便是今日布尔乔泛亚哲学上种种倾向的中心问题。布尔乔泛亚哲学讨论这些问题时,外观上都装着公平的科学态度,并且自称为公平的科学。但布尔乔泛亚哲学家,通常却并没有意识着这种哲学的真实目的。资本主义和它所必要的一切东西,是布尔乔泛亚哲学所研究的暗默而无意识的前提和目标。这便是布尔乔泛亚哲学的胚胎。这件事情,不仅于他们无益,而且使他们的立场,更陷于危险。固然,就个别方面说,布尔乔泛亚哲学中,也还不乏科学的性质的各种功绩。如同哲学史资料的搜集、论理学上个别问题的探讨,以及论理学之数学的完成,便属于这一类。但这也只是已经枯槁的树枝上的最后萌芽。今日布尔乔泛亚哲学的种种倾向,即是这种已经枯槁的树枝。所以我们不能以为布尔乔泛亚哲学还有广泛的外观的存在,便为它所迷。中世纪哲学(烦琐哲学),也有过这样广泛的存在,如学校、著作、教师等,都是很多的。这种烦琐哲学虽有若干积极的成绩,但从大体上看来,它只是没有成熟而受了拘束的东西,它是教会的奴婢,是从来固定了的教会理论的辩护者。烦琐哲学,受了教会及其理论所拘束,同样,今日布尔乔泛亚哲学,也一样为资本主义所拘束。他们的分别,不过是中世纪烦琐哲学的旗帜鲜明,而现代烦琐哲学(布尔乔泛亚哲学)却慎重地隐蔽而已。

其次说到大战以后哲学的普遍性质。这里所说的,当然只限于欧美。大战和继续大战而起的世界革命,引起了布尔乔泛亚社会深刻的动摇。因而对于布尔乔泛亚社会精神的支柱的一般要求,比较从来的哲学,更加强大。种种形式的形而上学,因此复活起来。这种倾向,虽发端于大战以前,但到大战以后,便很有势力地勃兴起来了。因此发生超感觉的空想世界的虚构,并且显然接近于宗教观念;此外最粗野的迷信,如降神术的归依,如对于死者灵魂的信仰等,都发生了。这种超感觉的概念和观念,往往也侵入自然科学的领域,那研究生活现象的自然科学,更明白地显出这种倾向。"维他命"主义(Vitalismus),即生活力的学说,便是一个例证。

从社会革命和国民革命的立场看来,各主要国家的布尔乔泛亚,都在哲学旗帜底下。热衷于最粗野的迷信、最荒唐无稽的宗教的空想以及最大的精神的迷妄,这在我们或许是一件可喜的事情。现代的布尔乔泛亚,却抱有像澳洲野蛮人那样的观念,于我们当然无害。我们的任务,只有努力使这种观念不影响工农群众,所以我们应援助劳动群众,从种种形式的布尔乔泛亚的和先布尔乔泛亚的世界观解放出来,或从精致形式的宗教的空想解放出来。于是又发生一个问题:即在同一问题上、在同一原动力上,现代布尔乔泛亚哲学这许多倾向,为什么能够发生出来呢? 我们的回答是:第一,全体的布尔乔泛亚社会,有种种历史的阶段;第二,各国阶级关系不同,如英、法、美各国的阶级关系,都

大战后哲学的普遍性质

各有其地方的特性;第三,我们要考究在一切国家一切时期的种种大小的布尔乔泛亚集团关系,都表现在种种的哲学见解之中;第四,各国观念形态的传统和研究哲学的个人的思索,即使没有决定的作用,却也有一定的作用。这种种倾向虽因时与地而大不相同,而今日欧美布尔乔泛亚所有反革命的和反动的阶级性,却在布尔乔泛亚哲学各种倾向中,成为共通的特征显现出来。它们对于唯物论(尤其对于辩证唯物论)的否定斗争——即观念论的根本性质,都多少或浓或淡地表现着。此外更普遍、更显著的特征,便是他们努力限制人类理性的作用和意义,扩大那放纵性、无法则性、无意识性的支配范围,即是扩大不合理的范围。有布尔乔泛亚的理性之光所照耀的道路,不外是引人陷入深渊的道路,所以他们闭着一双眼睛甚或两眼都闭着,不去探求那用理性观察现实界所表现的东西,却要嗜好那自己觉得更好的空想。

实用主义
的学派　　其次,说明实用主义的学派。这个学派发生于美国,后来普及于英国和意国。但在法德两国的影响却较少。这个学派,明明是美国布尔乔泛亚精神的反映。这个学派,含有民主的和似是而非的急进的外观,并且着眼于效果和影响,又带有商业的倾向。就字义上说,实用主义既是商业的哲学(Philosophie des Handelns),最初提倡的是美国哲学家皮耳士(Peirce)。皮耳士在1868年所著的小册子,即是实用主义的萌芽。美国有名的心理学家詹姆士(W. James),便是这个学派本来的建立者和主要代表者。詹姆士在哈佛大学担任哲学教授很久,后来他移居纽约。他的父亲,原是神学者,很有偏重于精神论的倾向,他是斯威敦堡教派(Swedenborgianer)的一人。詹姆士最初担任的科目,是自然科学。詹姆士的哲学,是神学和自然科学的见解和方法的混合产物,但神学比较自然科学要偏重些。实用主义发展最重要的原动力,是詹姆士从法国哲学家鲁诺维亚(Renouvier)得来的。至于英国,这个学派主要的代表,要算是多年在牛津大学担任教授的席勒尔(Schiller)。今日美国这学派最有力的代表是杜威(John Dewey),他以前住在芝加哥,后来迁居纽约。他在大战后1919年到过日本,不久又到过中国,他在这些地方,宣传了这个学派的理论,他可说是为亚美利加,为亚美利加主义做过高尚的布道旅行的人。

实用主义
是主观的
观念论　　现在讨论实用主义和哲学上根本倾向的关系。在外观上,实用主义,是哲学各倾向中最急进的东西。实用主义,每每自称为急进的经验论,而主张超越唯物论和观念论的。然而这也只是谬误的外观。只要仔细加以探讨,便可知道实用主义者所称的经验以及所认为最后的和本源的东西,也只是别的观念论者所说的最后的精神的东西;并且在实用主义者方面,也只是研究感觉、感情一类东西,即是研究最简单的、最原始的精神的作用,而别的观念论者却把更高的精神作用当做是本源的东西研究的。依实用主义者的主张,心理的东西和物理的东西,在感觉和感情中,形成了不可分离的统一,因而肉体的东西若不和精神的东西结合,便不会出现。所以他们否认离开人类感觉观念感情等而独立的外界的存在。这样,他们就成就了不可思议的技巧,他们说精神对于肉体的关系,并无问题,而只是外观上的问题。自然,若是否认了离开人类意识而独立的物质世界的存在,那种物质世界和人类思维的关系,也就不存在了。实用主义这种最简单而使人莫明其妙的解决,不过是消灭问题本身的奇术而已。所以从那根本见解说来,实用主义就是观念论。结果,实用主义对于其他倾向观念论的斗争,在现实上,也只是外观上的斗争。实用主义的真敌人,是唯物论,尤其是辩证唯物论,这是它自己公然承认的。实用主义的根本见解,最接近于所谓经验批判论(Empiriokritizismus)的见解,即接近于马哈(Ernst Mach)和亚文阿流斯(Avenarius)的见解。我们评定詹姆士是观念论者,并非不当,我们可以引用一个毫无疑义的证据。这个证据,即是《大英百科全书》上面,明明说詹姆士是从经验的立场,以拥护观念论的立场。又如实用主义的法国史家列鲁(E.Leroux),也把经验论的观念论,作为实用主义的特征。现在引用詹姆士的话,来说明这种哲学的观念论的性质。他说:"当我们说起某事物时,不是没有意指着什么事物,便是意指着现时存在或将来存在于我们观念或精神中的事物,或是意指着由某人而知觉的事物。"质言之,实用主义认定事物是观念,即是某种精神的东西。其次,再引用实用主义的一个主要概念来说。这个主要概念,即是"多元的宇宙"(Pluralistische Universum)。所谓多元的宇宙,即是说世界是由相互间没有关联的部分的世界成立的。这个概念,舍有无意义的矛盾,这是用不着多说。若主张世界是统一的,同时又是多元的,这当然没有矛盾。但若主张世界(即所谓宇宙)是没有统一的多元性,却明明是无意义的矛盾了。假使我们发问:一个哲学倾向,怎样会弄到这样明明没有意义的地步,那么,谜的解决,便极简单了。即是,那些相互间没有关联的部分所构成的世界模型，就是各派僧侣所倡导的绝对互相分离、互相区别的俗世泪谷和天国彼岸所构成的世界。多元的宇宙，不过是这种原始的、卑俗的僧侣们没有意义的较高的仪式（Etikette）而已。其次，实用主义还有一个特征，即是关于真理的概念。实用主义是没有关于真理的客观标准的。实用主义不承认人类头脑以外有什么现实性，所以它没有对于真理的试金石。依实用主义说，所谓真理，便是"行动的东西"，便是有用的东西，可是这样的标准，仍是主观的。为真理标准的言外的主体，不是一般人类，而是特殊的布尔乔泛亚和它的目的。为布尔乔泛亚利益所支配的布尔乔泛亚的悟性，便是真理的最高判断者。这在布尔乔泛亚当然是很便利的事情。

实用主义这一切策划的目的，是在于为旧时宗教的背理，作科学的救济和防卫。詹姆士自身关于"到信仰之意志"（Willen zum Glauben）和"宗教的经验"（Religiösen Erfahrung），曾写就了浩瀚的书籍，他企图说明：信仰的一切形式，只要给予人们以一定的力和效果——虽然是怎样的精神错乱——就会表现某种真理。在詹姆士说来，他自己受了陶镕的基督教，就是这样一种有效的真理。若在非洲黑人说来，这只是钉了钉子的木制的偶像罢了。这一切策划，也只是实用主义者把以前称为信仰和空想的东西，叫作经验而已。又如詹姆士所说："见得着的世界，是精神的宇宙的一部分，见得着的世界的意义，便因精神的宇宙而明白。"这句话，不过是直接想起幽灵的信仰的一个变换罢了。所以詹姆士所称为宗教的"真理"或"经验"的东西，即是美洲几百基督教和非基督教的宗派的信仰的混合物。这就是种种宗教和宗派的空想的产物，使布尔乔泛亚的常规信仰（Normalglauben）和平均信仰（Durchschnittsglauben）标准化的实验室。假使某一宗派相信月是绿色的奶饼，并且以为这种信仰能使这宗派发生力量时，那么，实用主义者，或许会把这些成分，混合在普遍的宗教的糜粥之中的。

席勒尔的例证

以上所述，是就实用主义者中的美国人说的。现在再介绍英国实用主义者席勒尔的例证。他有一部著作，叫作《斯芬克斯的谜》（Das Rätsel der Sphinx）。我们只要引用这著作中的话，加以说明便够了。他说："人类及其原因，——是第一原因的神，（A）但这只是现象世界的第一原因的神；……（C）人格的神，是有限的神，因为只有有限的神可以推论。"他又说："神不是和自然同一的,所以自然可以包含'和神相冲突'的要素。""和神相冲突的要素",普通称为妖精或恶魔。实用主义者果能于证明神的存在以外,还能证明妖精的存在么? 在同书第十二章第二节中,我们还可以看见实用主义对于天国的描写,这即是适合于英国商人的常识的描写。这一节说:"过程(即世界发展)的最终目的,是由调和的个人而成的社会的完成";又在第三节说:"若果这样,那发展的出发点,便是调和的最小限度。这即是预想着没有交互作用并且没有世界存在的世界发生以前的状态。这种状态,是对于时间和状态的先行者,在这限度以上的研究,是不可能的"。这种说法很明显,因为在没有时间、没有事物、没有事变时发生出来的事物(即世界发生以前的状态),正和中国寓言上所说的龙,是同样的性质。在英国很负盛名而信心又最深的牛津大学教授这个实用主义者(即指席勒尔),他对于世界的终结(即没落)所说的话,也和以上所说的有同样意义。他说:"世界的终结,是完成了的调和(或适应)的达成——即一切生活活动的完成和全盛"。他怎样观察这种终结状态呢? 他说:"这种状态,因其形而上学的性质,和时间过程的生成不同,这是完成了的'实在'没有转变的永久状态"。这是不可议的状态,是没有转变、没有变化、没有时间而万物都不可思议地完成了的状态。和这种状态比较——那基督教或回教(伊斯兰教)的乐园还快乐些,因为在乐园中,多少还发生一些事件,即音乐跳舞及其他事变。实用主义的乐园,是充满了无限延长,无限烦闷的英国的礼拜日。这乐园的无上幸福,如大众所知,便是绝对的烦闷。"这(指世界的终结状态)是一切困难、罪恶、时间以及意见和感情等差异的解决。"这即是说一切人类,在这种完成了的状态中,大家所思维的,明明都是同一的。可是他们在这个世界中,究竟要乐些什么呢? 席勒尔在 1908 年写给全英教会会议的祝福词说道:"若是证明了一切宗教都是有效果的东西,那么,宗教一切,都是真理。"这便是席勒尔把实用主义推荐于英国僧侣们,说实用主义是保护宗教的最优良的手段,比较观念论的哲学还要好。即是说实用主义是保护宗教的美国最新特许的手段。

以上所述,对于实用主义的礼拜日说教者的批判,就此完结。至于美国的杜威比较别的实用主义者,却更狡猾,但他和别的实用主义者之间,并没有本质上的差异,所以用不着赘述了。

最后介绍几本关于辩证唯物论的著作。入门的书，最好是恩格斯的《费尔巴哈论》（*Feuerbach*）。（页边注：参考书）这本小册子中，包含了辩证唯物论及其发展，并且把辩证唯物论对于布尔乔泛亚哲学的关系，叙述得很简明。其次，便是恩格斯的《反杜林论》（*Anti-Dühring*）。这部书，在今日是辩证唯物论和它在种种方面应用的最总括最重要的著作。在马克思，却没有此项专书，但他一切著作，都运用了辩证唯物论的方法。再其次，便是蒲列哈诺夫（Plecha-now）的哲学著作。此外还有列宁的《唯物论和经验批判论》（*Materialismus und Empiriokritizismus*），布哈林的《史的唯物论》。最后，意大利拉卜里阿拉（A.Labriola）的著作，和墨林（F.Mehring）的著作，读者也当注意。

辩证唯物论，不是从书本上学习的，而是要转移到实践的行动。这样才完全适合于辩证唯物论的本质。辩证唯物论，是由革命的行动发生的，它便是革命行动的一般指导。最后我引用一句有名的话，做个结论：

Die Aufgabe der Philosophie ist nicht, die Welt anders zu erklären, sondern sie zu verändern.（哲学的使命，不是各色各样地解释世界，而是变革世界。）

责任编辑:郭彦辰

图书在版编目(CIP)数据

李达全集.第五卷/汪信砚 主编. —北京:人民出版社,2016.12
ISBN 978－7－01－016932－3

Ⅰ.①李… Ⅱ.①汪… Ⅲ.①李达(1890—1966)-全集 Ⅳ.①C52

中国版本图书馆 CIP 数据核字(2016)第 269088 号

李达全集

LIDA QUANJI

第五卷

汪信砚　主编

人民出版社 出版发行

(100706　北京市东城区隆福寺街 99 号)

北京新华印刷有限公司印刷　新华书店经销

2016 年 12 月第 1 版　2016 年 12 月北京第 1 次印刷
开本:710 毫米×1000 毫米 1/16　印张:31
字数:500 千字

ISBN 978－7－01－016932－3　定价:159.00 元

邮购地址 100706　北京市东城区隆福寺街 99 号
人民东方图书销售中心　电话 (010)65250042　65289539